中学校・高等学校教員養成課程用

改訂版 最新

中等科音楽教育法

2017/18年告示「中学校・高等学校学習指導要領」準拠

中等科音楽教育研究会 編

音楽之友社

中学校・高等学校教員養成課程用

改訂版 最新 中等科音楽教育法

2017/18年告示「中学校・高等学校学習指導要領」準拠

目次

第4章 創作の学習と指導

第5章 鑑賞の学習と指導

第6章 〔共通事項〕の活用

第3部 今日的課題

第4部 教材編

第5部 資料編

まえがき

本書は，大学における中学校・高等学校の音楽教員養成課程用のテキストとして，2011年に出版した『最新　中等科音楽教育法〔改訂版〕』の内容を大幅に改訂し，2017/18年3月告示の第9次中学校・高等学校学習指導要領に準拠させるとともに，内容の一層の充実と使いやすさを追究して編集したものです。

編集に当たっては，採用大学からの意見や要望を多数承りながら，中央教育審議会の答申（2016年12月）や文部科学省の刊行物，最近の音楽教育研究の知見などを踏まえ，新しい時代に生きて働く中等科音楽教育の理論と実践の集大成を目指しました。本書の主な特徴は以下のとおりです。

1. 全体を〈概説編〉〈実践編〉〈今日的課題〉〈教材編〉〈資料編〉の5部構成とし，中等科音楽教育の知識や技能を総合的に学ぶことができるよう，構成を工夫しています。
2. 第1部〈概説編〉では，これからの中等科音楽の理論的側面，すなわち音楽科教育の意義やこれからの中等科音楽が目指す方向，音楽科の目標，内容，学習指導計画，評価に関する個別的知識と全体構造が体系的に理解できるようにしています。
3. 第2部〈実践編〉では，青年前期の発達特性を踏まえ，表現（歌唱，器楽，創作）及び鑑賞における具体的な指導法と教材研究，そして「主体的・対話的で深い学び」の実現に向けた授業改善について学べるようにしています。
4. 第3部〈今日的課題〉では，2017/18年告示の第9次学習指導要領が求める教育課題に焦点を当て，カリキュラム・マネジメントや資質・能力の着実な育成に向けた，音楽科からの様々なアプローチについて解説しています。
5. 第4部〈教材編〉では，歌唱共通教材の背景，指導のねらいやポイントについて説明するとともに，歌唱と器楽を中心に，音楽の本質に迫ることのできる教材を選択して掲載しました。
6. 第5部〈資料編〉では，音楽科教育の海外動向や歴史を踏まえて，これからの授業実践に必要となる音楽と音楽科の知識，そして教育の基礎的理解に関する資料をまとめました。

なお，この改訂版では，文部科学省通知「小学校，中学校，高等学校及び特別支援学校等における児童生徒の学習評価及び指導要録の改善等について」（平成31年3月）及び国立教育政策研究所『学習評価の在り方ハンドブック』（令和元年6月）に基づき，第1部第4章「評価」，第5部の「学習指導案例」における評価規準等を大きく書き改めています。

教員を目指す皆さんが，本書を活用しながら，音楽授業について主体的に考え，ともに学び合い，確かな力量を身に付けてくれることを期待しています。

2020年1月

中等科音楽教育研究会

第 1 部
概説編

序

音楽教育の意義：歴史と教育法規に学ぶ

音楽はなぜ学校に必要か　その人間的・教育的価値を考える

ここでは音楽教育の歴史と教育法規の二つの視点から音楽教育の人間的・教育的価値について考えてみよう。

▶ 歴史的観点から

(1) 西洋音楽史に学ぶ

ア．音楽教育は地域社会の音楽文化の伝統を継承するという重要な役割に貢献するとともに，すべての子ども・若者の音楽的・人間的成長に役立つものでなくてはならない（原始社会の音楽教育から）。

イ．音楽教育の目指すものは，閉鎖的な音楽技能や音楽知識の習得ではなく，言葉，音，動き，色などが融合した総合芸術表現であり，文化としての多様な音楽の理解である（ギリシャの「ムーシケー」から）。

ウ．音楽教育は特定の宗教と直接関わるものではなく，地域社会の多様な音楽文化からの要請に応えるものでなくてはならない（中世・ルネサンスの音楽教育から「グイードの手」）。

図　グイードの手

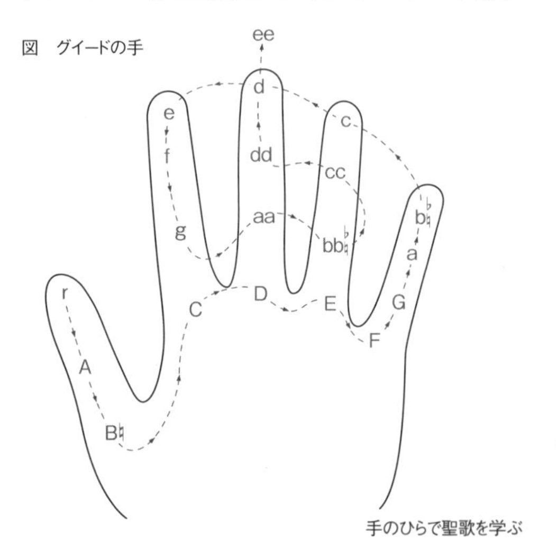

手のひらで聖歌を学ぶ

エ．音楽教育は，すべての子ども・若者が今日の社会における多様な音楽の存在に気付き，その音楽表現の仕組みや特質を理解し，その根底をなしている哲学や価値観を理解する中から，自らの価値観を形成することができるよう支援しなくてはならない（西洋近代の音楽教育の動向から）。

(2) 日本音楽史に学ぶ

ア．平安時代の礼楽思想とその行動様式は，そのまま今日の雅楽の演奏や教習に生きて働いており，日本の伝統音楽の特質に通じている。この貴重な伝統を今日の子どもたち・若者たちにしっかり伝えたい。

イ．鎌倉・室町・安土桃山時代の能楽の世界では，その伝承・教習の規範として世阿弥の『風姿花伝』が用いられた。そこで展開されている児童観や若者観，発達観などは，日本の伝統音楽全体にも通じる部分が多い。中等教育のある時期に「花伝書研究」をすべての生徒に課すべきであろう（右ページ資料参照）。

ウ．江戸時代の文楽や歌舞伎は，そこで繰り広げられる浄瑠璃や義太夫のストーリーがきわめて人間味あふれる内容であり，あらかじめ物語の詳細を学習することによって，上演についての理解は飛躍的に高まり深まるものと思われる。これも中等教育段階のある時期に「個人研究」としてすべての生徒に「江戸舞台芸術〈物語〉研究」を課すのがよいだろう。

エ．日本伝統音楽の理解や享受は，映像教材の反復鑑賞抜きにしては決して成立しない。そうした教材資料の組織的・体系的収集は今日なお困難を極めるが，各地の資料館や図書館，大学図書館，地域の愛好家，地域の音楽教育組織などと連携して，収集の努力を重ねなくてはならない。

▶ 教育法規に学ぶ

ここでは，きわめて現実的な視野に立ち返って，教育諸法規の中で音楽・美術・文芸などの諸芸術にどのような価値が認められているかという観点から，主要な教育法規を読み取り，それらが音楽とその教育をどのように支えているかについて考えてみることにしよう。

(1) 日本国憲法

第2次世界大戦後，日本政府は独自の憲法改正草案を作成したが，それは明治憲法を部分的に修正したものにすぎなかった。そこで占領軍総司令部は独自の憲法草案（マッカーサー草案）を作成して日本側に提案した。日本政府はやむなくそれを受け入れ，昭和21年3月，同草案の翻訳に基づく日本国憲法改正案を国民に提示した。

この憲法草案はマッカーサー草案の翻訳であるにもかかわらず，国民主権，基本的人権尊重主義，平和主義の三つの基本原理に立ち，天皇を国民の象徴として認める（第1条）とともに，戦争の放棄を高らかに謳い上げた（第9条）ところに大きな特徴が認められる。教育に関しては，明治憲法では教育は臣民の義務とされ，教育の定めは天皇の勅令にゆだねられていた。これに対して日本国憲法は教育を人権として保障し，教育に関する事項をすべて法律事項と定めた。第26条（教育を受ける権利，教育を受けさせる義務，義務教育の無償）では，それらの権利と義務を明確にした。そしてこれを実現するために，「教育基本法」「学校教育法」「学校教育法施行規則」（以上昭和22年制定）そのほか，一連の教育法規が定められたのである。

(2) 教育基本法

戦後の我が国の教育の基本を確立するために，昭和22年3月，それまでの「教育勅語」に代わる新しい教育理念を宣言した「教育基本法」が公布・実施され，戦前の軍国主義教育，国家主義教育の反省に立って，新憲法に基づく個人主義，民主主義，自由主義の教育理念が明らかにされた。しかし，制定から半世紀以上が経過した中で，教育環境は大きく変化し，子どものモラル，学ぶ意欲の低下，家庭・地域の教育力の低化，若者の雇用問題の深刻化などから教育の根本にさかのぼった改革が求められるようになり，平成18年，新「教育基本法」が制定された。その前文では，以下のように新たな日本の教育の根本理念が高らかに謳われている。

> 我々日本国民は，たゆまぬ努力によって築いてきた民主的で文化的な国家を更に発展させるとともに，世界の平和と人類の福祉の向上に貢献することを願うものである。我々はこの理想を実現するため，個人の尊厳を重んじ，真理と正義を希求し，公共の精神を尊び，豊かな人間性と創造性を備えた人間の育成を期するとともに，伝統を継承し，新しい文化の創造を目指す教育を推進する。

この前文には，旧法にはなかった「豊かな人間性と創造性を備えた人間の育成」及び「伝統を継承し，新しい文化の創造を目指す教育」という教育の理想像が描かれており，われわれ芸術教育の，そして，音楽教育の根本理念が明記されたのである。

(3) 学校教育法

平成18年の新「教育基本法」の成立によって新「学校教育法」もその法的な枠組みを大きく変えることになった。基本的な構成は，第1章「総則」において各校種に共通する原則を定めたのち，第2章「義務教育」では義務教育9年間の就学義務，就学援助などを定めた上で，10項目からなる小・中学校共通の「教育目標」が掲げられた。すなわち，第21条に中学校の教育目標として「九　生活を明るく豊かにする音楽，美術，文芸その他の芸術について基礎的な理解と技能を養うこと」が初めて掲げられたのだ。

> 世阿弥編（1408）『花伝書（風姿花伝）』[1]
> 第一　年来稽古条条（でうでう）七歳
> 一（ひと）つこの申楽（さるがく）の芸においては，大体，七歳（満六歳）をもって稽古のし始めとする。この年齢の子どもの能の稽古では，当人たちがひとりで何げなくやるしぐさの中に，だれしもうまくやる風つきがあるものだが，（それは舞やはたらきのうちでもよし，謡いまたは鬼の能のようにいかつくふるまうことなどでも，）何でもよいから，自然にうまくやり出す向き向きを，自由に子どもの思う通りにさせるがよい。（以下略）

（山本文茂）

(1) 世阿弥編（1972）『花伝書（風姿花伝）』川瀬一馬現代語訳，講談社，pp.108-109

【参考文献】山本文茂（2018）『音楽はなぜ学校に必要か』音楽之友社

これからの中等科音楽

▶ 改訂の特徴――育成を目指す資質・能力の明確化

中学校学習指導要領（平成29年告示）は，令和3年度から全面実施，高等学校学習指導要領（平成30年告示）は，令和4年度から年次進行で実施となる（別表参照）。

今回の改訂では，「生きる力」を生徒に育むために，「何のために学ぶのか」という教科等を学ぶ意義を共有しながら，授業の創意工夫や教材の改善を引き出していくことができるようにするため，すべての教科等の目標や内容が「知識及び技能」，「思考力，判断力，表現力等」，「学びに向かう力，人間性等」の三つの柱で整理された。すなわち，育成を目指す資質・能力の明確化である。

授業の本質は学力の形成である。三つの柱による目標と内容の整理は，平成19年の学校教育法の一部改正で位置付けられた学力の三要素（「基礎的な知識及び技能」，「思考力，判断力，表現力等」，「主体的に学習に取り組む態度」）に関連するものである。新学習指導要領の趣旨を理解しそれを踏まえた授業実践を充実していくためには，まず，音楽科，芸術科音楽の目標と内容が，三つの柱で整理されたことを踏まえる必要がある。

▶ 中学校音楽科，芸術科音楽改訂の主な要点

（1）目標の改善

教科の目標の冒頭の文において，中学校音楽科で育成を目指す資質・能力が「生活や社会の中の音や音楽，音楽文化と豊かに関わる資質・能力」と規定された。高等学校芸術科においても，育成を目指す資質・能力が「生活や社会の中の芸術や芸術文化と豊かに関わる資質・能力」と規定されるとともに，高校の芸術科音楽の各科目で育成を目指す資質・能力が「生活や社会の中の／多様な（音楽Ⅲ）音や音楽，音楽文化と幅広く（音楽Ⅰ）／深く（音楽Ⅱ・Ⅲ）関わる資質・能力」と規定された。その上で，冒頭に示した資質・能力は，(1)「知識及び技能」，(2)「思考力，判断力，表現力等」，(3)「学びに向かう力，人間性等」の三つの柱に沿って示された。学年や科目の目標も同様である。あわせて，このような資質・能力の育成に当たっては，生徒が「音楽的な見方・考え方」（後述）を働かせて学習活動に取り組めるようにする必要があることが示された。

（2）内容構成の改善

「A表現」（歌唱，器楽，創作）の内容は，ア「思考力，判断力，表現力等」，イ「知識」，ウ「技能」に対応する資質・能力として，「B鑑賞」の内容は，ア「思考力，判断力，表現力等」，イ「知識」に対応する資質・能力として示された。また，芸術科音楽では〔共通事項〕を新設。〔共通事項〕の内容は，表現及び鑑賞の学習において共通に必要となる資質・能力とされ，ア「思考力，判断力，表現力等」，イ「知識」に対応する資質・能力として位置付けられた。これらのことによって，指導すべき内容が一層明確になるようにした。

（3）学習内容の改善・充実

①「知識」及び「技能」に関する指導内容の明確化

「知識」に関する指導内容は，「曲想と音楽の構造や背景との関わり」を理解することなどの具体的な内容が，歌唱，器楽，創作，鑑賞の事項イに示された。「A表現」の「技能」に関する指導内容は，創意工夫を生かした表現をするために必要な技能を身に付けることの具体的な内容が，歌唱，器楽，創作の事項ウに示された。そのことによって，音楽科，芸術科音楽における技能は，「思考力，

別表　新学習指導要領改訂に関するスケジュール

	26年度(2014)	27年度(2015)	28年度(2016)	29年度(2017)	30年度(2018)	31年/元年度(2019)	2年度(2020)	3年度(2021)	4年度(2022)
中学校	中教審諮問 11/20　中教審における検討→	論点整理 8/26	審議まとめ 8/26　答申 12/21　改訂 3/31	周知	移行期間	移行期間　教科書検定	移行期間　採択・供給	3年度～全面実施　使用開始	3年度～全面実施→
高等学校	中教審諮問 11/20	論点整理 8/26	審議まとめ 8/26　答申 12/21	改訂 3/30	周知	移行期間	移行期間　教科書検定	移行期間　採択・供給	4年度～年次進行で実施　使用開始

※　幼稚園教育要領，保育者保育指針は，平成30年度より全面実施となる。
※　小学校は，改訂を中学校と同時に行い，1年早く全面実施される。

判断力，表現力等」の育成と関わらせて習得できるようにすべき内容であることが明確になった。

②鑑賞の指導内容の充実

「B鑑賞」に，「生活や社会における音楽の意味や役割」(中)，「自分や社会にとっての音楽の意味や価値」(高)，「音楽表現の共通性や固有性」(中・高)について考えることが事項アに示され，生活や社会の中の音や音楽，音楽文化についての関心や理解を深めていくことができるようにした。

③言語活動の充実

「音や音楽及び言葉によるコミュニケーションを図り，音楽科の特質に応じた言語活動を適切に位置付けられるよう指導を工夫すること」が，表現及び鑑賞の指導に当たっての配慮事項として示された。

④教材選択の改善，指導の充実

中学校での歌唱及び器楽の教材を選択する際の配慮事項として「生活や社会において音楽が果たしている役割が感じ取れたりできるもの」が新たに示された。また，中学校での歌唱や器楽の指導において，我が国の伝統的な歌唱や和楽器を扱う際の配慮事項として，「生徒が我が国や郷土の伝統音楽のよさを味わい，愛着をもつことができるよう工夫すること」が新たに示された。

⑤「音楽Ⅲ」の内容の充実

芸術科音楽では，すべての科目で「知識」，「技能」，「思考力，判断力，表現力等」の資質・能力がバランスよく育成されるよう，「音楽Ⅲ」においても「A表現」と「B鑑賞」の両領域の内容を必ず扱うこととした。

▶これからの中等科音楽の充実に向けて

改訂の要点を踏まえた音楽の授業実践を充実していくためには，次の点が重要である。

(1) 「主体的・対話的で深い学び」

学習指導のキーワードである。「知識及び技能」，「思考力，判断力，表現力等」，「学びに向かう力，人間性等」が偏りなく育成されるよう，題材構成において学習内容や学習活動のまとまりを見通しながら，生徒や学校の実態，指導の内容に応じ，「主体的な学び」，「対話的な学び」，「深い学び」の視点から授業改善を図ることが重要である。その際，音楽的な見方・考え方を働かせ，他者と協働しながら，音楽表現を生み出したり音楽を聴いてそのよさや美しさなどを見いだしたりするなど，思考，判断し，表現する一連の過程を大切にした学習の充実を図ることが必要である。特に「深い学び」の視点に関して，学びの深まりの鍵となるのが「音楽的な見方・考え方」である。「音楽的な見方・考え方」とは，「音楽に対する感性を働かせ，音や音楽を，音楽を形づくっている要素とその働きの視点で捉え，自己のイメージや感情，生活や社会，伝統や文化（中）／音楽の文化的・歴史的背景（高）などと関連付けること」と考えられる。音楽的な見方・考え方を学びの過程において働かせることを通して，音楽科で目指す資質・能力の育成に向け，より質の高い学びにつなげることが重要である。

(2) 資質・能力の関連を図り一体的に育成

ア「思考力，判断力，表現力等」，イ「知識」，ウ「技能」に関する資質・能力で整理された内容の指導に当たっては，題材の指導過程の見通しの中で，ア，イ，ウの各事項をすべて扱い，相互に関わらせながら，主体的・協働的に学習に取り組む態度や音楽文化に親しむ態度なども含めて，一体的に育てていくことが重要となる。

(3) 指導と評価の一体化

観点別評価は，目標や内容との整合を図り，全面実施の年から「知識・技能」，「思考・判断・表現」，「主体的に学習に取り組む態度」の3観点としている。指導計画の作成と実施に当たっては，指導と評価の整合性を高めるとともに，評価の結果によって後の指導を改善し，さらに指導の成果を再度評価するという授業改善に努めることが重要である。なお，移行期間においては，新視点とのつながりを意識しながらこれまでの4観点で評価することに留意する。

(4) 校種間の連携

今回の改訂では，小・中・高の目標や内容の示し方に一貫性をもたせるように配慮されている。初等教育を見据えつつ，中学校と高等学校との系統性・発展性を意識しながら，各校種の学習を充実していくことが重要である。　（津田正之）

第1章　目標

1　中学校音楽科の目標

▶ 中学校音楽科が目指すもの

平成29年3月告示「中学校学習指導要領」では，学校教育で育成する能力は「生きる力」であるとし，そして，この能力を具体化し教育課程全体を通して育成する資質・能力は（1）生きて働く「知識・技能」の習得,（2）未知の状況に対応できる「思考力，判断力，表現力等」の育成，（3）学びを人生や社会に生かそうとする「学びに向かう力，人間性等」の涵養, であるとしている。これらの資質・能力は, 中学校音楽科の目標では, 下記目標の（1）（2）（3）によって示されている。

> 表現及び鑑賞の幅広い活動を通して，音楽的な見方・考え方を働かせ，生活や社会の中の音や音楽，音楽文化と豊かに関わる資質・能力を次のとおり育成することを目指す。
> (1) 曲想と音楽の構造や背景などとの関わり及び音楽の多様性について理解するとともに，創意工夫を生かした音楽表現をするために必要な技能を身に付けるようにする。
> (2) 音楽表現を創意工夫することや，音楽のよさや美しさを味わって聴くことができるようにする。
> (3) 音楽活動の楽しさを体験することを通して，音楽を愛好する心情を育むとともに, 音楽に対する感性を豊かにし，音楽に親しんでいく態度を養い，豊かな情操を培う。

▶ 中学校音楽科の目標の構成と意味

音楽科の目標は「音楽的な見方・考え方を働かせ」,「生活や社会の中で音や音楽，音楽文化に豊かに関わる資質・能力」（1）（2）（3）を育成するという構成になっている。

「音楽的な見方・考え方」とは

「音楽的な見方・考え方」とは,「音楽に対する感性を働かせ，音や音楽を，音楽を形づくっている要素とその働きの視点で捉え，自己のイメージや感情，生活や社会，伝統や文化などと関連付けること」である。

音楽科で育成する能力

音楽科で育成する能力は，生徒がその後の人生において生活や社会の中の音や音楽，音楽文化に関わり，心豊かな生活を営むことにつながることを目指している。

（1）は,「知識及び技能」の習得に関する目標である。「曲想と音楽の構造や背景などとの関わり及び音楽の多様性について理解する」は，表現と鑑賞の知識習得に関する目標で，音楽の構造や背景を理解することなどである。「創意工夫を生かした音楽表現をするために必要な技能を身に付ける」は，表現の技能習得に関する目標で，思いや意図を音楽で表現する際に必要な技能を身に付けることである。

（2）は,「思考力，判断力，表現力」の育成に関する目標である。「音楽表現を創意工夫すること」は，表現領域に関わる目標で,「音楽のよさや美しさを味わって聴くこと」は，鑑賞領域に関する目標である。音楽表現を創意工夫したり，音楽のよさや美しさを味わって聴いたりすることにおいては，音楽を形づくっている要素や要素同士の関連を知覚し，それらが生み出す特質や雰囲気を感受しながら，知覚したことと感受したこととの関連を考えることが必要である。

（3）は,「学びに向かう力，人間性等」の涵養に関する目標である。「音楽活動の楽しさを体験すること」は，音楽を演奏したり聴いたりするときに楽しさをもつことである。「音楽を愛好する心情」は，生活に音楽を生かし，生涯にわたって音楽を愛好するという思いである。「音楽に対する感性」は，音や音楽のよさや美しさなどの質的な世界を価値あるものとして感じ取ることである。「音楽に親しんでいく態度」とは，音楽の学習が基盤となり生涯にわたって音楽に親しみ，そのことが人間的成長の一側面になるような態度のことである。「豊かな情操を培う」ことは,「学びに向かう力，人間性等」の涵養において重要である。情操とは，感情の一種で真・善・美・聖などの価値に伴う感情である。音楽の経験によって美的情操を培うことによって，美しいものを求める心の指向が備わる。（西園芳信）

▶ 各学年の目標

学年の目標は，従来どおり第1学年，第2・3学年の括りで示されている。教科の目標と同様に，(1)「知識及び技能」の習得，(2)「思考力，判断力，表現力等」の育成，(3)「学びに向かう力，人間性等」の涵養，の3項目を柱として明示されている。

ここでは，主として第1学年及び第2・3学年の目標における相違点について述べる。

(1)「知識及び技能」の習得に関する目標

> 第１学年
> 曲想と音楽の構造などとの関わり及び音楽の多様性について理解するとともに，創意工夫を生かした音楽表現をするために必要な歌唱，器楽，創作の技能を身に付けるようにする。
>
> 第２学年及び第３学年
> 曲想と音楽の構造や**背景**などとの関わり及び音楽の多様性について理解するとともに，創意工夫を生かした音楽表現をするために必要な歌唱，器楽，創作の技能を身に付けるようにする。

第1学年では「曲想と音楽の構造などとの関わり」とされているが，第2·3学年ではそこに「背景」が加わる。「背景」とは，風土·文化·歴史·伝統·曲や歌詞の成立背景などを意味している。それらを学習の対象に加えることによって，曲に対するさらなる理解や曲の捉え方の質的な深まりが期待されている。また，「技能」はそれ自体の習得を目標とするのではなく，創意工夫を生かした音楽表現を顕現化するために必要なものとして位置付けられている点をしっかりと認識しておきたい。

(2)「思考力，判断力，表現力等」の育成に関する目標

> 第１学年
> 音楽表現を創意工夫することや，音楽を**自分なりに**評価しながらよさや美しさを味わって聴くことができるようにする。
>
> 第２学年及び第３学年
> **曲にふさわしい**音楽表現を創意工夫することや，音楽を評価しながらよさや美しさを味わって聴くことができるようにする。

第1学年では「音楽を**自分なりに**評価」，第2・3学年では「音楽を評価」すると示されている。学習で得られた知識などを踏まえ，まずは生徒一人一人が感性を働かせながら音や音楽にじっくりと向き合うことが重要である。音楽を形づくっている要素を知覚・感受し，知覚と感受との関わりを理解した上で，思考・価値判断し曲を解釈・評価するのである。

加えて，第2・3学年の「音楽を評価」することにおいては，自己の評価にとどまらず他者との交流によって考え方や感じ方の違いに気付き（他者認知），さらに自己を見つめ直す（自己認知）ことが重要となる。自己の曲に対する質的な認識を客観性をもって深め，根拠に基づいて評価することが求められている。

第2・3学年において「曲にふさわしい音楽表現を創意工夫する」には，多くの人が共通に感じられるような曲固有のよさや特徴を捉えることが必要となる。そのためには，これまでに習得した知識や技能を生かしたり得たりしながら，他者と共有·共感しつつ表現の内容について試行錯誤し，追求していく過程が重要となる。

(3)「学びに向かう力，人間性等」の涵養に関する目標

> 第１学年
> 主体的・協働的に表現及び鑑賞の学習に取り組み，音楽活動の楽しさを体験することを通して，音楽文化に親しむとともに，音楽によって生活を明るく豊かなものにしていく態度を養う。
>
> 第２学年及び第３学年
> 主体的・協働的に表現及び鑑賞の学習に取り組み，音楽活動の楽しさを体験することを通して，音楽文化に親しむとともに，音楽によって生活を明るく豊かなものにし，**音楽に親しんでいく態度**を養う。

「音楽に親しんでいく態度」とは，従前に示されていた「生涯にわたって音楽に親しんでいく態度」と同様である。「音楽科の学習が基盤となって生涯にわたって音楽に親しみ，そのことが人間的成長の一側面となるような態度」とされている。卒業後も音や音楽に興味・関心をもち続け，主体的な学びが継続性をもって展開されていくことが期待されているのである。（中島卓郎）

2 | 高等学校芸術科音楽の目標

高等学校における音楽に関する教科・科目には，普通教科である「芸術科音楽」と専門学科である「音楽科」の2種類が存在するため，学習指導要領を読むときは，混同することのないよう注意したい。

芸術科の中には，音楽（Ⅰ～Ⅲ），美術（Ⅰ～Ⅲ），工芸（Ⅰ～Ⅲ），書道（Ⅰ～Ⅲ）の各科目がある。各科目のⅠについては，これらの中から1科目をすべての生徒に履修させるものとし，その他は，生徒の興味・関心などに応じて選択履修することができるよう配慮することとしている。

本項では，2018（平成30）年に告示された芸術科の目標と音楽Ⅰ～Ⅲの目標について解説する。

▶ 芸術科の目標

(1) 改訂の基本方針

高等学校学習指導要領解説（2018年7月，以下「解説」）には，芸術科の目標について，改訂の要点が次のように示されている（箇条書きは筆者）。

・芸術科で育成を目指す資質・能力を「生活や社会の中の芸術や芸術文化と豊かに関わる資質・能力」と規定したこと。

・目標を（1）「知識及び技能」，（2）「思考力，判断力，表現力等」，（3）「学びに向かう力，人間性等」の三つの柱で整理して，これらが実現できるように示したこと。

・各科目の資質・能力の育成に当たっては，生徒が見方・考え方を働かせて学習活動に取り組めるようにすることとしたこと。

いずれも，育成を目指す資質・能力の明確化と主体的・対話的で深い学びの実現に向けた芸術科の課題に対応するための改善点である。

(2) 構造と理念

芸術科の目標は，次のとおりである。

> 芸術の幅広い活動を通して，各科目における見方・考え方を働かせ，生活や社会の中の芸術や芸術文化と豊かに関わる資質・能力を次のとおり育成することを目指す。
>
> (1) 芸術に関する各科目の特質について理解するとともに，意図に基づいて表現するための技能を身に付けるようにする。
>
> (2) 創造的な表現を工夫したり，芸術のよさや美しさを深く味わったりすることができるようにする。
>
> (3) 生涯にわたり芸術を愛好する心情を育むとともに，感性を高め，心豊かな生活や社会を創造していく態度を養い，豊かな情操を培う。

この教科の目標は次のような構造になっている。

> 柱書
>
> (1)「知識及び技能」の習得
>
> (2)「思考力，判断力，表現力等」の育成
>
> (3)「学びに向かう力，人間性等」の涵養

柱書は，芸術科の各科目を学ぶ意義と芸術科で育成を目指す資質・能力を総括的に示している。「見方・考え方」は，各科目の特質に応じた物事を捉える視点や考え方のこととされる。

(1) の前半は知識，後半は表現の技能に関する目標を示している。ここで言う知識は，丸暗記するような個別の知識にとどまらず，自らの感じ方や考え方に基づき，実感を伴って理解したり，新たな学習経験によって再構築したりするものである。また，技能も，「意図に基づいて」とあるように，(2) と関連付けながら習得すべきものである。

(2) は，思考力，判断力，表現力等に関する目標のうち，前半が表現，後半が鑑賞の目標を示しており，その育成に当たっては，生徒の価値意識を拡大することが求められている。

(3) は，学びに向かう力，人間性等に関する目標，すなわち方向目標とでもいうべきものである。最後に示された「情操」は真善美と関わるが，芸術の各科目は，とりわけ美的情操と深く関係して，望ましい人間の完成を目指すことになる。

▶ 各科目の目標

音楽Ⅰ～Ⅲの各科目をどの学年で履修するかは，学校の実態や生徒の興味関心によって異なるため，注意が必要である。

なお，本ページ下部に，音楽Ⅰ～Ⅲの目標を示した。本書別冊付録p.8の本文も併せて参照されたい。

(1) 音楽Ⅰ

音楽Ⅰは，高等学校で音楽を履修する生徒のために設けられている最初の科目であり，音楽Ⅱ，音楽Ⅲでの学習の基礎を培うという性格をもっている。そのため，中学校音楽科との関連を図り，活動および教材の両面で幅広く全体的に扱うこととされている。中学校との一貫性は，教科の目標や第2・3学年の目標（→p.13）と比較すれば明らかである。

本科目の目標は，芸術科の目標と同じく，柱書，(1)，(2)，(3) の構造をもち，理念も同様である。

「音楽的な見方・考え方」については，解説に「感性を働かせ，音や音楽を，音楽を形づくっている要素とその働きの視点で捉え，自己のイメージや感情，音楽の文化的・歴史的背景などと関連付けること」であり，「音楽を学ぶ本質的な意義の中核をなす」と説明されている。

「自己のイメージをもって」「自ら味わって」など，生徒個々の感性や想像性を学習の出発点としながら，音楽を文化として広い視野から理解し，親しみをもつことが目指されている。

(2) 音楽Ⅱ

音楽Ⅱは，音楽Ⅰを履修した生徒が，その学習経験を基盤として履修する科目である。A表現については，歌唱，器楽，創作から一つ以上を選択して扱い，B鑑賞については，適切かつ十分な授業時数を配当することとされている。

趣旨は，音楽Ⅰの目標とほぼ同様であるが，「深く関わる」「理解を深める」など，全体として学習の質的な深まりを求めていることが分かる。

(3) 音楽Ⅲ

音楽Ⅲは，音楽ⅠとⅡを履修した生徒が，さらなる学習のために履修する科目である。学習の個別的な深化を図るため，これまでは，A表現の歌唱，器楽，創作，B鑑賞の領域・分野から一つ以上を選択することになっていたが，今回の改訂で，A表現とB鑑賞の両領域を扱うことと変更された。

(1) の「音楽文化の多様性」や「表現上の効果」，(2) の「音楽に関する知識や技能を総合的に働かせながら」，(3) の「(感性を) 磨き」など，学習の一層の深化と洗練を図りながら，生涯にわたって生活や社会の音楽や音楽文化と深く関わり，日本や諸外国の多様な音楽文化を尊重する態度を養うことが望まれている。（山下薫子）

◎芸術科音楽の目標（Ⅰ＝音楽Ⅰ，Ⅱ＝音楽Ⅱ，Ⅲ＝音楽Ⅲ。注記のない【 】は左からⅠ→Ⅱ→Ⅲを示す）

音楽の【幅広い活動→諸活動→諸活動】を通して，音楽的な見方・考え方を働かせ，生活や社会の中の【多様な（Ⅲ）】音や音楽，音楽文化と【幅広く→深く→深く】関わる資質・能力を次のとおり育成することを目指す。

(1) 曲想と音楽の構造や文化的・歴史的背景などとの関わり及び【音楽の多様性について理解する→音楽の多様性について理解を深める→音楽文化の多様性について理解する】とともに，【創意工夫→創意工夫→創意工夫や表現上の効果】を生かした音楽表現をするために必要な技能を身に付けるようにする。

(2)〔【自己のイメージをもって（Ⅰ）→個性豊かに（Ⅱ）】音楽表現を創意工夫することや，音楽を評価しながらよさや美しさを【自ら味わって聴く（Ⅰ）→深く味わって聴く（Ⅱ）】→音楽に関する知識や技能を総合的に働かせながら，個性豊かに音楽表現を創意工夫したり音楽を評価しながらよさや美しさを深く味わって聴いたりする（Ⅲ）〕ことができるようにする。

(3) 主体的・協働的に音楽の【幅広い活動→諸活動→諸活動】に取り組み，生涯にわたり音楽を愛好する心情を育むとともに，感性を【高め→高め→磨き】，音楽文化【に親しみ→に親しみ→を尊重し】，音楽によって生活や社会を明るく豊かなものにしていく態度を養う。

第2章 指導内容

1 中学校音楽科の各領域，〔共通事項〕，配慮事項

▶ 指導内容の構成

音楽科の指導内容は，「A表現」と「B鑑賞」の二つの領域及び〔共通事項〕で構成されている。「A表現」には，歌唱，器楽，創作の三つの分野がある。従前の学習指導要領は，「教師は何を教えるか」という観点を中心に構成されていたが，平成29年告示の学習指導要領は，「生徒は何ができるようになるか」という観点ですべてが構成されており，指導内容についても育成を目指す資質・能力別に整理されている。指導内容に示されている事項を領域，分野別に，資質・能力の観点で整理すると下表のようになる。

育成を目指す資質・能力		思考力，判断力，表現力等	知識	技能
A表現	(1) 歌唱	ア	イ (ア)，(イ)	ウ (ア)，(イ)
	(2) 器楽	ア	イ (ア)，(イ)	ウ (ア)，(イ)
	(3) 創作	ア	イ (ア)，(イ)	ウ
B鑑賞		ア (ア)，(イ)，(ウ)	イ (ア)，(イ)，(ウ)	
〔共通事項〕		ア	イ	

▶ A表現

A表現は，(1) 歌唱，(2) 器楽，(3) 創作の三つの分野があり，各分野とも，アは「思考力，判断力，表現力等」，イは「知識」，ウは「技能」に関する資質・能力をそれぞれに示している。各事項を単独で指導するのではなく，ア，イ，ウを関連させて題材を設定することになる。

第1学年の指導内容を次に示す。なお，第2学年及び第3学年の指導内容については（　）で文言を加えている。

(1) 歌唱

A表現
(1) 歌唱の活動を通して，次の事項を身に付けることができるよう指導する。
ア　歌唱表現に関わる知識や技能を得たり生かしたりしながら，（曲にふさわしい）歌唱表現を創意工夫すること。
イ　次の (ア) 及び (イ) について理解すること。
(ア) 曲想と音楽の構造や歌詞の内容（及び曲の背景）との関わり
(イ) 声の音色や響き及び言葉の特性と曲種に応じた発声との関わり
ウ　次の (ア) 及び (イ) の技能を身に付けること。
(ア) 創意工夫を生かした表現で歌うために必要な発声，言葉の発音，身体の使い方などの技能
(イ) 創意工夫を生かし，全体の響きや各声部の声などを聴きながら他者と合わせて歌う技能

アは，「思考力，判断力，表現力等」に関する事項である。冒頭の「歌唱表現に関わる知識や技能」とは，イやウに示すものを指している。「歌唱表現を創意工夫する」とは，表したい歌唱表現について考え，どのように歌唱表現するかについて思いや意図をもつことである。この過程において，歌唱表現に関わる既習の知識や技能を生かしたり，新しい知識や技能を習得したりすることにより，思いや意図はさらに深まったり，新しい思いや意図へとつながることもある。

イは，「知識」に関する事項である。(ア) 及び (イ) に示されている「○○と○○との関わり」をおさえて指導することが大切である。例えば，「曲想と音楽の構造との関わり」については，音楽の構造について，教師が一方向的に説明するというのではなく，〔共通事項〕を手がかりとして，その音楽固有の雰囲気や表情や味わい（曲想）が，どのような音楽の構造によって生み出されているのかを捉えることが，この事項で求められている理解である。

ウは，「技能」に関する事項である。(ア) 及び (イ) に示されている発声などの技能を高めるための指導を一方向的に行うというのではなく，創意工夫を生かすために必要となる歌唱に関わる技能について，生徒自身がその必要性を感じ，発声や言葉の発音，身体の使い方などの技能を身に付けていくことができるように指導することが大切である。

(2) 器楽

> (2) 器楽の活動を通して，次の事項を身に付けることができるよう指導する。
> ア　器楽表現に関わる知識や技能を得たり生かしたりしながら，（曲にふさわしい）器楽表現を創意工夫すること。
> イ　次の (ア) 及び (イ) について理解すること。
> (ア) 曲想と音楽の構造（や曲の背景）との関わり
> (イ) 楽器の音色や響きと奏法との関わり
> ウ　次の (ア) 及び (イ) の技能を身に付けること。
> (ア) 創意工夫を生かした表現で演奏するために必要な奏法，身体の使い方などの技能
> (イ) 創意工夫を生かし，全体の響きや各声部の音などを聴きながら他者と合わせて演奏する技能

アは，「思考力，判断力，表現力等」に関する事項である。冒頭の「器楽表現に関わる知識や技能」とは，イやウに示すものを指している。「器楽表現を創意工夫する」とは，表したい器楽表現について考え，どのように器楽表現するかについて思いや意図をもつことである。この過程において，器楽表現に関わる既習の知識や技能を生かしたり，新しい知識や技能を習得したりすることにより，思いや意図はさらに深まったり，新しい思いや意図へとつながることもある。

イは,「知識」に関する事項である。(ア) 及び (イ) に示されている「〇〇と〇〇との関わり」をおさえて指導することが大切である。例えば,「曲想と音楽の構造との関わり」については，音楽の構造について，教師が一方向的に説明するというのではなく，〔共通事項〕を手がかりとして，その音楽固有の雰囲気や表情や味わい（曲想）が，どのような音楽の構造によって生み出されているのかを捉えることが，この事項で求められている理解である。

ウは,「技能」に関する事項である。(ア) 及び (イ) に示されている奏法などの技能を高めるための指導を一方向的に行うというのではなく，創意工夫を生かすために必要となる器楽に関わる技能について，生徒自身がその必要性を感じ，奏法，身体の使い方などの技能を身に付けていくことができるように指導することが大切である。

(3) 創作

> (3) 創作の活動を通して，次の事項を身に付けることができるよう指導する。
> ア　創作表現に関わる知識や技能を得たり生かしたりしながら，（まとまりのある）創作表現を創意工夫すること。
> イ　次の (ア) 及び (イ) について，表したいイメージと関わらせて理解すること。
> (ア)（音階や言葉などの特徴及び）音のつながり方の特徴
> (イ) 音素材の特徴及び音の重なり方や反復，変化，対照などの構成上の特徴
> ウ　創意工夫を生かした表現で旋律や音楽をつくるために必要な，課題や条件に沿った音の選択や組合せなどの技能を身に付けること。

アは，「思考力，判断力，表現力等」に関する事項である。冒頭の「創作表現に関わる知識や技能」とは，イやウに示すものを指している。「創作表現を創意工夫する」とは，表したい創作表現について考え，どのように創作表現するかについて思いや意図をもつことである。この過程において，創作表現に関わる既習の知識や技能を生かしたり，新しい知識や技能を習得したりすることにより，思いや意図はさらに深まったり，新しい思いや意図へとつながることもある。

イは，「知識」に関する事項である。(ア) 及び (イ) に示されている音のつながり方や音素材，構成上の特徴などの理解を教師が一方向的に説明するというのではなく，〔共通事項〕を手がかりとして，自己の内面に生じた表したいイメージと，(ア) 及び (イ) との関わりを自分自身で捉えることが，この事項で求められている理解である。

ウは，「技能」に関する事項である。音の選択や組合せなどの技能を高めるための指導を一方向的に行うというのではなく，創意工夫を生かすために必要となる創作に関わる技能について，生徒自身がその必要性を感じ，音の選択や組合せの技能などを身に付けていくことができるように指導することが大切である。

▶ B鑑賞

B鑑賞は，アは「思考力，判断力，表現力等」，イは「知識」に関する資質・能力を示している。

各事項を単独で指導するのではなく，ア，イを関連させて題材を設定することになる。

第1学年の指導内容を次に示す。なお，第2学年及び第3学年の指導内容については，アの「自分なりに」は外されており，イ（ｳ）の「アジア地域の諸民族の音楽の特徴」が「諸外国の様々な音楽の特徴」となる。

> B鑑賞
> (1) 鑑賞の活動を通して，次の事項を身に付けることができるよう指導する。
> ア 鑑賞に関わる知識を得たり生かしたりしながら，次の（ｱ）から（ｳ）までについて［自分なりに］考え，音楽のよさや美しさを味わって聴くこと。
> （ｱ）曲や演奏に対する評価とその根拠
> （ｲ）生活や社会における音楽の意味や役割
> （ｳ）音楽表現の共通性や固有性
> イ 次の（ｱ）から（ｳ）までについて理解すること。
> （ｱ）曲想と音楽の構造との関わり
> （ｲ）音楽の特徴とその背景となる文化や歴史，他の芸術との関わり
> （ｳ）我が国や郷土の伝統音楽及びアジア地域の諸民族の音楽の特徴［諸外国の様々な音楽の特徴］と，その特徴から生まれる音楽の多様性

アは，「思考力，判断力，表現力等」に関する事項である。冒頭の「鑑賞に関わる知識」とは，イに示すものを指している。ア（ｱ）から（ｳ）までについて自分なりに考える過程において，鑑賞に関わる既習の知識を生かしたり，新しい知識を習得することにより，音楽のよさや美しさの味わいをさらに深めることへとつながる。

イは，「知識」に関する事項である。（ｱ），（ｲ）及び（ｳ）に示されている内容について，教師が一方向的に説明するのではなく，例えば，「曲想と音楽の構造との関わり」については，生徒が曲想を感じ取り，感じ取った根拠を，〔共通事項〕を手がかりとして，音楽の構造の視点から捉えていく過程が大切である。その音楽固有の雰囲気や表情や味わい（曲想）が，どのような音楽の構造によって生み出されているのかを捉えることが，この事項で求められている理解である。

▶〔共通事項〕

〔共通事項〕は，「A表現」及び「B鑑賞」の学習において共通に必要となる資質・能力である。

アは「思考力，判断力，表現力等」，イは「知識」に関する資質・能力を示している。

> 〔共通事項〕
> (1)「A表現」及び「B鑑賞」の指導を通して，次の事項を身に付けることができるよう指導する。
> ア 音楽を形づくっている要素や要素同士の関連を知覚し，それらの働きが生み出す特質や雰囲気を感受しながら，知覚したことと感受したこととの関わりについて考えること。
> イ 音楽を形づくっている要素及びそれらに関わる用語や記号などについて，音楽における働きと関わらせて理解すること。

アは，「思考力，判断力，表現力等」に関する事項である。ここで言う「知覚」とは，聴覚を中心とした感覚器官を通して音や音楽を判別し，意識することであり，「感受」とは，音や音楽の特質や雰囲気などを感じ，受け入れることである。なお，知覚と感受は，本来は一体的なものであるが，ここではイメージしやすいように図示する。

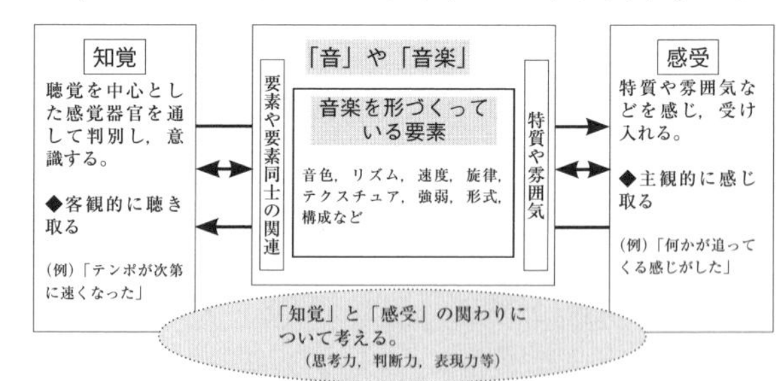

イは，「知識」に関する事項である。音楽を形づくっている要素（「指導計画の作成と内容の取扱い」の2（9））及びそれらに関わる用語や記号など（「指導計画の作成と内容の取扱い」の2（10））について，単に名称を覚えるというのではなく，音楽活動を通して，それらの働きを実感しながら理解することができるように配慮する。

▶ 指導計画の作成と内容の取扱い

各学校における指導計画を作成する際に配慮すべき事項である。ここでは，抜粋して紹介する。

(1) 指導計画の作成

> 1 指導計画の作成に当たっては，次の事項に配慮するものとする。
> (2) 第2の各学年の内容の「A表現」の（1），（2）及び（3）の指導については，ア，イ及びウの各事項を，

「B鑑賞」の（1）の指導については，ア及びイの各事項を適切に関連させて指導すること。
(3) 第2の各学年の内容の〔共通事項〕は，表現及び鑑賞の学習において共通に必要となる資質・能力であり，「A表現」及び「B鑑賞」の指導と併せて，十分な指導が行われるよう工夫すること。

（2）では，各事項は単独で扱うのではなく，適切に関連させた題材の構成となるように配慮することを，（3）では，〔共通事項〕は単独で指導するものではなく，「A表現（声楽，器楽，創作）」及び「B鑑賞」の各事項の指導と併せて指導するものであることを示している。

(2) 内容の取扱い

2 第2の内容の取扱いについては，次の事項に配慮するものとする。
(2) 各学年の「A表現」の（1）の歌唱の指導に当たっては，次のとおり取り扱うこと。
ア　歌唱教材は，次に示すものを取り扱うこと。
(ｱ) 我が国及び諸外国の様々な音楽のうち，指導のねらいに照らして適切で，生徒にとって親しみがもてたり意欲が高められたり，生活や社会において音楽が果たしている役割が感じ取れたりできるもの。
(ｲ) 民謡，長唄などの我が国の伝統的な歌唱のうち，生徒や学校，地域の実態を考慮して，伝統的な声や歌い方の特徴を感じ取れるもの。なお，これらを取り扱う際は，その表現活動を通して，生徒が我が国や郷土の伝統音楽のよさを味わい，愛着をもつことができるよう工夫すること。
(ｳ) 我が国で長く歌われ親しまれている歌曲のうち，我が国の自然や四季の美しさを感じ取れるもの又は我が国の文化や日本語のもつ美しさを味わえるもの。なお，各学年において，以下の共通教材の中から1曲以上を含めること。

「赤とんぼ」	三木露風 作詞	山田耕筰 作曲
「荒城の月」	土井晩翠 作詞	滝廉太郎 作曲
「早春賦」	吉丸一昌 作詞	中田　章 作曲
「夏の思い出」	江間章子 作詞	中田喜直 作曲
「花」	武島羽衣 作詞	滝廉太郎 作曲
「花の街」	江間章子 作詞	團伊玖磨 作曲
「浜辺の歌」	林　古溪 作詞	成田為三 作曲

(3) 各学年の「A表現」の(2)の器楽の指導に当たっては，次のとおり取り扱うこと。
ア　器楽教材は，次に示すものを取り扱うこと。
(ｱ) 我が国及び諸外国の様々な音楽のうち，指導のねらいに照らして適切で，生徒にとって親しみがもてたり意欲が高められたり，生活や社会において音楽が果たしている役割が感じ取れたりできるもの。
イ　生徒や学校，地域の実態などを考慮した上で，指導上の必要に応じて和楽器，弦楽器，管楽器，打楽器，鍵盤楽器，電子楽器及び世界の諸民族の楽器を適宜用いること。なお，3学年間を通じて1種類以上の和楽器を取り扱い，その表現活動を通して，生徒が我が国や郷土の伝統音楽のよさを味わい，愛着をもつことができるよう工夫すること。
(8) 各学年の「B鑑賞」の指導に当たっては，次のとおり取り扱うこと。
ア　鑑賞教材は，我が国や郷土の伝統音楽を含む我が国及び諸外国の様々な音楽のうち，指導のねらいに照らして適切なものを取り扱うこと。
(9) 各学年の〔共通事項〕に示す「音楽を形づくっている要素」については，指導のねらいに応じて，音色，リズム，速度，旋律，テクスチュア，強弱，形式，構成などから，適切に選択したり関連付けたりして指導すること。

（2）ア，（3）ア・イ，（8）アでは，歌唱教材，器楽教材及び楽器，鑑賞教材の取り扱いについて示している。（2）ア（ｳ）の楽曲（歌唱教材）は，共通教材と呼ばれているものである。我が国のよき音楽文化が世代を超えて受け継がれていくように，学年ごとに1曲以上を含めることとしている。（3）のイの和楽器については，3学年間を通じて1種類以上の和楽器を取り扱うように示され，愛着をもつことができるように指導することが大切である。

（9）では，〔共通事項〕の音楽を形づくっている各要素について，下表のように説明されている。
※「中学校学習指導要領（平成29年告示）解説 音楽編」より抜粋して紹介。（齊藤忠彦）

音色	声や楽器などから生まれる様々な音の質のこと。
リズム	音楽の時間的なまとまりをつくったり，区分したりするもの。
速度	基準となる拍が繰り返される速さのこと。
旋律	種々の音高と音価をもった音を音楽的な表現意図のもとに連ねてできた音の線的つながり。
テクスチュア	音楽における音や声部の多様な関わり合いのこと。
強弱	基本的には音量の大小のことであり，相対的に捉えられるもの。
形式	定型化された構成法のことであり，音楽としてのまとまりのある形が一般化されたもの。
構成	音楽の組み立て方のこと。

【引用文献】
「中学校学習指導要領 第2章 第5節 音楽」及び「中学校学習指導要領（平成29年告示）解説 音楽編」

2 ｜高等学校芸術科音楽の各領域,〔共通事項〕,配慮事項

▶ 内容構成の改善

平成30年改訂の高等学校学習指導要領では,内容の構成に関していくつかの改善が図られた。まず,従前は内容が「A表現」「B鑑賞」の二つの領域で構成されていたが,新学習指導要領では,この二つに〔共通事項〕が新設された。また,もう一つの大きな改善点としては,従前は,「知識及び技能」,「思考力,判断力,表現力等」に関わる内容が,「A表現」と「B鑑賞」に一体的に示されていたが,今回の改訂からは,「A表現」にそれぞれ「知識」,「技能」及び「思考力,判断力,表現力等」,「B鑑賞」には「知識」及び「思考力,判断力,表現力等」が分けて示されている。

▶ 各領域

「A表現」は歌唱,器楽,創作の三つの分野に分かれており,それぞれアの事項において「思考力,判断力,表現力等」,イの事項には「知識」,そして,ウの事項には「技能」の指導内容が示されている。鑑賞においては,アの事項において「思考力,判断力,表現力等」,イの事項には「知識」が示されているが,今回の改訂から,鑑賞においては,「技能」は示されていない。

本節においては,学習指導要領の解説に基づいて音楽Ⅰの各事項の内容を概説し,さらに,今回の改訂で示された重要な点を,解説に取り上げられている実践例に基づいて説明する。また,音楽Ⅰの内容が音楽ⅡとⅢでどのように発展させられているかも説明する。

(1)「A表現」における「思考力,判断力,表現力等」

表現領域における「思考力,判断力,表現力等」の内容は,歌唱,器楽,創作それぞれのアの事項において,「(歌唱/器楽/創作)表現に関わる知識や技能を得たり生かしたりしながら,自己のイメージをもって(歌唱/器楽/創作)表現を創意工夫すること。」と示されている。ここで示されている「創意工夫する」ことには二つの重要な点が含まれている。まず,表現を工夫していく過程は,知識を得たり生かしたりすることと並行して進めていかなくてはならない点である。つまり,創意工夫していく過程と,新たな知識や技能を習得していくことは,不可分の関係にある。したがって,まず新しい知識や技能を習得し,その後にこれらの知識や技能を用いて創意工夫をしていくといった一方向のみの指導になってはいけない。

創意工夫の過程でもう一つ大切な点は,表現の工夫を「自己のイメージ」をもって行うことを強調していることである。この自己のイメージをもつとは,曲に対するイメージを自分なりにもつことや,他者がもっているイメージに共感したりすることを指している。そして,こうした過程は,自分が表したいと思っている表現について考え,明確な表現意図をもつことに繋がっていく。さらに,この事項で「自己のイメージ」と特別に言っているのは,中学校での学習をさらに発展させて,表現意図を「自分の意思をもって」明確にしていくことを意図しているためである。

「思考力,判断力,表現力等」の音楽Ⅱにおける内容は,より個性的な表現を創意工夫できるように,音楽Ⅰの「自己のイメージをもって(歌唱/器楽/創作)表現を創意工夫する」という文言を「個性豊かに(歌唱/器楽/創作)表現を創意工夫する」としている。さらに,音楽Ⅲでは,様々な知識・技能の関連性をより深めて創意工夫をするために,「知識や技能を得たり生かしたりしながら」という文言を「知識や技能を総合的に働かせながら」としている。

(2)「A表現」における「知識」

まず,関連のある歌唱と器楽について説明する。歌唱と器楽における「知識」の内容では,イとしてそれぞれ(ア)から(ウ)の三つの事項を理解するように求めている。

> 歌唱
>
> (ア) 曲想と音楽の構造や歌詞,文化的・歴史的背景との関わり
> (イ) 言葉の特性と曲種に応じた発声との関わり
> (ウ) 様々な表現形態による歌唱表現の特徴

器楽
(ｱ) 曲想と音楽の構造や文化的・歴史的背景との関わり
(ｲ) 曲想と楽器の音色や奏法との関わり
(ｳ) 様々な表現形態による器楽表現の特徴

歌唱と器楽の表現形態の特徴から，文言に若干の違いがあるものの，どちらの分野も(ｱ)においては，曲想と関わるものとして音楽の構造や文化的・歴史的背景を挙げている。音楽の構造とは，音楽を形づくっている要素や，音楽の構成や展開のあり方など，幅広い音楽の構造を指している。

(ｲ)は，演奏方法に関わる事項であり，言葉の特性や曲種がどのように発声と関わるか，または楽器の音色や奏法がどのように曲想と関わるかを理解することを求めている。言葉の特性とは，抑揚，アクセント，リズム，音質，語感などを指している。(ｳ)においては，歌唱，器楽ともに，表現形態の違いによる表現の特徴を理解することを求めている。様々な表現形態とは，一人で歌唱したり演奏したりすることから，大人数で合唱や合奏をすることなどの編成の違いや，伴奏の有無を指す。

今回の改訂における「知識」の重要な点は，知識を，理解を含むものとして捉えている点である。そのため，解説においては，事項として示された内容を，様々な音楽活動を通して実感を伴って理解できるようにすることと説明している。

「知識」の事項の中で従前と異なる重要な点の一つは，歌唱の（ｱ）において，歌詞の取扱いが変更されている点である。従前は，歌詞に関しては，「歌詞の内容」と示し，情景や心情など，歌詞全体が表す内容を取り上げていた。しかし，今回は，単に「歌詞」となっている。これは，助詞などを含む，歌詞の言葉の細かい点にまで気を配りながら，曲想や音楽構造との関係を理解していくことを目標としているためである。

次に創作における「知識」について述べる。創作における「知識」は，イとして以下の事項が示されている。

イ 音素材，音を連ねたり重ねたりしたときの響き，音階や音型などの特徴及び構成上の特徴について，表したいイメージと関わらせて理解すること。

この中で，特に「表したいイメージと関わらせて理解すること」としているのは，創作の学習では，生徒が音を連ねたり重ねたりしたときの響きや，音階や音型などの特徴などを，自分の内面にイメージとして構築できていることが大切なためである。

音楽Ⅱにおける「知識」の内容では，歌唱と器楽の（ｱ）と（ｲ）において，曲想，音楽の構造，歌詞，文化的・歴史的背景などの相互の関わりや，言葉の特性，発声，楽器の音色や奏法などの相互の関わりを理解することをさらに発展させて，これらの関わりによって生み出される表現上の効果を理解することを求めている。また，音楽Ⅲにおいては，歌ったり演奏したりすることと生活や社会との関わりを理解することが，歌唱と器楽の事項として入っている。

(3)「A表現」における「技能」

まず，関連のある歌唱と器楽について述べる。歌唱と器楽の「技能」の内容では，創意工夫を生かした歌唱表現または器楽表現をするために必要な技能として三つの事項が示されている。

歌唱
(ｱ) 曲にふさわしい発声，言葉の発音，身体の使い方などの技能
(ｲ) 他者との調和を意識して歌う技能
(ｳ) 表現形態の特徴を生かして歌う技能
器楽
(ｱ) 曲にふさわしい奏法，身体の使い方などの技能
(ｲ) 他者との調和を意識して演奏する技能
(ｳ) 表現形態の特徴を生かして演奏する技能

(ｱ)においては，歌唱と器楽ともに声の出し方や奏法などの演奏方法及び身体の使い方の技能について述べている。ここでいう，身体の使い方とは，歌唱においては姿勢や呼吸の仕方，器楽においては姿勢や楽器を構え方，音をだすときの身体の動かし方などを指している。(ｲ)では，歌唱，器楽ともに他者との調和を意識できる技能を求めている。他者との調和とは，自分と同じ声部や他の声部を聴きながら，自分の音の高さやリズム，そして音量などを調整できることを指す。(ｳ)では，それぞれの表現形態のもつよさや持ち味を生かして歌ったり演奏したりできる技能の習得を目

指している。

技能の習得で重要な点は，明確な表現意図をもち，それを実現するために試行錯誤する過程で技能を身に付ける点である。例えば，解説においては，長いフレーズを歌うときの呼吸の学習を例に挙げているが，この活動では，長いフレーズを歌うための歌声の保ち方を習得することだけが目標となってはならない。まずは，歌詞に表されている内容から，長いフレーズを滑らかに歌いたいという表現意図を生徒がもつことが大切である。そして，こうした表現意図を実現するために，喉，肩，腹部などの身体の使い方を習得していくのである。このように，技能の習得は，創意工夫の過程に位置付けられなければならない。

次に創作について述べる。創作における「技能」は，創意工夫を生かした創作表現をするために必要な技能として，ウにおいて以下の三つの事項が示されている。

> (ア) 反復，変化，対照などの手法を活用して音楽をつくる技能
> (イ) 旋律をつくったり，つくった旋律に副次的な旋律や和音などを付けた音楽をつくったりする技能
> (ウ) 音楽を形づくっている要素の働きを変化させ，変奏や編曲をする技能

(ア) における，反復とは，動機，旋律，リズム・パターン，曲のある部分といった様々な単位の音楽のまとまりを繰り返すことを指すが，このような手法は，音を音楽に構成していくための重要な原理である。(イ) では，旋律をつくることや主旋律に副次的な旋律や和声をつける技能の習得を目指している。(ウ) における音楽を形づくっている要素とは，音色，リズム，速度，旋律，テクスチュア，強弱，形式，構成などを指す。

今回の改訂では，旋律をつくる活動において，従前から変更が加えられた。従前では，旋律をつくる過程において，「音階を選んで旋律をつくる」と示されており，旋律をつくる最初の段階で，まず特定の音階を選び，それに基づいて旋律をつくることとしていた。しかし，旋律をつくる場合，イメージを旋律にしていく過程で音階を選んでいく場合や，特定の音階に基づかない旋律をつくる場合も考えられることから，今回の改訂では，ただ単に「旋律をつくる」と示されている。

音楽Ⅱにおける「技能」の内容は，歌唱と器楽の (ウ) において，表現形態の特徴を生かして歌ったり演奏したりすることに加えて，表現上の効果を生かして歌ったり演奏したりする技能を追加している。

(4)「B鑑賞」における「思考力，判断力，表現力等」

「B鑑賞」における「思考力，判断力，表現力等」では，アにおいて三つの事項を示している。

> (ア) 曲や演奏に対する評価とその根拠
> (イ) 自分や社会にとっての音楽の意味や価値
> (ウ) 音楽表現の共通性や固有性

鑑賞においては，この三つの事項の前文で「次の (ア) から (ウ) までについて考え，音楽のよさや美しさを自ら味わって聴くこと」と述べているが，「美しさを自ら味わって」とは，鑑賞する音楽を表層的に捉えるのではなく，価値あるものとして主体的に捉えられるようにすることを指している。また，「自ら」としているのは，生徒が卒業後も主体的に音楽に関わっていくことができる資質・能力を習得していくことを視野に入れているためである。

(ア) における曲や演奏に対する評価とは，価値の判断を指しているが，ここでは，曲だけでなく演奏に対しても価値の判断をすることを求め，さらに，自己の価値観をもつことも必要であると説明している。(イ) では，「音楽の意味や価値」と示されているが，これは，中学校での「音楽の意味や役割」の学習を基礎とし，音楽の価値まで考えを深めていくことを意図している。(ウ) は，音楽がどのようにつくられているか，または，どのように演奏されているかについて，様々な音楽の間に見られる表現上の共通性や固有性を理解することを指している。

音楽Ⅱと Ⅲの「思考力，判断力，表現力等」における (ア) から (ウ) の各事項は，音楽Ⅰとほぼ同様の内容となっているが，事項の (イ) については，音楽ⅠとⅡでは「自分や社会にとっての芸術の意味や価値」と示されているものを，音楽Ⅲでは「文

化や芸術としての音楽の意味や価値」と示している。

(5)「B鑑賞」における「知識」

「B鑑賞」イにおける「知識」では,(ア)から(ウ)までの三つの事項を理解することを求めている。

(ア) 曲想や表現上の効果と音楽の構造との関わり
(イ) 音楽の特徴と文化的・歴史的背景,他の芸術との関わり
(ウ) 我が国や郷土の伝統音楽の種類とそれぞれの特徴

(ア)の表現上の効果は,曲自体に施された工夫だけでなく,演奏表現上の工夫によってもたらされる効果も示している。(イ)では,音楽の特徴を,文学,演劇,舞踏,美術など,他の芸術との関わりの中で捉えることも求めている。(ウ)の我が国や郷土の伝統音楽は,雅楽,声明,能楽,琵琶楽,歌舞伎音楽,箏曲,三味線音楽,尺八音楽などに加えて,我が国の各地域に伝承されている民謡や民俗芸能を指すが,これらを網羅的に扱うことを求めているわけではない。

音楽Ⅱの「知識」における(ア)から(ウ)の各事項は,音楽Ⅰと同様の内容となっているが,音楽Ⅲでは,幾つか重要な学習の深まりを示している。中でも重要な点は,(エ)として,「音楽と人間の感情との関わり及び社会における音楽に関わる人々の役割」という新しい事項が加えられている点である。鑑賞では,音楽を広く社会文化の中で捉えることを随所で強調しているが,この事項では,多くの人々が直接的,間接的に音楽文化の継承や創造的発展に関わっていることを理解することを求めている。

▶ 共通事項

今回の改訂では,〔共通事項〕の新設も大きな改善点の一つである。〔共通事項〕は,表現と鑑賞の両方に必要となる資質・能力を示したものであり,「A表現」及び「B鑑賞」の指導を通して身に付けることを意図している。以下のアに示されたものが「思考力,判断力,表現力等」,イに示されたものが「知識」に関する指導内容である。

ア 音楽を形づくっている要素や要素同士の関連を知覚し,それらの働きを感受しながら,知覚したことと感受したこととの関わりについて考えること。
イ 音楽を形づくっている要素及び音楽に関する用語や記号などについて,音楽における働きと関わらせて理解すること。

「思考力,判断力,表現力等」に関する内容では,「音楽を形づくっている要素」を知覚することや,知覚したことと感受したこととの関わりを「考える」ことを目的としている。「知識」に関する内容では,音楽に関する用語や記号の学習が,自己のイメージや思いを他者に伝えたりする時に有効であるとしている。共通事項の指導内容の文言は,音楽Ⅰから音楽Ⅲまで同じであるが,学習の発展性については,解説において示されている。

▶ 内容の取扱い

内容の取扱いについては,音楽Ⅰにおいて11事項,音楽Ⅱにおいて4事項,音楽Ⅲにおいて3事項示されている。この中から,従前とは大きく変更された点を中心に説明する。

今回の改訂における重要な変更は,これまでも説明してきたように,各科目の内容において,育成すべき資質・能力を「思考力,判断力,表現力等」「知識」「技能」に分け,事項として示していることである。このため,一つの事項のみで題材を構成することができない。こうしたことから,内容の取扱いにおいては,表現では,ア,イ,ウ,鑑賞においては,ア,イの各事項を関連させながら題材を構想するように指示している。

次に大事な変更点は,知的財産権の取扱いを独立させて示している点である。従前は知的財産権について,音や音楽と生活や社会との関わりなどに関する配慮事項と併せて示していたが,今回の改訂では,知的財産権に関わる事項の目的を明確化するために,「自己や他者の著作物及びそれらの著作者の創造性を尊重する態度の形成を図る」と独立して示している。

(水戸博道)

第3章 学習指導計画

1 概論

学校教育は，教育の目的や目標を設定し，それを達成するために意図的，計画的，組織的に行われる営みである。したがって，教師が音楽授業を系統的に，また発展的に展開するためには綿密な指導計画が欠かせない。そこで教師は「**教育課程（カリキュラム）**」を踏まえ，**3年間の指導計画，年間指導計画，学期，月，週ごとの指導計画，また題材（単元）や授業の指導計画**などを作成し，それらをもとに授業を行う。

そこで，ここでは，教育課程と音楽科の指導計画について，それらの意義や特徴を概観する。

▶ 教育課程（カリキュラム）とは

学校におけるあらゆる教育活動を支える基盤となるのが**教育課程（カリキュラム）**である。第9次『中学校学習指導要領　総則』(平成29年)には，各学校においてカリキュラム・マネジメントの充実に努めることで，教育課程に基づき教育活動の質の向上を図るよう示されている。そして教育課程は，「学校の教育目標の実現を目指して，指導内容を選択し，組織し，それに必要な授業時数を定めて編成」され，今回の改訂では，これからの時代に求められる教育を実現するために「社会に開かれた教育課程」を目指すことが示された。さらに，カリキュラム（curriculum）という言葉の訳語としての教育課程は，次の意味で捉えることができる。

カリキュラムという言葉は，そもそも古代ローマの戦車競技の「走路」を語源とし，「履歴」という意味をもっている。この語源から，英米ではカリキュラムを「**学びの経験の総体**」として捉えていると佐藤（1996，p.105）は指摘している。つまり，教育課程（カリキュラム）は，実践に先立った教育計画のみを指すのではなく，実践を通した生徒の教育的な経験や活動全体を指す言葉として捉えられなければならない。このような長期的視野をもつことで，社会と向き合い，自身の人生を切り開いていくための資質・能力を育むことができる。

▶ 教育課程の意義と編成

教育課程は，様々な法令の定め及び学習指導要領を基準としている。こういった基準を定める理由は，学校教育が公教育という性質をもち，教育の機会均等の原則を受け，教育基本法及び学校教育法に定める教育の目的・目標を実現するためである。

したがって，各学校は上述した基準を踏まえ，「創意工夫を生かした特色ある教育活動」が展開できる教育課程を編成しなければならない。このように編成される教育課程は，学校の教育目標の設定，指導内容の組織及び授業時数の配当が基本的要素となる。

また各学校が設定する教育目標は，地域や学校の実態，生徒の心身の発達の段階や特性などに十分に配慮されなければならない。

▶ 指導計画の種類

各学校の教育課程を，各教科，道徳，総合的な学習の時間及び特別活動において具体化したものが指導計画である。すなわち**指導計画**は，各学年あるいは学級ごとに「指導方法や使用教材も含めて具体的な指導により重点を置いて作成したもの」と捉えることができる。

音楽科では，先に述べたとおり，3年間を見通した指導計画，年間指導計画，各題材の指導計画，といった指導計画がある。3年間の継続的・発展的な授業を通して生徒に音楽的な力が定着するよう，これら各種の指導計画は相互に関連付けられ，また評価計画を含めて作成されなければならない。

それでは，次に各種の指導計画について概略を述べる。

(1) 3年間を見通した指導計画

音楽科の教科の目標及び学校の教育目標との関

連を図り，学校教育課程全体の中で音楽科の位置を捉え計画された指導計画が，3年間を見通した指導計画である。

計画の立案に当たっては，他教科，道徳，特別活動及び総合的な学習の時間との関連を図ることが大切となる。特に音楽科の場合，学校行事との関連に配慮する必要がある。

(2) 年間指導計画

年間指導計画は，学期，題材などを含め1年間の指導内容を記した指導計画である。作成に当たっては，各学年の目標や内容を踏まえ，地域や生徒たちの実態を考慮し，一つの領域に偏ることなく各領域がバランスよく配置されるよう注意する。これは，ここに記される評価計画にも同じことがいえる。

(3) 題材(単元)の指導計画

題材(単元)の指導計画は，題材ごとに書かれるより具体的な指導計画である。内容は，主に「題材名」「題材設定の理由」「教材」「指導計画」「評価計画」などで構成される。教師はこれをもとに授業を行うと同時に，授業実践の反省を通して指導計画を見直し，次の授業の改善に生かさなければならない。

▶ 音楽科指導計画作成上の留意点

指導計画は，下記の点に留意して作成されなければならない(『中学校学習指導要領解説　音楽編』第4章「指導計画の作成と内容の取扱い」から)

(1) 生徒の主体的・対話的で深い学びの実現を目指さなければならない（第4章　1 (1)）。そのためには，1時間ごとではなく，題材や時間のまとまりといったより長いスパンで捉えて，主体的な学習や対話的な学習を設定し，また深い学びをつくりだすための流れを組み立てなければならない。特に「深い学び」を獲得するための鍵となるのは「**音楽的な見方・考え方**」である。

(2) 「**A表現**」の指導では，ア「思考力，判断力，表現力等」，イ「知識」，ウ「技能」を，また「**B鑑賞**」の指導では，ア「思考力，判断力，表現力等」とイ「知識」を適切に関連付けて作成する（第4章　1 (2)）。〔**共通事項**〕は，「A表現」及び「B鑑賞」の指導と併せて指導されるよう工夫すること（第4章　1 (3)）。また〔共通事項〕を要として各領域や分野の関連を図るようにすること（第4章　1 (4)）。

(3) 障害のある生徒などについては，学習活動を行う場合に生じる困難さに応じた指導内容や指導方法の工夫を計画的，組織的に行うこと（第4章　1 (5)）。

(4) 道徳科などとの関連について音楽科の特質に応じて考慮し，適切に指導すること（第4章　1 (6)）。

また内容の取扱いについては，次のような留意点が挙げられる。生活や社会の中の音や音楽，音楽文化と主体的に関われるよう配慮し，音楽科の特質に応じた言語活動を適切に位置付けて，適宜，体を動かす活動を取り入れること。ICTを効果的に活用できるよう指導の工夫を図ること。そして音楽に関する知的財産権について触れるようにする。また実態に応じて，様々な楽器を適宜用いるが，3学年間を通じて1種類以上の和楽器を取り扱い，言葉と音楽との関係，姿勢や体の使い方にも配慮し，我が国の伝統的な歌唱では，適宜，口唱歌を用いることが示された。

▶ 指導計画作成に当たって

初任の教師にとって，日々の授業実践はもとより，生徒たちの発展的な音楽的成長を考えることはたやすいことではない。各種の指導計画を作成するに当たっては，もちろん勤務する学校の教育課程や音楽科の学習指導要領を踏まえなければならないが，まずは所属する研究会や研修会などが作成している指導計画を参考にするのがよいだろう。それらを大きな枠組みとして，地域や学校の実態，生徒の発達の段階や特性に合った指導計画へと改善していくことで，生徒に音楽的な資質・能力が定着するための継続的・発展的な授業を展開できるようにすることが望ましい。（瀧川 淳）

【参考文献】

(1) 文部科学省 (2017)『中学校学習指導要領解説 総則編』
(2) 文部科学省 (2017)『中学校学習指導要領解説 音楽編』
(3) 佐藤学 (1996)『教育方法学』岩波書店

2 | 年間指導計画の作成

▶ 年間指導計画とは何か

年間指導計画とは，各学年の年間の指導計画のことで，一般に「指導計画」というときには，この「年間指導計画」のことを指すことが多い。すなわち，年間指導計画は，学校の指導計画において，中心的な位置を占めるものであると理解してよい。教育内容を各学年の発達段階に即して，授業時数との関連において組織するが，この際，学習指導要領の趣旨を踏まえ，それぞれの学校の教育目標を考慮して作成する必要がある。

一般に，「文化」から教育目的に従って「教育内容」を選定し，それを一定の領域に組織，配列したものを「教育課程」と呼んでいるが，それを具体的に展開したものが「指導計画」である。したがって「指導計画」には，「年間指導計画」の他に，3学年を見通した指導計画，学期，月，週ごとの指導計画，題材の指導計画，授業の指導計画などがある。年間指導計画は，指導計画の中において，1年間のどの時期に，どのような教材を用いて，何時間かけて指導するかを具体的に示した，年間の指導の全貌を把握できるものである。

▶ 年間指導計画作成の基本的な考え方

(1) 学習指導要領の趣旨を踏まえる

音楽科の年間指導計画の作成に当たっては，学習指導要領に示される「総則」，音楽科の「目標及び内容」「指導計画の作成と内容の取扱い」などの記述を十分に把握し，その具体化を図らなければならない。その際，学校や地域の実情を考慮しながら，各学校の創意工夫を生かし，全体として，調和のとれた具体的な指導計画を作成する。また併せて，評価計画についても構想する。

(2) 学校の教育目標との関連を図る

教育課程は，各教科の内容及び教科外の領域における学習内容も含め，学校の教育目標に即して総合的に組み立てられた学校全体の教育計画である。したがって，音楽科の年間指導計画の作成に当たっては，学校の教育目標との関連を明らかにし，学校教育における音楽科の役割の視点を明確に捉え，他教科，道徳，特別活動及び総合的な学習の時間との関連を図ることが大切である。

(3) 題材構成について工夫する

音楽科では，学習指導の内容を構成するまとまりとして「題材」を設定し，具体的な学習指導を展開する。「題材」は，他教科における「単元」に当たるものと考えてよい。目標に照らして教育内容を生徒に提示する際，その内容がバラバラでは生徒に提示しにくいので，ある一定のまとまりをもった内容に組織・配列する。「題材」とは，この目標，内容を授業時数との関係において組織した指導計画の一つのユニット（まとまり）を指す。したがって，年間指導計画は，各「題材」の集積によって組織される。

題材の構成の仕方には，次の二つがある。

①主題による題材構成

「音楽的なまとまり」や「生活経験的なまとまり」を視点として主題を設定し，題材を構成する。例えば，前者の題材構成としては，「3拍子の音楽を表現しよう」，後者であれば，「卒業式の音楽をつくろう」などが挙げられる。

②楽曲による題材構成

楽曲そのものを題材構成の出発点とし，その楽曲の教材性を分析し，指導目標，指導内容を導き出して，楽曲そのものがもつ美しさや素晴らしさを視点として題材を構成する。

▶ 年間指導計画作成上の留意点

(1)〔共通事項〕の指導を位置付ける

〔共通事項〕は，表現及び鑑賞に関する能力を育成する上で共通に必要となるものであり，指導計画の作成に当たっては，各活動において十分な指導が行われるよう配慮する必要がある。つまり〔共通事項〕は，歌唱，器楽，創作，鑑賞の各活動を行うための支えになるものである。したがって，各活動と切り離して単独に指導するものではないことに留意する必要がある。さらに，この〔共通事項〕を拠りどころとしながら，表現と鑑賞の相互連関を図った題材の指導計画を作成したり，歌唱，器楽，創作の相互連関を図った題材の指導計画を作成したりすることも重要である。

(2) 特定の活動に偏らず，幅広い活動を構想して活動間の関連を図る

指導計画の作成に当たっては，歌唱，器楽，創作，鑑賞において，特定の活動に偏ることのないよう留意する必要がある。生徒の興味，関心を引き出し，学習への意欲を喚起するためには，特定の活動に偏らず，幅広い活動を構想することが大切になってくる。各活動を有機的，効果的に関連させながら，教科及び学年の目標を実現していくように指導計画を作成する。

(3) 生徒の実態及び学校や地域の実情を把握する

指導計画の作成に当たっては，生徒の音楽に対する興味や関心，音楽的諸能力などその実態を把握し，学校や地域の実情を十分踏まえて，それに適合した具体的な計画を作成する必要がある。さらに，生徒がより個性を生かした表現ができるよう，表現方法や表現形態を選択できるようにするなど，その実態に応じて効果的な指導ができるよう工夫する。

(4) 他教科や道徳，総合的な学習の時間などとの関連を図る

学校の教育目標を実現していくためには，他教科や道徳などとの関連を図る指導計画が大切になってくる。特に道徳教育の指導との関連では，道徳教育の全体計画との関連，指導の内容及び時期などに配慮し，両者が相互に効果を高められるように配慮する。

▶ 年間指導計画作成の実際

年間指導計画の様式は，特に定められたものはないが，見やすく，実際に活用しやすいものを工夫し，採用したいものである。〔共通事項〕について，自覚的に記載できる様式を工夫したい。

（笹野恵理子）

第1学年年間指導計画の例（一部抜粋）

学期				1学期			
題材名				新しい仲間と，歌声をつくろう	曲の特徴を感じ取って， 表現を工夫しよう	詩と音楽の関わりを感じ取ろう	言葉のリズムで音楽をつくろう
時数				4	3	2	1
題材の目標				・曲想と音楽の構造や歌詞の内容との関わりを理解するとともに，全体の響きを聴きながら友達と合わせて歌う技能を身に付ける。 ・曲の特徴を生かしながら，歌唱表現を創意工夫する。 ・曲のイメージや表したい思いや意図を友達と対話しながら，歌唱表現を創意工夫し合わせて歌う学習に主体的に取り組む。	・曲想と音楽の構造との関わりを理解するとともに，思いや意図をもった歌唱表現が工夫できる技能と，リコーダーの基礎的な奏法を身に付ける。 ・曲の特徴を生かした表現を工夫する。 ・思いや意図をもって，表現を創意工夫して歌ったり，演奏する学習に主体的に取り組む。	・詩の内容と曲想，音楽の構造との関わりを感じ取り，曲や演奏に対する評価やその根拠を自分なりに考える。 ・詩の内容と音楽の構造との関わりから感じ取った音楽の面白さを味わって聴く。 ・自分の評価と根拠をクラスの仲間と共有し，多様な聴き方があることの面白さに気付き，主体的・協働的に鑑賞の学習に取り組む。	・表現したいイメージと関わらせて音のつながり方や，音の重なり方の特徴を理解するとともに，自分の思いや意図を表現できる言葉とリズムパターンを選択し，16小節の中に音楽の構成を意識して組み合わせることができる。 ・言葉のリズムや抑揚のもつ面白さに気づき，表現を創意工夫する。 ・思いや意図，表現したいイメージをグループで対話しながら，創作表現を創意工夫する学習に主体的・協働的に取り組む。
主な教材				青空へのぼろう アニー・ローリー 校歌	主は冷たい土の中に エーデルワイス	魔王	言葉による音楽づくり
A表現	(1)歌唱	ア		◎	○		
		イ	(ｱ)	○	○		
			(ｲ)				
		ウ	(ｱ)	○	○		
			(ｲ)	○			
	(2)器楽	ア			◎		
		イ	(ｱ)		○		
			(ｲ)				
		ウ	(ｱ)		○		
			(ｲ)				
	(3)創作	ア					◎
		イ	(ｱ)				○
			(ｲ)				○
		ウ					○
B鑑賞		ア	(ｱ)			◎	
			(ｲ)				
			(ｳ)				
		イ	(ｱ)			○	
			(ｲ)				
			(ｳ)				
〔共通事項〕	音楽を形づくっている要素			音色，速度，旋律，強弱，形式	リズム，旋律，形式	音色，リズム，旋律，強弱，構成	音色，リズム，テクスチュア， 強弱，構成
	用語や記号			小学校で学習した用語や記号の確認	フレーズ，拍子，**Andante**， (テヌート)	(三連符)	拍，拍子

3 | 題材の構成

▶ 題材とは

どんな教科でも学習指導計画を立てるときには，一つの学習のまとまりを構成し，それを年間，あるいは中学校であれば3年間にわたってバランスよく配列する。この基本となるまとまりの名称が題材である。他の教科では「単元」という名称もよく用いられているが，音楽科においては，一般的にこの「題材」を使用する。

▶ 題材の構成

音楽科の題材構成には，次の二つの種類がある。

（1）主題による題材構成

例えば「日本民謡に親しみ，そのよさを味わおう」「和声の響きを感じながら合唱してみよう」などのように，学習のねらいや活動など学習の主題が題材となるものである。

①音楽的なまとまりによる題材構成

リズム，旋律，和音などの音楽を成立させている様々な要素や仕組みに関わるものと，音楽の活動や体験に関わるものがある。例としては，「日本の音階と西洋の音階」「形式を工夫して創作しよう」「春の情景を味わおう」「豊かな響きで合唱をしよう」などが挙げられる。

②生活経験的なまとまりによる題材構成

季節や年中行事などを中心に，生活との関わりを取り入れて計画し，さらに各学校の実態や地域の文化との関連も考慮しながら構成されるものである。例としては，「地域のお囃子を楽しんでみよう」「思い出を曲にしてみよう」「卒業生へ贈る歌を歌おう」などが挙げられる。

（2）楽曲による題材構成

「日本歌曲 浜辺の歌」「ベートーヴェン作曲 交響曲第5番 ハ短調」などのように，楽曲そのものを題材とするものである。楽曲そのものがもつよさや美しさを視点として題材を構成する。

この題材構成の場合，楽曲名をそのまま題材名とすることができるが，学習内容を加えてそのポイントを明らかにすることもできる。例えば，次のような題材名である。「ベートーヴェン作曲 交響曲第5番 ハ短調の鑑賞を通して，ソナタ形式について理解する」

▶ 題材と指導計画

「主題による題材構成」と「楽曲による題材構成」では，当然ながら，授業づくりの方法が異なってくる。

（1）「主題による題材構成」の授業づくり

生徒たちに獲得させたい内容を題材として設定し，それを獲得させていくためにいろいろな教材を用意して，様々な学習活動を組織していく。

例えば，「日本歌曲の美しさを味わい歌ってみる」という題材を設定した授業が構想されたとする。

この題材の内容を生徒たちに学習させるために，まず教材として「赤とんぼ」「夏の思い出」「浜辺の歌」などを用意する。また，範唱用として，ソプラノの演奏，テノールの演奏，合唱団による演奏などを用意する。

学習活動の例としては，

- 「赤とんぼ」「夏の思い出」「浜辺の歌」の範唱を聴く。
- 斉唱する。
- 作詞者，作曲者について知る。
- 歌詞の内容について知る。
- いろいろな演奏形態の演奏を聴く。
- 練習方法を工夫して，独唱，斉唱，重唱，合唱などに取り組む。

こうした学習活動を中心に，授業づくりを展開する。

また，「西洋と日本の総合芸術」という題材を設定した授業が構想されたとする。

この題材の内容に迫るために，教材として，歌舞伎「勧進帳」，能「羽衣」，文楽「義経千本桜」，オペラ「アイーダ」などを用意する。

生徒たちは，歌舞伎，能，文楽，オペラなど，それぞれについて学ぶだけでなく，日本と西洋の芸術作品を比較することにより，文化の違いなどに関する理解を深めていくことができる。

(2)「楽曲による題材構成」の授業づくり

前述したように，楽曲名をそのまま題材名とすることができるが，楽曲名とともに学習内容の一部を併記することもできる。取り上げる楽曲が決まったら，どのように表現させていくか，あるいはどのように鑑賞させていくかを考え，授業づくりを展開していく。

先ほどの「ベートーヴェン作曲 交響曲第5番ハ短調の鑑賞を通して，ソナタ形式について理解する」を例に考えてみる。

この楽曲の教材研究を行い，この楽曲のもつイメージや，この楽曲に特徴的な音楽的概念などを学習内容として設定し授業を構成していく。

学習活動の例としては，

・オーケストラの響きの面白さを味わいながら鑑賞する。
・ソナタ形式について学習する。
・他の交響曲を聴くことによりソナタ形式の理解を深める。
・作曲者と楽曲について学習する。
・演奏者による表現の違いを味わってみる。
・いろいろな交響曲を聴いてみる。

こうした学習活動を中心に，授業づくりを展開する。

また歌曲や合唱曲を題材として設定する場合も同様である。その楽曲のもつイメージや，特徴的な概念などを学習内容として設定し授業を構成していく。

▶ 題材構成の留意点

「主題による題材構成」も「楽曲による題材構成」も，それぞれが優れた特徴をもつ反面，課題も抱えている。

「主題による題材構成」では，生徒に題材名を示すことで，生徒自身が目標をもち，学習内容を意識した学習活動を展開させることができる。また主題をもとに，様々な活動を行うなど，複数の教材を関連させて取り扱うことができ，多彩な学習活動の展開が可能になる。主題の目標を達成させるために，「歌唱」と「鑑賞」，「器楽」と「鑑賞」など，「表現」と「鑑賞」の領域相互の関連を図ることも行われる。

近年の傾向としては，生徒が課題意識をもった学習に取り組むという意味から，「主題による題材構成」が重視されている。また学年の進行に伴い，「音楽的なまとまりによる題材構成」の比率が増加する。小学校が「生活経験的なまとまりによる題材構成」の比率が高いのに対し，中学校では，「音楽的なまとまりによる題材構成」が圧倒的に多いといえる。

反面，教材として扱う個々の楽曲への深い取り組みがあまり追求されないで終わってしまうことが懸念される。

「楽曲による題材構成」では，楽曲のもつ美しさや特徴，楽曲の背景となる文化・歴史などを深く探求することができ，楽曲に対する興味・関心，愛好する気持ちの高まりを期待することができる。

その反面，活動全体が単調になったり，楽曲を単に仕上げるのみの活動になりやすく，系統的な指導が難しいといえる。指導内容や教材を精選して，その楽曲でしかできないような授業を展開していくことが大切である。

このように，題材構成には二つの方向性があるが，実際にはどちらか一方向だけで題材を構成するのではなく，両者を組み合わせることによって，それぞれの課題を克服する必要がある。

どちらの題材構成であっても，教材としての楽曲をもとに，表現及び鑑賞の活動を通して学習指導要領の示す目標や内容を，学校の実態を踏まえつつ具体化し指導を行うのであれば，その成果に大きな違いは見られないといえる。

題材の配列に当たっては，題材そのものの学習の深まりを考えると同時に，学習指導の連続性や発展性，系統性を実現できるよう，題材相互の関連を考えることが大切である。また学年間についても，十分に配慮することが必要である。

（篠原秀夫）

4 | 学習指導案の作成

▶ 授業と学習指導案

授業とは，教師と生徒の「呼応のドラマ」であるといわれる。指導案はそのシナリオのようでもある。しかし，学びの主人公は生徒である。生徒の学び，分かり方やでき方がそれぞれ異なるのは当然であり，授業では多様な意見や音楽的実態があるのが現実である。指導案を支えに，授業の中で生徒の学習状況を適宜把握しながら，臨機応変に授業を展開できるようにしたい。

生徒一人一人が主体的に取り組める授業を構想するためには，**授業前に**，年間指導計画や綿密な教材研究に基づく題材計画，授業展開を十分に練る必要がある。その際，この題材で育みたい資質・能力を身に付けた生徒の姿を思い描き，授業で向き合う生徒と心の中で対話をしながら，授業の実際をできる限りイメージしよう。それによって，**授業中に**，常に生徒の状況を把握しながら教師としての自分の行為を冷静に省察し，状況に応じた指導の工夫を行って，柔軟に生徒の学びを支援できるようにしたい。**授業後には**，学習の状況を確認し，指導を見直し，次の学習活動を構想する。指導案はそのための大切な手がかりである。

2021年4月から新中学校学習指導要領が，2022年4月から新高等学校学習指導要領が施行される。今回の改訂では，教科等の目標及び内容が「知識及び技能」，「思考力，判断力，表現力等」，「学びに向かう力，人間性等」の三つの柱で再整理されるとともに，主体的・対話的で深い学びの実現に向けた授業改善の推進に取り組む重要性が指摘された。指導案もその点を踏まえて作成する。

また，お互いの授業を見合い，意見を言い合える教師集団での取組みが教師自身の成長に結び付く。そのためにも，指導案は，各項目の趣旨をよく理解し，誰が見ても分かるように，適切な書式，表現，用語を用いて作成する。

なお，生徒の立場で書く項目と教師の立場で書く項目があるので，「学習」がつく項目は（生徒が）演奏する，「指導」がつく項目は（教師が）支援する，のように各項目の主語を意識する。

▶ 学習指導案の作成

作成に当たってはPCの文書作成ソフトを用い，原則として各学校で用いられている書式に従う。項目名や順番などは一定ではなく，学校，地域などにより設定される場合が多い。ここでは一般的な項目を順に説明するが，第5部資料編の「3 学習指導案例」も参考にして，選択した形式にふさわしい書き方になるよう心がけよう。

① **タイトル**（音楽科学習指導案，芸術科音楽学習指導案など），**日時**，**場所**，**対象**（学年・組，人数など），**指導者**（実習指導教諭名を一緒に記載することもある）を，書式を確認して記載する。

② **題材名**　生徒が自ら学習に取り組めるように魅力的なネーミングを考えよう。本題材でのねらいを踏まえて，何を，どのように学習しようとしているか，生徒と共有できるよう示すことが多い。

③ **題材について**　年間指導計画を踏まえ，本題材では，何を意図し，目指しているのか記述した上で，生徒観，指導観を書く。ここに教材観を含める場合もある。**生徒観**は生徒の実態ともいう。一般的な表現は避け，この題材の学習に関わる既習事項，関心，習得状況などを書く。**指導観**では，生徒観を踏まえ，指導に当たっては，この題材のねらいに迫るために，この教材，この学級で，どのように授業を展開するのか，何に留意する必要があるのか，具体的に記述する。音楽的な見方・考え方を働かせながら，生徒の主体的・対話的で深い学びが実現する指導の工夫を考えたい。

④ **学習指導要領との関連**　関連する内容の領域，項目，事項，及び〔共通事項〕を書く。

⑤ **教材について**　曲名，作詞・作曲者名などは正確に書く。教材の内容や特徴，題材との関わり，系統性や独自性，授業者の解釈等，生徒たちの学びにおける適時性を踏まえて**教材観**を記述する。

⑥ **題材の目標**　音楽科で育成を目指す資質・能力の三つの柱を踏まえ，題材に即した目標を，たとえば以下の例のように設定する。…について理解するとともに，…を創意工夫して演奏し，…に

親しむ，といった形で，一文で示すこともある。

(1)「(教材名)」の…について理解するとともに，…の技能を身に付ける。

(2)「(教材名)」の…を知覚し，…を感受しながら…について考え，…を創意工夫する。

(3)「(教材名)」の…に関心をもち，…主体的に…の学習に取り組む。

⑦ **題材の評価規準** 評価を学習指導の改善に生かすために，まず，本題材の目標が実現できている状況を生徒の姿で記述する。中学校の場合，該当学年の評価の観点及びその趣旨（表1）を参考に，本題材で扱う内容に即した評価規準を設定するとよい。たとえば，「夏の思い出」の曲想と音楽の構造や歌詞の内容との関わりについて理解するとともに，…のように教材名を挿入したり，本題材で扱う歌唱・器楽・創作・鑑賞の各分野に即した表現にしたり，扱わない部分の文言を削除したり，本題材の学習において生徒の思考・判断のよりどころとなる主な要素を「音楽を形づくっている要素」から適切に示したりしながら具体化する。なお，鑑賞領域の題材では「技能」は設定しない。また，「学びに向かう力，人間性等」の目標には観点別評価や評定になじまない幅広い資質・能力が含まれることに留意し，「主体的に学習に取り組む態度」という観点に即した設定を行う。

⑧ **題材の指導計画と評価計画** 題材全体にわたる指導と評価の見取り図である。全体が何時間計画であるか(全○時間)書き，授業時間ごとに，左欄の指導計画には，学習のねらい，生徒の学習内容，学習活動等を簡潔に示す。右欄の評価計画には「題材の評価規準」を観点別に示す。知，技，思①　思②，態，のように略して示すこともある。評価方法（ワークシート，観察等）も明記する。評価は，題材のまとまりを見通して，それぞれの実現状況を把握できる段階で評価を行うよう，場面を精選して設定する必要がある。努力を要する状況と判断されそうな場合の指導の手立てが書かれる場合もある。

⑨ **本時の目標** 題材目標に即し，前後の指導計画を踏まえて本時の目標を具体的に示す。

⑩ **本時の展開** 「生徒の学習内容・学習活動」「教師の働きかけ」「評価」を，本時の展開に沿って，表の各欄の位置関係に留意しながら記入する。授業過程を区切って「導入」「展開」「まとめ」の段階を示し，およその時間を書く場合もある。

項目名は異なっても，基本的に，生徒の学習活動を中心にしながら，それに対応する教師の働きかけや指導上の留意点を書く。教師の働きかけは，学習活動に書いたことを「…させる」と言い換えて書くのではなく，そうした学習活動を成立させるための具体的な指導の工夫をイメージし，…できるようにするために，…の支援をする，のように，働きかけの意図と手だてが分かるように記述する。なお，□●・◇などの記号を使い分けて予想される生徒の反応を併記したり，教師の指導の欄に評価規準を含めたり，2欄にまたがってめあてや発問を枠で囲んで示す場合もある。欄外に板書計画を付す場合もある。

（権藤敦子）

表1　中学校音楽科における各学年の評価の観点及びその趣旨

学年＼観点	知識・技能	思考・判断・表現	主体的に学習に取り組む態度
第1学年	・曲想と音楽の構造などとの関わり及び音楽の多様性について理解している。 ・創意工夫を生かした音楽表現をするために必要な技能を身に付け，歌唱，器楽，創作で表している。	音楽を形づくっている要素や要素同士の関連を知覚し，それらの働きが生み出す特質や雰囲気を感受しながら，知覚したことと感受したこととの関わりについて考え，どのように表すかについて思いや意図をもったり，音楽を自分なりに評価しながらよさや美しさを味わって聴いたりしている。	音や音楽，音楽文化に親しむことができるよう，音楽活動を楽しみながら主体的・協働的に表現及び鑑賞の学習活動に取り組もうとしている。
第2学年及び第3学年	・曲想と音楽の構造や背景などとの関わり及び音楽の多様性について理解している。 ・創意工夫を生かした音楽表現をするために必要な技能を身に付け，歌唱，器楽，創作で表している。	音楽を形づくっている要素や要素同士の関連を知覚し，それらの働きが生み出す特質や雰囲気を感受しながら，知覚したことと感受したこととの関わりについて考え，曲にふさわしい音楽表現としてどのように表すかについて思いや意図をもったり，音楽を評価しながらよさや美しさを味わって聴いたりしている。	音や音楽，音楽文化に親しむことができるよう，音楽活動を楽しみながら主体的・協働的に表現及び鑑賞の学習活動に取り組もうとしている。

第4章 評価

1 概論

「評価」の意義

「評価」という言葉を聞くと，成績，テスト，通知表などが思い浮かぶだろう。また「音楽科の評価」といえば，「楽譜が読めるかどうか」，「歌が上手に歌えるかどうか」，「リコーダーが正しく吹けるかどうか」などを見るもの（見られるもの）だと思うかもしれない。あるいは，「音楽鑑賞は生徒それぞれが楽しむものだから評価はできない」，「感想文でしか鑑賞の評価はできない」などと感じるかもしれない。

たしかに一昔前は，音楽科教員においてもこのような認識があり，ある教師がすべての生徒に5段階評定で3をつけた「オール3事件」（1972年）は大きな社会問題となった。これは「音楽科の評価はできない」という認識から起きたものである。これから教員を目指す学生にとっては，評価の意義，そして教育評価の意義や方法を正しく理解しておく必要がある。

(1)「評価」の一般的な意義

「評価」とは，一般的に品物の値段や物事などの価値を定めることとされる。英語では“evaluation”という語を用いることがあるが，その中にも“value”（価値）が含まれている。例えば中学校や高等学校の新学習指導要領でも，鑑賞領域に「曲や演奏に対する評価とその根拠」と示されている。それは曲や演奏のよさや美しさといった「価値」を生徒自身が判断し定めることであり，まさに「評価」という語が適切であることが分かる。

(2) 規準の存在

価値を判断する場合，判断するための「規準」が必要になる。それは一般的には「価値観」などとも言われる。例えば服を購入しようとするとき，デザインはどうか，サイズはどうか，機能性はどうか，価格は適当か，などを考える。そのとき，デザイン，サイズ，機能性，価格は，購入しようとする人にとっての服の価値である。そして，その人がもっているデザインに対する好みやセンス，合うサイズ，求める機能性，予算が，価値を定める規準となる。それらの規準に照らして価値を判断し，購入を決断する。その規準をもっていなかったり曖昧であったりすると，いつまでも迷ったり，買った後で後悔したりするなど，結果的に「価値判断を誤った」ということになる。

曲や演奏を評価する場合においても，よさや美しさを判断するための規準が必要であり，それが自分の中に備わっていなければ評価はできない。この場合の規準は，知識や感性によってつくり上げられていくものなので一人一人異なる。音楽に対する好みや価値観が一人一人異なるのはそのためだ。けれども音楽や芸術の価値をきちんと見極められる力は人間が生きていく上で必要なことなので，その規準を備えさせるために鑑賞の学習があるといってよい。

「教育評価」の意義

(1) 目標に対して行うもの

次に教育における評価（「**教育評価**」）について考えてみよう。教育は，目標を立て，計画的に学習指導を行うことによって生徒の資質・能力を育成していくものである。

「歌を歌う」ということで考えてみる。趣味や楽しみとして歌うのであれば，結果として楽しめたかどうかはさほど問題にはならない。しかし教育として「歌う」という学習を行う場合，「表現を工夫して歌うことができるようにする」，「楽しさを感じながら歌うことができるようにする」といった目標（ねらい）を立て，その実現を目指して計画的に活動を展開することになる。そして指導する教師は，「表現を工夫して歌えたかどうか」，「楽しさを感じながら歌うことができたかどうか」をきちんと確認しなければならない。「活動して終わり」，「学習して終わり」では教育としての責任は果たせない。

教育において，立てた目標が学習指導によって実現できたかどうかを正しく判断することは必須である。「やりっぱなし」や「教えっぱなし」ではいけない。指導の途上で，あるいは指導を終えたときに，目標の実現を判断すること，それが「教育評価」の基本的意義の一つである。つまり「教育評価は目標に対して行うもの」であり，「**目標と評価は表裏一体**」なのである。なお，目標に対して行う評価を「**目標に準拠した評価**」という。

(2) 規準を用いて行うもの

先に，「判断するには規準が必要である」と述べた。教育評価も同様である。「表現を工夫して歌うことができるようにする」という目標の場合，「このようになったら『表現を工夫して歌うことができた』と認められる」という，目標の実現を判断するための規準が必要である。それを「**評価規準**」という。評価規準は目標を立てるときに設定しておかなければならない。

ところで教師も人間なので，同じ目標でも教師によって評価規準が異なってしまうことはあり得る。あるいは声楽の専門家だったらかなり高い規準をもっているかもしれない。しかし教育の専門家である教師は，生徒の発達段階や実態，学習内容等に即し，目標に対応した的確な評価規準を設定できる力を身に付けていなければならない。なお，文部科学省は「各教科等・各学年等の評価の観点等及びその趣旨」を示しているので，それを参考にするとよい。

(3) 教師自身と生徒のために行うもの

教育評価は何のために行うのだろう。それは，「目標の実現について判断した結果を何にどう生かすのか」という問いと等しい。

一つは，教師自身の指導改善に生かすために行うものである。多くの生徒が目標を実現できたとしたら，自分が行った指導や教材等が適切であったということになる。一方，ある生徒が表現を工夫して歌うことができなかったとしたら，歌詞の意味が理解できていないのではないか，「工夫する」という意味そのものが理解できていないのではないか，自分の指示が正確に伝わっていなかったのではないか，というように原因を探り，さらに目標に近づけるための手立てを考え，指導の改善に繋げていくことになる。このように教育改善のために行う評価を「**形成的評価**」という。そうすると，1時間の授業の中でも，教師は指導と一体化させて常に形成的評価を行っていかなければならないことが分かる。これを「**指導と評価の一体化**」という。生徒の姿や活動をよく見，奏でられる音や音楽をよく聴いて目標に対する実現状況を判断し，その判断に基づいて一歩先の指導を瞬時に，そして柔軟に決定していくことは，優れた授業実践力として位置付く重要な評価活動である。

もう一つは，生徒自身に実現の結果を伝えるために行うものである。テストの結果や通知表もそうであるが，授業の中で「表現の工夫ができたね」とか「歌詞をもう少し深く読んでみたらいいよ」という言葉かけも評価として大事な行為である。そのことにより，生徒は自分の実現状況を知り，次に取り組む学習の課題を認識できたり，意欲をもったりすることができる。テストの結果を伝えることや通知表で成績を示すことも，伝えることに留まるものではなく，次の学習に向かわせるためのものである。

(4) 教師も行い，生徒も行うもの

評価は教師だけが行うものではない。生徒自身が自分の学習状況を認識したり（「**自己評価**」），生徒同士で互いのよさや課題を見つけ伝え合ったりすること（「**相互評価**」）は，これもまた指導と一体化した評価として重要なものである。

(5) 計画を立て，結果を総括するために行うもの

評価は計画を立てる際にも行う。これは計画・実施の前に生徒の実態等を把握するためのものであり「**診断的評価**」という。一方，授業や題材を通して確認してきた評価結果は，学期ごと，あるいは学年ごとに総括する。これを「**総括的評価**」という。総括的評価の結果は「**評定**」として「**生徒指導要録**」に記載したりする。

（宮下俊也）

2 | 評価の観点と方法

▶ はじめに

新中学校学習指導要領は令和3年度から，新高等学校学習指導要領は令和4年度からそれぞれ全面実施となる。なお，中学校については令和3年3月31日まで，高等学校については平成31年4月1日から令和4年3月31日までを移行期間といい，この期間中，中学校音楽，及び高等学校芸術科音楽の内容については，一部または全部を新学習指導要領によって実施することができる。

さて，新学習指導要領によって育成する資質・能力は，その示し方が従前から大きく改善された。よってここでは，まず学習指導要領の改訂に関わらず理解しておきたい観点別評価の意義を示し，続いて新学習指導要領で求める資質・能力とそれに対する評価の観点と趣旨を掲げる。そして最後に中学校，高等学校に共通する評価の手順と方法について説明する。

▶ 観点別評価と評価の観点

(1) 観点別評価とは

評価は目標が実現できたかどうかを見るために行われる。目標には育成すべき資質・能力の具体が掲げられ，評価はそれに対して行う。

ところで，教育に限らず物事を評価する時に，物事全体をまるごと評価しようとすると，曖昧になったりかえって評価が難しくなったりする。例えば，収穫したリンゴを選果場の人々が選別するとき，色づき，糖度，形，大きさ，といったいくつかの観点でリンゴを評価する。教育も同様で，その観点のことを「**評価の観点**」といい，観点によって評価することを「**観点別評価**」という。

観点別評価を行う場合，資質・能力が身に付いたかどうかを的確に判断するための拠りどころが必要となる。例えばリンゴの場合なら，糖度がいくつ以上で，大きさが何グラム以上なら秀，それに満たなければ優，さらにその下のランクなら良というように基準をもって選別される。しかし，教育における観点別評価はリンゴのように選別することが目的ではない。また，そのための数値のようなはっきりとした基準を設けることは難しい。したがって，「長唄にふさわしい歌い方を工夫している」とか「雅楽の特徴を理解している」のように，目標に対する実現を確認できる具体的な姿をあらかじめ設定して評価を行うことになる。その姿のことを「**評価規準**」という。

こうして観点別に評価規準に照らして評価し，各々の評価結果を関連付け，総合することによって，音楽科や芸術科音楽で育成する資質・能力の全体を評価することができるようになる。

(2) 新学習指導要領で育成を目指す資質・能力

学習指導要領を含む新教育課程全体の骨格や方針を定めた中央教育審議会答申（平成28年12月）では，教育課程全体を通して育成を目指す資質・能力を「**資質・能力の三つの柱**」として，次のように示している。

① 生きて働く「知識・技能」
② 未知の状況にも対応できる「思考力・判断力・表現力等」
③ 学びを人生や社会に生かそうとする「学びに向かう力・人間性等」

これに即し，新学習指導要領の目標や内容も「**知識及び技能**」，「**思考力，判断力，表現力等**」，「**学びに向かう力，人間性等**」の三つで整理された。中学校音楽科，及び高等学校芸術科の教科・学年・科目の「目標」や「内容」もこの三つに分けて明示されている。

(3) 新学習指導要領における評価の観点と趣旨

先に「評価は目標に対してそれが実現できたかどうかを見るために行われる」と述べた。これは「目標と評価は表裏一体である」という原則を意味する。今回の改訂で，目標が「資質・能力の三つの柱」に即して示されたことにより，評価の観点もそのままそれぞれに対応して三つの観点で示された。それらの観点名は，①「**知識・技能**」，②「**思考・判断・表現**」，③「**主体的に学習に取り組む態度**」であり，それらの趣旨と「資質・能力の三つの柱」との関係を表1に示す。

次に，各観点についての評価の留意点を中学校学習指導要領に即して説明する。

表1　新学習指導要領で育成を目指す「資質・能力の三つの柱」及びそれに対応する評価の観点と趣旨

「資質・能力の三つの柱」		知識及び技能	思考力・判断力・表現力等	学びに向かう力，人間性等
評価の観点		知識・技能	思考・判断・表現	主体的に学習に取り組む態度
観点の趣旨	中学校音楽科	・曲想と音楽の構造や背景などとの関わり及び音楽の多様性について理解している。 ・創意工夫を生かした音楽表現をするために必要な技能を身に付け，歌唱，器楽，創作で表している。	音楽を形づくっている要素や要素同士の関連を知覚し，それらの働きが生み出す特質や雰囲気を感受しながら，知覚したことと感受したこととの関わりについて考え，どのように表すかについて思いや意図をもったり，音楽を評価しながらよさや美しさを味わって聴いたりしている。	音や音楽，音楽文化に親しむことができるよう，音楽活動を楽しみながら主体的・協働的に表現及び鑑賞の学習活動に取り組もうとしている。
	高等学校芸術科音楽	・曲想と音楽の構造や文化的・歴史的背景などとの関わり及び音楽の多様性などについて理解を深めている。 ・創意工夫などを生かした音楽表現をするために必要な技能を身に付け，歌唱，器楽，創作などで表している。	音楽を形づくっている要素や要素同士の関連を知覚し，それらの働きを感受しながら，知覚したことと感受したこととの関わりについて考え，どのように表すかについて表現意図をもったり，音楽を評価しながらよさや美しさを味わって聴いたりしている。	音や音楽，音楽文化と豊かに関わり主体的・協働的に表現及び鑑賞の学習活動に取り組もうとしている。

文部科学省（平成31年3月29日）「小学校,中学校,高等学校及び特別支援学校等における児童生徒の学習評価及び指導要録の改善等について（通知）」の別紙4，別紙5より。

① 観点「知識・技能」について

目標の文中にある「…について理解する」の「…」部分が，習得させる知識事項になる。いうまでもなく音楽科で求める知識とは，曲名や作曲者名，音楽用語や記号の名称などのみではない。表現や鑑賞の学習活動を通して，〔共通事項〕に示された内容を基盤に，「音楽的な見方・考え方」である「音楽に対する感性を働かせ,音や音楽を，音楽を形づくっている要素とその働きの視点で捉え，自己のイメージや感情，生活や社会，伝統や文化などと関連付け」ながら理解させていくものであり，その実現をこの観点で評価する。

「技能」は，歌を歌うために，楽器を演奏するために，音楽を創作するために必要となるものである。それは発声や楽器の操作，記譜といったもののみならず，創意工夫を生かした音楽表現をするために必要な技能である。なお，技能の習得に関する目標と評価は表現領域のみに該当する。

また，知識や技能はその学習で身に付けて終るものではなく，それ以後の学習や生活において「生きて働く」ものでなくてはならない。したがって，当該授業や題材で求める知識・技能とともに，それ以前に習得した知識・技能が活用されたり更新されたりしているかも含めてこの観点で評価する。

② 観点「思考・判断・表現」について

表現領域においては，表現された音楽の質や技能のみならず，そこに至る過程において，音楽で表したい思いや意図，また，それらを表すためにどのような工夫をしたらよいかなどを考え（思考），決定し（判断），言葉で伝えたり，音で試してみたり（表現）する力の育成が重要となる。

鑑賞領域においては，曲全体を味わって聴くために，曲や演奏に対する評価や生活や社会における音楽の意味や役割，音楽表現の共通性や固有性を考え（思考），見いだし（判断），言葉などで伝え合う力（表現）を育成することとなる。これらの実現をこの観点で評価する。

③ 観点「主体的に学習に取り組む態度」について

先に述べた「資質・能力の三つの柱」のうちの「学びに向かう力，人間性等」を評価する観点である。ただし，この資質・能力には，観点別評価になじまないものがあるので注意が必要だ。

目標に記載されたもののうち，「主体的・協働的に学習に取り組むことができたか」，「音楽文化に親しむことができたか」は，「主体的に学習に取り組む態度」として観点別評価の対象となり得る。一方，「音楽に対する感性」，「音楽によって生活を明るく豊かなものにしていく態度」，「豊かな情操」，あるいは生徒一人一人のよさや可能性，進歩の状況等は観点別評価にはなじまない。けれどもそれは「評価しない」とか「評価できない」ということではない。毎回の授業や題材を通じたまとまりの中で生徒個々の変容を見取り（これを「**個人内評価**」という），見取ったことを積極的に生徒に伝えるよう心がけなければならない。

▶ 評価の手順と方法

次に，どのような手順と方法で評価を進めていったらよいかを示す。これは学習指導要領が改訂されても基本的に変わるものではないが，ここでは新学習指導要領に即して説明する。

手順 1：題材の目標に対応する評価規準を立てる

題材の指導計画（学習指導案）を立案する際，音楽科で育成すべき三つの資質・能力を題材に即して具体化させ,「**題材の目標**」を定める。そして，定めた「題材の目標」に対応させて，その実現を確認できる「**題材の評価規準**」を設定する。

手順 2：実現の状況を判断する基準を定める

評価規準があれば目標の実現状況を判断することはできるのだが，実現の度合いには幅がある。そこで評価規準ごとに,（A）十分満足できる状況,（B）おおむね満足できる状況，（C）努力を要する状況，という三つの基準を設ける。それを「**評価基準**」という。評価規準と評価基準の違いは，評価規準が目標の実現を表す状態，評価基準は実現の度合いを判定するためのラインと覚えておくとよい。評価基準を定めておくことは評定と関わっている。年度を終了するとき，生徒一人一人について教科の成績として評定を出さなければならない。そのためには各題材における観点別評価の結果を総括し，そこから正しく客観的な評定を導き出すことになる。

手順 3：授業ごとに目標と評価規準を立てる

一題材を数時間の授業によって構成する場合，授業ごとに，その授業の目標（めあて）とそれに即した評価規準を立てることになる。それらは「題材の目標」に対応させ，「題材の評価規準」からそのまま選んだり，「題材の評価規準」をさらに具体化させたりして設定する。一題材を1時間の授業で構成する場合は，「題材の目標」や「題材の評価規準」がそのままその授業の目標と評価規準になる。

手順 4：評価方法を考える

音楽科の評価方法には様々なものがある。「知識及び技能」の実現を確認するためにはワークシート，演奏，作品，アセスメントシートなど。学習過程における「思考力，判断力，表現力等」を確認するためには生徒の発言を対象とする観察，ワークシート，アセスメントシートなど。「学びに向かう力，人間性等」を確認するためには活動の姿や学習に取り組む態度を対象とする観察などがある。また，それぞれにおいていくつかの評価方法を組み合わせたり，ポートフォリオによって学習の成果を蓄積させたりして目標の実現を多面的に確認していくことも重要である。

手順 5：以上を学習指導案に組み込み実践する

以上を学習指導案に記載して，実践することとなる。なお，評価基準についての記載は省略する場合もある。

また，授業中に得られた評価情報は，可能な限り記録して保存しておかなければならない。それらは題材ごとの観点別評価の総括，さらには評定のために必要となり，生徒自身や保護者に対して評価結果を説明する際にも重要な根拠となる。

（宮下俊也）

第２部
実践編

序　授業実践にあたって

1　青年期の発達特性と音楽的発達

▶ 青年期の発達特性

児童期と成人期の間に位置する青年期は，これまで獲得してきた子ども社会の行動様式を捨て，新しい集団である大人社会へと移行する過渡期に当たる。大人社会と子ども社会の両方の集団に属しており，このことからレヴィン（Lewin, K.）は，どちらの集団から見ても部分的な成員の特徴をもつという意味で，境界人・周辺人と名付けた。大人でもなく子どもでもないために，どちらかの集団に完全に属している成員に比べて不安定な様相が特徴的であるとしたのである。また，エリクソン（Erikson, E.H.）は青年が大人になる前の社会的責任や義務が免除される時期であり，社会的成長のための準備期間であるとして，この時期を心理社会的モラトリアムと定義付けた。

青年期は一般的に，思春期と相前後して11～12歳頃から始まるとされている。しかし，いつまでといった明確な「終わり」の時期は明らかにされておらず，中には35歳頃まで続くとする研究者もいる。いつまでも社会的自己を確立できない，なかなか大人社会に入らない，一人前の大人としての役割を果たさないといった，いわゆるモラトリアム人間の増加が，こうした青年期の延長に拍車をかけていると指摘されている。しかし，モラトリアムを享受するのは青年期「のみ」の特徴ではなく，むしろ現代人共通の傾向かもしれない。

1970年代以降，従来の青年像は崩壊し続けており，現在もなお，定型となる平均的な青年像は見いだせていない。かつて青年期の特徴は「極端から極端に向かう」「体制や権力への怒り・苛立・反抗」「激しい動揺や内面の葛藤」などの荒々しい精神状態と，その裏返しの「既成の概念や価値観に縛られない」「しなやかな弾力性」「自尊心や自己肯定感が強い」といった対立する二面性によって特徴付けられてきた。しかし今は，「ヴァーチャルな人間関係」「表面的な優しさ」「遊戯性」「傷つくことを恐れる」といった抽象的でナイーブな言葉によって称されることが多い。

しかし，時代や社会構造の変遷の中で青年期の様相がどれほど多様化しようとも，またどのように定義付けられようとも，自我に目覚めた青年たちが「人間はいかに生きるべきか」「人生の価値とは何か」と問い，社会の価値観と対峙し，自らのアイデンティティの確立のために人生観や世界観を追究する姿は，やはり，青年期の特徴といえよう。

▶ 青年期の音楽的特徴

（1）音楽的アイデンティティ

若者の音楽消費行動は，青年期を説明する上で有効な客観的指標とされている。中でも若者がどのような音楽（様式・ジャンル・アーティスト）に，なぜ熱中するのかという音楽嗜好に関する課題は，音楽心理学や音楽社会学，音楽学の中で繰り返し問われてきた。その結果，青年期の一般的な特徴として，①クラシック音楽よりもポピュラー音楽やロック音楽を好むこと，②ポピュラー音楽への好みが強いほど，他の音楽ジャンルへの好みが弱まること，③大人たちが推薦する音楽よりも同世代の仲間が支持する音楽を好むこと，④最新のヒット曲により強い愛着心を示すこと，⑤好まれる音楽には，旋律構造，和声，リズム，テンポ，器楽編成，歌詞，発声などすべてにわたって多様性が見られること，などが確かめられてきた。また，若者の多くが音楽を聴くことでリラックスし，緊張感をほぐし，併せて気分の高揚や気持ちを切り替えるために有効であると考えていること，聴取する音楽ジャンルの選択は，自らの意志で行っていることも明らかにされてきた。

もちろん，これら一連の結果は注意深く解釈されなければならない。なぜなら，様々な調査で挙げられている音楽ジャンルなどは扱われる時代や研究者によって異なっており，カテゴリー分類の定義に必ずしも一致が見られないためである。さらに近年では，青年期を過ぎてもポピュラー音楽への好みが持続することや，ジェンダー，社会文化的要因などの観点から，年齢と音楽ジャンルとの関係について慎重論も提出されている。とはいえ，若者たちのアイデンティティの確立に音楽メディアが様々な形で関わり，かつ多大な影響を与えていることは言うまでもない。

(2) 社会的アイデンティティ

若者の音楽的アイデンティティの確立に欠かせないもう一つの視点が，仲間や集団の影響である。この時期，学校の音楽（in school, formal）と学校以外の音楽（out of school, informal）があらわな形で区別され始める。音楽が仲間同士の結束や集団への帰属の象徴として機能しているともいえるだろう。これはヒットチャートの音楽に詳しくなればなるほど，仲間関係がスムーズになると考えたり，ある集団への加入のためには自分の好きな音楽だけでなく，嫌いな音楽も打ち明けることが大事だと考えたり，お気に入りのCDやアルバムの交換を通して「自分たち」の音楽と「よそ者」の音楽を区別するといった行為によって確認される。洋服や髪型と同じように，嗜好する音楽の共有が社会的カテゴリーのラベル貼りやガイドとして使われる。言い換えれば，学校で教えられる音楽(クラシック音楽)と自分たちが選択した音楽(ポピュラー音楽）とを明確に線引きすることで，自らが帰属する集団のアイデンティティ，いわゆる社会的アイデンティティを確立させようとしているのである。

さらに最近の複数の実験結果からは，若者がこの社会的アイデンティティ確立のために音楽を多面的に使い分けているのではないかと推察されている。若者が音楽消費行動に費やす時間は，スポーツや映画，読書，絵画鑑賞といった他の趣味活動よりも有意に長くなっているが，このときの音楽活動は集団ではなく個人単位の聴取行為である。つまり，仲間と一緒に音楽を聴くのではなく自分のプライベートな空間で，一人で音楽を楽しんでいるのである。このことから，若者が集団として公に表明する音楽と一人で聴いている音楽との間に違いがあるのではないかと指摘されている。また，親友がクラシック音楽ファンになるのは嫌だが，親友でなければ別に構わないといったように，音楽ジャンルに対する好⇔嫌の判断が仲間の場合と仲間以外の場合とで異なる，あるいは，ポピュラー音楽の中でも，学校で合唱向けに教材化されたポピュラー音楽とそれ以外のポピュラー音楽とを区別しているといった興味深いデータも示されている。

社会的アイデンティティと音楽を取り巻く諸要因との関係については，まだ解明されていない部分も多いが，音楽を媒介として若者の社会的アイデンティティが形成されていることに疑問の余地はなく，今後，縦断的な継続研究や実証データの積み重ねによりアイデンティティの形成過程と音楽との関連性がより明らかになると思われる。

▶ 青年期の音楽学習

こうした若者たちにとって魅力的な音楽教育とはどうあるべきなのか。これまでに実施されてきた音楽学力テストや音楽適性テストの結果からは，読譜力，ソルフェージュ力，楽語の理解度に低下が見られ，調性感や拍子感に関する性差が明らかにされている。その一方で，一度聴いただけで独特の節回しを模倣する耳コピー力の鋭さや，グループ創作活動の中での活発なコミュニケーション力の高さが確かめられている。教師はこうした生徒たちの得意な分野と苦手な分野を相対的に把握した上で，両分野が相互に連携しながら必然的に深まっていく学習課題を設定することが必要である。

かつてヴィゴツキー（Vygotsky, L.S.）やバンバーガー（Bamberger, J.）は，思春期の創造性の育成のためには，抽象的なイメージを単に喚起させるだけでなく，そのイメージを具象化するための訓練が必要であると主張した。創造性を自由に羽ばたかせるためには，実は，基本に特化したトレーニングや徹底的な反復練習が効果的だと指摘したのである。青年期は，それまでの「与えられる音楽」から「つくり出す音楽」への転換期に当たる。自分たちが音楽をつくり操るためには何が必要なのか。学習の中でこうした課題を与えることによって，苦手な分野を克服させるのも一つの方法である。（小川容子）

2 ｜教材研究の視点

▶ 教材研究の進め方

学習指導計画や授業実践に際して，教師は取り扱う教材を事前に熟知しておくことが必要である。授業を展開する可能性は，その教材に対して教師がどれだけ多くの〈引き出し〉をもっているかに左右される。これは，楽曲による題材構成，主題による題材構成，生徒が教材を選択するような学習活動のいずれにも共通することである。

（1）楽曲の音楽的特徴・構成を捉える

授業において，どのような音楽的感覚や能力を生徒から引き出すかを構想・計画するためには，教材として取り上げる楽曲の音楽的な特徴を理解することが重要である。具体的には，曲想・歌詞内容，リズム・速度・拍子，旋律・フレーズ，調性・音階，和音・和声，音の重なり（テクスチュア），強弱・音色など要素の側面，動機・反復・変化・形式など構成の側面から分析的な視点で楽曲を捉え，〔共通事項〕に示されている内容との関連を検討する必要がある。さらに，生徒の実態に応じて必要とされる技能・知識などから，どこに重点をおいた学習指導の展開がその教材で適切であるかを考察・検討する。

（2）楽曲の背景を理解する

作曲者，作詞者に関することも含め，その曲がどのような時代背景や状況でつくられ，どのように社会や人々に受け入れられてきたかを理解する。すなわち楽曲のもつ文化的・芸術的・歴史的・地域的・教育的な価値を，教師自身が十分に認識することが必要である。教育的価値のみならず，〈文化財〉としての価値を理解していなければ，教材は練習曲のような無味乾燥なものになってしまう。楽曲の価値を教師自身が明確に意識するためにも，教材研究は重要な意味をもつのである。

（3）表現の工夫の可能性を考える

表現領域に関する教材では，その楽曲がどのような〈表現の工夫〉の可能性を有しているかを検討しておく必要がある。具体的には，①テンポの設定や緩急（アゴーギク），②強弱の構成（ダイナミクス），③まとまりや構成（フレージング），④音の長短や言葉の発音（アーティキュレーション），⑤音色や楽器編成の工夫（オーケストレーション），などの視点から表現の可能性を十分に把握する。音楽的表現の多様性にまで学習を深め，生徒が自ら感じ取り，工夫できるような学習が求められる。

（4）生徒の実態から課題を検討する

生徒が何に興味をもち，どのような知識や技術を既に習得し，新たにどのような学習が必要なのか，個々の実情によって学習指導計画は異なる。教師用指導書に掲載されている学習指導案どおりに，必ずしも授業が展開できるものではない。生徒の実情をよく理解し，どの部分に学習の困難が生じ，その解決にどのような手だてが必要かという，生徒理解に基づいた教材研究が学習指導計画の作成には不可欠なのである。

▶ 各学習活動に応じた教材研究の留意点

（1）歌唱教材研究の留意点

歌唱教材に関しては，歌詞の意味や解釈についての理解が必要である。歌詞には，文語，方言，外国語など学年によっては難しい語句が使われていることもあり，分かりやすく伝えるための工夫が必要である。歌詞の解釈も，いくつかの可能性を検討しておく必要がある。共通教材には現代の生活では実感しにくい歌詞，合唱曲では行間を読むような深い解釈が必要な詩もあり，生徒が曲の詩情や世界観に共感をもてるようなアプローチを考えたい。歌詞の構成（まとまりや反復）の理解は，フレージングやブレスなどに，言葉の発音はアーティキュレーションや表情などにもつながる視点である。歌いにくい音程やリズムなど，技術的側面も，授業計画に反映させる必要がある。

（2）器楽教材研究の留意点

器楽では，楽器固有の演奏技能の側面に注意し，生徒の実情に応じた各楽器の課題を明確にする必要がある。リコーダーの運指やタンギング，打楽器の奏法やリズム型，鍵盤楽器の基本奏法などから，その楽曲を演奏するために何を学習する必要があるか，どのような手だてと時間が必要か，といった学習の見通しを立てる。さらに，演奏困難な箇所，予備練習の必要性，学習進度の違いなどを考慮して計画に生かす。また，読譜に関する知識や説明などにも留意しなければならない。同一曲で複数の編曲を比較検討することや，可能であれば部分的に実情に応じた編曲をすることも，器楽教材研究においては重要である。

(3) 鑑賞教材研究の留意点

鑑賞に当たっては，複数の視聴覚教材を入手して比較検討することが望ましい。演奏者や楽曲解釈によって，同一楽曲でも様々な音源や映像があり，その選択によって生徒の鑑賞時の興味や集中力も変化する。演奏場面の映像は，楽器の奏法や編成の理解に結び付くので可能であれば準備する。聴くことに集中する場合には，映像を意図的に提示しないことも可能である。さらに，異なる解釈・編成・編曲などを比較鑑賞へ発展させることや，表現活動との関連を検討することも重要である。楽曲の構成を示したグラフィックな楽譜(絵譜・図形楽譜)，譜例やスコア，作曲家や楽器に関する資料などのプリントや学習カードなど，補助的な資料の作成も有効である。

(4) 創作に関連する教材研究

即興表現を含む創作では，既存の楽曲が中心的な教材になるとは限らない。学習の各段階でどのような素材・活動・楽曲を提示するかを整理し，活動の見通しを立てることが重要である。取り上げる表現技法，使用する音素材や楽器など，関連のある鑑賞教材の検討も必要である。何よりも教師自身が実際に，その活動を体験するということが，創作では不可欠である。

いずれの学習活動においても，より充実した教材研究を行うためには，普段から多様な音楽に接して自らの音楽的感性と視野を広げ，音楽の構造や背景などの理解を深め，音源や楽譜などを収集しておくことが重要である。

▶ 教材研究の演習

日本の歌として国内外に広く知られている「さくらさくら」を例に，個人やグループで教材研究を演習してみよう。「さくらさくら」は，現在小学校第4学年の共通教材に指定されており，平成元年の学習指導要領までは中学校においても共通教材(合唱)として取り上げられていた。日本の国花を題材とした歌詞，日本の伝統音楽に見られる特徴的な音階から，海外の音楽教科書にも日本の代表的な歌として取り上げられている。また，国際交流の場で取り上げられる機会も多い。さらに，伝統的な発声による歌唱，日本の楽器による演奏，関連楽曲の鑑賞，日本の伝統的な音階(平調子，都節音階，陰旋法)の学習，それらを用いた創作や即興表現へと発展させることも可能である。

課題

・「さくらさくら」の楽譜を複数探して比較し，それぞれの特徴と長所を検討しよう。また，旋律や歌詞が異なるバージョンを探して比較してみよう。
・様々な合唱編曲や伴奏の楽譜を探し，実際に演奏して比較しよう。
・この曲に適した発声法に関して検討しよう。
・和楽器を含め，器楽用の楽譜を探し，それぞれの特徴と長所を考察しよう。また，実際にそれらを演奏し，必要に応じて編曲してみよう。
・「さくらさくら」の演奏CDや映像を探して比較鑑賞しよう。
・「さくらさくら」の旋律を用いた，日本人，外国人による作品を探して鑑賞しよう。
・「さくらさくら」の成立年代や変遷を調べよう。
・「さくらさくら」の旋律に見られる日本の伝統的な音階について調べよう。
・その音階を用いて即興表現や創作を試みよう。
・「桜」をテーマにした音楽作品（J-POPも含む）を探して比較鑑賞しよう。
・「桜」が日常生活，日本文学，日本文化においてどのような〈象徴的意味〉をもつか考察しよう。
・国内外の教科書で「さくらさくら」がどのように教材として活用されているか考察しよう。
・学年を設定し，関連教材を検討して学習指導案を作成しよう。

（中地雅之）

第1章 主体的・対話的で深い学び

◇ 概要と実践との関わり

▶「主体的・対話的で深い学び」とは

「主体的・対話的で深い学び」は今回の学習指導要領で登場した重要なキーワードである。これは，生徒が人生や社会の在り方と結び付けて学習内容を深く理解し，これからの時代に求められる資質・能力を身に付け，生涯にわたって能動的に学び続けることができるように，教科の特質に応じて実現されるべき学びの本質である。それと同時に，教師が生徒の学びを捉え，その質を高める授業改善の取組の方向性を示した視点である。

▶ 学習指導要領に登場した背景

平成26（2014）年11月，新しい時代にふさわしい学習指導要領などの在り方について諮問する中で，文部科学大臣は，これからの厳しい時代を見据え，次のような視点の重要性に触れている。

> ある事柄に関する知識の伝達だけに偏らず，学ぶことと社会とのつながりをより意識した教育を行い，子供たちがそうした教育のプロセスを通じて，基礎的な知識・技能を習得するとともに，実社会や実生活の中でそれらを活用しながら，自ら課題を発見し，その解決に向けて主体的・協働的に探究し，学びの成果等を表現し，更に実践に生かしていけるようにすること

そして，具体的に，以下のような提案がなされた。

> そのために必要な力を子供たちに育むためには，「何を教えるか」という知識の質や量の改善はもちろんのこと，「どのように学ぶか」という，学びの質や深まりを重視することが必要であり，課題の発見と解決に向けて主体的・協働的に学ぶ学習（いわゆる「アクティブ・ラーニング」）や，そのための指導の方法等を充実させていく必要があります。

つまり，新しい時代に求められる資質・能力を生徒一人一人に確実に育めるよう，「何を教えるか」という指導内容だけではなく，「どのように学ぶか」というプロセスが重視され，指導過程・指導方法の改善が求められたのである。

これを受け，平成28（2016）年12月に出された中央教育審議会答申では，資質・能力の育成を目指して「どのように学ぶか」に関わって，優れた教育実践に普遍的に見られる「主体的な学び」「対話的な学び」「深い学び」を位置付け（下図），次のような「学びの姿」としてその視点を示した。

> ①学ぶことに興味や関心を持ち，自己のキャリア形成の方向性と関連付けながら，見通しをもって粘り強く取り組み，自己の学習活動を振り返って次につなげる「主体的な学び」が実現できているか。
> ②子供同士の協働，教職員や地域の人との対話，先哲の考え方を手掛かりに考えること等を通じ，自己の考えを広げ深める「対話的な学び」が実現できているか。
> ③習得・活用・探究という学びの過程の中で，各教科等の特質に応じた「見方・考え方」を働かせながら，知識を相互に関連付けてより深く理解したり，情報を精査して考えを形成したり，問題を見いだして解決策を考えたり，思いや考えを基に創造したりすることに向かう「深い学び」が実現できているか。

主体的・対話的で深い学び（「アクティブ・ラーニング」）の視点からの学習過程の改善

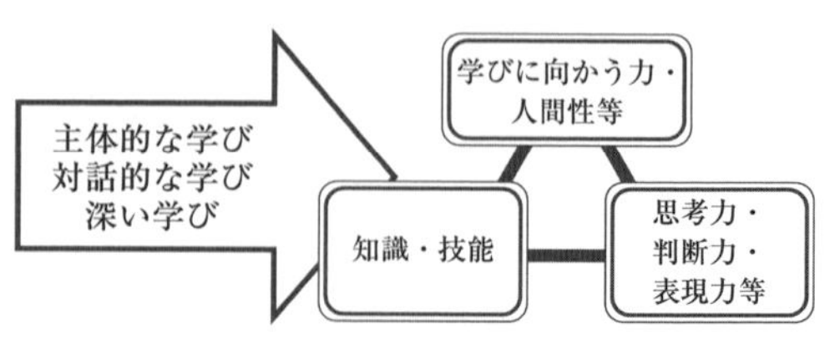

図　どのように学ぶか

中央教育審議会答申補足資料「学習指導要領改訂の方向性」より

この答申を踏まえ，平成29（2017）年3月に告示された中学校学習指導要領では，主体的・対話的で深い学びの実現に向けた授業改善の推進が改訂の基本方針の一つとされた。以下は，そこで示された留意点の概要である。

・これまでの実践を否定して全く異なる指導方法を導入しなければならないと捉える必要はない。
・授業の方法や技術の改善のみを意図するものではなく，目指す資質・能力を育むためのものである。
・通常行われている学習活動の質を向上させることを主眼とするものである。
・必ずしも1単位時間の授業の中ですべてが実現されるのではなく，単元や題材など内容や時間のまとまりの中で実現を図っていくものである。
・深い学びの鍵となるのは，各教科などの特質に応じた物事を捉える視点や考え方（「見方・考え方」）を働かせることである。
・基礎的・基本的な知識及び技能の確実な習得を重視する。

▶ 音楽の授業における三つの視点

「主体的・対話的で深い学び」という視点は，教科等を越えて共有していく授業改善の視点である。しかし，同時に，各教科には固有の学びが存在する。生徒がその教科ならではの見方・考え方を働かせ，深い学びが成立したときに，はじめて質の高い学習は実現するのである。言い換えれば，活発に音楽活動をしていたりよく話し合ったりしているようでも，そこに音楽科に固有の，音楽の本質を捉えた見方・考え方が働いていないならば，授業は表面的な活動に終始してしまう。

授業における習得・活用・探究という学習過程の中で「音楽に対する感性を働かせ，音や音楽を，音楽を形づくっている要素とその働きの視点で捉え，自己のイメージや感情，生活や社会，伝統や文化などと関連付けること」（下線部は『中学校学習指導要領解説音楽編』。高等学校では「音楽の文化的・歴史的背景など」とされる），すなわち音楽的な見方・考え方を働かせることが，学びの深まりの鍵となる。主体的・対話的な学びを積み重ねる中で，生徒が音楽科ならではの見方・考え方を働かせて，知識の実感を伴う理解，技能の必要感を伴う習得を進めていく。そして，それを構造化したり身体化したりしながら，状況に応じて自由に活用し，使いこなして学びを深めていくような授業にしたい。そのために，三つの視点を相互に関連させて捉えると同時に，生徒の学びの姿がそれぞれの視点を満たすものになっているか，教師が自ら省察し，改善して，学習内容の本質に迫る深い学びを成立させることが求められている。

学習指導要領では，「指導計画の作成と内容の取扱い」で次のように示されている。

> 題材など内容や時間のまとまりを見通して，その中で育む資質・能力の育成に向けて，生徒の主体的・対話的で深い学びの実現を図るようにすること。その際，音楽的な見方・考え方を働かせ，他者と協働しながら，音楽表現を生み出したり音楽を聴いてそのよさや美しさなどを見いだしたりするなど，思考，判断し，表現する一連の過程を大切にした学習の充実を図ること。

▶ 実践との関わり

生徒の学びの質を変えるためには，なによりも生徒の学びの深まりにつながる教材研究が重要である。それをもとに，三つの視点を意識した実践を組み立ててみよう。例えば，①既知・既習の事項や技能と関連付けながら，②生徒の心が動きだすような課題を設定する。そこを原動力としながら，③曲想，音楽の構造，音楽の多様性などの知識の習得，創意工夫を生かして音楽表現をするための技能の習得へとつなげる。その際，④学びのプロセスとゴールのイメージを生徒と共有し，生徒自らが学びの主人公となり，振り返ったり修正したりできるようにする。また，⑤音楽科ならではの協働や対話，共感の場面，発問や助言などを生かし，試行錯誤や問題解決のプロセスを工夫する。知識の更新，技能の熟達化・身体化を伴う深い学びの中で，より広い音楽の本質や価値への気付き，生徒の手応えが生まれる実践を目指したい。

（権藤敦子）

第2章 歌唱の学習と指導

1 「歌唱」の意義と留意点

▶ 意義

歌を歌うことは，人間の表現活動の根源的なもののひとつである。なぜなら，人は何か伝えたいことがあって声を出す。情動や感情の動きが声となって外に出され，それが時として「歌」という形で表現されるのである。生まれたばかりの乳児が声を出して外界を認識することからも分かるように，声を出すという行為は，表現の本質をもともと備えたものであるといえる。また，自らの身体を表現媒体とすることから，自己の存在感を認識しやすく，その表現も生身の人間らしさを感じさせるものとなる。

いろいろな場面に歌は登場する。仕事歌のように日常生活で歌われるものもあれば，他方，儀式や呪術など非日常的な場面で歌われるものもある。また，言葉を伴うことにより，物語るようなメッセージ性や文学性も表現できる。さらに，ソロやグループ，大勢の合唱など，多様な演奏形態が可能である。特に声は音色や響きが人によって異なり，また微妙なピッチやニュアンスなどが制御しやすいため，個性的な表現にもつながりやすい。

以上の特徴から，歌唱の意義として，身体を使って声を出し表現することで，自分の存在を実感できること，そして声の音楽のもつ表現性の幅広さと微妙さを理解することで，自分の感情の様々な様態を直接的に認識できることが挙げられる。

▶ 留意点

(1) 歌唱の技能

歌唱は，前述のように自身の身体を楽器とすることから，技能の習得方法が客観的に捉えにくく，指導方法も具体性に欠けるきらいがある。そのため，ともすると教師の思い入れやイメージの押し付けが先行しがちであるが，その前に歌唱の面白さを味わわせ，音楽表現をするための技能の育成を生徒のイメージと関わらせて考えるべきである。

歌唱のための技能とは，楽譜から曲想や音楽の構造，音楽的意味などを読み取りながら，発声，発音，ピッチ，リズム，アーティキュレーションなどを正確に表す技能である。言い換えれば，作曲者の意図，作品の意味を正確に読み取りながら，自らの表現を考え実現させる能力ということになる。

特に歌唱のための技能で注目すべきは，アーティキュレーションであり，その中でも，要となるのはレガート唱法である。日本語を母語とする日本人が留意しなければならないのは，母語の影響である。仮名一文字が一音節に当たる日本語では，音節に長短がある欧米言語とは音価に対する感覚が異なる。ゆえに，日本語でレガート唱法を実現するには，なるべく母音を音価いっぱいに長く保ち，子音をはっきり発音することが必要となる。レガート唱法のように，楽曲にふさわしいアーティキュレーションが，学習指導要領の示す「思いや意図」を実現するための技能のひとつとなる。

これは一例だが，このように技能と表現は対となって学習されるべきである。技能を習得することによって，生徒に「思いや意図」を抱かせ，音楽表現の創意工夫を促し，さらに深い学びにつながる可能性が開ける。

指導上重要なのは，教師が常に音楽の構造や音楽的意味を意識して，生徒に考えさせながら，その技能習得のための練習を，タイミングを逃さず適切に行うことである。このような指導の方法は授業にメリハリをもたらし，「音楽する楽しさ」にも通じるものである。また，練習も意味あるものとなり，能率よくはかどる。

(2) 曲種に応じた発声

教師の多くが，主として西洋音楽を学んできた自身の経験から，いわゆる頭声的発声を絶対唯一としてしまう傾向がある。しかし，それぞれの民族には文化の違いがあるように，声の出し方も様々である。我が国の民謡などの発声に見られるような地声のもつ力強さは，他国の伝統音楽の中にも数多く存在する。また，特殊な例として，ヨーロッパ・アルプス地方のヨーデルは，二種の発声を交互に変化させて歌うものとして知られている。さらに，現代のポップス歌手の中には，楽曲にマッチした歌唱法を自在に使い分ける者もいる。このような多様な発声に注目することは，歌唱表現の幅広さを知る上で大変重要な事項といえる。

学習指導要領の指導事項イ（イ）にも示されているとおり，曲種に応じた発声を学習する中で，我が国の発声法を学ぶことは必須と考えられている。しかし，今日の学校現場でその実現は困難を伴うことが多い。教師自身が講習などでその発声法を習得できれば理想的であるが，ゲスト・ティーチャーとして専門家を授業に招いたり，伝統的な地域行事へ生徒を参加させたりすることも効果的であろう。

▶ 指導のポイント

声を出すときには，まず，情意面での安心感や自信が必要である。生徒の多くは，「人前で声を出すことは恥ずかしい」「こんな声でよいのだろうか」といった不安をもっている。これらの心理的不安を取り除くためには，生徒の出している声の優れた点を肯定し，そこから次の問題を考えさせることが大切である。響くよい声の音域や母音の種類などは，体格，骨格，発声器官，発声の傾向などの相違から，人それぞれである。まず，比較的充実した声の出る音高，母音の種類を指摘し，その声の出る適応範囲を具体的な発声練習をしつつ，広げるように指導する。これは，声の育成とともに声を出す楽しさ，自信にもつながる。つまり，声を出すための既にできあがった技能があってそれを新たに植え付けるのではなく，生徒の今もっている声をもとにするのである。まず「その声でよい」と認め，そこから出発することが重要である。

(1) 合唱の指導

お互いの声を聴き合い，一つの作品をともにつくり上げる喜びや達成感を味わうということが合唱の醍醐味であるが，そのためには，ピッチを正確に演奏することが特に重要となる。

次に示すのは，4声のカノンである。

（「Ma」や「La」など歌いやすい言葉，歌いやすい調で歌う）

5音の音階によるこのカノンから常に響いて聞こえるのは，ドミソの和音（トニック）である。中継ぎとしてのレ(第2音)とファ(第4音)の音は，和音が感覚的圧力として働くため不安定になりがちであるが，この二つの音を丁寧に歌おうと意識させることにより，知らず知らずのうちに自分の出している声に注目し，ピッチが定まり，より清潔なハーモニーとなる。短く単純な課題であるが，非常に優れた教材といえる。

このような課題に継続して取り組むことにより，自分の声や周りの声を聴き，全体の響きの中に自分がどう関わっていくかということを感覚として身に付けさせるのである。このとき，教師は生徒のピッチに注目し，的確なアドバイスを欠かしてはならない。

一方，中にはまったく音を外してしまい，周りの音に合わせられない生徒もいる。その場合，個別の指導が必要になるが，その際ピアノの音（つまり教師の示す正しい音高）に合わせるようにと指示するばかりでなく，まずその生徒が出している音高に教師が合わせ，徐々に音域を広げ，正しい音高を認識させるということも有効である。

合唱の楽曲選択では，ユニゾン，ポリフォニー，ホモフォニーなどの形態のバランスと順序を考慮する必要がある。上声部が主となり下声部が従となるホモフォニックな楽曲は，意外にピッチのコントロールが困難な上，静的であるため，ともすると面白みに欠ける。むしろ，前記したカノンのようなポリフォニーから始めるとよい。各声部が独立して動き，同等の価値をもちながら全体に関わる動的なポリフォニーは，歌い合うという意味では練習過程においても十分に楽しさを感じることができる。

（寺尾 正）

2 発声とその指導

1 発声の基礎（西洋の発声に基づいて）

「声」は，手軽で誰もがもっているいちばん自然な楽器である。少しイメージするだけで，簡単にいろいろな音高を出すことができ，また音色も様々に変化させることができる。

さらに声に言葉をのせることで，他の楽器にまねることのできない「詩」や「ドラマ」をストレートに表現することもできる。

独唱であれ合唱であれ，およそ声を出して豊かな音楽表現をするために，

- 幅広い音域
- 豊かなフォルテから繊細なピアノまでの強弱
- 様々な声の音色
- 滑らかさ，美しさ，滑舌のよさ，etc.

などの技能を向上させることで，音楽的表現に適した様々なテクニックを身に付けることが大切である。日々の練習の目的はここにある。

また，「歌うこと」は体が楽器なので，声帯やその周辺の筋肉も含めた発音体としての「のど」の仕組みや，共鳴のための空間，すなわち「口腔（こうこう）」や「胸部」についても，その役割を十分理解し，どのようにコントロールすべきかを自覚する必要がある。まずは姿勢や身体の使い方について考えてみよう。

▶ 発声に適した無理のない姿勢とは

足を肩幅くらいに平行に開くか（**写真1**），片足を前後にずらして（**写真2**），楽な姿勢で立ってみよう。

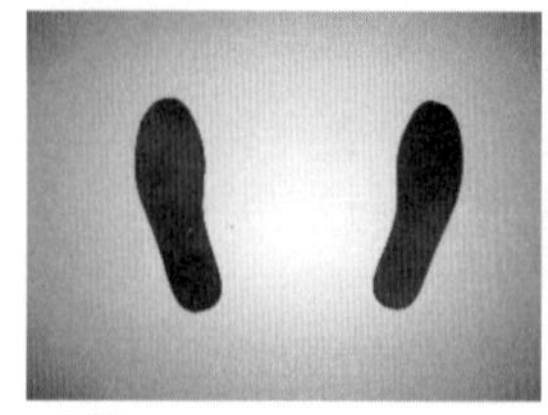
写真1

写真2

上半身は力を抜き，できるだけリラックスした状態を保つ。下半身はその上半身をしっかり支えるつもりでお尻を締め，安定した立ち方を意識しよう。その際，かかとにズッシリと重心がかからないようにすることが肝心である。重心はやや前にあったほうがよい。

両腕は肩からダラーンと垂らし，これも脱力を心がける。お腹の前で手を組んでもよいが，子どもの合唱団によく見られるような後ろ手に組む姿勢は，胸郭の開きを妨げるので望ましいことではない。

できれば背骨の一節一節，肋骨の一本一本を上下に開くつもりで，決して力まず胸を高く保つ。

視線は目の高さより10度から15度くらい上向きにし，顔全体で見るように心がけるとよい。その際，決してあごは突き出さない。

▶ 発声に適した呼吸法

発声に適した呼吸法としては，よく知られている「腹式呼吸」が挙げられる。ただ誤解を招く恐れがあるのであえて説明するが，お腹に直接空気は入らない。空気はあくまで肺に入るわけである。その肺に入れるための呼吸の仕方として「横隔膜」を下げて息を吸う方法を，「腹式」と呼んでいる。

横隔膜はみぞおちあたりから，その裏側，背中のやや下方にかけて斜めに付いている膜であるが，普段はドーム型になっている。その膜を引き下げてやると，肺に空気が入ってくる仕組みである。胴回りを大きく外側に広げることで，ドームの上部を引き下ろすと「腹式呼吸」となる。

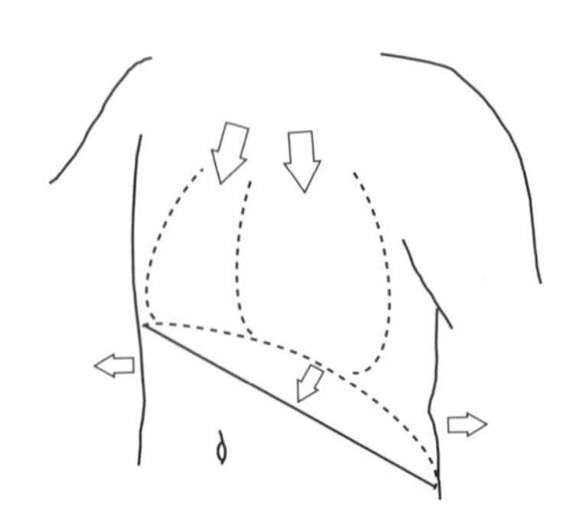

それでは実際に，その呼吸を確認してみよう。

（1）口を閉じた状態で鼻からゆっくり息を吸う

横隔膜が下がるのを自覚できるだろうか？ その際も，胸や肩が上がらないように気を付ける。また両手を腰に当て息を吸うと，その過程がよく分かる。さらにしっかりした呼吸にするためには，背中側に手を当て，斜め後ろへの開きも感じるとよい。

（2）口を狭く開き，ゆっくりと息を吐く

そうっと，ロウソクの炎を吹き消すような要領で息を吐いてみる。可能な限りゆっくり時間をかけたほうが安定した呼吸になる。

（3）上記の運動をゆっくり繰り返す

単純な作業だが，これだけでより「腹式呼吸」として安定する。

安定した発声のために必要なこと

一人一人の声にはそれぞれ特徴があり，必ずしも同じやり方が誰にでもベストなわけではない。だがここでは，共通項としての「発声の基礎」について，学んでおきたい。

「声」という目に見えないものに対して，その善し悪しを判断するのにいちばん大切なことは，「出ている音（声）をよく聴く」ことである。それを何よりもまず，念頭に置いてほしい。

では，試しに一つの音を出してみよう。

（1）Fa から La くらいの音を「ア」で歌ってみる

音高も強弱も揺らぐことなく，一定の息の速度で，しっかりした声が出ているか確認する。

できればヴィブラートにも注意を払う。ヴィブラートそのものは「声の豊かさ」において，決して悪いことではないが，小刻みなヴィブラートについては，注意が必要である。横隔膜を下げて，支えをしっかりキープする方法などは，小刻みなヴィブラートを避ける一つの方法である。

（2）同じ単音を，今度は *cresc./decresc.* してみる

「腹式呼吸」にのっとって，今度は揺らぎのない *cresc.* や *decresc.* を試してみよう。これも安定した音の効果が得られているか，よく聴くことが大切である。

（3）同じ単音を五つの母音で連結してみる

「a-e-i-o-u」や「i-e-a-o-u」「u-o-a-e-i」など，様々に試し，母音の「鳴り」が一定であるかどうかを確認する。その際，日本語の「i」や「e」は，とかく平べったくなりやすいので，注意を要する。

声を磨く「発声」のパターン

さて，単音での音の鳴りについて自覚したら，次に以下のような様々な音型を使って，実際の音のつながりの中で「声」を見つめ，音楽的表現のためのさらなる技能の向上を図りたい。

①比較的易しいパターン

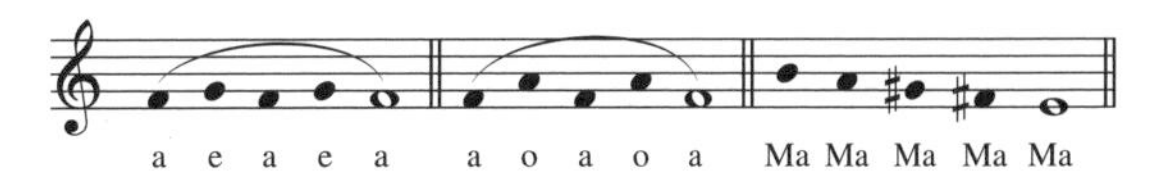

②長いフレーズ，広い音域

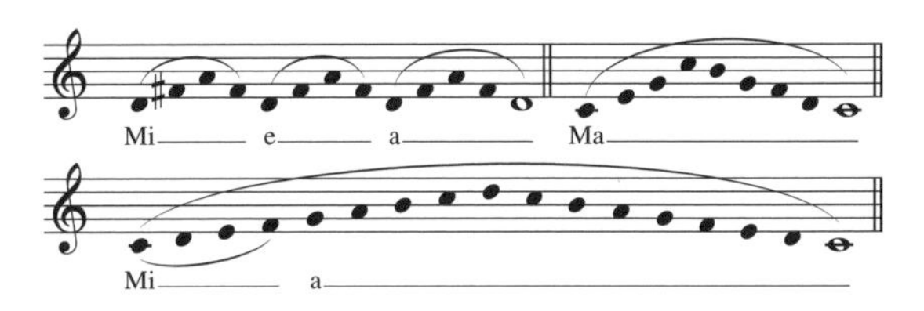

西洋の発声を再認識する

「西洋」の発声についてはまず「頭声発声」を基本とすべきである。ゆえに低音域であってもきつい地声や硬い音にならないように，「まろやかで上品な深い声」を目指すことが望ましい。ただし最近は，東欧や北欧の合唱団にもよく見られるように，またオペラなどでも「胸声」を使う傾向が強くなってきている。それらをマスターすれば表現の幅はさらに広がるが，変声期というデリケートな問題も抱えている中学生の世代にあっては，歌うのに効果的な発声としての「頭声」での技能修得を心がけることが得策であるといえよう。

（河野正幸）

2 我が国の伝統音楽と発声

▶ 伝統的な歌の特徴

我が国の伝統音楽を「器楽」と「声楽」に分けると，9割近くが声楽を占めるといわれる。そして伝統音楽には民謡，長唄，義太夫，能楽など多種多様な種目がある。種目によってそれぞれ声の出し方が違うので，**多彩な声の表現**を楽しむことができる。実際に聴き比べると，それぞれの発声はその種目らしさの源であることが分かる。

伝統的な発声を行うための練習法やメソードは，特にあるわけではない。特別に訓練されるのではなく，習いながら自分自身で発見するものとされてきた。

我が国の伝統音楽では，歌を習う基本は，**聴いたことをまねる**ことである。範唱を耳で聴き取り，そのとおりに声を出して歌ってみる。楽譜に忠実に歌うのではなく，耳で聴こえたとおりに歌うのを心がける。丸ごとまねる様は，語学の学習にも似ているともいえる。節だけでなく，声質も模倣することが大切である。

また我が国の伝統音楽は，**日本語の言葉を歌う**音楽であり，歌詞が言葉として聞こえることが大切とされる。歌詞を長く延ばして唄うときは，産字をただ延ばすのではなく，長いフレーズでも言葉を意識して唄う。

言葉に聞こえるためには，例えば，「がぎぐげご」が歌詞に出てきたら鼻濁音にして，鼻に抜いて柔らかく発音する。またカ行サ行ハ行は無声音になる場合がある。このように発音に気を配る。

日本語のアクセントやイントネーションは，歌の旋律と深く関わっている。そして日本語は，地域によって言葉の違いがある。大阪で生まれた義太夫では，大阪のアクセントが重んじられる。民謡も，その土地の言葉が反映されている。

▶ 長唄について

長唄は，三味線に合わせて唄を唄う音楽のひとつで，歌舞伎の伴奏音楽として発展して，現代まで伝えられてきた。長唄は三味線を弾く人と唄う人に分かれて演奏し，三味線も唄も複数の人で合奏する。

長唄の曲中，唄には分け口(独唱部分)とツレ(歌い手全員による斉唱）の部分がある。例えば3人で唄う場合，分け口は3人で分担して，順番に唄う。その際には声の個性がにじみ出る。長唄は，人それぞれの声のよさを味わう音楽でもある。

ここでは，長唄の教習場面を中心に，その唄い方について触れる。

(1) 姿勢

長唄は正座をして唄うのが基本のスタイルである。その際，腰を入れて座る。正座を長時間続けることは難しいので，正座にするときとしないときに分け，その時々で座り方をどちらにするか，明確に伝えるのが望ましい。

椅子に座った場合も，腰を入れることが肝要である。腰を入れるための留意点としては，

・椅子の背にもたれかからないように腰掛ける
・足を組まずに，両方の足の裏を床にぴったりとつける
・へそを前に突き出すイメージで，腰骨を立てる
・お腹（へその下）に軽く力を入れる
・肩の力を抜く
・楽譜などを見る場合は，視線だけ下ろす，または楽譜を手に持つなどして，背中が丸くならないようにする

(2) 呼吸

腹式呼吸が基本になる。横隔膜を下げ，お腹を膨らませるように息を吸い，お腹（へその下）に力を入れて，お腹で声を支えるようにする。唄うときは，お腹を膨らませた状態を保ちながら，息を長く使って唄う。唄うときも横隔膜を下げて，お腹に圧力をかける。

(3) 声の出し方

ポイントは以下のとおりである。

・地声をベースにして唄う

話をしているときと同じ感覚で出す声，地声をベースにして唄う。高い音になれば裏声になるが，その声は，地声と遜色のない張りのある声，芯の通った声を出すことを目指す。ファルセットにはしない。

なお，地声をベースにして唄うが，のどに力を入れるなどはしない。のどに負担をかけるように思われることがあるが，そうではない。伝統音楽の歌い手に高齢でも活躍している人が多いのは，その表れであろう。

・声をまっすぐ前に出す

声は頭のてっぺんから上に向かって出すのではなく，自分の前に向かってまっすぐに出す。また，細かいヴィブラートはかけない。

・言葉をしゃべるようにして唄う

言葉が伝わるように唄う。曲によっては，言葉の抑揚やリズムがそのまま唄になったり，セリフ調で語ったりするようなところもあるので，「言葉をしゃべるように唄う」意識をもつのは重要である。

・口は大きく開けない

唄うために口を大きく開けることはなく，話をしているときの状態のままで唄う。

・自分の持ち声を生かして唄う

前述のとおり，長唄は人それぞれの声の良さを味わう音楽である。自分の声をのびのびと，思い切り出して唄うことを目指す。

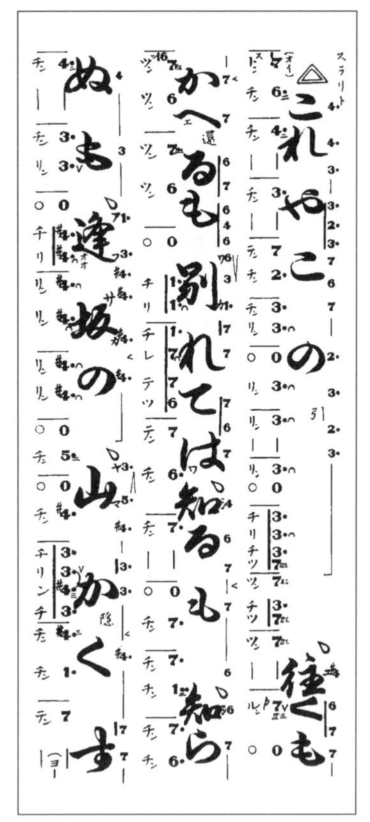

長唄「勧進帳」より
（吉住小十郎編『長唄新稽古本　勧進帳』邦楽社　より転載）

（4）その他

唄い尻や跳ね上げなど，長唄の様々な歌唱表現を試してみる。また，唄の出だしを示す掛け声（イヤやオイなど）は，唄う際に必要である。唄うタイミングが分かり，迷わずに唄い出せるので，歌唱指導では掛け声をかけるのが望ましい。

（5）楽譜

長唄の従来の楽譜（研精会譜）では，縦書きの歌詞の横に，音の高さや長さが数字や記号で示されている。近年，授業では図形楽譜も用いられ，歌詞を横書きにして，音の高低などを旋律線で描くこともなされている。分かりやすい楽譜を自分で考えながら書くのも，良い方法である。

（6）唄う手順

・歌詞を大きな声で読む
・範唱を聴いて，節を覚える
・よく聴いてまねる
・範唱に合わせて唄う，範唱を改めて聴く，を交互に行う
・長唄の声はどんな声質か，考える
・試行錯誤をしながら練習する
・一斉で，個人で，ペアで，など様々な形態で唄う

「いつもきれいな声を意識して歌っているけれど，日本のうたは地声で楽しく，勢いをつけると日本らしさが出ます」とは，長唄を体験した人の感想である。唄ってみて分かることや，伝統音楽への見方や聴き方が変わることがある。どの種目でもよいので，ぜひチャレンジしてほしい。

（山田美由紀）

3 ｜ 歌唱教材研究

1 共通教材

①歌唱共通教材の意義と歴史的経緯

▶ 歌唱共通教材とは

音楽科の教科としての特質を踏まえ，共通教材が設定されている。共通教材とは，全国どこの学校でも共通に教えられるべき楽曲であり，全国どこの学校の生徒でも共通に歌うことのできる歌として設定されたものである。我が国のよき音楽文化が世代を超えて受け継がれていくようにするという観点から，世代を超えて歌い継がれるべき歌として，歌唱共通教材は設定されたといえる。

中学校の歌唱共通教材は，我が国で長く歌われ親しまれている歌曲の中から選ばれている。その特徴は，「我が国の自然や四季の美しさを感じ取れるもの，また，我が国の文化や日本語のもつ美しさを味わえるもの」となっている。

具体的には，「赤とんぼ」「荒城の月」「早春賦」「夏の思い出」「花」「花の街」「浜辺の歌」が挙げられている。

一方，小学校では，「うみ」「虫のこえ」「茶つみ」「春の小川」「もみじ」「冬げしき」「ふるさと」など，いわゆる文部省唱歌と，「ひらいたひらいた」「うさぎ」「さくらさくら」などのわらべうたや日本古謡が，歌唱共通教材として設定されている。

▶ 共通教材設定の歴史的経緯

教材設定の規定として共通教材に関する事項が示されたのは，1958（昭和33）年告示の学習指導要領からである。終戦後10余年を経た当時の社会的状況を踏まえ，児童・生徒に愛好曲を豊富にもたせるため，また，全国どこの学校でも共通に歌える歌や，共通に聴いて楽しめる音楽を定めるという趣旨であったという。

歌唱教材としては，大部分が文部省唱歌や日本歌曲等の中から選曲がなされたが，それは家庭や社会において，大人とともに歌える親しみのある楽曲という観点から選ばれたものであった。

その後，社会状況の変化から，1998（平成10）年告示の学習指導要領において，共通教材は小学校の歌唱領域のみが示されることとなった。2008（平成20）年の学習指導要領で中学校の歌唱領域についても再び示されることになったが，鑑賞共通教材については，楽曲名を具体的に示すことをやめ，教材選択の観点のみが示され現在に至っている。

▶ 歌唱共通教材の指導上の留意点

歌唱共通教材は，我が国の先人たちが明治以来，西洋音楽を学び受容してきた，その過程で生まれた珠玉の名作の数々の中から選ばれている。

指導に当たっては，日本語の言葉の響きや抑揚がどのように生かされて楽曲の旋律やリズムが生み出されているかについて，十分に理解させたい。歌詞のもつ意味内容，そして日本語の響きや発音が，音楽的表現と直接的に結び付いているので，それを楽譜からミクロに読み取って，十分に理解しながら歌えるように指導したい。

例えば「夏の思い出」では，楽譜に付された細かい強弱記号やテンポの揺れなど，「浜辺の歌」では，「寄する波」や「かえす波」の様子が8分の6拍子の拍子感で的確に表現されている。「早春賦」でもやはり8分の6拍子の拍子感と，流れるような旋律の抑揚が感じ取れる。そうした音楽的な表現上の工夫や作曲者の意図を，生徒自身に考えさせ，実際に歌って試しながら表現を吟味し深めていくような学習内容を設定する必要がある。

我が国の自然の美しさや，四季の豊かさを表現した楽曲も多い。また，それぞれの曲の生まれた時代的・歴史的背景も理解させながら，生徒が自分自身のこととして曲に意味を付与し，曲を歌い，親しんでいけるような指導が望まれる。それはひいては，我が国の伝統文化・音楽文化に愛着をもつ日本人の育成にもつながるものである。

（本多佐保美）

【参考文献】
山本文茂（2004）「共通教材」，日本音楽教育学会編『日本音楽教育事典』音楽之友社，pp.318-320.

②教材研究

赤とんぼ

（斉唱・二部合唱）

※　☆の曲は，一部修正または編曲されています。

夏の思い出

（二部合唱）

詩を朗読してから歌ったり，歌ってから朗読したりして，音楽が詩をどのように表現しているかを考えて歌う

江間章子 作詞
中田喜直 作曲 編曲

様々な歌唱形態でも演奏でき，合唱の導入としても効果的

▶ 詩の生まれた背景について

○「赤とんぼ」（三木露風作詞 / 山田耕筰作曲）

三木露風は，函館のトラピスト修道院で文学を教えていたとき，窓の外の竿の先にじっと留まっている赤とんぼを見て，子どものときに子守娘（姐や）に背負われて見た光景を思い出し，後に詩を書いた。露風は幼稚園に通う満5歳のときに両親が離婚し，祖父母に引き取られて育った。

○「夏の思い出」

（江間章子作詞 / 中田喜直作曲・編曲）

「夏の思い出」は，1949（昭和24）年にNHK「ラジオ歌謡」で放送された。同番組は，戦後生きる力を失いかけていた人たちに，夢と希望を与える歌を届けたいとの願いを込めて開始された番組であった。

江間章子は，作詞の依頼を受けた当時，心身症に悩まされていたが，終戦前に出合った尾瀬の水芭蕉を思い出し，自らが育った岩手山麓で見た水芭蕉に思いを重ねて，この詩を書いた。水芭蕉が最も見事な5，6月を，作者は夏とよんでいる。

▶ 学習指導へのヒント

・美しい日本の自然や四季の情景を味わい，表情豊かに歌う。
・詩の抑揚と旋律との関わりを感じ取り，美しい日本語の響きで歌う。
・楽曲の生まれた背景，作詞者や作曲者の生涯について理解し，詩や音楽に込められた思いを考えて表現する。

（原田博之）

2 その他の教材

●「マイ バラード」（混声三部合唱）

松井孝夫作詞・作曲

(1) 楽曲の分析・解釈

①作曲の背景，曲に込めた思い

この曲が生まれたのは，1986年の夏頃である。当時私は，教員をするかたわら地域のボランティアサークルに所属し，身体の不自由な人たちとともに音楽活動をしていた。あるとき，地域の祭りがあり，ステージで自分たちの演奏を発表する機会を得た。そこで，器楽合奏のみならず，自分たちだけのオリジナル曲を歌おうということになり，できあがったのが「マイ バラード」であった。障がいをもつ人ももたない人も，みんな一人の人間として，心をひとつに歌うことができたならどんなに素敵なことか……という思いを心に抱き，歌のイメージを膨らませていき作詞・作曲を行った。

②曲の構成と特徴

A（8小節）→A'（8小節）→B（4小節）→C（8小節）

曲の構成を簡単に表すと，上記のとおりで，それぞれに特徴があって起承転結のようになっている。Aの部分では，16分音符を中心に，シンコペーションのリズムでメロディーを刻んでいる。Bの部分はA，Cのブリッジとなり，リズムが2拍3連で言葉のアクセントを生かして，元気に力強く歌いたい。

Cの部分は，Aとは対照的で，跳躍音程を生かしてのびのびと大らかに表現したい。

③指導上の留意点

以下の留意点は，右記の楽譜を参照しながら確認していってほしい。

- 「**みんなで歌おう……**」の歌い出し部分は，（語りかけるように）と記したとおり，目の前にいる人に呼びかけるような心持ちで歌ってほしい。そのために，1拍目の4分休符でしっかりと準備をし，2拍目の入りがきっちり踏み込めるようにしたい。
- A'の最後の音（付点2分音符）は，次の部分へと盛り上げていきたいところである。自然な気持ちの高まりとしてクレシェンドさせてほしい。
- 「**心燃える歌が……**」の部分は，この曲の最も特徴的な所である。言葉のアクセントを効かせて元気にワイルドに歌いたい。また，3連符のリズムの歌い方については，三つの音をきっちり等しく歌うことが当然，楽典的には正しいことだが，そのように歌うと機械的な感じで無機質な歌に聞こえてしまうことがある。そこで，あえてそれを少しだけくずして，言葉の自然なイントネーションに沿って歌ってみてほしい。特に，1拍目と3拍目を強調して歌うことによって，うまく抑揚が付けられる。

  また，2拍3連と8分音符の間に一つだけある8分休符だが，この休符をしっかり意識して一瞬の「間」を心に感じて歌いたい。
- 「**きらめけ世界中に……**」の「**きらめけ**」は，少し*rubato*してたっぷりと大らかに歌ったほうが，前半部分とのコントラストがより鮮明になる。世界中に広がっていくスケールの大きさを感じられるよう歌ってほしい。
- **Coda**以下**Lento**の部分は，ユニゾンになっている。歌い手みんながいま一度，心をひとつに歌い終えることができるよう，ゆったりと余韻に浸ってロウソクの火が消えるのを見守るかのように最後のハミングを歌い終えたい。

(2) 学習指導へのヒント

①どういう気持ちで，どのように表現するか生徒に考えさせよう

導入：まず教師がひととおり範唱して聴かせ，生徒の感想を聞いてみる。その上で，曲の生まれた背景や作者が曲に込めた思いを話す。次に，8小節単位で主旋律のみの音取りを，「教師歌唱→生徒歌唱」と繰り返し進めていく。だいたい歌えるようになったら，ピアノ伴奏でぐいぐいと引っ張り，生徒の情動をくすぐり曲のもつ魅力を感じさせていく。さらには，ア・カペラで歌わせてみると，生徒がどの程度歌えているか状況を把握することができる（ここまでが15～20分程度）。できる限り効率よく授業を進めるために，最初は教師主導型でテンポよく引っ張っていく。その上で，楽譜

に記されている「語りかけるように」「リズムに乗って」「広がりをもって」「意志をもって」について，作者はなぜそう書いたのかを生徒に考えさせる機会を与えよう。

②どうしたら曲の持ち味を生かせるか。音楽に味付けをしてみよう

展開：歌になじんできたところで，混声三部で歌うためにパートに分かれ，それぞれの音取りを進めていく（パートリーダーを中心に，あるいは市販のパート別CDの音源を使って練習するなど）。その中で，曲想を膨らませていくヒントを与える。例えば，「**はずかしがらず 歌おうよ**」の「**歌おうよ**」の部分で，クレシェンドをするのと，何もしないのとで両方歌わせてみて，どちらがより盛り上がるかを考えさせてみる。また，「**心燃える歌が**」の部分を少し速めに*più mosso*気味に歌うのと，そのままのテンポで歌うのとを比べてみて，どちらが曲の持ち味を出せるか話し合わせてみる。これらのことが，それぞれの生徒が表現の工夫について考えを巡らす機会となり，それがひいては音楽の基礎・基本となる土台を築くことになるだろう。

③身に付けるスキルを確認しよう

まとめ：音楽を形づくっている諸要素である音色，リズム，速度，旋律，テクスチュア，強弱，曲の構成などを意識して歌うことにより，こんなに音楽が生き生きとしたものに変わるのだということを実感させるとともに，音楽に味付けすることの面白さを理解させる。（松井孝夫）

マイ バラード

● **「大地讃頌」** 混声合唱のためのカンタータ「土の歌」から（混声四部合唱）
大木惇夫作詞／佐藤眞作曲

(1) カンタータ「土の歌」

「大地讃頌」は，原曲はオーケストラ伴奏による混声合唱曲で，1962年に作曲された七つの楽章からなるカンタータ「土の歌」の終曲に収められている。七つの楽章は，①農夫と土，②祖国の土，③死の灰，④もぐらもち，⑤天地の怒り，⑥地上の祈り，⑦大地讃頌である。恵みを約束する土，戦争の惨禍と人間のおろかさ，天災の恐怖，美しい自然への感謝と平和への祈りが「土の歌」全編を通して表現されている。歌詞には戦中，戦後の時代を経験し，自分の生き方を問い続けた作詞者の願いが込められている。このことを理解し，終曲である「大地讃頌」を歌う意味が，生徒たちの間で共有されることが大切である。

(2) 授業計画において「大地讃頌」をどう位置付けるか

日本の合唱曲の中でも屈指の名曲であるこの作品を歌うことは，生徒たちにとって大きな経験になるに違いない。その機会を単なるイベント的な感動体験として終わらせるのではなく，音楽科指導計画の中にきちんと位置付ける必要がある。つまり表現技能や理論について，生徒たちが積み重ねてきた学習内容をこの合唱活動において生かし，それらを発展させられるよう目標が設定されなければならない。以下に指導の観点を示していきたい。

(3) 美しいハーモニーをつくるために

①バス声部を土台として

この曲は四声体コラール（賛美歌）の形態で作曲されている。つまりバス声部を土台としてハーモニーが形成されているので，何よりもまずバス・パートが正しい音程でしっかり歌えることが大切である。他の3声部はバスとの関係において音程を把握していく。この曲を取り上げる前に，混声四部の簡単なア・カペラ合唱曲を生徒たちに経験させておくと，学習をスムーズに展開させることができるだろう。

②階名唱による音取り

曲中の第43～47小節に半音階的進行を含むが，一貫してロ長調の調性を保っているので，「移動ド」唱法を用いて音取りを進めたい。「移動ド」唱法を活用したほうが，先述のようにバス声部を土台とした和声進行を感じ取りやすく，和声感の中で各声部の音程を把握しやすいからである。

パート練習の際，いつもピアノなどの楽器に頼っていると音が取れた気になり，実際にはあいまいな音程で歌ってしまっていることに気付かなくなるので，徐々に楽器の音を外し，ア・カペラで歌えるよう促していきたい。下行音型（例えば曲頭のソプラノの旋律）は，その動きにつられて音程が下がりやすいので気を付ける。

③完全協和音程を骨組みとして

2声部ずつ取り出して練習し，各声部間に生じる完全協和音程（完全1度・4度・5度・8度［**譜例1**］）の響きを聴いて合わせられるよう習慣付け，それを骨組みとしたハーモニーづくりを進める（**譜例2**のA1に［ で完全協和音程を例示）。

譜例1　完全協和音程

④声の豊かな響きとハーモニー

音程を正しく取っているつもりでも，ハーモニーが決まらないことがある。声の響きに幅がなく，音色に柔らかさが欠ける場合，いくら音程を正しく取ってもハーモニーとして共鳴しないのである。下顎や舌，喉，胸部が硬くならないよう心がけ，高音，低音にかかわらず，頭声と胸声の両声区が自然に融合した豊かな響きを体得させたい。

(4) 言葉に対する感性を磨く

まず五つの母音の響きが揃うよう発声指導を行う。その上で，歌詞の言葉はただ明瞭に発音すればよいというものではなく，内容にふさわしい表情が伴わなければならないことを考えさせたい。「静かな」という言葉も，状況解釈によってその表現は異なるはずである。声に出して読む，歌う，の両面から，表情豊かな言葉の表現を追求することが大切である。このことは，次の強弱の変化とも関連して学習が進められるだろう。

(5) 強弱の変化―歌詞の内容と関わらせて表現する―

強弱の変化は*pp*から*fff*までの7段階，そしてクレシェンドによって表示されている。例えば7段階の中間に位置する*mf*の強さをどのくらいにするかを設定することで，それを基準に曲全体の強弱の構成を決めることができる。しかし同時に，歌詞の内容と関わって，そこに求められる強弱の質感が表現されなければ，聴く人に伝わる演奏にはならない。特にこの曲の場合，*p*はただ小さくするという意識だけでは演奏できないはずであり，そこに広大さや豊かさ，優しさという情感が表現されなければならない。同様に*f*の場合も，温かさや力強さといった内容を表現することが求められるだろう。また*p*や*pp*ほど*f*や*ff*より一層，遠くの人に届けようという意識が大切である。

(6) フレーズと息のコントロール

この曲を歌うためには，腹式呼吸による十分な息の支えが必要であり，フレーズからフレーズへと音楽がつながるよう，ブレスのタイミングが図られなければならない。ブレスの取り方は，はじめはゆっくり，リラックスした状態で息が吸えるよう練習し，慣れてきたらテンポの中で吸えるようにする。そして，フレーズ末尾まで響きを保つよう意識させる。

この曲の場合，数小節にわたって漸次クレシェンドして歌うために，吸気（吸った息）を保持しながらコントロールして使うことが要求される。例えば帆を張った船が，その帆でしっかり風を受け止めて静かに水面を進んでいくようなイメージで，呼気（吐く息）を持続させるとよいだろう。息が続かない場合はカンニング・ブレスで対処し，Vの記号のないところでの一斉ブレスは避ける。

(7) 類似した楽節を対照させて練習する

この曲にある類似した楽節を取り出し，対照させて練習し，共通点や相違点を把握して構成感のある音楽づくりに役立てる。対照できる箇所を，**譜例2**にA1 − A2，B1 − B2，C1 − C2として例示する。

（中嶋俊夫）

4 音高・音程を合わせられない生徒，変声期の生徒に対する指導

▶ 音高・音程を合わせられない生徒に対する指導

歌唱活動などにおいて，音程が合わせられない生徒は，必ずといってよいほど学級にいる。しかし，音高・音程を合わせて歌うことは，教師が適切な指導を行うことにより向上する技能である。彼らの心を傷つけないようにと音程についての指導を躊躇するのではなく，歌唱技能が発達する機会と捉えよう。

では，音高・音程が合わせられない生徒に対して，どのような指導が必要であろうか。

▶ 指導のポイント

生徒は，ピアノの音よりも，声で音を提示される方が，明らかに音高・音程がとりやすい。ピアノの音は，教師が音高を確認するために鳴らす程度にとどめ，特に音取りの段階では，教師が歌って音高・音程を示すようにする。

音高・音程を合わせられない生徒に対する具体的な指導の手だてとして，教師が「あー」とロングトーンで発声し，同じ音高で生徒に歌ってもらう。その際，教師と自分の声の高さが同じかどうかについて生徒が認知できているかどうかを確認する。生徒が，音高を合わせられなくても，認知はできている場合は①を，音高を合わせられず，認知もできていない場合は②を試みてみよう。

①**自分の音高が合っているかどうかを認知できるにもかかわらず，音高を合わせられないの**は，曲の音域と生徒の声域が合っていないことが原因として考えられる。その場合は，生徒の声域に合わせて移調し，生徒と一緒に歌ってみる。

②**自分の音高が合っているかどうかを認知できていない生徒に対しては**，教師が生徒の歌いやすい音高に合わせて一緒に歌ってみよう。その際，「今，同じ高さで歌えている」ということを必ず生徒に伝え，同じ音高で歌う感覚を意識させる。

これらの練習を繰り返し行うことで，同じ音高で歌う感覚を実感し，徐々に他者の音高・音程に合わせて歌えるようになる（小畑 2017）。生徒が自分自身で「歌える」と心から実感できるために，表出された歌声だけでなく，生徒の音高・音程の認知に着目した指導を行うことが重要である。

▶ 変声期の生徒に対する指導

第二次性徴における発声器官の急速な発育による声の変化を変声，その時期を変声期という。男子は話し声の高さが約１オクターヴ低くなり，音色も変わる。自分自身の声のコントロールがうまくいかず，ひっくり返ったり，しわがれ声になったり，また音高が不安定になったりする。

変声中は，生理的には喉頭の充血なども見られるため，無理な発声はさせないようにする。しかし，生徒が歌いやすい音域だけで歌わせる，歌いやすい音域に教材を移調する，声帯に負担にならない裏声で歌わせるなど，生徒の実態に合わせた指導を行いたい。過度に変声を意識するのではなく，話すことと同様に，変声中であっても，生徒が歌う意欲を失わず，歌唱活動に参加できる指導を行うことが大切である。

▶ 心理的な配慮

中学校では，歌うことに自信がなかったり，俗に言う「オンチ」だと自分のことを思ったりする生徒が多い。また，変声中の生徒は，歌うことに対する羞恥心や不安感をもちがちである。歌唱は自分の体が楽器であることから，歌声に対しての指摘を，自分自身を否定されたように感じても不思議ではない。生徒が安心して教師の指導を受け入れるためには，教師及び学級の友人たちとの信頼関係が成り立っていることが必要であり，日頃からのびのびと歌えるような授業の雰囲気づくりが重要である。

（小畑千尋）

【参考文献】

村尾忠廣（1998）『［調子外れ］を治す』音楽之友社
米山文明（1998）『声と日本人』平凡社
小畑千尋（2015）『オンチは誰がつくるのか』ハブラボ
小畑千尋（2017）『〈OBATA METHOD〉によるオンチ克服指導法 さらば！オンチ・コンプレックス』教育芸術社

第3章 器楽の学習と指導

1 「器楽」の意義と留意点

▶「器楽」の意義

(1) 器楽教育の歴史

日本の学校教育で器楽の指導が試みられるようになるのは戦前のことである。明治以来，教科「唱歌」の授業では歌唱指導だけが行われていたが，1930年代の一部の音楽教員は，子どもの音楽生活を豊かにするために「唱歌」の授業で器楽を指導しようと考えた。1940年代前半の国民学校期の教科「芸能科音楽」では，器楽の指導が，義務ではないものの法的に位置付けられたが，この頃はまだ一般的な活動ではなかった。

戦後，小学校および新制中学校の音楽科の授業で，歌唱，鑑賞，創作と並んで器楽の指導を行う方針が示された。その後，楽器産業の発展とともに，音楽科授業における器楽の指導は一般的なものとなっていく。中学校では1990年代の終わりに和楽器が必修化され現在に至る。

(2) 器楽の活動の意義

①歌詞（言葉）から独立した音楽構造の理解

歌唱と器楽の活動の大きな違いは，基本的にはその音楽表現が歌詞（言葉）の意味から独立したところで行われるということである。生徒にとって，歌詞の意味に頼らずに，楽曲の音楽構造から曲想を捉え，自己のイメージを膨らませながら表現を工夫することは，重要な音楽的経験である。

②身体感覚を伴う音楽構造の理解

リコーダーや篠笛では指穴を開けていくと音が高くなり，息の強弱が音の強弱に結び付く。また同じ旋律でもテンポが変わると演奏の難しさが変わる。このように器楽の活動では，旋律の動きや強弱，速さの変化など，〔共通事項〕に示された音楽を形づくっている要素（音楽の構造）を，演奏に伴う身体感覚を通じて，経験的に捉えられる。

③多彩な音色と幅広い音楽表現の可能性

器楽の活動では，楽器の種類によって様々な音色を経験できる。また自分の声では出せない広い音域による表現ができるのも魅力である。普段，合唱の活動でバスパートを担当する生徒が高音の楽器を演奏したり，ソプラノパートを担当している生徒が低音の楽器を経験したりできる。また変声期の生徒が思うように歌唱に取り組めない時期には，器楽が音楽表現の機会を保障することになる。

④楽器から始まる多様な音楽文化への理解

どのような楽器にも，それを生み出してきた文化的背景が存在する。和楽器には日本の伝統的な音楽や芸能文化が，リコーダーにはルネサンスからバロック期の西洋音楽文化が，それぞれの背景にある。楽器そのものに対する深い理解を通して，生徒たちは様々な音楽文化に出合うことができる。

⑤アンサンブルによる音楽表現の魅力

楽器の音色の多様さは，アンサンブルによってそれらを組み合わせたとき，さらに魅力を増す。アンサンブルでは演奏者同士が互いの音を聴き合い，協働しながら音楽をつくりあげていく。この過程もまた器楽の活動の魅力と言えよう。

さて，ここまでに見た器楽活動の意義のうち，①から④は，学習指導要領に示された「音楽的な見方・考え方」を働かせること，すなわち「音や音楽を，音楽を形づくっている要素とその働きの視点で捉え，自己のイメージや感情，生活や社会，伝統や文化などと関連付けること」（『解説音楽編』）につながる。また意義⑤は現在の学校教育全体で重要視される「主体的・対話的で深い学び」の実現につながる。このように，器楽の活動は，現在の音楽科の教育課程に照らしても重要な意義をもつのである。

▶器楽指導の留意点

(1) 楽器に対して苦手意識のある生徒への配慮

小学校までの音楽経験により，中学校入学段階ですでに「楽器が苦手」と感じている生徒も一定数いる。そのため，特にアルト・リコーダーの導入は丁寧に指導したい。また一つの楽器に偏らず，ギターや和楽器など，普段から多様な楽器に取り組むことで「楽器演奏の楽しさ」を味わわせたい。

(2) 教具としての楽器・教材としての楽器

ある楽曲を「教材」とする場合，それを演奏するための楽器は「教具」として捉えられる。一方，楽器自体の発音の仕組みや奏法，文化的背景を理解する学習では楽器は「教材」と捉えられる。器楽指導では，この楽器の「教材」としての側面を普段から大切にし，文化的背景を含む楽器そのものの理解を前提とした音楽表現の工夫をさせたい。そのためにも教師は指導する楽器それぞれの構造・奏法・文化的背景を熟知する必要がある。

特に和楽器の指導では，日本音楽の様式に対する理解が不可欠である。例えば和楽器の演奏時に特有の姿勢や身体の使い方があるため，楽器によっては床に直接座ることができる部屋を準備するなど，教室環境に留意する。また日本の音楽では，伝統的に楽器の練習時には口唱歌が活用され，記録のための楽譜も楽器ごとに異なっているので，西洋の音楽様式に由来する五線譜の活用には慎重でありたい。

(3) 音名と階名の違いを理解させる

日本の学校現場では「固定ド」による器楽指導が広く行われているが，楽典的事項と齟齬をきたすため，歌唱では階名（移動ド）唱を行い，器楽では音名で指導することが理想である。中等教育以上では英語音名（ＡＢＣ…）を用いると，ギターなどでコードについて学習するときにつながりが生まれる。

▶ 指導のポイント

(1) 必然性をもった演奏技能の獲得

器楽の指導において，演奏技能の向上は不可欠であり，大切な学びの要素である。しかし，一つの楽曲を「最初から最後まで間違えずに演奏する」ことをめざし反復練習に明け暮れたり，その演奏の出来栄えだけで評価したりしないようにする。音楽科で身に付ける技能は，生徒自身が意図する音楽表現を実現するために，必然性をもって獲得されなければならない。生徒が自ら「この運指は難しいけれど演奏できるようになりたい」「こんな音色で演奏したい」という思いをもち，能動的に挑戦できる環境や楽曲を準備することが必要である。

(2) 主体的な音楽表現の工夫の機会

生徒たちが主体的に音楽表現を工夫する機会を保障することが重要である。例えば，学校設備などの条件が許すならば，ソプラノ，アルト，テナー，バスのリコーダーによるコンソートに取り組むなど，グループ単位でのアンサンブルにも挑戦させたい。自分たちの話し合いによって表現を工夫しながら音楽をつくりあげる経験を重ねることが，生涯に亘って音楽を愛好する心情の育成にもつながる。

(3) 他の活動分野と関連させる

授業時数の限られた中で楽器演奏の経験を重ねるためにも，他の活動分野との関連は大切である。

①歌唱との関連

歌唱教材の音楽構造の把握に楽器を用いることができる。例えば，合唱曲の旋律の一部や主要なハーモニーを取り出してリコーダーで演奏することで，旋律の動きや和音の響きを確認できる。

②創作との関連

例えば，リコーダーで音を確認しながら旋律を創作し，それにギターでコードを付ける，といった活動において楽器は不可欠である。また，手打ちで創作したリズムアンサンブルの曲の各パートを，様々な打楽器に置き換え，音色による感じの違いを生かした表現を探求する活動なども考えられる。この活動では，「新しい楽器奏法の開発」にも挑戦することで，楽器の奏法と音色の関係や，それらの新しい表現の可能性を探求するという経験もできる。

③鑑賞との関連

鑑賞の活動に資するものとして，鑑賞教材の主要な旋律をリコーダーで演奏する，といった活動が考えられる。一方，自分たちが日常的に練習している楽器の，演奏家による演奏を鑑賞することで，その楽器の特性が最大限に生かされた音や優れた演奏と出合える。こうした鑑賞の活動は器楽活動への意欲をかきたてることにつながるだろう。

（樫下達也）

2　各楽器の奏法と指導法

1 リコーダー

▶ リコーダーの歴史と名称

リコーダーは，中世ヨーロッパの絵画や文献にも見ることができる木管楽器である。ルネサンス期には様々な大きさのものが作られ，主にアンサンブル楽器として発達し，多くの舞曲や多声作品の演奏に使用された。また，バロック期においては，G.F.ヘンデルやG.Ph.テーレマンのソナタ，A.ヴィヴァルディやJ.S.バッハの協奏曲及びカンタータなどに数多く用いられ，独奏に適した音色のリコーダーが製作された。古典・ロマン派期には，音楽環境の変化とともにリコーダーに代わりフルートが使用されたが，20世紀初頭の古楽復興運動により再びリコーダーが注目されるようになった。20世紀半ばから今世紀にかけては，現代作品が数多く作曲されている。

名称の語源は，古語英語record（記録する，小鳥のように歌う）に関係し，小さなリコーダーで小鳥に歌を教えていたことに由来するといわれている。Blockflöte〔独〕，Flûte à bec〔仏〕，Flauto dolce〔伊〕とも呼ばれる。

▶ 学校教育におけるリコーダー

昭和22年の小学校学習指導要領（試案）において「笛」の使用が示され，33年の中学校学習指導要領で，「合奏は，リード楽器または笛を中心とした編成で行う」ことが記された。平成元年に，「たて笛」が「リコーダー」と改称された。平成29年の中学校の改訂では，器楽において「創意工夫を生かした奏法や他者と合わせて演奏する技能を身に付ける」と記されている。

▶ リコーダーの教育的特性

①発音が簡単なため，早期のうちに喜びのある音楽体験ができる。
②歌唱法と共通する部分があるため，音楽表現法を学びやすい。
③管楽器奏法の基礎を習得しやすい。
④多種多様なアンサンブルの展開が容易にできる。
⑤中世から現代までの豊富な作品と多くの曲種をもつため，生徒をはじめ幅広い年齢の人々の知的好奇心や美的要求に応じることができる。
⑥演奏家だけでなく愛好家のための楽器として長い歴史をもち，自然な呼吸の応用で発音することから，生涯学習楽器としての性格をもつ。
⑦古楽や現代音楽などの芸術音楽の演奏楽器としてだけでなく，教育楽器としての要素をもつ。

▶ 運指法（指づかい）[1]

リコーダーは時代や楽器により運指法が異なるため，1919年頃にイギリスのA.ドルメッチがバロック時代の運指法を合理化した。これをイギリス式と呼ぶが，現在ではバロック式ともいう。一方，ドイツのP.ハルランが，ナチス運動のもとで1932年頃にジャーマン式を考案した。ジャーマン式アルト・リコーダーは派生音の演奏が難しいためバロック式の使用となる。

▶ 楽器の種類と取り扱い

ガー・クライン（クライネ・ソプラニーノ），ソプラニーノ，ソプラノ，アルト，テノール，バス，グレート・バス，コントラバスなどがある。

リコーダーは直接口に触れるため，演奏する前に手洗いや歯磨きをして清潔にする。演奏後は，掃除棒にガーゼを巻き，管の内側の水滴を拭き取り，管の外側も清潔に保つ。

演奏中にウィンドウェイが結露して詰まった場合，エッジに触れないよう指をウィンドウにそっと当て，息を強く吹き込んで詰まった水滴を除く。

▶ 呼吸法と音づくり

・呼吸法は歌唱の呼吸法と共通しており，腹式(側式）呼吸で行う。
・歌うときの身体の状態で，頭声発声のように発音することで美しい響きを得られる。
・「吹く」ことは，「吹き込む」ことではなく，歌うときのような呼気で身体に響かせることである。

・ヴィブラートは装飾法の一種であるため，基本的にヴィブラートを用いて演奏しない。

▶ 音合わせ（チューニング）

息のスピードが速いと音高が上がり，息のスピードが遅いと音高が下がるため，相互の音を観察し，息の調節により音程を合わせる。音程が合わない場合は「うなり」が生まれる。また，楽器のピッチが高い場合は，頭部管を少し抜き音高を下げて音を合わせる。

▶ タンギング

タンギング・シラブル（後述）を用いて発音したり，音を止めたりする舌の動きをタンギングという。舌は図のように上あごに当てるが，楽器にはまったく触れない。

タンギング・シラブルは破裂音を無声音で発音するが，その種類は，tu du ru ku，te de re ke，ti di ri ki（tü dü rü kü）など非常に多く，音の強弱や硬柔，濃淡の変化を付けることに役立つ。舌を筆のタッチのように使い，空気に音の絵を描くイメージでニュアンスを付ける。

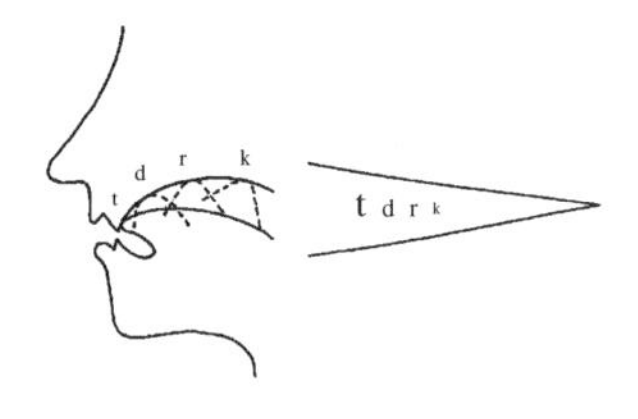

▶ 指づかい（指番号＝音孔番号）

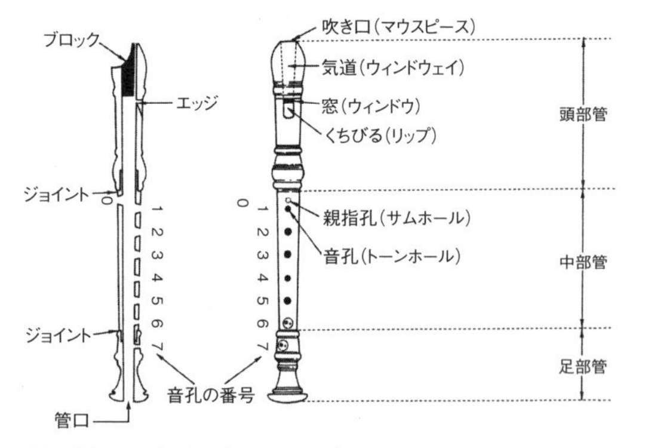

・指番号は音孔番号と一致する。
・指の腹で力を入れずに音孔を閉じ，足部管を小指（7）が触れやすいような角度に調節する。
・左手親指の形は，指の腹ではなく，音孔に対して斜めの自然な角度がサミングしやすい。
・サミングには指の関節を曲げて爪を立てる方法Ⓐと，親指全体を少し下に滑らせる方法Ⓑがある。どちらも力を抜くことが大切である。

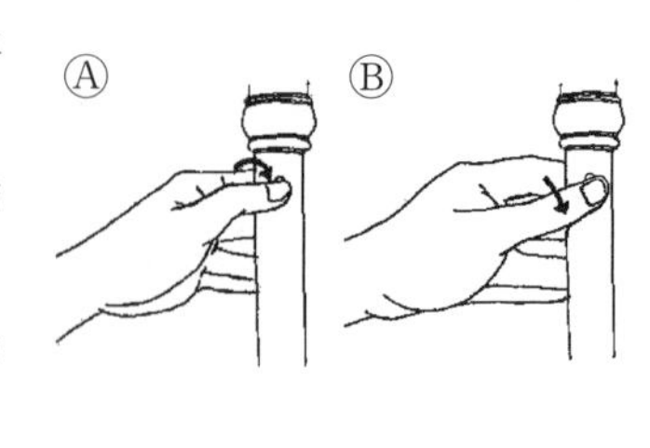

▶ アーティキュレーション

レガート，ポルタート，ノン・レガート，スタッカートの4種類に大別される。音符は台本に書かれた文字と類似し，音符のみに従って演奏することは台詞の棒読みと同じである。曲想を感じそれに合った表現を工夫し，ニュアンスをもって音表現する語り方をアーティキュレーションという。

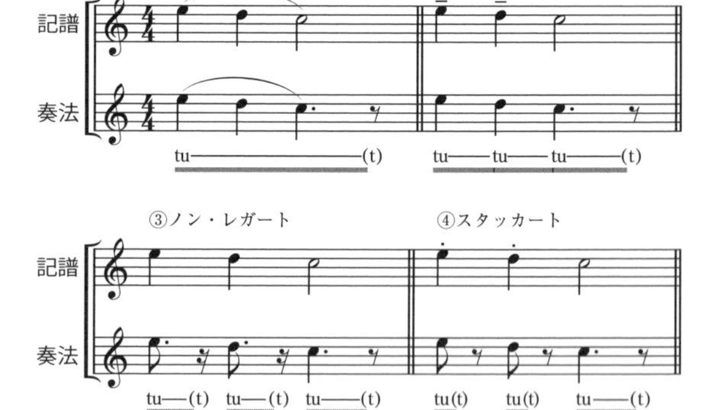

▶ 練習曲

「ポストホルン」：スラーなどのアーティキュレーションに注意し，カノンによる音の重なりを感じながら，アルプスの谷間に響くホルンの「こだま」のように演奏する。

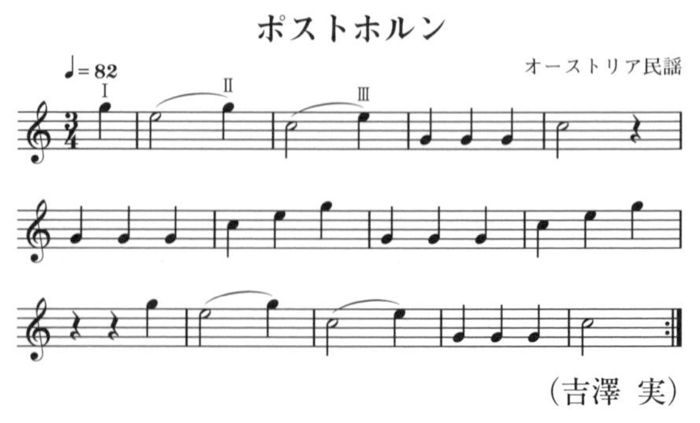

（吉澤 実）

(1) 運指表はp.67に掲載

【参考文献】
吉澤実，市江雅芳編著（2009）『基礎から学ぶ みんなのリコーダー 楽しくウェルネス！』音楽之友社

2 ギター

▶ ギターについて

現代のいずれの楽器においても，そのルーツを限定的に特定することは，難しいようである。

「あらゆる弦楽器の祖先は（中略）例えば南フランスのトロア・フレーレの石器時代岩絵にみる狩猟のための弓で，これは同時に音楽の弓の役目も果たしたのである」[(1)] といわれ時代や地域によって分化･進化をしながら発展してきたという。ギターもそのうちのひとつであり，そのルーツは，どの楽器であるか明確にすることは難しい。

今日のギターの形は，15～16世紀の絵画や写本などから把握できるようになった。現在の6弦のギターは，1800年代スペイン式ギターの拡張によって確立した[(2)]。

かつて，楽器は，「生命の保全の力を呼び寄せる，生命保全を脅かすものの危害を取り除く，最も強力な祭器であり（中略）そして楽器の発達は，人間の精神の進化の姿」[(3)] であったといわれる。

ギターが，単に音を出す道具としてではなく，その存在の意味から深く捉え直しながら敬意をもって扱われることを願う。

▶ 憧れと興味がギターを上手にさせる

「あの曲が弾きたい」「あの人のようにかっこよく弾きたい」。このような思いがギターへの関心を強くさせる。しかし，いざ始めてみると，まず，弦を押さえる指が痛くなる，弦を押さえるポイントが決まらない，これが最初の壁である。そのような壁は次から次へと立ちふさがる。この壁を乗り越えさせるのは，毎日の根気強い練習と克服したときの達成感を味わうことである。練習は10分でも15分でも毎日続けることが上達の早道である。

▶ ギターの種類

フォーク・ギター

アコースティック・ギターというとこのギターを指すことが多い。主にポピュラー音楽で使用される。弦は，金属製を使用する。

クラシック・ギター

フォーク・ギターより弦を押さえるところ（ネックという）が広く，ボディはやや小さい。弦はナイロン弦を使用し指で弾きやすく柔らかい音色が得られる。

エレキ・ギター（エレクトリック・ギター）

電気によって音を増幅させることができ広い会場や野外でも音を届けることができる。ロックと呼ばれる音楽のジャンルで使用される。弦は主に金属製だが，ステンレス製が丈夫で長持ちするためおすすめである。

一般的に目にするギターの種類を挙げた。

▶ ギターの各部の名称

▶ ギター上達のための必需品

音叉

音叉は，弦の音合わせのための必需品である。

音叉を使うことは，音を合わせることと同時に音程感を育てることにも役立つ。音が合っているかどうかの判断は，結局自分の耳で判断しなければならない。その判断する力を養うのに音叉を活用することは重要である。

この他によく使われるものとして，チューナーがある。器具がギターの音を拾って合っているかどうかを目盛りで示す。したがって耳を使うことはない。目で確認をするのである。これは正しい音程や良い音を判断する耳の訓練には向かない。

音叉は，442Hzと440Hzがあるが440Hzのものが一般的である。

メトロノーム

演奏において最も重要な要素として，テンポをキープすること。継続的な練習をしなければ正確なテンポ感は身に付かない。曲が弾けるようになったら必ずメトロノームを使って練習することが大切である。

▶ ギターをいたわる

楽器は，それを必要とした民族の心の結晶である。畏敬の念をもって大事に扱う。

使用後は，弦やボディを乾いた柔らかい布で拭く。長持ちさせるためにも必ず行うこと。クリーナーや布も市販されている。

練習が終わった後，楽器を持って移動するとき，必ずケースに収める。衝撃を与えるとボディが割れてしまうこともある。長期に弾かない場合は，まず，弦を緩める。湿気を避けるために乾燥剤を入れておく。湿気や温度管理には，十分注意することが大切である。

▶ 弦の張り替え

弦は，時々切れてしまうことがある。当然張り替えなければならないが，切れた弦だけを張り替えるのではなく，全部を張り替える。なぜならば，他の弦も消耗しているので，新しい弦とでは，音のバランスを欠くことになるからである。

弦の張り替えは初心者の場合，弦を買った店に相談すれば張り替えてくれる。その方が正確な弦の張り替えができる。

▶ いよいよ音を出そう

開放弦の音高

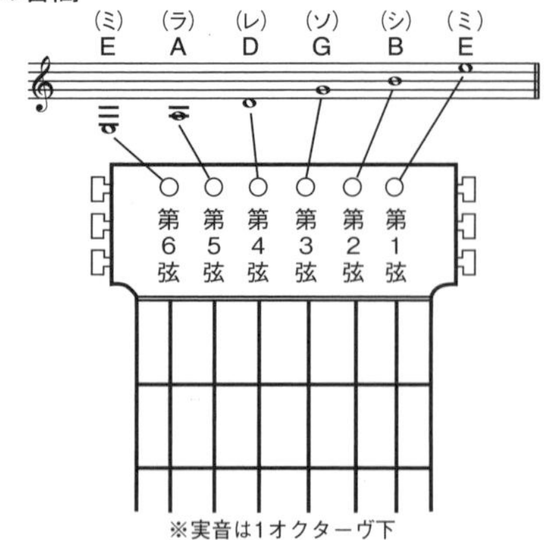

※実音は1オクターヴ下

チューニングの仕方

音叉（A音，440Hz）の先端を膝に軽く打ち付け，音叉をすぐに耳に当てる。第5弦の開放弦（A音）を音叉の音に合わせる。

同じ音名の音を同時に鳴らすと，1音のように聞こえる。うなりが生じているときは音が合っていない。合わせようとしている開放弦を緩めるか，締めるかしながらうなりを消してゆく。

☆太線がチューニングする弦

❶音叉またはピアノで第5弦の開放弦（A音）を合わせる。

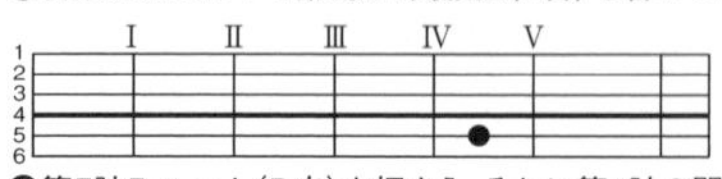

❷第5弦5フレット（D音）を押さえ，それに第4弦の開放弦（D音）を合わせる。

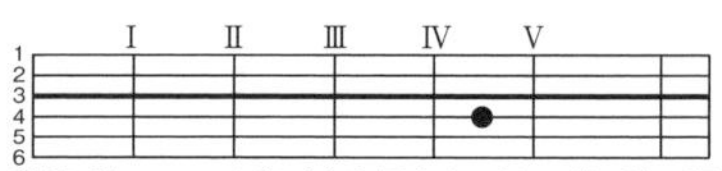

❸第4弦5フレット（G音）を押さえ，それに第3弦の開放弦（G音）を合わせる。

❹第3弦4フレット（B音）を押さえ，それに第2弦の開放弦（B音）を合わせる。

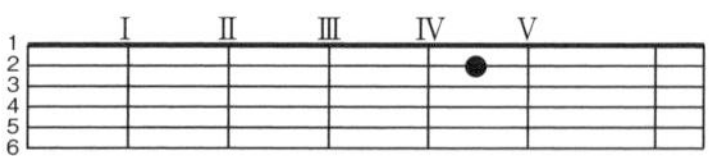

❺第2弦5フレット（E音）を押さえ，それに第1弦の開放弦（E音）を合わせる。

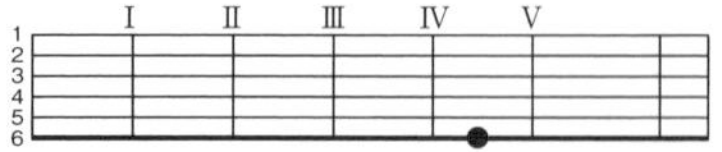

❻第6弦5フレット（A音）を押さえ，それを第5弦の開放弦（A音）に合わせる。

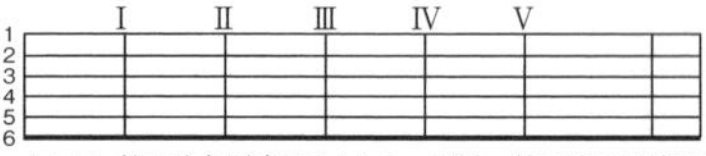

または，第1弦（E音）に2オクターヴ低い第6弦の開放弦（E音）を合わせる。

▶ 持ち方と姿勢

良い音で演奏するためには，姿勢は重要である。ギターの持ち方については，教則本などの写真を見て確認する。

▶ 奏法の基本

（1）指の名称と対応する記号

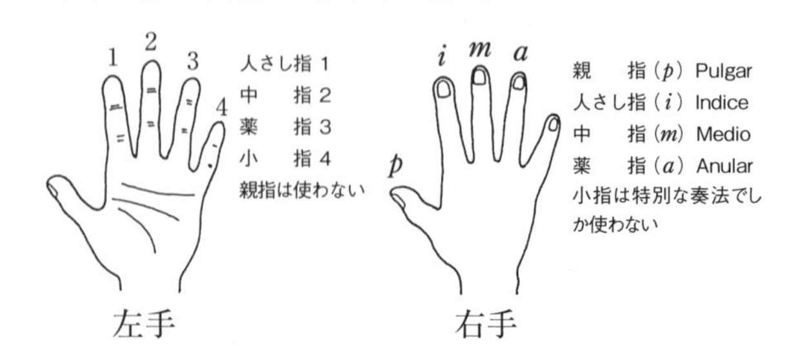

(2) 奏法の種類

〈アル・アイレ奏法〉

・弦を弾いた後，いずれの弦にも触れない。

・軽やかな優しい音色。アルペッジョの奏法に用いる。

〈アポヤンド奏法〉

・弦を弾いた後，弾いた指を指の動く方向の次弦で止める。

・力強い質量感のある音が得られる。初歩の段階においては，この奏法から入り，慣れてきたらアル・アイレ奏法にするのが効果的である。

アル・アイレ

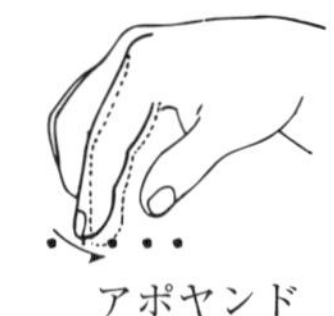

アポヤンド

▶ コードネームとダイヤグラム

コードネームとは，**和音を構成する根音名を名称化したもの**である。コードネームを見てフレットの押さえ方が身に付けば，旋律にコードネームを付記するだけで演奏できる。

ダイヤグラムとは，ギターのコードの押さえ方を図示したものである。初心者の場合，ダイヤグラムとコードを見ながら押さえ方に慣れると便利である。基本的な三和音と練習曲を次項に示しておく。

(1) (2) F. グレンフェルド（1975）『ギターとギター音楽の歴史』高橋功訳，全音楽譜出版社

(3) P. ペフゲン（1998）『図説ギターの歴史』田代城治訳，現代ギター社

▶ 開放弦で弾いてみよう

3本指奏法に慣れよう

右手の親指，人さし指，中指の3本を使って弾く。右手の親指でベースを弾く。人さし指，中指で和音やメロディーを弾く。この3本指でも十分に表情豊かな表現ができる。

譜例1の①〜⑥の数字は弦の位置番号を，0の数字は開放して弾くことを示している。アポヤンドで，1. *imim*　2. *mama*　3. *imam*　の順番で，それぞれしっかりと指が慣れるまで弾くこと。　（秋田賀文）

譜例1

譜例2

▶ 曲にトライ

こちらはより簡易的なコード表である。

コードネーム	C	D	Dm7	F	Fm	G	G7	Gm6	Am7
ダイヤグラム									

エーデルワイス

織茂 学 構成

リコーダー運指表

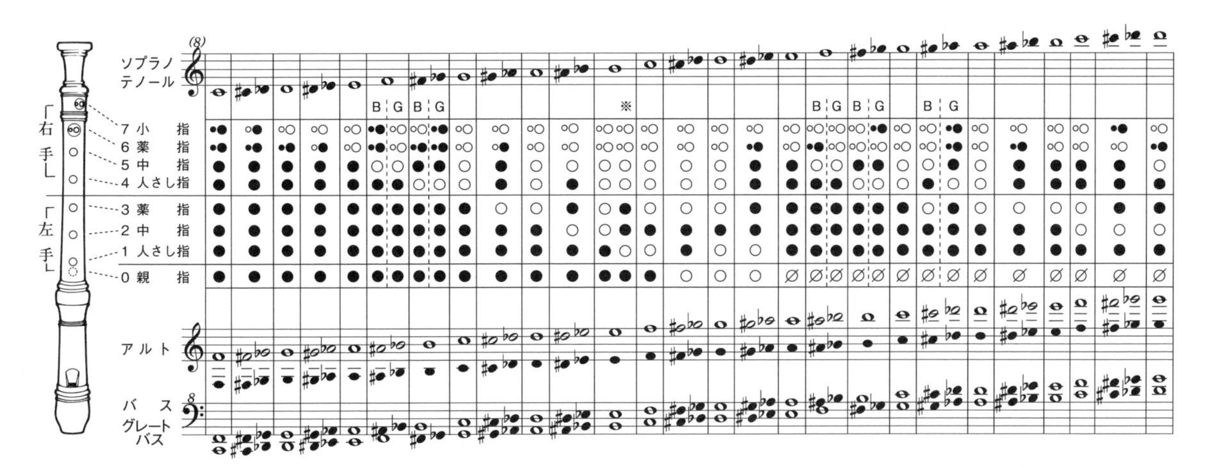

●……閉じる　○……開ける　∅……少しだけ開ける（サミング）　B……バロック式（イギリス式）の運指

◦●……少し開ける（ダブルホールの場合は，右側の穴をふさぐ）　※……替え指　G……ジャーマン式（ドイツ式）の運指

音部記号の上の*8*は，実音が1オクターヴ高いことを示す。

▦アルトの（𝅝）は実音であるが，（●）のように1オクターヴ低く記譜されることもある。

▦ソプラノ……実音は1オクターヴ上　テノール……実音　アルト……実音　バス/グレートバス……実音は1オクターヴ上

▦S.……ソプラノ・リコーダー　A.……アルト・リコーダー　T.……テノール・リコーダー　B.……バス・リコーダー
G. B.…… グレートバス・リコーダー

ギター・コード表

	C	D	E	F	G	A	B	B♭
メイジャー・コード	C I II III	D I II III	E I II III	F I II III	G I II III	A I II III	B II III IV	B♭ I II III
マイナー・コード	Cm III IV V	Dm I II III	Em I II III	Fm I II III	Gm III IV V	Am I II III	Bm II III IV	B♭m I II III
セブンス・コード	C7 I II III	D7 I II III	E7 I II III	F7 I II III IV	G7 I II III	A7 I II III	B7 II III IV	B♭7 I II III
メイジャー・セブンス・コード	CM7 I II III	DM7 I II III	EM7 II III IV	FM7 I II III	GM7 I II III	AM7 I II III	BM7 II III IV	B♭M7 I II III
マイナー・セブンス・コード	Cm7 III IV V	Dm7 I II III	Em7 I II III	Fm7 I II III IV	Gm7 III IV V VI	Am7 I II III	Bm7 II III IV	B♭m7 I II III

●……押さえる位置　×……弾かない弦　○……開放弦　1〜4……左手の指番号（1=人さし指　2=中指　3=薬指　4=小指）

※セーハ　［……2本以上の弦を左手の人さし指で同時に押さえる。

■（　）の音は，ピックや指先を使ってアップ・ダウンで弾く場合に使用する。

3 和楽器

(1) 箏

音楽室に箏の音色が響いたとたん，それまでの空気が一変するような気持ちになることだろう。

その音色は，現代の若者たちにも日本人であることを思い出させてくれるもののようである。和楽器の体験が初めての生徒にとって，箏は比較的取り組みやすい楽器といえよう。

・身体の構え方

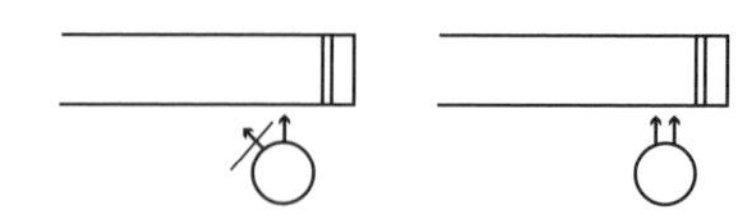

（角爪）身体は左約45度に向き，顔はやや正面を向く。

（丸爪）身体も顔も正面を向く。

・親指の爪のあて方と弾き方

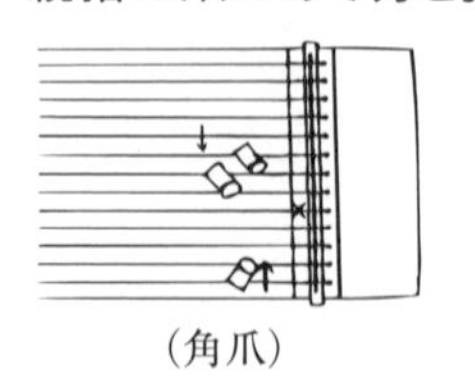

（角爪）

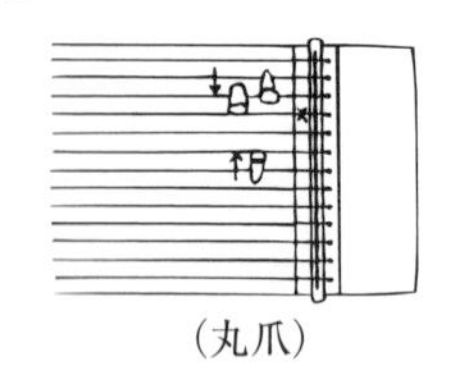

（丸爪）

右手は自然に柔らかく，左手は，斗，為，巾あたりの柱の左側にそっとのせる。

箏の部分名称

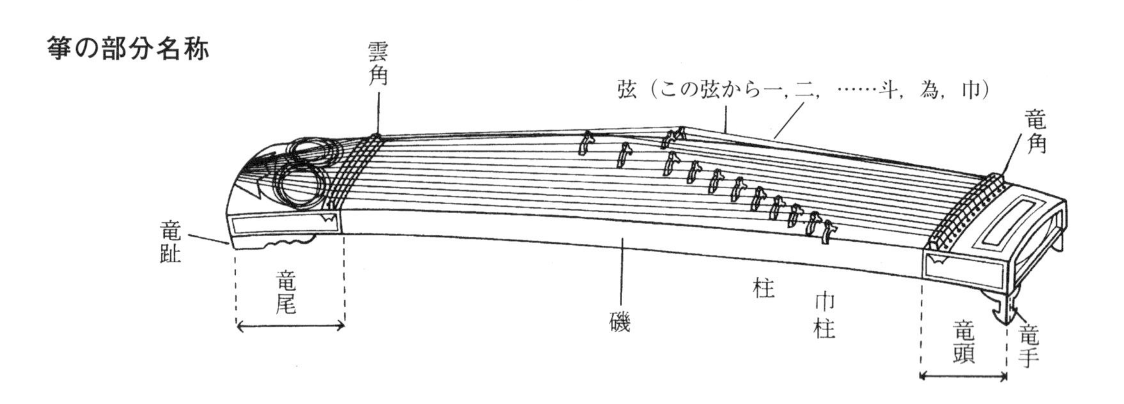

爪

普通使われる爪は，丸爪（山田流）と角爪（生田流）の2種類である。右手の親指・人さし指・中指にはめる。

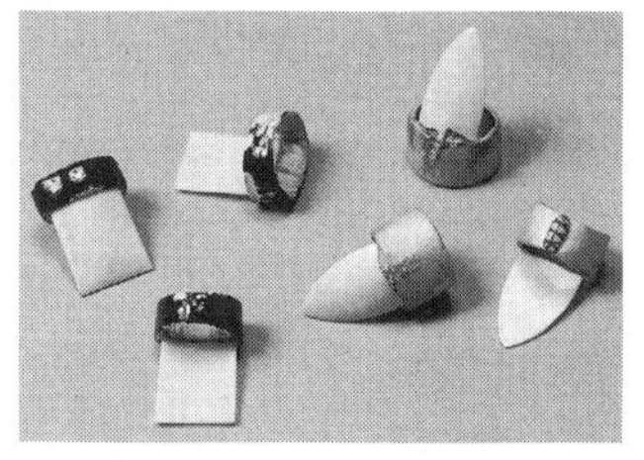

生田流　山田流

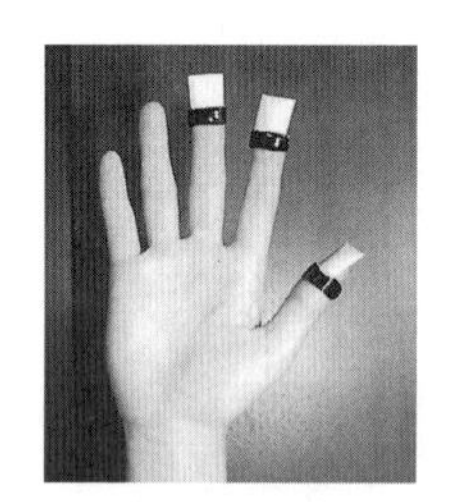

爪のはめ方

柱

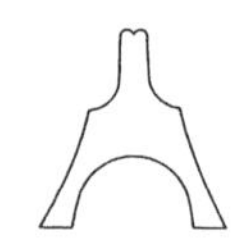

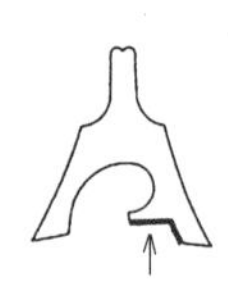

・巾柱…巾弦専用の柱。太線部分が楽器の角に当たるように立てる。

箏の弦名

箏は13弦で，向こう側から手前にかけて，一，二，三，四，五，六，七，八，九，十，斗，為，巾，と名付けられている。

・調弦してみる

箏は，演奏する曲に応じて柱を動かして相対音高で調弦するが，柱を動かすことで自由に音を作ることができるということを体験させるとよい。

平調子（相対音高）

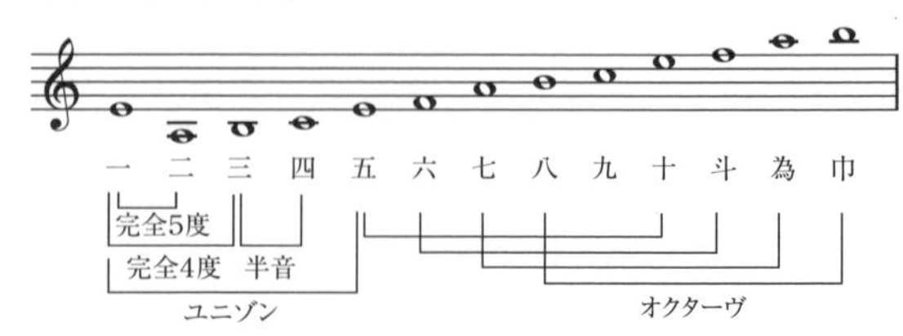

右手の奏法・左手の奏法

・右手の奏法

スクイ爪・掻(か)き爪・割(わ)り爪・合(あわ)せ爪・擦(す)り爪

裏連・輪(わ)連

・左手の奏法

押し手・後押し・押し放し・引き色

指導者の演奏やビデオ教材などで紹介できるとよい。その際,「コーロリン　シャン」などの唱(しょう)歌(が)と奏法を併せて示すと理解しやすいであろう。

唱(しょう)歌(が)について

箏の「コーロリン シャン」, 鉦の「コンチキチ」, 太鼓の「テレツクテン」など, 日本の楽器固有の音色や奏法などを, 日本語の音韻による言葉として伝えるのが唱歌である。その唱え方には楽器ごとにある種の決まりがあり, この唱歌によってそれぞれの楽器の習得が行われてきた。

「さくらさくら」を弾く

・右手は卵を握っているような感じで, 薬指が竜角の上にくるように置く。
・右手親指を一つ後ろの弦に当てるようにし一音一音しっかり響かせながら, ゆっくりメロディーを奏する。

♪やってみよう

「ツン　ツン　テン」と「さくらさくら」の唱歌を歌いながら弾いてみよう。箏の音色を一音一音味わいたい。

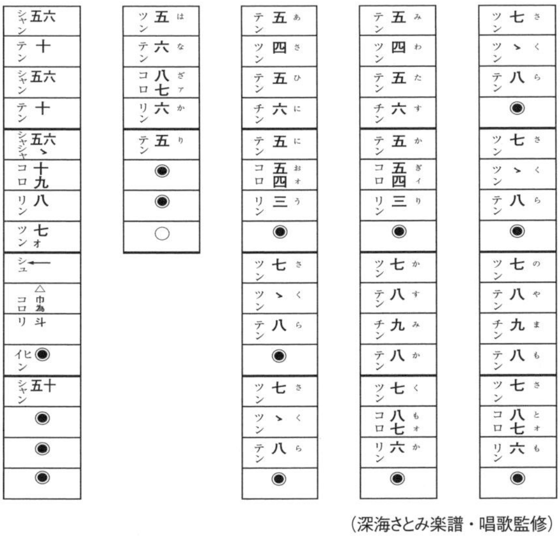

唱歌	弦	歌詞
ツン	七	さ
ツン	ヽ	く
テン	八	ら
	◉	
ツン	七	さ
ツン	ヽ	く
テン	八	ら
	◉	
ツン	七	の
テン	八	や
チン	九	ま
テン	八	も
ツン	七	さ
コロ	八七	とォ
リン	六	も
	◉	

唱歌	弦	歌詞
テン	五	み
ツン	四	わ
テン	五	た
チン	六	す
テン	五	か
コロ	五四	ぎィ
リン	三	り
	◉	
ツン	七	か
テン	八	す
チン	九	み
テン	八	か
ツン	七	く
コロ	八七	もォ
リン	六	か
	◉	

唱歌	弦	歌詞
テン	五	あ
ツン	四	さ
テン	五	ひ
チン	六	に
テン	五	に
コロ	五四	おォ
リン	三	う
	◉	
ツン	七	さ
ツン	ヽ	く
テン	八	ら
	◉	
ツン	七	さ
ツン	ヽ	く
テン	八	ら
	◉	

唱歌	弦	歌詞
ツン	五	は
テン	六	な
コロ	八七	ざァ
リン	六	か
テン	五	り
	◉	
	◉	
	○	

唱歌	弦	歌詞
シャン	五六	
テン	十	
シャン	五六	
テン	十	
シャシャ	五六ヽ	
コロ	十九	
リン	八	
ツン	七	オ
シュ	←	
コロ	△巾為	
リ	斗	
イヒン	◉	
シャン	五十	
	◉	
	◉	
	◉	

（深海さとみ楽譜・唱歌監修）

楽譜について

楽譜は, 五線譜の音符の下に弦名をつけたものが生徒にとって音のイメージがしやすいようであるが, 慣れると本来の箏譜のほうが演奏しやすくなるようである。

「六段の調」（山田流の楽譜）

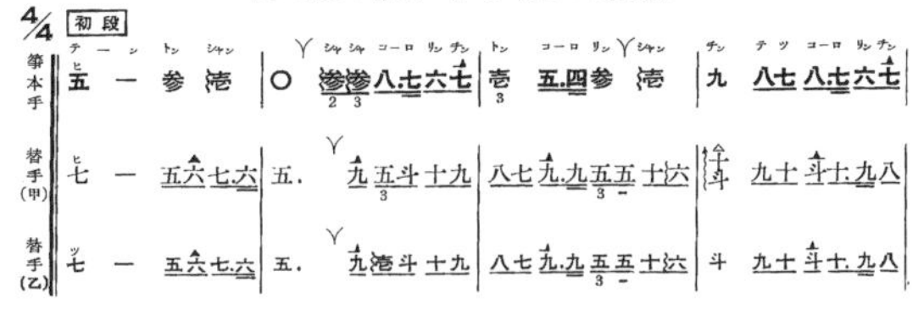

（中能島欣一著『山田流箏譜　六段調　替手付』邦楽社　より転載）

（生田流の楽譜）

六段の調
平調子
箏の三
三絃の一
初段

（宮城道雄著『生田流箏曲　六段の調／雲井六段』邦楽社　より転載）

「琴(きん)のこと」「箏(そう)のこと」

「こと」はごく広義には, 弦楽器の総称である。「琴(きん)」は柱を使用しない七弦琴の「こと」で,「箏(そう)」は柱を立てて調弦し奏する「こと」と厳密には区別があったが, 現在一般的には13弦の箏を「こと」と呼ぶことが多い。

♪やってみよう

・「さくらさくら」の旋律が弾けたら, リズムの変化や合いの手を入れるなどの工夫をして変奏曲を作り, 発表し合おう。

〔箏及び三味線の項の資料提供〕
(1) 特定非営利活動法人 邦楽教育振興会
(2) 茂手木潔子（1988）『日本の楽器』音楽之友社
(3) 日本音楽の教育と研究をつなぐ会

(2) 三味線

昨今の若手演奏家の活躍もあり，ギターなど弦楽器の経験がある生徒にとっては，興味関心が高い楽器のようである。三味線の種類によって音色も独特なものがあり，創作などの活動で奏法と音色の工夫をさせるのにも効果的な楽器である。

三味線の部分名称

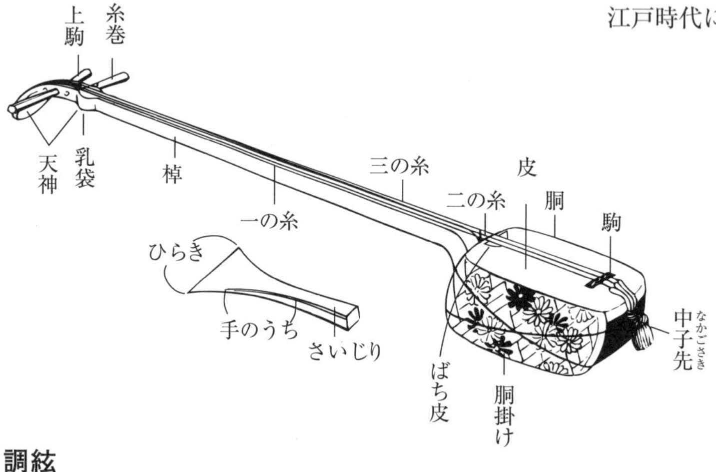

三味線の歴史

三味線の歴史は比較的新しく，永禄年間（1558～70）に沖縄から堺へ輸入されたものが最初であるとされている。輸入された楽器には錦蛇の皮が張ってあったが，日本では錦蛇の皮が手に入らないことなどから，胴には犬，猫の皮が張られるようになり，サワリ（三味線上部で棹と弦の接触部分において起こる発音特色のこと）などの工夫もされて，現在のような三味線となった。そして，江戸時代に歌舞伎音楽の伴奏楽器として活躍した。

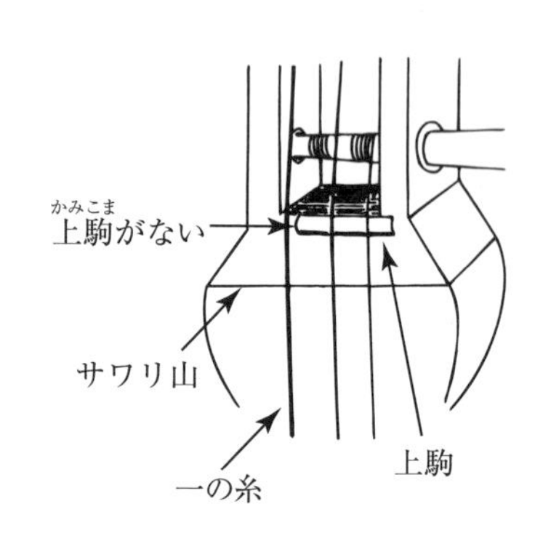

調絃

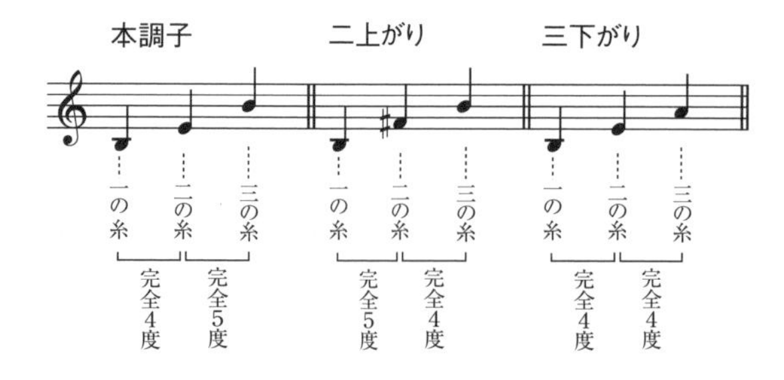

勘所（かんどころ）（指のポジション）

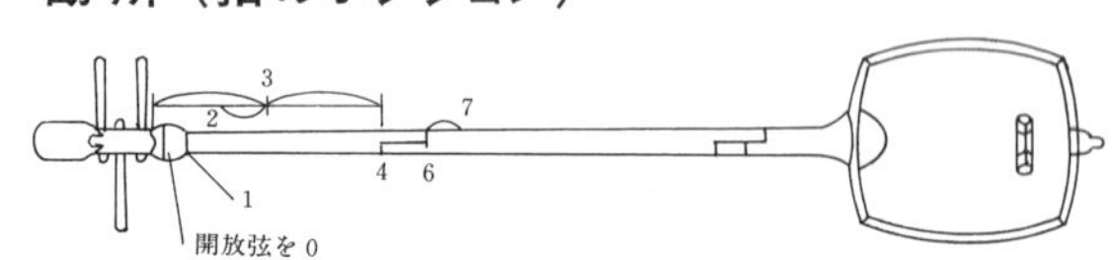

構え方（長唄三味線の場合）

三味線の胴を，右ひざのひざ頭と足の付け根のほぼ中央にのせる。棹の上部，二の糸巻が左耳の高さ，胴の内側の角が右耳線上にくることを目安にする。そして，胴をやや自分の腹側に傾ける。上から視線を落としたとき，糸が1本に見える角度がよい。

右腕は，胴掛けの中心よりやや下の部分にのせ，少し手前へ手首を下げる。

左手は，親指と人さし指に“指掛け”をかける。その股に棹を当て，手首を曲げずに下からしっかりと棹を支える。両ひじの開き方は同じくらいにする。

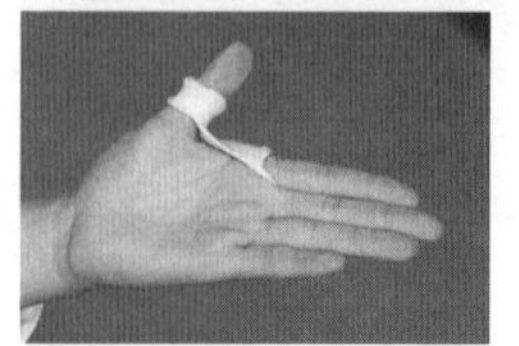
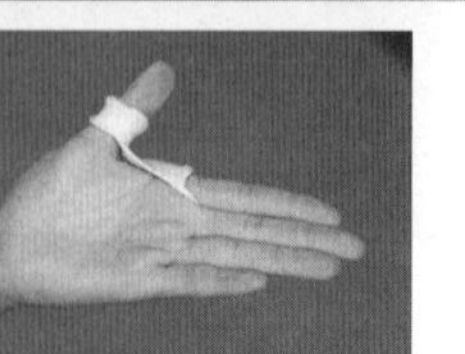

指掛け

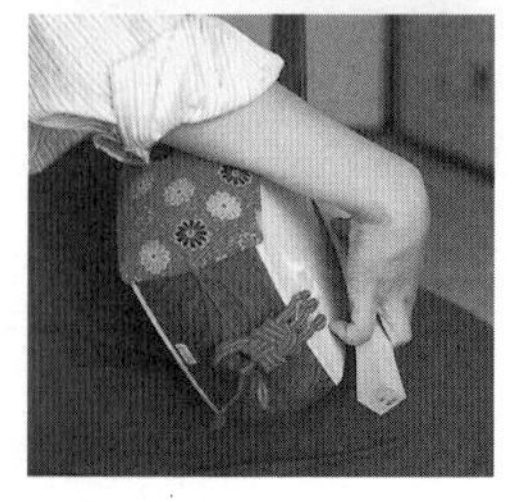

ばちの持ち方

右手首を直角に曲げ，ばちの重心が中指にくるようにばちを置き，人さし指，薬指を曲げて添える。親指はばちの上面に付ける。小指はばちをまたぐようにして反対側に回す。

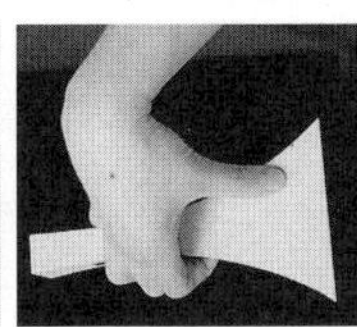

奏法

・スクイばち：下から糸をすくい上げる。ばちを上から下に振り下ろす基本奏法と交互に行われることが多い。V印やスの文字で示される。
・ハジキ：左手の技巧。指の先端を，内側へまるめこむように折り曲げて，糸を上からはじく。∩印やハの文字で示される。
　その他に，スリ，コキなどがある。

口三味線（三味線の唱歌）について

三味線の手（奏法，リズムパターンなど）を口で唱えるもので，どの糸をどの奏法で弾くか，その音色を表している。

例えば,「チンチリリン」という口三味線は「チン　チ　リ　リン」という四つの音からなり，三の糸の同じ勘所を押さえたままで「弾(ひ)く　弾(ひ)く　すくう　はじく」と演奏する。

同じ高さの音でも奏法によって音色が異なり，その音色は虫の音を模しているようにも聞こえる。

楽譜について

現在，広く使われている楽譜には文化譜と研精会譜の2種類がある。長唄「小鍛冶」より「拍子の合方」冒頭の楽譜を示す。

文化譜は，左手で押さえる勘所の位置を記した奏法譜で，研精会譜は，数字が相対的な音の高さを示す音高譜である。

研精会譜の例 (3)

チャン チャン（ヨイ）チャン チャン（ヨイ）チャチャ チャン チャン チャン チャン チャン チャン チャンランチャンラン チャンラン

0 33・ 33・ | 0 33・ 33・ | 0 32・ 32・ 32・ 32・ | 32・ 32・ 32・ 32・ | 33・ 3・ v 33・ 3・ v | 33・ v 3・

文化譜の例 (3)

チャンチャン（ヨイ）チャンチャン（ヨイ）チャ チャチャンチャンチャン チャン チャン チャン チャンラン チャン ラン チャンラン チャン ラン

● 4 4 ●	● 4 4 ●	● 3 3 3 3	3 3 3 3	4 4 4 4	4 4 4 4
0 0	0 0	0 0 0 0	0 0 0 0	0 ス 0 ス	0 ス 0 ス

音を出してみる

①椅子に座る場合は背すじを伸ばし，ももが床と水平になるように（足の裏が床につくように）浅く腰かける。
②楽器がすべらないように，日本手ぬぐいを縦半分に折って，三味線の胴を置く位置にのせ，手ぬぐいの両端をももの下に挟み固定する。
③天神が耳の高さより少し下になるように楽器を構える。
④ばちを正しく持つ。
⑤開放弦の練習

手首をよく振るようにして，一の糸から3回ずつ順に三の糸まで弾(ひ)く。このとき，ばち皮をめがける気持ちで手首を振ると，ばち先が糸にしっかり当たる。

♪やってみよう

視聴覚教材を参考にして，長唄「小鍛冶」より「拍子の合方」の最後の部分の口三味線を言ってみよう。

口三味線を言いながら手を動かしてみると，三味線の旋律やリズム，音色がよりはっきりと聴き分けられるようになるだろう。

チンドツツンテン
チリチン　チャン

(3) 篠笛

日本の笛は，フルートやリコーダーなどと違ってタンギングせず，手孔（指孔）を指で打ったり手孔に指をかざしたり，あごの角度や息づかいを変えたりして様々な音を作り出していく。一音一音の奏者の息づかいが音色となって，現代の若者の心にもまっすぐに届くようである。日本の笛の音は，哀しさや無常観をも味わわせてくれる。視聴覚教材を工夫して，生徒の心にしみるような演奏を鑑賞させたい。

音を出す

自分の顔の前に手のひらを向け，冷たい息が感じられるように,「プ」というつもりで息を当てる。息の方向を変えて，手のひらの上方と下方にも当ててみるとよい。これができたら，篠笛の両端を両手で持ち，歌口に下唇の真ん中を当てて「プ」というつもりで音の出る角度を探す。ここですぐに音が出るか出ないか，かなり個人差が出る。要は，当て口の向きと息の方向だが，吹くことがいやにならぬ程度に励ましながらも，さらっと進めるほうがよい。

楽器を構える

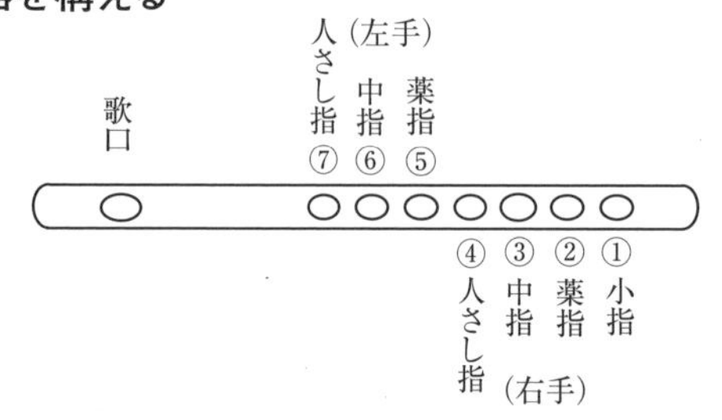

手孔の押さえ方

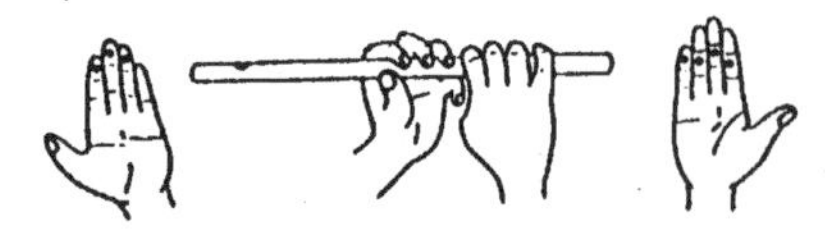

右人さし指，中指，薬指は伸ばして，第一関節辺りで孔をふさぐことに注意する。

「ほたるこい」を吹く

①楽器を構え，音を出さずに指のみ動かして五と六の運指を覚える。

②五と六の音を吹いてみる。

1オクターヴ高い音（甲音（かんおん））は，運指を変えずに唇の締め加減と息のスピードで出すことができるので，試させるとよい。

③「ほたるこい」を1フレーズずつゆっくり示しながら吹かせる。

④五五のように同じ音が続くときは，タンギングせずに指を打つことに気を付けさせる。リコーダーのようにタンギングしない音色が日本の笛の特徴であることを意識させたいので，理解できているか，一人ずつ吹かせてみるとよい。

♪やってみよう

・メロディーが吹けたら1オクターヴ高く（甲音）吹いたり，カノンにしてみたりすると変化がつく。鉦や締太鼓の伴奏リズムを考えて合奏するのも楽しい。

運指表

運指表　（呂=低音域　甲=高音域　大甲=最高音域）

〔左		手〕	〔右			手〕	呂	甲	大甲
●	●	●	●	●	●	●	筒音		
●	○	●	●	●	●	●	(七×)	0	
●	●	●	●	●	●	○	一	1	
●	●	●	●	●	○	○	二	2	$\dot{2}$
●	●	●	●	◒	○	○	三×	3×	
●	●	●	●	○	○	○	三	3	$\dot{3}$
●	●	●	○	●	○	○	四	4	
●	●	●	○	○	○	●			
●	●	○	○	○	○	●	五	5	
●	◐	○	○	○	○	●	六×	6×	
●	○	○	○	○	○	●	六	6	
◐	○	○	○	○	○	●	七×	7×	
○	○	○	○	○	○	●	七	7	
○	●	●	●	●	●	●			
指は「七」と同じで　カリ音							七	(1)	
○	●	●	○	○	○	●		8	($\dot{1}$)
●	●	○	●	●	○	○			$\dot{2}$
●	○	●	●	○	○	○			$\dot{3}$
●	○	○	●	●	○	○			
●	○	●	●	●	●	○			$\dot{4}$
●	○	●	●	●	●	●			
○	●	○	○	●	○	○			$\dot{5}$

①左手の中指をはねる
②左手の中指で打つ
③左手の人さし指をはねる

「ほたるこい」

六 ほ　・ 、　六 ほ　・ 、　六 ほ　五 た　①五 る　六 こい　・

六 あっ　②六 ち　②六 の　②六 み　七 ずは　六 に　③六 が　三 いぞ　・

六 こっ　六 ち　六 の　六 み　七 ずは　六 あ　六 ま　三 いぞ　・

六 ほ　・ 、　六 ほ　・ 、　六 ほ　五 た　五 る　六 こい　・

【参考文献】山田隆，福原寛編著『篠笛の本』日音

(4) 尺八

日本の楽器の中で，尺八は，生徒にとって比較的イメージしやすい楽器のようである。音を出すことがなかなか難しい楽器とされており実践例はまだあまり多くないようであるが，音を出すことの難しさを体験することもまた貴重な経験である。鑑賞と合わせて，尺八の音色の豊かさを味わおう。

音を出す

尺八は，右手の中指，親指，あごの3箇所で支え，歌口の先に息を当てるようにする。

びんや水道管などのパイプ類も用意して，いろいろ鳴らし方を試してみるのも面白い。

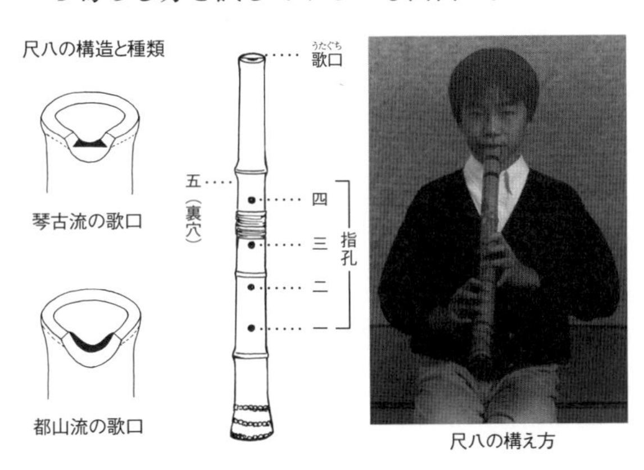

尺八の構え方

ロ，ツ，レ，チ，リ（尺八の音律）

尺八は5孔で，その5音はすなわち日本の音階となっている。順番に音を鳴らしてみよう。

（一尺八寸管）

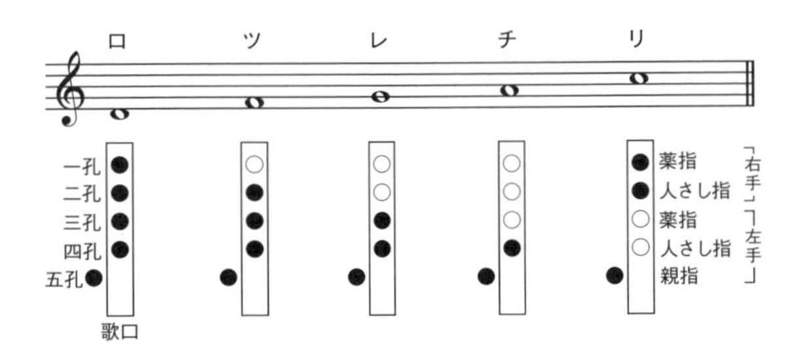

♪やってみよう

・鳴りやすい音がみつかったら，となり合う3音でわらべ歌「ゆうやけこやけ」を吹いてみよう。

・尺八の指孔（ゆびあな）は大きい。指をかざしたり，少しふさいだり，あごの角度を変えたりしてどのような音色の変化があるか試してみよう。

(5) 太鼓

日本の太鼓の種類は多くあり，呼び方も様々であるが，学校ではいわゆる鋲打太鼓を「和太鼓」と呼ぶことが多いようである。音楽の授業だけでなく，運動会などの行事で「○○太鼓」といった演目として行うこともよく見られる。全身で太鼓を打ちその響きを身体で感じることは，生徒の心を大いに解放する。単にリズム楽器としてではなく，日本の太鼓の音色，響きを体感させたい。

実践に当たって注意すること

・かなりの音量となるので，周囲の理解を得る。
・身体全体を動かせるよう，体操着など動きやすい服装で行う。
・太鼓の代替として，古タイヤを使用することができる。ばちも材料を工夫して作ることができるので，練習時に使用するとよい。

基本姿勢

・ばちを両手にしっかり持ち，腰を落として下半身を安定させ，太鼓の中央をねらって打ち込む。構え方や姿勢は音色に関わる重要なところなので，視聴覚教材などを参考にしよう。

太鼓の唱歌（しょうが）を覚えよう

「ドンドコドンドン」「スットンスットン」など，リズムパターンを口で言えるようにしっかり覚えてから打つ練習をしよう。

♪やってみよう：一台の太鼓でアンサンブル

やぐら台にのせた太鼓の左右両面に分かれ，一人は地打ち（ドッコドッコなど）を続け，他の一人は反対側の面で「ドンドコドンドン」など決まったリズムパターンや自分で考えたリズムを地打ちに合わせて打つ。流れが途切れぬように役割を交代しながら順番で打ち合うと，一台の太鼓でも十分楽しめる活動となる。

〔写真提供〕全教図

(6) 和楽器小事典

♪知っていますか？　雛人形の五人囃子の並び方

雛人形の種類によって異なるが，能のお囃子と同じものは，向かって左から，太鼓，大鼓（おおつづみ），小鼓（こつづみ），笛（能管），謡の順番に並んでいる。機会があったら気を付けて見てみよう。

▶ 能楽で使われる楽器

能管

能の囃子に使用される横笛。構造上の一番の特徴は，歌口と一番上の指孔の間に喉（のど）という管が入っていることで，これによって特定の音階によらない，独特の音色・音高が出る。

小鼓（こつづみ）

中央がくびれた胴の両面に馬革（うまかわ）が張られ，調緒（しらべお）という麻紐で締める。打つときに裏革に息を吹きかけたり，湿らせた調子紙を小さくちぎって貼り付けたりして，良い音が鳴るように調節する。演奏者が打音と連動してかける掛け声は演奏上の重要な表現となる。

大鼓（おおつづみ）

大革（おおかわ）ともいい，普通小鼓と組み合わせて用いる。楽器の構造は小鼓とよく似ているが，小鼓に比べて大ぶりである。演奏の前に電熱器などで必ず皮を焙じて良い音が鳴るよう準備する。小鼓と同様に，演奏者が打音と連動してかける掛け声は演奏上の重要な表現となる。

太鼓

能，狂言に用いる締太鼓の一種。太鼓中央にある鹿革でできたばち革部分をばちで打つ。小鼓や大鼓と同様に，演奏者が打音と連動してかける掛け声は演奏上の重要な表現となる。

▶ 雅楽で使われる楽器

雅楽は舞楽，管弦，歌物（うたいもの）（催馬楽（さいばら），朗詠），国風歌舞（くにぶりのうたまい）に大別される。管弦で使われる楽器の名称を覚えよう。

●管楽器（吹きもの）

笙（しょう）

鳳凰を模したといわれる形状で，両手で包み込むように持って奏する。ハーモニカと同じで呼気・吸気ともに音が鳴らせること，和音を奏でられることに特徴があり，天からさしこむ光を表した音色と評される。

篳篥（ひちりき）

楽器本体は小ぶりだが，頭部に葦製の大きなリードをつけるのが特徴的である。

竜笛（りゅうてき）

雅楽の横笛（おうてき）の中の一種で，竜笛の音は，天と地の間を泳ぐ龍の鳴き声を表しているとされる。

●弦楽器（弾きもの）

琵琶

平家琵琶や他の種目の琵琶と区別するときは楽琵琶（がくびわ）と呼ぶ。奏者は安座して槽を両ひざの上に弦が水平になるように横たえ，左手指は柱の上を押して弦を押さえる。

箏

他の種目の箏と区別するときは楽箏（がくそう）という。爪の形に特徴がある。

●打楽器（打ちもの）

鞨鼓（かっこ）

円筒形の胴体の両側の面をばちで鳴らす。全体を統率する役割なので，楽長が担当する。

楽太鼓（がくだいこ）

奏者は革面に向かって安座し，両手にばちを持って片面だけを打つ。「図（ずん）」「百（どう）」の打ち方の組合せによって，いくつかのリズム型がある。

鉦鼓（しょうこ）

雅楽の打ちものの中で唯一金属性の楽器。2本のばちで摺るように打ち鳴らす。

（寺田己保子）

【参考文献】

(1) 田辺尚雄（1975）『邦楽用語辞典』東京堂出版

(2)『日本音楽基本用語辞典』（2007）音楽之友社

(3)『日本音楽大事典』（1989）平凡社

4 打楽器

▶ コンガ

通常2本1組で使用し，セッティングは右の写真のように立奏する方法と，コンガを床に直接置き，座奏する方法がある。

オープン・トーン（O），スラップ・トーン（S），パーム（P），ティップ（T）の4種類の奏法を組み合わせて演奏するのが基本的なものである。

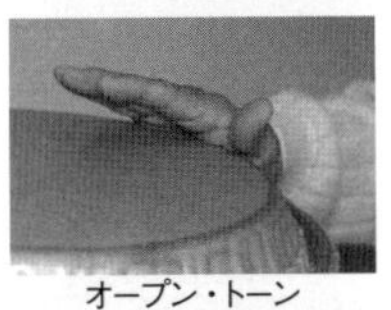
オープン・トーン

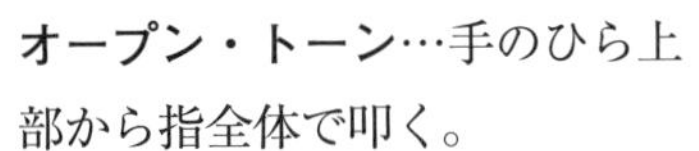

オープン・トーン…手のひら上部から指全体で叩く。

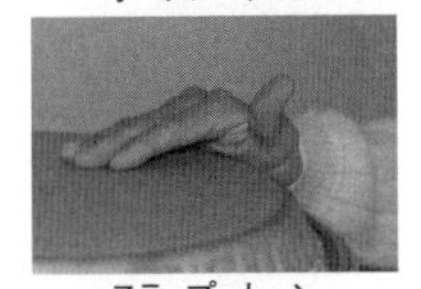
スラップ・トーン

スラップ・トーン…手の付け根をエッジに当て，その反動で指先をヘッド（皮）に当てる。

パーム

パーム…手のひらで，ヘッドのセンターあたりを叩く。

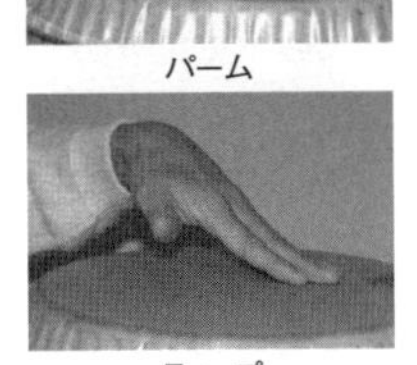
ティップ

ティップ…パームの位置から手首を返し，親指以外の指先で叩く。

▶ ボンゴ

足に挟むか，スタンドにセッティングして演奏する。フィンガー（F），オープン・トーン（O），ヒール（H），ティップ（T）の4種類の奏法を組み合わせて演奏する。

フィンガー

フィンガー…人さし指の第1関節の先あたりで叩く。

オープン・トーン

オープン・トーン…指全体で叩く。

ヒール

ヒール…親指の側面から手の付け根にかけて叩く。

ティップ

ティップ…親指以外の指先で叩く。

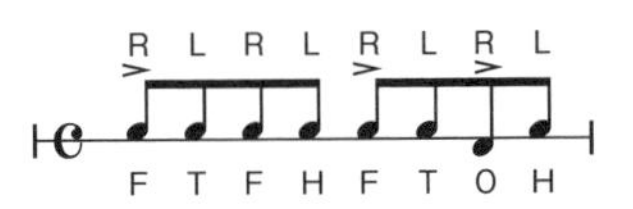

▶ マラカス

音が高いほうを右手に持ち，上下に振って演奏する。音を歯切れよくするには，楽器を止めるときに中指・薬指・小指で握り込むようにするとよい。

▶ ギロ（グィロ）

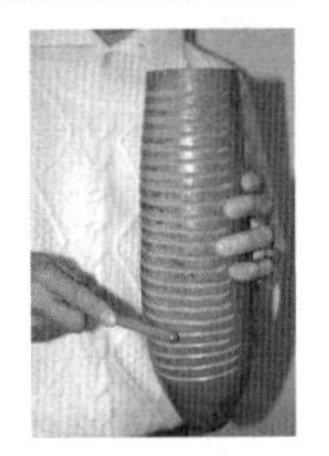

楽器を縦にして持ち，細いスティックで上下に擦って音を出す。奏法は，楽器の下の溝に向かってスティックを叩きつけ，そのままゆっくりと擦りながらスティックを上げてくる。音のイメージは，「グィー」という感じである。もう一つは，楽器の中央部の溝を上下に擦る奏法である。音のイメージは「チャッ・チャッ」という感じになる。

▶ カウベル

手に持ったり，ホルダーに取り付けたりして専用のカウベル・ビーター（撥）で演奏する。手に持った場合，指を離したり付けたりして，音色を変化させる。

▶ クラベス

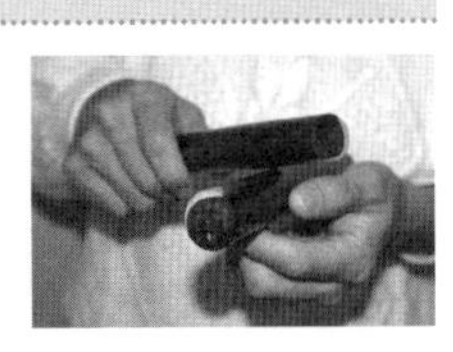

右手はドラムのスティックのように持ち，左手は親指と他の4本の指先で持ち，楽器と手のひらの間に空間をつくる。叩く場所や当てる角度によって音色を変化させることもできる。

（白石啓太）

5 電子楽器

▶ 電子楽器の特徴

電子楽器とは，電子音源をもっている楽器のことで，電子鍵盤楽器，電子管楽器，電子打楽器などがあるが，本節では，学校音楽教育で使用されることが多い電子鍵盤楽器に注目する。電子鍵盤楽器には，アコースティックピアノに近い性能（音色や鍵盤タッチなど）をもつ「電子ピアノ」，様々な種類の楽器の音色が内蔵されている「電子キーボード」，新しい音をつくり出すことができる「シンセサイザー」などがある。これらの楽器の中には，自動演奏機能，録音機能などを搭載した機種がある。近年は，スマートフォンやタブレットを接続しての機能を強化したり，Bluetoothによるオーディオ機能を搭載している機種もある。楽器本体の響板そのものを振動体とするような電子ピアノも登場した。

▶ 活用の利点

・アコースティック楽器を演奏するためには，音色を向上させる技能や，楽曲を演奏するための技能などが必要となる。一方，電子楽器を用いると安定した音色やピッチで音を発することができるので，すぐに楽曲の練習を始められる。

・電子楽器は様々な楽器の音色を出すことができるので，学校の備品にはないアコースティック楽器の代替楽器として活用することができる。また，様々な楽器の音色に触れる機会となる。

・その場に合わせた音量で演奏することができる。個人練習ではヘッドフォンも使用できる。

▶ 活用事例

○器楽アンサンブルでの代替楽器として

器楽アンサンブルにおいて，電子楽器はあらゆる楽器の代替楽器として使用できる。例えば，弦楽器のパートを，ストリングス系の音を選んで演奏することができる。低音楽器のパートを，ベース系の音を選んで演奏することも多い。

○伴奏楽器として

リコーダーの伴奏にピアノを用いることは多い。電子ピアノを活用すれば，自動演奏で伴奏を担当させることができる。テンポを自由に調整できるので，段階に応じた練習を行うことができる。

○様々な楽器の音色を体験

ある曲の旋律を，電子キーボードを用いて音色を変えて演奏すると，同じ旋律でも，音色の違いで，その趣が変わることを体験することができる。

○曲想表現を深める場面で

録音機能を用いて自分たちの演奏を録音し，それを客観的に聴き，表現を工夫するという活動を繰り返す中で，思いや意図に沿った曲想表現を深めていくことができる。

▶ 活用の留意点

・小型の電子キーボードは，スピーカーも小さいため，全体で合わせるときに自分の楽器の音がよく聴こえないことがある。そのようなときは，外部のアンプに接続して音を拡声するとよい。なお，他の楽器との音量バランスに留意する必要がある。

・電子キーボードを用いて，ある楽曲の主旋律を尺八の音色で演奏した生徒が，尺八という楽器に興味を示すようになるなど，電子楽器による擬似経験が本物の楽器への関心を高めるきっかけをつくるような指導ができるとよい。

・一人一台のタブレットを使用できるような近未来においては，タブレットの画面に表示されるピアノ鍵盤を利用した器楽の学習もできるかもしれない。最先端のメディアの活用は，学校音楽教育の新たな可能性を切り開くことにもつながる。一方で，時代が変わろうとも，アコースティック楽器だからこそ発することができる本物の楽器の音色の魅力を伝えていくことも音楽教師の大切な役割である。

・今後はアコースティックピアノに代わり，電子ピアノのシェアがさらに高まる時代となるだろう。しかし，時代が変わろうとも，学校の音楽室のグランドピアノは，音楽室のシンボルの楽器として使われ続けるようにしたいものである。

（齊藤忠彦）

3 | 器楽教材研究

●「アニメ・ソング・メドレー」(五重奏)
久石譲作曲／森田一浩構成・編曲

(1) 楽曲の分析・解釈

スタジオジブリの名作「天空の城ラピュタ」(1986年),「もののけ姫」(1997年) から,「君をのせて」(久石譲作曲),「もののけ姫」(久石譲作曲) の2曲を小アンサンブル用のメドレーにしたものである。いずれの楽曲も, 学校で歌われる機会が多く, 美しい旋律線と哀愁を帯びたハーモニーが特徴的である。編成は, リコーダー (ソプラノ, アルト各2) と鍵盤楽器だが, 他の楽器への代替や追加も可能である。ギターや打楽器, 鉄琴, 低音楽器を加える, キーボードの音色設定を工夫するなど, 実情に応じて多様な編成を工夫することが望ましい。

「君をのせて」: 原曲旋律の一部のみが編曲されている。2小節のモチーフが1音ずつ下がっていく, シークエンスによる構成が特徴的である。2小節単位のまとまりを感じたフレージングやレガート奏法が大事である。原曲と旋律のリズムが異なっている部分があるので, シンコペーションや装飾の音型を, よく確認する必要があるだろう。

また, 掛留音 (不協和音程から協和音程への解決) や, 音階的に下行する低声部など, ハーモニーの響きの変化や美しさを味わって演奏したい。主旋律と対位的 (副次的) な旋律の重なりなど, パート相互の音量のバランスにも注意したい。

鍵盤楽器は, リズムとハーモニーを主に担当しているが, リコーダーを消さないよう, 音色の設定 (電子楽器の場合) やタッチを工夫する必要がある。また, 弱音でトライアングルやフィンガーシンバルなどの打楽器を加えることも考えられる。

「もののけ姫」: 原曲はカウンターテナーで歌われ, リコーダーの素朴な音色にも適している。前半は民謡音階 (ACDEG) がノスタルジックな印象を与え, 後半の旋律にはHの音が加えられて新たな表情を生み出している。ソプラノとアルトで旋律が引き継がれる部分では, バランスに配慮が必要である。

前曲よりも緩やかなテンポになるが, ブレスに無理がないように, 遅くなりすぎないよう注意する。鍵盤楽器の8分音符が続く箇所は, リコーダーと縦の線をよく揃え, *rit.* の部分は相互によく聴き息を合わせることが重要である。後半部に音量的なクライマックスを構成するために, 前半と終結部の繊細な表情の演奏が必要である。

(2) 学習指導計画への展開

いずれの曲もフレーズのまとまりを感じて, レガートに, また表情豊かに演奏することが表現上の課題になる。ブレスやタンギングなど技術的な内容にも注意させたい。また, ハーモニーの美しさを感じられるよう, 学級全体で一とおり譜読みをした後に, 小グループのアンサンブルへと展開することが望まれる。音量のバランスが重要なので, 4人以上の場合には主旋律の部分を重ねるなど, 編成の工夫が必要である。音の入り (アインザッツ) や切り, 息のスピードをコントロールして音程やピッチを合わせることにまで意識を向けさせ, アンサンブルにおける音楽的なコミュニケーションの側面にまで学習を深めたい。

また, 学年に応じて, 指定以外の楽器を加えるなど, 表現の工夫や編曲に発展させることも可能である。リコーダーとの合奏に適した音色や音量の楽器を選択させたい。「もののけ姫」では和楽器の活用も考えられる。

この種の小アンサンブル活動では, グループ編成 (音楽能力や人間関係), 楽器の準備と配分 (数や使用の順番), 複数の練習場所の確保 (音を聴き合える環境) などへの配慮が必要である。

2曲とも鑑賞・歌唱活動との関連を図ることが容易であるので, 関連教材や資料を吟味して, 学習指導計画に反映させたい。

課題

- 小グループ (5～8名) を編成して, 実際に演奏してみよう。また, 授業で活用できる楽器を考え, 編成に加えて編曲してみよう。
- この2曲に関連する, 様々な音源・楽譜・映像を探して, どのように授業に活用できるか話し合ってみよう。

・原曲の旋律が省略されている部分を編曲して，全曲バージョンを完成させてみよう。

・アニメーションの音楽が，各種教科書でどのように扱われているか，器楽，歌唱，鑑賞，英語

の歌，ミュージカル，映像と音楽，などとの関連を考察してみよう。

・対象学年を特定し，本教材を含めた題材を構想し，学習指導案を作成してみよう。（中地雅之）

創作の学習と指導

1 「創作」の意義と留意点

▶ 創作の面白さや楽しさを実感する

「自ら音を操ったり音楽をつくったりすることの面白さや楽しさを実感する」

創作活動の意義を自分なりに考え，短く言い表してみた。体験そのものを重視している。

音楽表現の技能の習得や向上を目指す上で，読譜の力は必要不可欠と考えられているが，音楽の学習はともすると「読譜力の向上」と「楽譜に忠実な演奏」に意識が向きがちなのではないだろうか。

経験者は平易な楽譜ならば一つ一つの音符の高さや長さなどを確認しなくても即座に演奏できるだろう。修練によって，音型をチャンク化して捉え，反射的，かつ，正確に演奏できる技能を身に付けているのである。さらに，上手に表現できたときの楽しさも知っている。このような技能を生かし，楽譜に基づいて作者の意図を尊重しつつ豊かな表現を目指す……。

音楽の楽しみ方には，これとは別の，創造的な表現の世界がある。創作活動への取り組みに際して，まずは，いったん**楽譜依存の状態から脱却し，指導者自身が体験を通じて，その面白さや楽しさを実感すること**が大切だと考える。

▶ 「音楽づくり」から「創作」へ

中学校や高等学校の創作活動の内容を理解するために，小学校の「音楽づくり」を含む**創作分野の系統性を確認**するとともに，**教科書の教材を研究**するとよいだろう。

学習指導要領には，小学校・中学校ともにそれぞれ二つの活動内容が示されている。高等学校を含めた内容を以下に要約して示す。

小学校

・即興的に表現する活動
・音を音楽へと構成する活動

中学校

・「音のつながり方の特徴」を理解して旋律をつくることを主体とする活動
・「音素材の特徴及び音の重なり方や反復，変化，対照などの構成上の特徴」を理解して音楽をつくる活動

高等学校（音楽Ⅰ及びⅡ）

中学校の二つの活動を発展させた内容に，「変奏や編曲」に関する活動が加わる。

まずは，「**学習指導要領解説**」を**精読**して理解を深める必要がある。高等学校のA (3) のウについては，(ア)，(イ) または (ウ) の中から選択して扱うことができる点について確認しておこう。

次に，各学校段階の**教科書に掲載された教材**を研究しよう。いずれも学習指導要領に基づいて，その内容を教材として具現化したものである。指導者の立場から，また活動する生徒の立場の両面から考察し，「これは楽しそうだ」と感じられたものについてはその根拠についても考え，研究をさらに深めていくとよいだろう。

▶ 目標の設定と時間配当

創作分野の指導計画を立てる際に留意したいポイントとして，以下の2点を挙げる。

1点目は**目標の設定**に際して，学習者に過度の負担を感じさせないようにするため，**スモールステップを大切にする**よう心がけたい。言い換えれば**クオリティの高さを求めすぎない**ということである。

子どもの発達の様子や一般の習い事について考えてみると，初歩の段階においては「模倣」や「基本の型」の習得が行われることが多い。「守破離」という言葉が示すように，基本的な事柄の習得から始まり，習熟の段階を経て，ようやくオリジナリティを追及できる段階に達するのである。

2点目は，**活動に十分な時間を確保すること**である。「主体的・協働的で深い学び」の実現には

十分な時間の確保が必要である。特に創作活動では，初動の段階で生徒が手間取ることが多い。活動の要領を得て，その面白さや楽しさに気付くと次第に積極的な取り組みが見られるようになる。

しかし，年間授業時間数を考えると現実には難しい面がある。生徒の状況に合わせて課題や条件を吟味したり，器楽など他の分野との関連を図ったりするなど，創意工夫に努めたい。

一方，次回の授業までの課題として提示し，時間をかけて創作に取り組ませることも可能である。あえて「創造の大変さ」を実感させるのである。作曲家の創作の思考過程の一端を垣間見ることができるかもしれない。

▶ 課題や条件の提示

設定した目標や配当時間に基づき，活動の流れを考慮しながら**課題や条件（拍子，曲の長さ，使用する音（音階など），楽器などの音素材……）の提示について検討**する。制約を多くすると取り組みが容易になる一方，自由な発想を生み出しにくくなる点に留意したい。

曲の長さについてみた場合，例えば1年次は8小節，2年次は16小節，3年次は任意の長さにするといった設定が考えられる。「全体のまとまりを意識する」という点を考えた場合，日頃の歌唱活動の際に二部形式に触れておくと，16小節の曲をつくるときにその知識が役立つだろう。

個人で取り組む活動とグループ活動があるが，そのいずれにも利点がある。両者を組み合わせた事例も多くみられる。

▶ 創作表現の創意工夫

中学校の第3の2（7）に「**音を音楽へと構成していく体験を重視〜**」と示されている。**学習の過程を大切にしている点**に留意して，「発表して終わり」という結果に陥らないようにしたい。

活動中の本人の気付きや他の生徒からの助言，感想に基づいて創意工夫を重ね，表現の向上が見られた際には，創作活動ならではの達成感を味わうことが期待できる。教師による助言，例えば，「この音を（リズムを）このようにしたらどうだろうか」といったひとことによって作品が見違えるようになれば，より充実した活動になるだろう。的確な助言ができるよう，日頃から研究に努めたい。褒めるだけでなく，改善が望まれる点やその方策を示すことも大切である。

▶ 自由な創造を目指して

中学校2・3年の指導事項イや高等学校の音楽Ⅰの指導事項イには「**表したいイメージとの関わり**」について示されている。〔**共通事項**〕**と関わらせた指導**が重要なポイントとなるので「学習指導要領解説」を精読して理解を深めよう。

一方，「**自己のイメージをもって創作活動を創意工夫すること**」にはかなり高度な要素が含まれているといえるだろう。実践に際して，例えば当初のイメージとは異なるものになっても，「そのよさを生かし，新たなイメージに基づいてさらに創意工夫する」といった柔軟な対応が必要になることもあるだろう。

コンピュータの使用については，多様な機能をもつソフトの活用などにより，創作分野を発展させる可能性を秘めている。若い世代の先生方の積極的な取り組みに期待したい。

作曲家やアーティストの創作の様子を紹介することは，生徒の関心を高めるだろう。先日，中田ヤスタカ氏の楽曲制作の現場を紹介するテレビ番組「インタビュー　ここから」と坂本龍一氏に密着取材をして制作されたドキュメンタリー映画『Ryuichi Sakamoto:Coda』を視聴した。前者は「ポリリズム」をはじめとする多くのヒット曲を生み出したクリエイターで，制作には独自の考えをもっている。基本となるリズムを作り，その上にベースや他のパートの音を次々と重ねていく手法を用いている。

坂本氏には「M.A.Y. IN THE BACKYARD」という楽曲がある。数個のモティーフの提示と組み合わせによる構成は参考になるだろう。

創造的な表現を考える上で，既成概念や理論に縛られず，自由で柔軟な発想を大切にすることについて改めて考える機会となった。

（加藤徹也）

2 | 指導法

1 指導内容

▶ 事項ア及び事項ア，イ，ウの関連

事項アの内容は,「創作表現に関わる知識や技能を得たり生かしたりしながら,（まとまりのある）創作表現を創意工夫すること」である。ここでいう知識については事項イに，技能については事項ウにその内容が示されている。事項アは，音楽科で育成を目指す資質･能力のうちの「思考力，判断力，表現力等」に対応するものだが,「知識や技能を得たり生かしたりしながら創作表現を創意工夫すること」とあるように，思考力，判断力，表現力等（事項ア）と，知識（事項イ）及び技能（事項ウ）との関連に留意することが重要である。

表したいイメージを音・音楽として表現しようとするとき，そこでは，思考力，判断力を働かせ，またその過程においては，既にもっている知識や技能を生かすだけでなく，新たな表現の実現のために必要となる知識や技能を獲得するという学びが生起し得る。「このようにつくりたい，このように表現したい」という主体的な活動の中に知識や技能の学びが埋め込まれているという点が，創作の活動の大きな特徴である。

このように，事項ア，イ，ウは，ある一定の順序性をもって指導される（獲得される）ものではなく，相互作用的な往還関係にある。したがって，指導に当たっては，完成した作品そのものを評価するだけでなく，創作の過程に埋め込まれている事項ア，イ，ウそれぞれの学びを見取り，事項ア，イ，ウの往還関係に着目しながら，創作表現の深まりを支える適切な指導ができるようにしたい。

▶ 事項イ

事項イでは，(ｱ) 及び (ｲ) について，表したいイメージと関わらせて理解することが求められている。「イメージと関わらせて」という点が重要である。(ｱ) 及び (ｲ) に示される内容を単に知識として理解するのではなく，(ｱ) や (ｲ) の内容が，表したいイメージとどのように関連しているのか，実際に音を鳴らし，感じ取り，思考・判断することが大切なのである。試行錯誤する過程で自己のイメージに合う表現を見つけたとき，その音楽的な特徴について実感をもって理解することができる。一方で，音楽的な特徴を理解して表現を工夫することにより，当初のイメージが明確になったり変容したりすることもある。このように，自己の内面に生起するイメージを起点とし，そのイメージと表現（実際に表出する音・音楽）との往復によって音楽経験が深められていくという音楽の学び方は，既存の楽曲を教材とする歌唱や器楽とは異なる創作ならではのものである。

さらに，創作の学習においては，自己の内面に生起するイメージだけでなく，他者のもつイメージに出合ったり，他者が内面のイメージをどのような音・音楽で表現するのかを知ったりすることもある。また，他者のイメージや表現との出合いが自己のイメージや表現への気付きをもたらし，それを変容させたりもする。

(ｱ) の指導内容

●音のつながり方の特徴を理解する

第8次中学校学習指導要領の事項アでは,「言葉や音階などの特徴」について示されていたが，第9次では第1学年にはこれは含まれておらず,「音のつながり方の特徴」が新たに加わった。一方，第2学年及び第3学年の (ｱ) では,「音階や言葉などの特徴及び音のつながり方の特徴」を理解することが求められている。つまり，言葉や音階の特徴を捉える前段階として，まずは音のつながり方の特徴を捉えることが大切であることが示されたのである。音のつながり方の重要な要素として，旋律とリズムが挙げられる。指導に当たっては，いくつかの旋律やリズムを例示して聴かせ，それぞれの特徴や雰囲気を感じ取らせ，表したいイメージとの関わりに気付かせるようにするとよい。

例1：それぞれの旋律の進行（連打，順次進行，跳躍進行，上行形，下行形など）の特徴を捉え雰囲気を感じ取り，その特徴を自己の表したいイメージの表現に生かす。

例2：それぞれのリズムの特徴を捉え雰囲気を感じ取り，その特徴を自己の表したいイメージの表現に生かす。

●音階の特徴を理解する

例3：長音階・短音階

長音階・短音階による旋律は普段親しんでいるものであるが，何の手がかりもなく旋律を創作することは案外難しい。そこで，既存のコード進行を手がかりとして旋律を創作すると，長音階・短音階の特徴を捉えながら自然な旋律を創作することができる。

①コードネームの書かれている楽譜を見つけ，それぞれのコードの構成音（和音）を書き出す。

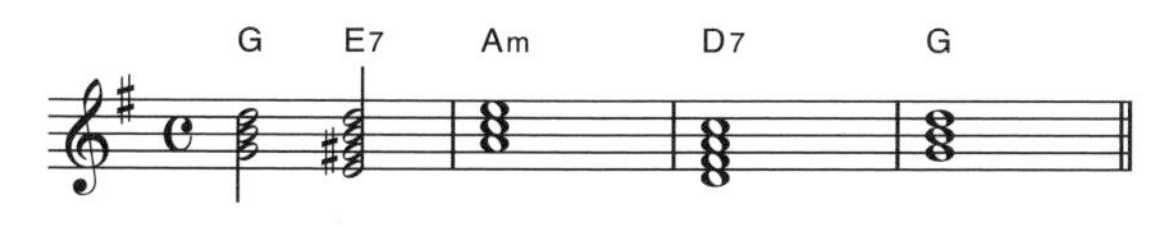

②コードの構成音の中から音を選んで旋律をつくる。旋律のつながり方が自己のイメージと合うようによく聴きながら音を選ぶ。

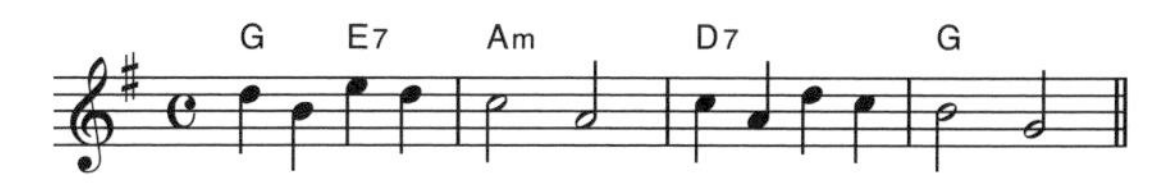

③構成音以外の音も加えたり，リズムを工夫したりする。

④旋律が完成したら，伴奏（コード）とともに演奏してみる。よく聴き，自己のイメージと照合しながら吟味，修正する。

例4：様々な音階

世界の様々な音階（五音音階，沖縄音階，民謡音階など）を用いた音楽を鑑賞し，その特徴を理解する。次に，それぞれの音階の構成音を使い，音のつながり方（旋律の進行やリズム）を工夫して旋律を創作する。用いる音階によって雰囲気が異なることを感じ取る。

●言葉の特徴を理解する

例5：アクセントを生かした旋律づくり

①言葉を声に出してアクセント（音節の高低）を確かめる。

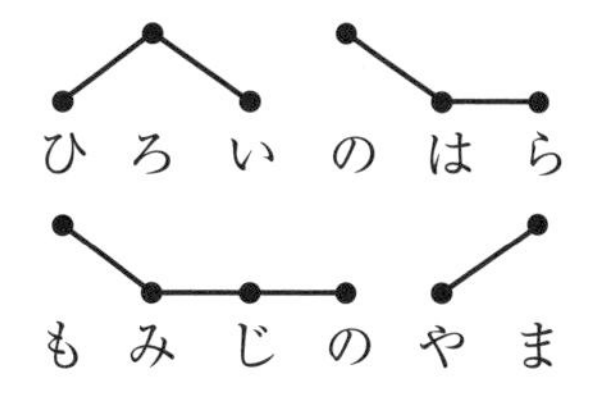

②アクセントを生かして旋律をつくる

旋律の高低は必ずしも言葉のアクセントに準じるとは限らないが，言葉が伝わりやすい旋律にするためには，アクセントを生かすことが望ましい。

例6：言葉の抑揚を生かした旋律づくり

例5の「ひろい　のはら」を，気持ちを込め，抑揚を付けて声に出してみる。抑揚を生かすと次のような旋律ができる。

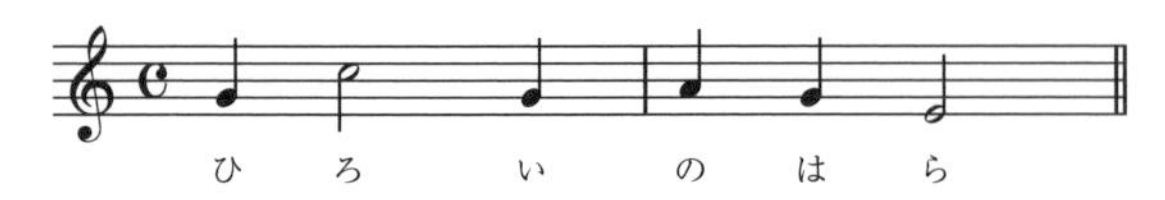

抑揚を生かした旋律は，例5のシンプルな旋律よりも表情豊かになる。

例7：言葉のリズムを生かした旋律づくり

言葉のもつ特徴的なリズム感を旋律で表現する。リズミカルな旋律によって，言葉のもつ躍動感が生かされる。

(ｲ) の指導内容

●音素材の特徴を理解する

音素材は，声や楽器だけでなく，自然の音や身近なモノの音などを含む。音素材に関わる活動では，①材質や発音原理，音素材と関わる身体の使い方（楽器の場合，奏法と呼ばれる）によって音色が異なることに気付く，②自己のもっているイメージを表現するのにふさわしい音素材及び音色を探求する，③音素材を探求する過程で表出する音色に触発され，表したいイメージの変容（広がり，深まり）がもたらされる，など，音楽することの基盤となる重要な学びが期待される。

●音の重なり方の特徴を理解する

重唱，合唱，器楽アンサンブル，パーカッションアンサンブルによる楽曲や民謡（歌と掛け声や囃子詞（はやしことば））などを鑑賞したり演奏したりする経験を通して，様々な音の重なり方があることに気付き，その特徴を実感をもって理解し，創作表現に生かせるようにしたい。

●反復，変化，対照などの特徴を理解する

音楽作品を形づくるに当たり，反復，変化，対照などは，非常に重要な要素である。既存の楽曲を鑑賞したり演奏したりする経験を通して，反復や変化や対照がどのように音楽を特徴づけているかを十分に感じ取り，理解することから始めたい。創作に当たっては，旋律やリズム・パターンの反復の回数や変化のタイミングを様々に変えて試してみることで，これらが音楽を構成する上で非常に重要な要素であることを実感をもって理解することができる。

▶ 事項ウ

事項ウの内容は，「創意工夫を生かした表現で旋律や音楽をつくるために必要な，課題や条件に沿った音の選択や組合せなどの技能を身に付けること」である。指導に当たっては，「課題や条件」を提示し，「音の選択や組合せなどの技能を身に付けさせること」がねらいとなるが，そこで育成しようとしているのは「創意工夫を生かした表現で旋律や音楽をつくるために必要な技能」であることに留意しなければならない。つまり，創作に必要な特定の技能（作曲技法）を習得させることを目的とするのではなく，生徒の表したいイメージや思いや意図を理解し，それを実現するためにどのような技能が必要であるかを判断し指導することが教師に求められているのである。

また，課題や条件の設定に際しては十分な吟味が必要である。事項イや指導のねらいとの関連，及び生徒の実態などに応じた適切な課題や条件が与えられることにより，生徒は自身の表したいイメージやアイデアをそれと照らしながら試行錯誤を繰り返し，主体的かつ創造的に創作活動を行うことができるのである。

（木村充子）

2 実践例

▶ はじめに

中学校音楽科及び高等学校芸術科音楽の教科書は各社が工夫を凝らしていていずれも参考になる，よい教材である。積極的に活用してほしい。ここでは，短時間で創作に取り組めるアイデアを〈例1〉〈例2〉で紹介する。授業者の工夫により，様々なアレンジが可能である。また，コンピュータを用いた創作を具体的なソフトやアプリを挙げて〈例3〉〈例4〉で紹介する。コンピュータを用いた創作に生かせるソフトやアプリは多数あるのでいろいろ試してほしい。また，身に付いた力を十分発揮して行う歌と伴奏の創作例を〈例5〉として紹介する。

▶ 創作の実践例

〈例1〉リコーダーで旋律リレー

身に付く力：拍の流れに乗って，4拍の決められたリズムを生かして即興的に旋律をつくりリコーダーで吹く力

（中：A（3）ア，イ（ア），ウ／高：A（3）ア，イ，ウ（イ）〔共通事項〕リズム，旋律の知覚・感受，拍と音階の理解）

準備：あらかじめリズム模倣などを体験して，4拍のリズムを表現することに慣れておく。必要なリコーダーの運指ができるようにしておく。

学習活動：例えば |♫ ♫ ♩ 𝄽|（タタタタタンウン）のリズムと「ドレミファソ」（あるいは日本の五音音階など）の音だけを使って，クラスで4拍子にのって旋律リレーをする。例えば，Aさん「ドレミファソー𝄽」→Bさん「ソファソファミー𝄽」→Cさん「レレレレソー𝄽」など。

発展学習：グループ学習で，[A]-[B]-[A]-[C]-[A]-[D]-[A]-[E]-[A]というように主題部[A]とエピソード部をもつロンド形式を生かし，グループで4拍の[A]をつくり全員で演奏し，エピソード部4拍を各自がつくりソロで演奏するとよい。それぞれ8拍にして長い作品にすることもできる。ルールとして，[A]はドミソのどれかで始めること，最後の[A]にはコーダを付けるなどして，ドで終わるようにするとまとまりのある作品となる。

〈例2〉自己紹介ラップ

身に付く力：足（Stamp）‐手（Clap）を繰り返して偶数拍を強く感じながら，リズミカルに言葉を唱えて自己紹介をする力

（中：A（3）ア，イ（イ），ウ／高：A（3）ア，イ，ウ（ア）〔共通事項〕音色，リズム，強弱の知覚・感受，拍や拍子の理解）

準備：“自己紹介ラップ”をすることをあらかじめ伝えたり，教師が範唱を示したりして心構えをつくらせておく。話型を示しておくのも安心する。（例：「こんにちは，○○出身◆◆です。」と「どうぞよろしくお願いします」の間に自己PRを一つか二つ入れる，など。）

学習活動：クラス全員で足（Stamp）‐手（Clap）

〈例2〉作品例

	は		出身		す		教科は
2 こんにち		○○校		○○で		好きな	
Stamp	Clap	Stamp	Clap	Stamp	Clap	Stamp	Clap

	です		○○に		す		よろしく
○○		部活は		入りま		どうぞ	
Stamp	Clap	Stamp	Clap	Stamp	Clap	Stamp	Clap

	します						
おねがい							
Stamp	Clap	Stamp	Clap	Stamp	Clap	Stamp	Clap

を繰り返して自己紹介ラップを全員が順番に唱えて楽しむ。立って大きな輪をつくって行えるとよい。その前にワークシートなどに生徒が構想をメモし，練習できる時間をとろう。

発展学習：発展としてグループで「全員とソロ」や「反復」，「二声部」などの構成を工夫してラップの作品をつくることができる。季節にちなんだラップや，メッセージ性のあるラップ（交通安全運動期間や人権週間にちなんで）など，つくりやすいテーマ設定をするとよい。

〈例3〉コンピュータを用いて―歌の創作―

身に付く力：コンピュータを使って表したいイメージを歌にする力

（中：A（3）ア，イ（ア），ウ／高：A（3）ア，イ，ウ（イ）〔共通事項〕音色，リズム，旋律，テクスチュアの知覚・感受，拍と使用する音階や音型の理解）

準備：YAMAHAの「ボーカロイド教育版」に既習曲を入力するなどして操作に慣れておく。

学習活動：短い詩をいくつか用意して生徒が選択できるようにし，〈例1〉のように，リズムや使用する音を限定するとつくりやすい。また，言葉の抑揚に着目させたい場合は，口を閉じてその言葉を「んんん」と鼻音にすると抑揚が捉えやすい。「バナナ」は「^ん^んん」，「りんご」は「ん^んん^」というように高低が捉えられる。

発展学習：「ボーカロイド教育版」は，入力した歌詞とメロディーをボーカロイドが歌ってくれるので幅広く活用できる。卒業に当たって個々が記念の歌をつくったり，クラスで学級歌をつくったりするというように長い歌をつくることができる。また，歌を重ねることができるので，副次的な旋律もつくったり，合唱曲をつくったりするなどに発展させることも可能なソフトである。

留意点：「ボーカロイド教育版」は，有料のソフトウェアである。

〈例4〉コンピュータを用いて―打楽器アンサンブルの創作―

身に付く力：コンピュータを使って表したいイメージを打楽器アンサンブルにする力

（中：A（3）ア，イ（イ），ウ／高：A（3）ア，イ，ウ（ア）〔共通事項〕音色，リズム，テクスチュアの知覚・感受，拍や音を重ねたときの特徴の理解）

準備：アップルの無料アプリ「GarageBand」を操作する経験をしておく。グループに1台のiPadを用意する。

学習活動：「GarageBand」のビートシーケンサーを用いて打楽器アンサンブルの創作をする。ポップスやロックなどのリズムも作成できるが，グループでいろいろなイメージをもって，楽器の音色を生かしたアンサンブルの創作に活用できる。題名を付けるとイメージがわきやすい。

発展学習：つくった音楽をヴォイス・アンサンブルにしたり，自分たちの身体や身近なもので叩いたりして，生演奏をする。その際，強弱や速度の変化を付けるなど，生演奏ならではの工夫を行う。

〈例5〉五七五の詩に合う旋律と伴奏創作

身に付く力：コードの知識を生かして，詩の抑揚に合った旋律と伴奏を創作して演奏する力

（中：A（3）ア，イ（ア），ウ／高：A（3）ア，イ，ウ（イ）〔共通事項〕リズム，旋律，テクスチュアの知覚・感受，音符や休符，コードの構成音の理解）

準備：ハ長調，4分の4拍子の旋律を階名で歌ったり，楽器や鍵盤アプリなどで演奏したりする経験をしておく。4種類のコード（C，Am，Dm，G7）の構成音を理解し，楽器（ギターや鍵盤楽器，クラスで分担して演奏するトーンチャイムなど）で演奏する経験をしておく。高音部譜表に旋律を記譜する経験をしておく。使用する音符は♩，𝄽，♫，𝄾である。

学習活動：個人でもグループでもつくることができる。

①五七五の詩をつくる。教師が用意した詩を選んでもよい。（例「あいさつは　こころをつなぐ　おくりもの」「ふるいけや　かわずとびこむ　みずのおと」など）

②次の2種類のリズムパターンを試して，詩に合うリズムを選ぶ。

二つのリズムパターン

③詩のもつ抑揚に気を付け，楽器やアプリを使って試しながら，コードを生かして旋律をつくる。その際，次のルールでつくる。

ルール1：ドミソのどれかで始める。

ルール2：コードが変わるところは，そのコードの中の音から始める。（例：Amに変わるところの音はラドミのどれかで始める）

ルール3：旋律の最後はドで終わる。

④どのような伴奏にしたいかを考えて，記入する。大譜表に記譜しなくてもよい。例えば「ギターのアルペッジョ奏法で伴奏してほしい」，「ピアノの分散和音の奏法で伴奏してほしい」，「トーンチャイムで和音を響かせてほしい」「歌詞の最後の『みずのおと』のあとに，ポチャンという音を入れたいので，レジ袋をクシャっとしてほしい」などの文章表記により，演奏者に伝わればよい。

⑤記譜した楽譜をスクリーンに拡大してクラス全員が見られるようにする。それを見ながら，まず全員で歌えるように練習し，次にクラスで歌，楽器に分かれて演奏を楽しむ。グループで創作した場合は，グループの中で歌と楽器を分担して発表することもできる。

発展学習：リズムとコードを限定した創作であるが，リズムを変化させてよいことにすると，楽しい気持ちをスキップのリズムを使って表すなど表現が豊かになる。また，コードを用いてもっと長い歌をつくる活動に発展させることもできる。その際，ドイツの作曲家でありオルガニストだったパッヘルベルがヴァイオリンのための「三声のカノン」で用いたコード（「カノン・コード」と呼ばれることもある進行でC - G7 - Am - Em - F - C - F - G7を繰り返し，最後はCで終わる）を用いてつくってみてはいかがだろうか。ポップスなどにも用いられる循環コードである。次のようなオンコードにすると低音が順番に下降するため，異なる味わいとなる。

C - G/B - Am - Em/G - F - C/E - Dm - G7

▶ 表したいイメージをもつために

創作では，生徒が表したいイメージをもつことが重要である。詩や文章，絵画や写真，映像などから喚起されたり，音を出しながら試し，イメージがわいたり発展したりすることもある。作品に題名を付けるというのもよい方法である。

▶ 思考力，判断力，表現力を捉えるために

創作用のワークシートに「どのような点を工夫しましたか」などの生徒の創意工夫を言語化できる欄を設定するとよい。これにより生徒の思考力，判断力，表現力の状況を捉えることができる。

（酒井美恵子）

〈例5〉作品例（伴奏は構想を文字表記でもよい）

第5章 鑑賞の学習と指導

1 「鑑賞」の意義と留意点

▶「鑑賞」の意味と知覚・感受

(1)「鑑賞」の意味と段階

音楽科教育における行為としての「**鑑賞**」は,「**聴取**」「**視聴**」と区別すべきである。

聴取：音・音楽を集中して聴くこと。

視聴：映像を見ながら聴取すること。

鑑賞：聴取・視聴したことをもとに,①音楽を形づくっている要素や要素同士の関連を知覚して音楽の構造を捉え,②音楽によって喚起されるイメージや感情,曲想,雰囲気などを感受して,③知覚したことと感受したこととの関連を捉えながら解釈して音楽のよさを味わい,④音楽の背景となる生活や文化,歴史などと関わらせてその価値について考え,⑤味わったことや考えたことを言葉で述べたり批評したりすること。

このように「鑑賞」は,決して単純なものではなく,いくつかの段階に分かれており,段階を追うごとに深い思考へと導かれる。このことに留意して授業を構想する必要がある。

(2) 知覚と感受の様相

私たちが音楽を聴くとき,①音色,音高,強弱,音の持続や間,②それらが組み合わさってできるリズム,旋律やフレーズ,テクスチュアなどの多様な情報を受け取る。さらに知識と思考と経験をもとに,③音楽を組み立てている動機や主題,反復・変化・対照などの構成,様々な形式,それらによって表現される音楽様式などを聴き分ける。これが音楽の諸要素の「**知覚**」である。

吉野(2015)によれば,私たちの知覚認知は,環境からの様々な刺激を取捨選択したり積極的に意味づけを行ったりするなど,刺激を能動的に解釈しようとする特徴があるという[(1)]。音楽の聴取においては,無意味な音の羅列や重なりを,意味のあるまとまりとして捉えようとする。その際,リズムや旋律などの対象(図)を他の背景的な情報(地)と区別しているという。複雑な音楽の情報を一度にもれなく受け取ることは困難であるが,音楽を繰り返し聴き,意識できたことを記憶することで,音楽の輪郭やイメージが徐々に鮮明になっていくと考えられる。この「知覚」は無意識に行われることが多く,他者からの問いかけや何らかの刺激によって気付かされることが多い。

音楽を形づくっている要素や要素同士の関連の知覚とともに,私たちは音楽が表している特質や雰囲気や曲想を捉えている。これが「**感受**」である。音楽から触発されて,過去の記憶の中のイメージや情景を想起することもある。このような音楽的な感受の様相は,音楽を聴く人の聴取経験や音楽に対する意識の違いなどから個々様々である。また,生まれ育った環境の中にある音楽(音楽的母語)[(2)]とは異なる音楽を聴くと,「(音楽的に)分からない」という事態にもなりうる。さらに個人の中においても,楽曲の捉え方,味わい方は,人生経験や知識の積み重ねによって変化していく。また他者の捉え方に影響を受ける場合もある。

一方で,多くの人が同じように感じる部分もある。音楽の鑑賞において,なぜ多くの人が同じように感じるかは十分に解明されてはいない。しかしながら,他者とともに同じ楽曲を聴き,自分と他者の感受を交換することによって,同じように感じる部分の幅が広がり豊かになっていくことも確かである。クラス全体やグループで鑑賞を協働的に行う意味もここにある。

▶ 鑑賞の過程と指導上の留意点

(1) 鑑賞の過程

「音楽を聴いて感想を書くだけ」の授業では,聴く手がかりが与えられず,面白さ,よさに触れることなく,負担感だけが残る授業になる恐れがある。そうならないためには,個人及びクラス全体の鑑賞の過程を掘り下げ,音楽の知覚や感受の様相を想定しながら学びの過程をデザインすることが求められる。

鑑賞の過程は，前述の「鑑賞の意味と知覚・感受」を踏まえ，

①知覚と感受の関連を捉える。

②自分なりに楽曲のよさや価値とその根拠を指摘する。

を柱として構成することが考えられる。

音楽の聴取においては**スキーマ**が働いているという考え方が支持されている。スキーマとは認知の枠組みのようなものである。例えばある種の音階による楽曲を聴く場合，既存の音階や調性のスキーマがあればそれに当てはめ，楽曲を解釈する。楽曲の特徴や構造が掴めてきたり繰り返し現れるパターンを記憶したりして聴いていると，既存のスキーマが修正され，その楽曲，さらにその楽曲のジャンルに慣れてくると考えられる。

次の表は，自分，つまり一人の生徒の立場からクラスでの鑑賞の過程を眺めたものである。楽曲を繰り返し聴取しながら知覚と感受の関連を捉え，さらに楽曲のよさや価値とその根拠を考え掘り下げていく過程を想定し，模式的に示した。

活動	自分	他の生徒	教師
聴取① 初めての 聴取	要素の知覚 （無意識）	要素の知覚 （無意識）	感受の ポイントの 提示
	曲想・雰囲気の 感受	曲想・雰囲気の 感受	
聴取①に ついての 思考・判断	感受の発表・交換		共有・整理 板書・表示
	知覚の意識化・気付き		共有・整理
聴取② 再聴取	要素の働き 知覚と感受の関連 ワークシート	要素の働き 知覚と感受の関連 ワークシート	問いかけ 板書・表示
聴取②に ついての 思考・判断	要素の働き，知覚と感受の 関連の発表・交換 ワークシート（自分・他者の意見）		共有・整理 板書・表示
知識・理解 思考	文化・歴史的背景・自分や 当時の人々と楽曲との関わり		説明 問いかけ
聴取③ 再再聴取	よさ・価値を捉え 味わって聴く	よさ・価値を捉え 味わって聴く	問いかけ
聴取③に ついての 批評など	よさ・価値の根拠としての 知覚・感受，文化・歴史的背景等 ワークシート		共有・整理 まとめ
課題	紹介文・批評文	紹介文・批評文	趣旨の説明

鑑賞の過程とは，端的には「音楽のよさ・価値」が分かっていく過程である。またそれは，「鑑賞の学び」の生成過程とも捉えられる。

(2) 鑑賞の学び

鑑賞の学びとして，次の2点が挙げられる。

①鑑賞の対象となる楽曲とその周辺の学び

②音楽の聴き方

①については，楽曲の構造，よさや価値を考えながら，その楽曲の社会的・文化的・歴史的背景を知り，周辺にどのような作品群が存在するか，どのような広がりをもっているかを理解することである。また，作者があるものについては作者の意図，伝承や伝播による音楽については演じたり表現したりする人々の思いや意図を想像することで学びが深まる。主教材となる楽曲はその入口となる。

②については，一つの楽曲についての鑑賞の過程が音楽を解釈し味わうための方法であることを知り，その方法により主体的に鑑賞する力を身に付けて，自主的な鑑賞を促すことである。

(3) 指導上の留意点

鑑賞の授業では，学習指導案に「～を鑑賞する」と記述しがちであるが，それでは，先述の鑑賞の過程を想定することができない。「鑑賞」の中には多様で豊かな学びの過程が含まれる。そのため，授業展開では「～を聴取する」「グループで～について考える」「～のよさについて話し合う」「話し合った結果を発表する」「グループの考えをクラスで共有する」のように活動を詳しく記述することが必要であろう。

鑑賞の指導では，一般的に次の諸点に留意して進めると効果的である。

①共通点と相違点を挙げること

②聴くポイントの提示

③生徒の気付きを促す問い

④過去に聴いた楽曲の引用

⑤体験的な活動や表現との関連　（山本幸正）

【注】

(1) 吉野 巌（2015）「音楽の認知」『音楽心理学入門』星野悦子編著，誠信書房，p.66

(2) 中嶋俊夫（2002）「G.ステファニの音楽能力の理論：意味生産の能力に普遍性を求めて」『音楽教育学』32-2号，日本音楽教育学会

2 | 指導法

▶ 学習指導要領の内容

平成29年告示の中学校学習指導要領の中で，新たに提示された事項の一つは，「鑑賞に関わる知識を得たり生かしたりしながら」生徒が自分なりに考え，音楽のよさや美しさを味わって聴くことである。音楽の要素や構造を理解するだけでなく，それらを知識として，音楽を聴く際に活用することが求められている。

例えば第1学年では，以下の三つの事項について，生徒が自分なりに考えを深めることが挙げられている（鑑賞（1）ア)。

（ア）曲や演奏に対する評価とその根拠
（イ）生活や社会における音楽の意味や役割
（ウ）音楽表現の共通性や固有性

これらは，鑑賞領域における「思考力，判断力，表現力等」の内容として位置付けられており，同時に，鑑賞に関する「知識」として以下の内容が提示されている（鑑賞（1）イ)。

（ア）曲想と音楽の構造との関わり
（イ）音楽の特徴とその背景となる文化や歴史，他の芸術との関わり
（ウ）我が国や郷土の伝統音楽及びアジア地域の諸民族の音楽*の特徴と，その特徴から生まれる音楽の多様性

*第2学年及び第3学年では「諸外国の様々な音楽」となる。

鑑賞する音楽に関する知識は，楽曲そのものに対してのみならず，文化的な関わりや他の芸術との関連も内容として含まれている。音楽を文化の一部として捉え，多角的に学ぶことで，音楽の役割や意味，音楽表現への考えを深め，それらを相互に関連させていくことが目指される。

また，学習指導要領の総則の中では，各教科の特質に応じて，言語活動を充実させることが明示されており，音楽科の鑑賞においてもその役割を担う。鑑賞を通して感じ取ったことや理解したこと，考えたことなどを言語化して表現する機会を設けることが重要である。ただし，適切な言語表現を学習する活動を充実させる一方で，言語活動のみが独立してしまうことのないような配慮も必要である。

▶〔共通事項〕との関連

〔共通事項〕には，音楽を形づくっている要素や，用語及び記号に関する事項が含まれているが，それらを単独で指導するのではなく，鑑賞の学習の中で関連させることが重要である。〔共通事項〕の中には，「音楽を形づくっている要素」として音色，リズム，速度，旋律，テクスチュア，強弱，形式，構成などが挙げられており，それらの知覚と感受の関わりについて考えることが目指されている。また，用語や記号として，*rit.*，*legato*，フレーズ，和音，三連符，などが挙げられており，それらを理解して活用していくことが求められている。音楽の記号などを辞書的な意味として問うのみにならないよう，実際の音楽を鑑賞する中で，それらがどのような働きであるかを感じ取ったり，聴き取ったり，理解したりすることが求められる。鑑賞する音楽の中の表現と，それらの記号や要素の意味を関連させ，実際の音楽的な働きを聴取した上で理解することによって，活用できる知識として体系化することができる。

▶ 比較聴取

比較聴取とは，同一性をもつ音楽の中の異なる部分に着目して聴取することによって，その相違に気付き，異なる音楽の要素を知覚し，それらが生み出す働きや音楽的な効果，雰囲気の違いなどを感受し，理解することである。特定の音楽の要素を浮き彫りにすることによって，その特徴や音楽的な働き，効果などについて，より焦点化した学習が期待できる。ここでは，二つのタイプの比較聴取を紹介する。

【音楽作品の要素の比較】

聴取する対象として，音楽作品の作曲技法上の要素に着目することによって，音楽を形づくって

いる要素とその働きについて学習することを主な目標とする。例えば，対象曲とその編曲作品を扱うことによって（例：管弦楽の作品とそのピアノ編曲），楽器の音色による雰囲気の相違や，楽器編成による音楽的な効果やテクスチュアの違いについて学習することができる。音楽作品における手法や音楽要素の働きに関する理解は，創作の視点にも生かすことができるだろう。

【演奏の要素の比較】

異なる演奏者による同一作品の演奏を比較することによって，音楽作品の解釈や表現の相違について学習することを主な目的とする。ここでは，演奏表現上の要素が主な着眼点となるため，テンポ，強弱，アーティキュレーションなどの表現が異なる演奏を比較聴取することによって，その違いを知覚，感受し，それらによる音楽的な印象や演奏のよさ，楽曲に対する解釈や表現の意図について学習することができる。学習した内容を，歌唱や器楽などの表現の活動につなげることも有意義である。

▶ アウトリーチの活用

音楽教育現場での「アウトリーチ」は，学校の外にある音楽活動が学校内に介入することであり，実際は演奏家を招いて，学校内でコンサートを行ったり，授業やワークショップを展開することが多い。社会的にも，芸術や教育の普及活動の役割を担っている。

学校外から演奏家やゲスト・ティーチャーを招いて授業を展開することは，生徒たちにとって生演奏に触れる印象深い機会となるだろう。CDやDVDを用いた鑑賞とは異なる，その場に響き渡る臨場感のある演奏と演奏者の雰囲気を感じ取ることができる。訪問演奏などを頻繁に行っている演奏家は，教育現場の意図や状況について理解がある場合が多く，内容に関しても事前に打ち合わせをしたり，学校や生徒の現状を伝えたりすることで，より効果的な学習の機会となるであろう。ゲスト・ティーチャーによる機会を生かすため，その内容を踏まえて前後の授業を展開することで（ゲストによる内容の事前学習や振り返りなど），学習をより効果的なものにすることができる。

▶ 視聴覚教材の活用

鑑賞の授業を展開する上で，CDやDVDといった視聴覚教材を使用する際，どのような音源や演奏を選択するかは重要である。音源の音質や演奏の特徴や演奏者，また映像を伴う場合は，演奏の場所や形態などに関して，その授業の学習目標を達成する助けとなるよう配慮したい。

例えば，演奏形態や演奏方法に関する学習を含む場合，実際の演奏場面を映像資料によって提示することは，学習を助けるであろう。オーケストラの演奏場面などで，楽曲の流れに合わせて各楽器を焦点化した映像は，演奏の中での各楽器の役割などを理解する上でも有効的である。しかし，映像資料は生徒の関心をひきやすい一方で，「見ること」に集中して「聴くこと」への注意が低下する場合も多い。学習目標の中心を，音楽の要素を聴取することや，「聴くこと」による知覚や感受においている場合，ときには映像を用いない方が学習として深まる場合もある。

また，授業の中で，どの視聴覚教材を，どのタイミングで，どのくらいの長さで提示するのかなどは，授業展開を大きく左右し，授業の意図とも関連する。音楽の構成と関連付けて区切る場合や，全体を聴取する場合，限られた回数の聴取で着眼点を示す場合など，意図をもって視聴覚教材を活用する必要がある。

▶ 授業内での相互作用

同じ音楽に対して様々な感じ方や考え方があるということを，授業の中で共有することは，鑑賞の授業の重要な側面の一つである。音楽を聴いて個人がどのように感じるか（主観的聴取）と，音楽の要素や表現を聴き取り，音楽的な意味や価値を学習すること（客観的聴取）は区別される。鑑賞の学習目標を主眼とし，知識を生かして音楽について考えたり，学習したりすることを指導しながら，個人の感受の多様性に配慮した授業を展開することが望まれる。

（森尻有貴）

3 | 中学校鑑賞教材選択の観点と教材研究

第1学年

春(「和声と創意の試み」第1集「四季」から)

ヴィヴァルディ (1678～1741)

1. 教材選択の観点 (指導のねらい)

・ソネットが表す春の情景が音楽でどのように表現されているかを感じ取り, それらと音楽を形づくっている要素との関わりについて理解する。
・独奏ヴァイオリンと合奏のかけ合いによる音楽表現の変化に気付き, その面白さを味わう。

2. 楽曲について

「四季」は, 1725年頃に出版された全12曲から成る協奏曲集作品8『和声と創意への試み』の最初の4曲である。その4曲は, それぞれ「春」「夏」「秋」「冬」の標題と, 四季の自然や人間の営みを表した作者不詳のソネット (14行からなる詩) がつけられている。演奏形態は, 独奏ヴァイオリンと通奏低音 (チェンバロまたはオルガン) を含む弦楽合奏の協奏である。作曲者A.ヴィヴァルディは, 協奏曲形式を確立した。協奏曲形式は, 急-緩-急の3楽章から成り, 急速楽章にはリトルネッロ形式が用いられる。「春」の第1第章と第3楽章は, 合奏が奏でるリトルネッロと呼ばれる主題と独奏ヴァイオリンが主となる部分の交替を繰り返して進行する。

3. 指導のポイント

・小鳥たちの歌, 水が溢れ出る泉, 雷鳴などと, 音楽を形づくっている要素との関わりについては, 音楽を聴きその特徴を線や形で表したり, 楽譜を見たりすることで理解を促す一助とする。
・「夏」「秋」「冬」からもそれぞれ一つの楽章を取り上げる。例えば, 暑気のけだるさを表す「夏」の第1楽章や収穫の喜びが感じられる「秋」の第1楽章では, リトルネッロ主題とその形式を捉え, 現代の生活の季節感と比較しながら鑑賞する。「冬」の第2楽章では, 雨の音を表す弦楽器のピッツィカート奏法に気付かせ, 優美な独奏ヴァイオリンの旋律を味わう。

(小島千か)

魔王

シューベルト (1797～1828)

1. 教材選択の観点 (指導のねらい)

歌唱芸術に対する理解を深めるとともに, 詩と音楽が協働してつくり上げる豊かな表現の世界を味わうようにする。

2. 楽曲について

F.シューベルトのピアノ付き独唱歌曲。彼は言わずと知れた「歌曲王」だが,「魔王」は彼が18歳のときに作曲された作品である。ゲーテの詩による。魔王とは, 北欧の伝説に由来する, 人を死の世界へ誘う精霊の王のこと。詩の内容は次のとおり。(おそらく病を得た) 息子を抱いて父親が深夜に馬を走らせている。息子は木々のざわめきや霧に魔王の幻覚を次々と見る。魔王は甘い言葉で誘う。息子は恐怖におののき喘ぐ。父親は優しくなだめる。しかし, 帰宅したとき息子はすでに息絶えていた。

この恐怖の物語に対し, シューベルトは通作形式による劇的な音楽づくりを行っている。語り手, 父親, 息子, 魔王の4名の台詞を一人に歌い分けさせ, ピアノ・パートには音型による心理描写をさせる。また, 不安を醸す減七の和音の多用や, 頻繁な転調が見られる。1曲の歌曲としての一般的な表現の枠を超えたドラマティックな内容の作品である。

3. 指導のポイント

・詩の内容を深く理解するために, 邦訳を朗読させる。その際, 4名の登場人物を分担させたい。
・邦訳歌詞, 原語の双方の演奏を聴かせたい。
・登場人物や言葉の内容による歌唱表現の違い (音色・強弱・アーティキュレーション) に気付かせる。
・冒頭に現れ, 曲中頻繁に聴かれるピアノの音型 (蹄の音を描写した連打, 恐怖を煽るような上行音型) に気付かせ, その巧みな表現力を味わわせる。

(木下大輔)

青少年のための管弦楽入門

ブリテン（1913～1976）

1．教材選択の観点（指導のねらい）

管弦楽における楽器群の特徴や，各楽器の音楽的特徴（音域，音色，音量，奏法など）に着目し，それらの特徴がもたらす音楽的なよさや演奏上の働きについて学ぶ。

2．楽曲について

曲名のとおり管弦楽作品であり，オーケストラの様々な楽器を紹介する形で作曲された作品である。オーケストラの楽器を紹介する音楽教育映画“Instruments of the Orchestra”（オーケストラの楽器）のために，1945年にブリテンが作曲した。この作品の副題には「パーセルの主題による変奏曲とフーガ」とあり，B.ブリテンと同じ英国の作曲家であり，バロック時代を代表する作曲家でもあるH.パーセルの作品から主題を取り，変奏曲の形式で作曲された。

各変奏にオーケストラの楽器の独奏があり，指揮者によるナレーションが指示されているが，実際の録音ではナレーションを入れない指揮者も多い。各変奏では，木管楽器，金管楽器，弦楽器，打楽器といったオーケストラの楽器群ごとに演奏されるため，楽器の種類やその音楽的な特徴に関する学習の一助にもなる。演奏する楽器が徐々に増えていき，最後にはすべての楽器で演奏するフーガで曲が締めくくられる。

3．指導のポイント

・オーケストラを構成する楽器の音色や音域，管楽器や弦楽器といった楽器群の特徴について学び，それらの多彩な響きを感じ取る。

・変奏曲の形式について理解を深め，その音楽的な構造，旋律や調の変化を聴き取り，各変奏の音楽的な特徴と演奏されている楽器の特徴との関連について学ぶ。

・楽器の特徴や変奏曲の形式に関して学んだことを，創作の活動に生かすこともできる。

（森尻有貴）

雅楽「越天楽」（平調）

日本古曲

1．教材選択の観点（指導のねらい）

・雅楽「越天楽」で用いられている楽器について知り，それらが生み出す表現の特徴を感じ取る。

・篳篥の塩梅や笙の手移りといった奏法が生み出す独特のうねるような音楽の流れを味わう。

・我が国の音楽文化に関心をもち，そのよさや美しさを感じ取る。

2．楽曲について

「越天楽」は管絃という演奏形態で演奏される。管絃は，日本の楽器による小アンサンブルまたは室内楽のようなものである。用いられる楽器は，吹き物（管楽器）として竜笛，篳篥，笙，弾き物（弦楽器）の楽箏，楽琵琶，打ち物（打楽器）の釣太鼓，鞨鼓，鉦鼓の三管，二絃（両絃），三鼓からなる。

平調という調子の一曲で，演奏に先立って必ず平調の「音取」が奏される。楽器のチューニングが高度に様式化したこの「音取」は，場の雰囲気を整える働きがあり，雅楽の楽器一つ一つの音を聴くのに格好の曲である。

「越天楽」は雅楽曲の中でも小曲で，旋律は親しみやすく楽曲の形式も整っていることから，他の種目にも旋律が取り入れられたり，「越天楽」の旋律に様々な歌詞を付けて歌われたり（「越天楽今様」）と，広く人々に親しまれ広まった曲である。

3．指導のポイント

・個々の楽器の特徴を理解するため，映像資料を活用したり，できれば安価なプラスチック管の楽器などで実際に音を出したりしてみる。

・教習の過程で用いられる唱歌は，竜笛や篳篥の音色の特徴をよく表している。唱歌を歌ってみる体験的な活動を通して，雅楽のテンポ感やフレーズ感を感じ取ることもできる。

・音楽室にある楽器を用いて，打ち物のリズム・パターンを模擬的に演奏するなどの体験的な表現活動をしたうえで「越天楽」を鑑賞すると，楽器の音色が織りなすうねるような音楽の流れや独特のテンポ感などをより深く味わうことができる。

（本多佐保美）

箏曲「六段の調（しらべ）」

八橋検校（1614 ～ 1685）

1．教材選択の観点（指導のねらい）

・箏の音色や様々な奏法などの特徴を聴き取る。
・我が国の伝統音楽や芸能にみられる速度の変化や，平調子の特徴を理解し，そのよさを味わう。

2．楽曲について

作曲者とされる八橋検校は，近世箏曲の創始者と称され，段物の形式や平調子の調弦の確立，陰音階による箏組歌の考案など，箏曲の基礎を築いた。大坂（大阪）では三味線奏者として，江戸（東京）では筑紫箏を学び，箏の演奏家として京都でも活躍した。

1曲が複数の段によって構成された楽曲が段物であり，調べ物とも呼ばれる。初段冒頭を除くと，各段は52拍子（104拍）からなっており，変奏曲風な性格も一部で見てとれる。段を経るごとに速度が増し，曲の終結部では速度が遅くなることから，「序破急」の特徴と関連付けて学ぶことが多い。

3．指導のポイント

・唱歌（しょうが）を歌い，旋律の特徴を捉えたい。
・「序破急」の特徴がみられる他の楽曲や，「間」などの日本伝統音楽にみられる特徴を有する楽曲を例示することで，我が国の伝統音楽に親しませたい。
・「六段の調」は箏の独奏以外にも三味線や尺八などと演奏する三曲合奏や，異なる段を同時に演奏する「段合わせ」，あるいは替手との合奏などもよく行われる。その文化的側面もおさえたい。
・速度変化の様相は音源で異なるため，使用音源の特徴について事前に教員が把握する必要がある。
・箏の様々な奏法については実演や映像などでも捉えさせたい。
・古箏やカヤグムなどアジア地域の同属楽器を取り上げ，音楽表現の共通性や固有性を考えてもよい。

（石川裕司）

スコットランドの音楽

1．教材選択の観点（指導のねらい）

一つの地域の音楽に焦点を当てることにより，音楽と文化・歴史などとの関連について学ぶ。

2．対象となる音楽の例

ハイランド・バグパイプの音楽

ハイランド・バグパイプは，皮製の風袋にリード付きの管を数本付け，別のパイプから空気を吹き込むことによって音を出す。管のうち通常1本は，指穴によって音高を変え旋律を奏し（チャンター管），他は保続音を出す（ドローン管）。この楽器は，スコットランドの軍楽隊で使われてきたほか，様々な民俗舞踊の伴奏にも使われる。

民謡「オールド・ラング・サイン」「ライ麦畑で出逢うとき」

どちらも詩人R.バーンズ（1759～96）の収集・補作による民謡。前者は，古き友との友情を詠み，別れの際などに再会を誓って歌う。後者は，ライ麦畑で逢瀬を愉しむ恋人たちをなかば揶揄するように歌う。両曲とも日本で明治期に唱歌として採用され，前者が「蛍の光」（稲垣千頴作詞），後者が「故郷の空」（大和田建樹作詞）となった。「蛍の光」が，原曲と類似した大意を詠んでいるのに対し，「故郷の空」は，詞が道徳的なものに変えられているばかりでなく，旋律も唱歌特有の「ピョンコ節」（付点のリズム）に変質され，音楽的な意匠も一変している。なお，こうしたスコットランドの曲が日本で親しまれることになった一因には，いくつかの楽曲に見られる五音音階が，日本民謡のそれと類似していることがあろう。

3．指導のポイント

・ハイランド・バグパイプの構造について画像などを使って理解させる（現物を見せられれば理想的）。
・軍楽隊の演奏（例えば，代表曲「勇敢なるスコットランド」など）及び民俗舞踊での伴奏場面を，映像を使って鑑賞させたい。
・民謡は，上記日本での受容史を理解させながら，本国での演奏と日本唱歌版を比較鑑賞させたい。

（木下大輔）

第2～3学年

バレエ音楽「火の鳥」

ストラヴィンスキー（1882～1971）

1. 教材選択の観点（指導のねらい）

・管弦楽による様々な楽器の音色を駆使し，舞踊と一体となって表される登場人物の特徴や，変化する物語の情景描写を味わう。

・総合芸術であるバレエ音楽（音楽，舞踊，美術，演劇など）が生み出す魅力を感じ取る。

2. 楽曲について

・鋭く独創的なリズム，ロシア的な旋律を多彩な管弦楽の楽器で表した斬新な楽曲であり，前衛的な振付と相まって神秘的なバレエ作品を創り出した。「ペトルーシュカ」「春の祭典」と並ぶ彼の三大バレエの一つで，ロシアバレエ団を率いるS.ディアギレフの依頼で作曲した。

・ロシア民話を題材としている。王子イワンが火の鳥からもらった羽の魔力を使って，悪魔に捕らわれた王女を救い，二人はめでたく結ばれる。

3. 指導のポイント

・音源のみの聴取によって，1）全22曲に付けられたサブタイトルを参考としながら，物語の各場面の状況を想像する。2）登場人物の動機（モチーフ）となる音楽を聴き取る。3）音色を手がかりに楽器名をあてる，などの活動に取り組みたい。

・バレエ音楽におけるバレエは，音楽にのせた舞踊とパントマイムによるノンバーバルな表現によって，様々なメッセージを伝える。例えば火の鳥の振付では，片方の脚で立ち，もう一方の足を上げる「アラベスク」のポーズや，多彩なステップにより，神秘的な動きを創出している。こうした，バレエ独特の技法による演出の効果に着目し，その特徴や魅力について話し合う。

・また，ヒップホップなど，現代的なリズムのダンスと比較することで，多様な音楽とともに幅広い舞踊のスタイルを鑑賞する素地を養いたい。

【視聴覚教材】

(1) ゲルギエフ指揮，マリインスキー・バレエ，同劇場管弦楽団（DVD，CD）

(2) ジェームズ・レヴァイン指揮，アニメーション映画『ファンタジア2000』（DVD）

（時得紀子）

ボレロ

ラヴェル（1875～1937）

1. 教材選択の観点（指導のねらい）

旋律，リズム，強弱などの変化や構成について理解する。反復と変化，それらの関係について気付き，働きや面白さを学ぶ。

2. 楽曲について

「ボレロ」は，スペインが起源の3拍子の舞曲である。M.ラヴェルによって1929年にバレエ音楽として作曲されたこの曲は，同じリズムが繰り返され，メロディーも2種類が繰り返されることによって曲が展開されている。終始クレシェンドの強弱で演奏され，音楽の要素としては，単純な構造となっている。

ボレロで用いられるリズム

演奏する楽器が徐々に増えていくことにより，強弱の変化のみならず，音色の多様性や和声的な広がり，曲の勢いが増し，音楽の壮大さを感じることができる。バレエ音楽としてだけでなく，現在はオーケストラによって単体で演奏される機会が多い。

3. 指導のポイント

・音楽の構成に着目し，反復と変化について理解することで，それらが生み出す面白さについて考えを深める。リズムや旋律を実際に演奏してみてもよい。また，ミニマル・ミュージックの学習へと関連付けることもできる。

・変化する音楽の要素である強弱に着目し，楽器が加わっていくことによるオーケストレーションの技法について学習する。

・バレエ音楽として学習し，他のボレロの音楽とともに特徴について学ぶ。また，舞踊と音楽の関係について視聴覚教材を用いながら学習することもできる。

（森尻有貴）

ラプソディ・イン・ブルー

ガーシュイン（1898～1937）

1. 教材選択の観点（指導のねらい）

・新大陸の音楽「ジャズ」が20世紀初頭にどのようにクラシック音楽と融合していったかに興味をもたせたい。

・民族性を代表するスメタナの「ブルタバ」と聴き比べることで，「生活と音楽との距離」について考える機会としたい。

2. 楽曲について

G.ガーシュインがこの曲を書いたのは1924年，自分の演奏するピアノとジャズバンドのための曲として書き上げた。

委嘱したのはP.ホワイトマン。彼はクラシックとジャズを融合した「シンフォニック・ジャズ」というジャンルの開拓を目指していたが，その最初の成功作とされる。

オーケストラによる演奏を可能にしたのはホワイトマン楽団の編曲担当，F.グローフェであった。ガーシュインは自分でオーケストレーションできなかったことに引け目を感じていたという。

ピアノが活躍する曲で，一種のピアノ協奏曲と考えることもできる。

3. 指導のポイント

・主要主題は短く，区切りが明確である。先に主題を与えておき，それを聴き取る鑑賞が可能である。

・多くの楽器編成による演奏が存在するため，本来ならオーケストラに属さない楽器がオーケストラで活躍する珍しい姿を見ることができる。

・流行音楽（ポピュラー）も，時代の淘汰を生き残ればクラシックになることの実例である。自分たちが生活の中で親しむ音楽と，クラシック音楽との距離について考える題材となりうる。

【参考曲】

・「スカラムーシュ」（ミヨー）→ラテンジャズ系の２台ピアノ作品。

・組曲「ウエスト・サイド物語」から「シンフォニック・ダンス」（バーンスタイン）→同じ作曲者の「ミサ」もジャズ風味満載。

（柴田篤志）

小フーガ　ト短調

J. S. バッハ（1685～1750）

1. 教材選択の観点（指導のねらい）

・古くからキリスト教の典礼に用いられ，広音域・大音量で多彩な音色をもち「楽器の王」と称されるパイプオルガンの響きの豊かさを感じ取る。

・主題の反復と変化に気付きフーガの仕組みに興味をもつ。

2. 楽曲について

バロック音楽の最後を飾り，中世以来発展し続けた多声音楽の完成者であるJ.S.バッハは，オルガン音楽の発展においても重要な役割を果たした。彼自身が超人的なオルガンの名手で，オルガン製作の分野の鑑定家でもあった。

パイプオルガンは，多数の管（パイプ），管へ風を送る機械的送風装置，鍵盤（手鍵盤と足鍵盤）の三つの要素を備えた楽器で，音色選択機構であるストップ（音栓）により様々な音色を引き出すことができる。

この曲は，ヴァイマールで宮廷オルガニストとして活躍していた頃の作品で，すぐに覚えられるような美しい旋律を主題とする4声のフーガである。最後はピカルディの3度の和音（同主調であるト長調の主和音）の響きで終止する。

3. 指導のポイント

・主題の反復や変化については，主題が様々な音域や調で現れていることを楽譜で確認したり，楽譜を見ながら聴いたりする。

・多声音楽を表現として簡単に楽しめるのはカノンの曲であると考えられるので，数曲の簡単なカノンの歌唱を同時に扱うことも考えられる。

・L.ストコフスキーなどによる管弦楽編曲があるので，それらと聴き比べをすることにより，パイプオルガンの音色の多彩さを感じ取らせたい。

【視聴覚教材（CD）】

ストコフスキー指揮，レオポルド・ストコフスキー交響楽団『J.S.バッハ（ストコフスキー編）：トッカータとフーガ』

（小島千か）

交響曲第9番「新世界より」第2・4楽章

ドヴォルジャーク（1841～1904）

1. 教材選択の観点（指導のねらい）

・楽器の音色を聴き取り，そのよさや美しさを味わう（第2楽章のコール・アングレを主として）。
・同じ主題が別の楽章に回想として用いられる形式への興味を喚起する。

2. 楽曲について

A.ドヴォルジャークは渡米後に耳にしたネイティブ・アメリカンの音楽などを引用してこの曲を書いた，とされてきたが，作曲者本人が“精神性を汲んだのみ”と明確に否定している。特に第2楽章の主題は，故郷ボヘミア（チェコ）への作曲者自身の郷愁が込められている。

3. 指導のポイント

・第2楽章の旋律は「家路」の邦題でも有名であり，堀内敬三の詞（遠き山に日は落ちて）による歌曲と比較鑑賞することで，詞の有無により旋律の味わいが変化することに気付かせることができる。
・「家路」自体がサウンドロゴとして帰宅や日没を告げる記号となっていることに注意を喚起し，旋律を演奏する楽器により味わいが異なることに気付かせることができる。
・第4楽章にはこの曲で一回だけ打ち鳴らされるシンバルが登場する。その部分に耳を澄ます学習として，耳で気付くのみならず「オーケストラスコア」を探索する学習へ発展できる。
・映画『ジョーズ』の音楽と，第4楽章冒頭が似ていることも気付きの一つとして想定できる。
・循環形式の用いられる曲として，L.v.ベートーヴェンの交響曲第9番（第4楽章）や，ドヴォルジャークが「新世界」とほぼ並行して作曲したチェロ協奏曲などを紹介できる。楽曲形式が発展・継承されることを指摘できる。
・さらにR.ワーグナー，E.フンパーディンクなどのライトモティーフ（示導動機）に言及することで深い学びへの興味喚起が可能である（ジョーズに気付く生徒には，映画音楽に示導動機が多いことを示したい）。

（柴田篤志）

組曲「展覧会の絵」

ムソルグスキー（1839～1881）

1. 教材選択の観点（指導のねらい）

友人が描いた10枚の絵画をもとに，ロシアの民衆や農民の日常生活，風刺などが織り込まれた組曲である。10曲の個性豊かなメロディーや，様式の異なる楽曲のそれぞれの特徴を感じ取る。

2. 楽曲について

M.ムソルグスキーの友人であった画家・建築家，V.ハルトマンの遺作展から着想を得て，様々な絵画（スケッチ，デザイン画を含む）をピアノで綴った傑作。最も有名なM.ラヴェルの編曲は，巧みな管弦楽法により，色彩感にあふれる華麗な作品として，原曲のピアノ版以上に人気を博している。

3. 指導のポイント

・ムソルグスキーは生涯，民衆，農民，子どもや故郷のロシアを愛し続け，人々の日常の暮らしを自らの音楽作品に投影してきた。4曲目の「牛車（ビィドロ）」では，家畜のように虐げられた民衆を暗示する暗く重々しい曲調から，作曲者の社会的メッセージをくみ取りたい。
・「古い城」「ババ・ヤーガの小屋」「キエフの大きな門」には，当時のロシアのデザイン，建築，民話や伝説がうかがえ，人々の生活文化が息づいている。各楽曲のどの曲想にそれらが表現されているかを聴き取る。その手だてとして，社会科の歴史，美術科のデザインの視座からも当時の文化を探ることは，作品理解を深める一助になろう。
・ピアノ独奏による原曲は，ラヴェル，L.ストコフスキー（管弦楽），冨田勲（シンセサイザー）のほか，ギターやロックなど，楽器編成や音楽ジャンルを越えて幅広く編曲された。各々が興味をもった演奏を聴き比べ話し合いたい。
・音楽科と美術科の横断的学習によって，楽曲のイメージを絵画に表した中学校の授業実践例がある。

V.ハルトマン
「キエフの大きな門」

【視聴覚教材（CD）】
(1) ラヴェル編『組曲《展覧会の絵》』ゲルギエフ指揮，ウィーン・フィルハーモニー管弦楽団

（時得紀子）

歌舞伎「勧進帳」

1. 教材選択の観点（指導のねらい）

・歌舞伎で用いられる音楽として長唄や三味線，楽器の響きに親しみ，そのよさを味わう。

・歌舞伎という舞台芸術の中で使われる様々な音や効果音を知り，物語の展開に伴う劇的表現や情景描写などの表現を感じ取る。

・我が国の伝統的な総合芸術のひとつである歌舞伎に親しむ。

2. 楽曲について

歌舞伎の音楽としていちばんに挙げられるのは長唄である。三味線は細棹を用いる。長唄「勧進帳」は，三世並木五瓶（作詞）と四世杵屋六三郎（作曲）の作。1840（天保11）年に初演された。

源義経と武蔵坊弁慶の物語は，能の「安宅」に取材した「松羽目物」のひとつで，舞台上には能舞台の雰囲気を模して大きな松の絵が描かれる。ひな段の上段に唄方と三味線方，下段に囃子方が並ぶ。囃子方は，大鼓，小鼓，締太鼓，能管及び篠笛。物語の展開につれて様々な音楽が奏される。

舞台下手で演奏される効果音楽を，黒御簾音楽または下座音楽といい，やはり場面ごとに音楽で物語を効果的に盛り上げる。また，歌舞伎の中でなくてはならない音として，見得を切る場面などで動作を強調する「ツケ」，開演や終演の合図などを出す「柝」などにも注目したい。

3. 指導のポイント

・幕開きから義経らが登場するまでの「寄せの合方」の部分は，ひな段上の音楽を集中的に聴くのに格好の場面である。唄と三味線のかけ合いや囃子の迫力ある演奏を聴き取らせる。口三味線を体験的に歌って，鑑賞の手がかりとする。

・弁慶が勧進帳を読み上げる場面などでは，役者のセリフのリズムのよさや独特の言いまわしにも注目させる。

・最後の弁慶の「飛び六法」の場面は，黒御簾音楽と「ツケ」が絶妙にリズムを刻む。役者の動きとぴったり合った音を捉えさせる。

（本多佐保美）

能「羽衣」

作曲者不明

1. 教材選択の観点（指導のねらい）

・能の声の響き（謡）や舞の特徴，楽器（囃子）の響きに触れ，そのよさや美しさを感じ取る。

・能という舞台芸術のあり方を理解し，能の物語の展開の中での音楽の効果や劇的表現に気付く。

2. 楽曲について

能の演目は「神・男・女・狂・鬼」の五つに分類され,「羽衣」は美しい天女の登場する「女（三番目物）」である。「羽衣」の物語は各地に伝わる羽衣伝説に取材してつくられたもので，駿河（するが）の三保の松原を舞台とする。

能は，役に扮する立方（シテ，ワキ），斉唱で謡を謡う地謡方，楽器を担当する囃子方の三者によって成り立つ。囃子方の楽器は能管，大鼓，小鼓，締太鼓の四つで，これを四拍子という。楽曲のクライマックスで舞が舞われる部分（「羽衣」では「序之舞」）は, 四拍子の聴きどころでもある。

能の謡には，セリフに相当する「コトバ」の部分と，旋律的な「フシ」の部分とがあり，「フシ」の部分は「弱吟」と「強吟」の二つの謡い方がある。弱吟は優美，温和な場面で用いられるのに対し, 強吟は勇壮, 豪快な場面で用いられる。「羽衣」後半では旋律線の美しい「弱吟」が多く聞かれる。

3. 指導のポイント

・「コトバ」の部分には一定の型がある。聞こえたとおりをまねして声に出してみる体験的活動によって, より興味をもって鑑賞をすることができる。天人と漁夫（白龍）は，役柄によって声の使い方や「コトバ」のテンポ感が違うことに注目させる。

・能面（面）は無表情だが，シテが動くにつれ表情をもつこと，装束の美しさ，舞の静と動，すり足の美しさなど能の舞台演劇としての様々な部分に気付かせたい。

・「フシ」の部分も一節でもいいから声に出して歌ってみることは，鑑賞への手がかりとなる。できれば謡本を用意し，謡本に書かれたゴマ点を見て旋律の上がり下がりをおおよそ把握する。

（本多佐保美）

諸民族の音楽－声の音楽－

1. 教材選択の観点（指導のねらい）

・諸外国の様々な音楽に触れ，異文化に興味をもち，音楽の多様性を感じ取る。
・諸民族の声の音楽に触れ，表現の違い，発声法の違いなどを知ると同時に，歌の背景にある文化や歴史，宗教などとの関わりを理解する。

2. 教材について

ヨーデル：ヨーロッパ・アルプス地方（スイス・オーストリア）で歌われる民謡やその歌唱法を示す。その起源は，山に住む牛飼いたちの家畜統御の掛け声や人間同士の合図・通信として発生したとする連絡手段説が有力である。胸声と裏声の急速な交替，旋律の上下動が特徴である。

オルティンドー（モンゴル）：伝統的な遊牧生活の中で育まれてきた声楽曲のひとつである。歌詞は自然の美しさを讃えた内容や家畜に対する親しみの表現など様々であるが，拍のない自由なリズム，大きく強い声，コブシのような細かな動きが特徴的である。

カッワーリー（パキスタンなど）：イスラム教神秘主義の宗教的な集会で歌われる宗教歌謡である。アッラーの神を讃える神秘的な詩を主唱者と副唱者が熱狂的に歌い，やがて神との合一を図る。

ヒメネ（ポリネシア［タヒチ島］など）：この地方に古くから伝わる音楽（多重唱歌）と宣教師たちのもたらしたキリスト教賛美歌が融合して，19世紀初頭に生まれた合唱音楽である。ヒメネとは英語のHymn（讃歌）から転じた語である。

3. 指導のポイント

・これらの音楽が発生した固有な背景に関心をもたせる。
・音楽表現についての理解を深めるために，自分たちで声に出してまねるのもよい。
・伴奏楽器にも注目させる。

【視聴覚教材（DVD）】
(1)『中学生の音楽鑑賞　第3巻1年［3］』オルティンドー，カッワーリー
(2)『中学生の音楽鑑賞　第7巻2・3年上［4］』ヨーデル，ヒメネ
(3)『中学生の音楽鑑賞　第12巻2・3年下［4］』カッワーリー

（金子敦子）

諸民族の音楽－舞踊の音楽－

1. 教材選択の観点（指導のねらい）

・舞踊やその音楽を，それらの背景にある風土，文化，歴史，宗教などとの結び付きにおいて理解する。
・舞踊の目的を念頭に置いて，音楽の表現方法の違いを探る。

2. 教材について

レゴン（インドネシア［バリ島］）：18～19世紀にかけてバリ島の宮廷で演じられていた舞踊で，ガムランにより伴奏される。舞踊の題材は，ジャワ中世の王朝史やヒンドゥー教の叙事詩に基づく。

フラメンコ（スペイン）：スペイン南部のアンダルシア地方に住むロマの間で発達した独特な音楽と舞踊を示す。歌，ギターによる音楽，掛け声，手拍子やカスタネットを主要な構成要素とする舞踊である。19世紀後半にスペイン全土で流行し，後に世界中に広まった。

セマー（トルコ）：イスラム教神秘主義の宗教儀式で踊られる旋回舞踊で，信者たちが音楽に合わせて同方向に旋回する。激しく旋回することにより神との一体化を図るとされる。

タンゴ（アルゼンチン）：19世紀末頃にアルゼンチンの首都ブエノスアイレスの民衆の中から生まれた音楽である。20世紀に入り音楽的に洗練され，ダンス音楽や歌曲へと発展し，ヨーロッパにも広まり，コンチネンタル・タンゴとなった。民衆の喜びや悲しみなどを表現した歌と踊りである。

3. 指導のポイント

・映像資料を効果的に使用し，国や背景による衣装や表現の違いを把握させ，民族性や舞踊と音楽の背景についての考察に導く。
・動作や歌い方を自分たちでまねることにより，一層深い関心と理解を深める。
・舞踊のみならず固有な伴奏楽器にも注目させる。

【視聴覚教材（DVD）】
(1)『中学生の音楽鑑賞　第12巻2・3年下［4］』アルゼンチン・タンゴ
(2)『高等学校音楽鑑賞DVD 民族編』フラメンコ，タンゴ，ヨーデル

（金子敦子）

4 ｜ 高等学校鑑賞教材選択の観点と教材研究

郷土の伝統芸能

1．教材選択の観点（指導のねらい）

・日本の各地域に根ざした郷土の伝統芸能を理解する。
・郷土の伝統芸能が人々の生活の中でどのような意味をもち，歌い継がれてきたのかを考える。
・郷土芸能の音楽に特徴的な歌い方や楽器の特徴を，音楽の要素や要素同士の関連の知覚を通して，感受する。
・信仰，労働（農耕，樵（きこり），漁業など），祭り，酒宴，子守りなど，民衆の生活に密着した様々な性質の歌があることを知り，共通性や固有性について考える。

2．対象となる音楽について

・学校や生徒の居住する地域から始め，知人や親戚，旅行の思い出の土地へと地域を広げ，日本全国の様々な地域の芸能に触れるようにする。
・民謡から，観光行事，伝統保存，無形の文化財となっている芸能など，多種多彩な教材を選ぶ。

ソーラン節（北海道）	江差追分（北海道）
津軽じょんがら節（青森）	秋田おばこ（秋田）
こきりこ（富山）	佐渡おけさ（新潟）
草津節（群馬）	箱根馬子唄（神奈川）
木曽節（長野）	茶摘み（京都）
鷺舞（島根）	南条踊り（山口）
唐津くんち（佐賀）	谷茶前（沖縄）

3．指導のポイント

・インターネットや本，CD，DVDなどの資料を活用して，芸能の由来や歌詞，楽器について調べる。
・太鼓，摺鉦（すりがね）などのリズムは，実際に代用の楽器や手拍子などで叩いてみる。
・踊りなど身体表現を伴う音楽は，映像資料や生徒の取材を参考に，実際に演じてみる。
・各地域を地理的に確認し，気候，風土，郷土史，名産などを調べ，楽器や歌詞，動きや歌い方との関わりを，音楽の要素や要素同士の関連を知覚しながら，考える。　（下道郁子）

中国と韓国の音楽

1．教材選択の観点（指導のねらい）

・近隣アジア，特に中国と韓国の音楽文化を理解する。
・日本の伝統音楽との関わりについて考える。
・琵琶，箏といった日本の伝統楽器と関わりが深い楽器の音楽を，音色や強弱などの要素を知覚して，日本の伝統音楽との共通性や違いについて考える。

2．対象となる音楽について

中国のピーパー（琵琶）

4本の弦と多くのフレットをもち，右手5本の指すべての爪を用いて奏する。右手によるアルペッジョやトレモロを常用した技巧的な古曲「**十面埋伏**（シミャンマイフ）」は，劉邦と項羽の戦いを描写的に表現している。

韓国の宮廷音楽

韓国の宮廷音楽から祭礼音楽である雅楽を取り上げ，日本の雅楽と比較してみる。管絃楽「**霊山会相**（ヨンサンヘサン）」は六弦琴のコムンゴ，篳篥系の縦笛のピリ，二面革張り太鼓のチャンゴ，竹製の横笛のテグム，二弦胡弓のヘグム，竹ばちで鉄弦を打って音を出すヤングムで奏される。

韓国のカヤグム（伽倻琴）

12弦の琴で，伝統音楽の代表的な弦楽器である。爪をはめずに指で弾き，技巧的な奏法が可能である。民間器楽**サンジョー（散調）**に独奏楽器のための曲が多くある。

3．指導のポイント

・中国，韓国ともに言語，民族，社会体制など，音楽文化の背景となる事項について考える。
・主に日本の雅楽との関連から中国，韓国との文化的な交流史について考える。
・映像を活用して鑑賞し，楽器の形態や奏法を日本の琵琶や箏と比較し，相違点を話し合ってみる。
・音色，リズム，旋律，強弱などの音楽の要素を知覚し，その働きを感受しながら，音楽の特徴を考える。　（下道郁子）

歌曲集「詩人の恋」

シューマン（1810～1856）

1. 教材選択の観点（指導のねらい）

歌曲という人間の声によって生み出される芸術作品に触れるとともに，ドイツ・リートがもつ文学と音楽の理想的な融合による表現を味わう。

2. 楽曲について

「詩人の恋」は16曲からなる連作歌曲集で，R.シューマンの「歌の年」と呼ばれる1840年に作曲された。

この年はクララとの結婚に対する期待と不安が交錯する中で，多くの優れた歌曲が生み出されたが，その中でも「詩人の恋」はシューマンの文学的感受性と音楽が結実した歌曲の集大成とも言える作品である。16曲のうち第6曲までが恋する者の歓びを，第7曲から第14曲までが失恋の痛手を，最後の2曲は過ぎ去りし若き日の追憶を描いている。

詩はH.ハイネによる『歌の本』の「抒情挿曲」から採られており，「詩人の恋」という題名はシューマン自身によるものである。

3. 指導のポイント

・訳詩（対訳）を読み，その内容を理解するとともに文学的な芸術性を味わう。
・詩の登場人物の心情がどのように音楽として描かれているか，旋律の動きやリズム，調，ピアノパートによって奏でられる雰囲気の特徴などから考える。
・歌手やピアノ奏者，また声種による表現の違いを聴き比べる。
・シューマンの生涯や時期による作品の特徴について理解する。
・第1曲を実際に歌ってみることも楽曲の理解を深めるのに役立つであろう。

【視聴覚教材】
・ドイツ・リートの芸術性を味わうためには，原語演奏による鑑賞が望ましい。映像字幕を作成するなど，演奏の聴取と対訳の理解が同時にできるような教材開発が理想的である。

（田中正雄）

交響曲第9番「合唱」

ベートーヴェン（1770～1827）

1. 教材選択の観点（指導のねらい）

オーケストラや声楽がもつ多彩な表現を感じ取るとともに，交響曲の構成やソナタ形式などの楽式について理解する。

2. 楽曲について

L.v.ベートーヴェンが作曲した最後の交響曲で，第4楽章にF.v.シラーの頌歌「歓喜に寄す」に基づく声楽が加えられているなど，古典派によって一応の完成をみた交響曲をさらに発展させた作品であり，次世代の作曲家たちに大きな影響を与えた音楽史上最も重要な楽曲の一つである。

〈第1楽章〉大規模な四部構成のソナタ形式。空虚5度の中から自然発生的に奏される第1主題が，これからの壮大な音楽の前触れを予感させる。

〈第2楽章〉三部形式。熱狂的なスケルツォと第4楽章の歓喜の主題を予感させるトリオからなる。

〈第3楽章〉深遠な祈りを感じさせる甘美な緩徐楽章。

〈第4楽章〉オーケストラに4人の独唱者と混声合唱を加えた壮大なフィナーレ。オーケストラのみで三つの楽章が回顧されるのを低弦のレチタティーヴォ旋律が否定し歓喜の主題が提示されると，やがてバリトン独唱を先頭に声楽が加わり，有名な「歓喜の歌」を含む大合唱に至る。

3. 指導のポイント

・第4楽章が注目されやすいが，各楽章とも優れた内容をもっており，交響曲の形式美や歓喜の頌歌に至る道程を理解する上でも全楽章を通して鑑賞させたい。
・交響曲第9番の演奏の歴史とオーケストラの発展の関係や，様々な作曲家の代表的な交響曲との聴き比べなども興味深い学習となる。

【視聴覚教材】
・歴史的名盤の聴き比べや映像資料による学習など生徒の実態に応じ選択したい。

（田中正雄）

ノートル・ダム・ミサ曲

マショー（1300?～1377）

1．教材選択の観点（指導のねらい）

・声楽のポリフォニー（polyphony〔英〕）音楽がもつ独特な響きや，メリスマ（melisma〔ギ〕）による声の表現の特徴を感じ取る。

・キリスト教典礼音楽としての役割を理解する。

2．楽曲について

14世紀教会音楽最大の金字塔と称される，フランスのアルス・ノヴァ（ars nova〔ラ〕）を代表するマショーの作品である。「1.キリエ」を含む六つの部分から構成され，通常式文のすべてが含まれている。楽曲全体を一人の作曲家が書いた最古の多声ミサ曲として重要であり，この点で後のベートーヴェンやブルックナーなどのミサ曲の先駆となる作品である。「2.グローリア」「3.クレド」（アーメンの部分を除く）はコンドゥクトゥス（conductus〔ラ〕）様式で，他はアイソリズム（isorhythm〔英〕）が使われている。最後は「6.イテ・ミサ・エスト」で終わる。

キリエ

3．指導のポイント

・発声の仕方や残響の効果，拍節の自由な動きや息の使い方による表現の特徴などに気付かせる。

・歌唱と創作を兼ねた表現活動で，即興演奏を含めたメリスマの歌い方を体験して鑑賞する。

・通常式文や固有式文の歌詞の意味を調べ，典礼の目的と音楽の役割について考えるなど，教会音楽としてのミサ曲について理解を深める。

【視聴覚教材（CD）】
(1) デラー指揮，デラー・コンソートほか
(2) メイソン指揮，クレマンシック・コンソートほか
(3) パロット指揮，タヴァナー・コンソート＆タヴァナー合唱団

（小原伸一）

ノヴェンバー・ステップス

武満 徹（1930～1996）

1．教材選択の観点（指導のねらい）

・日本の伝統楽器の特徴について，オーケストラを伴う作品を通して理解する。

・尺八や琵琶とオーケストラが生み出す曲想や演奏上の効果と音楽の構造との関わりを理解し，そのよさを味わう。

2．楽曲について

ニューヨーク・フィルハーモニー創立125周年記念の委嘱作品の一つとして1967年に作曲され，同年11月に小澤征爾指揮によって初演されている。琵琶，尺八の独奏とオーケストラによる作品で，序奏部と十一の段から構成される。

琵琶と尺八を舞台前方に配置し，管楽器が中央，打楽器をその両脇へ，ハープや弦楽器も左右に分けて2群に配置するなどの工夫により，演奏効果をねらっている。

独奏楽器である尺八や琵琶とオーケストラが共同的に奏でる部分は，一般的な協奏曲などと比べて少なく，対置的である。十段における長大な琵琶と尺八のカデンツァも特徴的である。

3．指導のポイント

・独奏楽器である琵琶や尺八について調べる。

・作曲者が当初考えていた「water ring」というタイトルを鑑賞の手がかりとすることもできよう。

・琵琶と尺八による長大なカデンツァでは図形楽譜が用いられている。楽譜の表記とも関連させながら各楽器の特徴的な奏法について，音楽を聴いて，考えさせたい。

・作曲者が記した著作や対談，作曲者による他作品（映画音楽を含む）をもとに作曲者の音楽観を探る。

・様々な演奏家や画家や詩人などの芸術家とのつながりも広く知られている。影響を与えあう人とのつながりについても学びとりたい。

・楽器配置による作曲者の工夫は，音源によっては理解が難しい場合がある。

（石川裕司）

オペラ「フィガロの結婚」

モーツァルト（1756～1791）

1. 教材選択の観点（指導のねらい）

・登場人物の個性や微妙な心の変化を鮮やかに描き出しているW.A.モーツァルトの音楽を味わう。

・総合芸術オペラの各要素（音楽，文学，演劇，美術，舞踊など）が複合して生み出す魅力を感じ取る。

2. 楽曲について

戯曲で大評判となったP.－A.ボーマルシェの同名の原作をもとに，L.ダ・ポンテがイタリア語で台本を制作，モーツァルトが作曲したオペラ・ブッファ（喜歌劇）の人気作である。初演（1786）はウィーンのブルク劇場でモーツァルト自身の指揮により上演され，大成功を収めた。

全4幕で，序曲，フィガロの有名なアリア「もう飛ぶまいぞこの蝶々」，ケルビーノのアリエッタ「恋とはどんなものかしら」，スザンナと伯爵夫人の手紙の二重唱「そよ風に寄せる」ほか，三重唱，六重唱，合唱まで珠玉の声楽曲が多数ある。

序曲

第1幕「もう飛ぶまいぞこの蝶々」（フィガロ）

Allegro [vivace]

Non più an-drai far - fal - lo - ne a - mo - ro - so

第2幕「恋とはどんなものかしら」（ケルビーノ）

3. 指導のポイント

・1曲を選んで映像資料で繰り返し鑑賞し，登場人物の性格や状況を踏まえ，情景や字幕の歌詞の意味，歌い手の声種，表情や演技などから音楽のもつ表現の特徴との関連を発見させる。

・前項の場面にその前後を加え，さらに主要な部分を組み合わせて作品全体の鑑賞へとつなげる。

・当時，作品が社会に与えた影響などを調べ発表する。

【視聴覚教材（DVD）】 ベーム指揮，ウィーン・フィル，ポネル演出

（小原伸一）

ミュージカル「ウエスト・サイド物語」

バーンスタイン（1918～1990）

1. 教材選択の観点（指導のねらい）

・クラシック，ジャズ，ラテンなどの多彩なジャンルの音楽に親しむ。主要な場面で歌われ，今も歌い継がれる数々の名曲や，ダンス・シーンでの躍動感あふれる群舞の迫力を味わう。

2. 教材（楽曲）について

「ロミオとジュリエット」に着想し，1950年代のニューヨークを舞台に二つの家の争いを人種間の争いに置き換え，当時の社会問題に重ねて捉え直した。敵対するグループに属するトニーとマリアは恋に落ちるが，不幸にも抗争の犠牲となる。

ミュージカル史上屈指の名作とされ，L.バーンスタインの音楽とJ.ロビンズの振付によって誕生した。1957年初演の大ヒットを受け1961年映画化。音楽にはミュージカル版，映画版，シンフォニック・ダンス（オーケストラ組曲）がある。

3. 指導のポイント

・多様な人種が住むウエストサイドでの，ポーランド系白人とプエルトリコ系移民の人種間対立は音楽にも反映されている。トニーとマリアが出会うパーティの場面ではマンボ，チャチャチャのラテン音楽とともに激しい群舞が繰り広げられる。随所に見られるラテンの特徴的なリズムとダンス・ステップに着目したい。

・本作品で最も有名なナンバー，「トゥナイト」は，マリアとトニーによって情熱的に歌われ，その後，5人の五重唱で再び歌われる。「サムウェア」はオーケストラ演奏（組曲版），「マリア」は，オペラ歌手による歌唱でも聴き比べてみる。

・これらのナンバーを実際に歌ってみることで表現の工夫，登場人物の心情への理解を深める。

・人種間の対立，銃による暴力は作品の誕生から60年以上の時を経て，新たに激化している。今日的な社会問題として，他教科と関連させて学習することも作品の解釈を深める一助になろう。

【視聴覚教材（DVD）】

（1）L.バーンスタイン『ウエスト・サイド・ストーリー　メイキング・オブ・レコーディング』

（2）映画版『ウエスト・サイド物語』ナタリー・ウッド主演

（時得（ときえ）紀子）

第6章 〔共通事項〕の活用

1 実践における留意点と課題：〔共通事項〕の扱い

▶ 表現と鑑賞〜人間と音楽との二つの関係

従来から，音楽科の学習指導要領では，声で歌う歌唱，楽器で奏でる器楽，音楽をつくる創作の三つの活動を「表現」領域，聴いて感じて味わう鑑賞の活動を「鑑賞」領域として示してきた。

「表現」と「鑑賞」の二つの領域は，人間と音楽との二つの関わり方，と考えることができる。「表現」は，「人間の内部に生まれた心情やイメージが音響として表出される」状態であり，人間から音楽をアウトプットすることである。それに対して「鑑賞」は，「人間の外部で鳴り響く音楽を，聴覚を通して内部に受容する」状態であり，音楽を人間へインプットすることである。このように，「表現」と「鑑賞」は表裏の関係にある。

音楽科の授業では，表現と鑑賞の二領域を相互関連させて（アウトプットとインプットの双方向で音楽に関わり），指導を展開することが重要である。双方向の音楽との関わり方を通して，生徒は音楽体験を充実させ，音楽学習を深化させることができるからである。

▶ 音楽科授業の二つのタイプと〔共通事項〕

音楽学習の場では直接音楽に触れる体験が基本となることから，従来，音楽科の授業は，「表現や鑑賞の音楽活動そのものが主体となる」傾向が強かった。ある楽曲を歌うことや奏でることが目的になっている授業や，いわゆる名曲を聴くことが目的になっている授業などがそれである。このような，音楽活動そのものが主体となる授業では，そこで展開される表現や鑑賞の活動によって，充実した音楽体験の実現を目指しているが，どのような音楽的能力を生徒が獲得したのかについては，曖昧にされてしまう場合が多かった。

音楽活動を主体と考える見方に対して，音楽科の授業を，「表現や鑑賞の音楽活動を通して，音楽について学習することが主体である」と考える見方も，以前から繰り返し主張されてきた。

中学校学習指導要領に示されている〔共通事項〕は，音や音楽を介して思考・判断し，表現する力を育てるための基盤となる内容であり，音楽活動や教材において活用しながら身に付けるべき内容である。〔共通事項〕は，従来曖昧にされる傾向にあった，音楽活動を通して獲得されるべき音楽的能力や「音楽学習が主体」となる授業の考え方を，明確に位置付けたものであるといえる。そして，音楽活動（表現と鑑賞）と〔共通事項〕を結び付けることによって，活動に偏りすぎない「学習としての授業」を意識することが，音楽科授業を考える上で重要である。

▶ 表現及び鑑賞の基盤となる〔共通事項〕

表現及び鑑賞の各音楽活動の支えとなる〔共通事項〕は，次のような内容をもっている。

> ア　音楽を形づくっている要素や要素同士の関連を知覚し，それらの働きが生み出す特質や雰囲気を感受しながら，知覚したことと感受したこととの関わりについて考えること。
> イ　音楽を形づくっている要素及びそれらに関わる用語や記号などについて，音楽における働きと関わらせて理解すること。

アの事項は，音楽科における「思考力，判断力，表現力等」に関する資質・能力である。音楽を形づくっている要素（音色，リズム，速度，旋律，テクスチュア，強弱，形式，構成など）のうちどのような要素を知覚したのか，その要素の働きによってどのような特質や雰囲気を感受したのかということを，それぞれ確認しながら結び付けていけるようにすることである。さらに，知覚・感受することにとどまらず，知覚したことと感受したこととの関わりについて考えることが重要である。

イの事項は，音楽科における「知識」に関する資質・能力である。音楽の各活動において，音楽に対してもった自己のイメージや思いなどを他者へ伝えたり，他者の意図を共有したりするためには，音楽に関する用語や記号などを適切に用いることが有効である。また，そのことによって，用語や記号などの大切さを生徒が実感できるように配慮したい。

これらの内容は，〔共通事項〕だけで単独に学習されるのではなく，表現と鑑賞の各音楽活動を通して，実際に鳴り響く音楽の中で学習される。歌ったり，奏でたり，創ったり，聴き味わったりしながら，音楽を形づくっている要素を知覚し，音楽の特質や雰囲気を感受し，用語や記号などを理解していくこと，これらを具体的な音楽体験の中で一連のものとして学習することが大切である。

学習場面では，諸要素の働きが実際の音楽でどのように作用しているのか，また音楽の用語や記号の名称などを単に知るだけではなく，それらが具体的にどのような音楽状況を意味しているのかなど，学習内容と鳴り響いている音とを照らし合わせ，常にフィードバックしつつ，吟味し理解を深めていく。そして，学習した内容が他の音楽活動場面でも応用できるように指導したい。

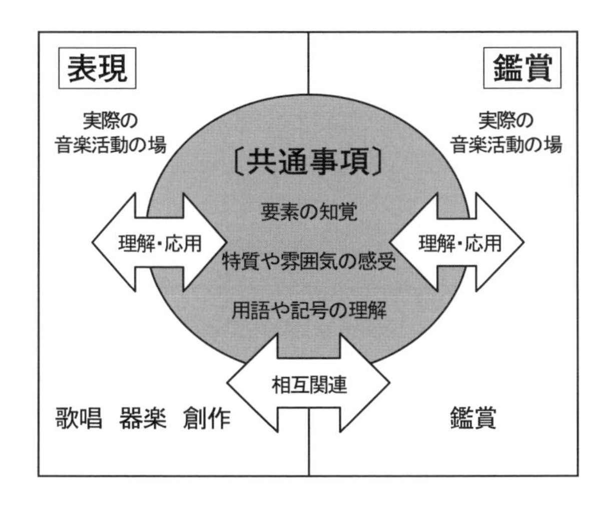

▶ 表現と鑑賞の関連 ～〔共通事項〕の扱いの留意点と課題

〔共通事項〕を拠りどころとして表現と鑑賞を関連させた授業を展開するために，次の3点に留意したい。

(1)〔共通事項〕の内容を軸に授業を構成し，表現と鑑賞の関連を図る

〔共通事項〕の内容が表現と鑑賞の各活動で十分指導されるように配慮する。表現と鑑賞を連動させる〈歯車〉としての役割を〔共通事項〕の内容が担っていることを認識し，〔共通事項〕の内容に焦点化して題材の指導計画を作成することが重要である。

例えば，「音色」に焦点化した場合，鑑賞活動で楽器による音色の違いを知覚し，その違いによって生み出された音楽の特質を感受する。そして，歌唱や器楽の活動で，音色の違いによる効果を確認し，自分たちの音楽表現に活かしながら理解を深めていく。

このような，〔共通事項〕に焦点化した題材の指導計画のためには，〔共通事項〕の内容に合わせた各活動の教材研究（どのような音楽・楽曲で学習が可能か）が極めて重要になる。

(2) 他の音楽活動場面での応用や発展を図る

学習した内容が他の題材での学習へと発展するように配慮したい。ある一つの題材の指導計画内で表現と鑑賞を関連させるだけではなく，題材同士の相互関連を図ることによって，毎時間の授業を有機的に結合させることができる。〔共通事項〕の学習が音楽科授業のあらゆる場面で展開されることで，単に音楽活動をする授業から，「音楽的思考を伴って活動する」「活動して音楽を思考する」授業へと転換させることができるのである。

(3) 音楽について言葉で説明できる力を育てる

〔共通事項〕を軸にした授業で，日常的に音楽の構造を意識し，音楽的な感受の内容を思考する習慣をつけることになる。また，音楽を自分の言葉で説明し批評できる力を育てることにもなる。その際，音楽に関する用語や記号などの理解が，音楽を言葉で説明することを可能にし，個人の音楽体験を仲間と共有する手段となる。適切な言葉を用いて音楽について説明したり楽譜などを読み解いたりすることは，音楽の世界を他者に伝える手段となる。音楽を語れる力は，生涯にわたって音楽に関わっていく基盤となり，生徒一人一人の音楽活動を充実させるのである。（寺田貴雄）

2 〔共通事項〕を活用した実践例

1 歌唱・器楽と鑑賞を関連させた実践例

生徒に身に付けさせたい資質・能力のうち，思考力，判断力，表現力等を効果的に高めていくために，「A表現」と「B鑑賞」を相互に関連させた授業の工夫が効果的である。その際，生徒の思考が変容したのが分かるようなワークシートの工夫も大切である。

学習指導要領において，「我が国の伝統音楽のよさを味わい，愛着をもつことができるように工夫する」と明記された。ここでは，我が国の伝統音楽の授業実践を例に取り上げる。

▶ 例1

〔共通事項〕
アに関わる要素
　音色，リズム，旋律，速度，強弱
イに関わる用語・記号
　拍，拍子，間，序破急，フレーズ
題材名：歌舞伎の音楽の魅力を味わおう
教材名：歌舞伎「勧進帳」
長唄1「旅の衣は篠懸(すずかけ)の〜露けき袖やしおるらん」
長唄2「これやこの〜海津(かいづ)の浦に着きにけり」

◎学習内容と活動の流れ（全4時間扱い）

〈第1時〉

① 歌舞伎に対するイメージについて考える。
② 映像資料を使い，歌舞伎の特徴（音楽の特徴，舞台の特徴など）について知る。
③ 長唄や黒御簾音楽を鑑賞し，音楽の特徴（長唄の声の特徴，抑揚の変化，演奏形態など）について知覚・感受する。
④ 歌舞伎「勧進帳」のダイジェストを鑑賞する。
⑤ 長唄1を鑑賞し，音色，リズム，旋律の音楽を形づくっている要素を参考に特徴を考え，どのように歌ったらよいかを考える。

〈第2時〉

⑥ 長唄1を聴いて知覚・感受した特徴をもとに，実際に声に出して歌う。
⑦ 同様に長唄2を鑑賞し特徴を考え，息の吸い方や言葉の発音，身体の使い方などを工夫し抑揚の変化などをどのように表現したらよいか考えながら歌唱する。

〈第3時〉

⑧ 寄せの合方を鑑賞し，音楽の特徴とそれによりどのような感じがしたかを考える。
⑨ 寄せの合方を実際に楽器の奏法をまねて（必要に応じて口唱歌を取り入れてもよい）手拍子で間を感じ取りながら演奏する。
⑩ 寄せの合方を口唱歌と手拍子で演奏し，長唄2と合わせて演奏する。

〈第4時〉

⑪ 歌舞伎「勧進帳」を鑑賞する。
⑫ 実際に歌唱したことをもとに，歌舞伎における音楽の役割（長唄の役割，黒御簾音楽の役割など）について考える。
⑬ 歌舞伎の音楽のよさや魅力について，実際に歌唱したことをもとに考える（既習状況によっては，滝廉太郎の「花」と関わらせて，音楽の変化に触れながら考えさせてもよい）。

◎この学習のポイント

本題材では，我が国の伝統的な歌唱の歌い方について技能を習得することが目的ではなく，我が国の伝統的な歌唱（長唄）を通して，どのように歌ったらよいか試行錯誤しながら音楽のよさや役割について考えを深め，それにより我が国の伝統音楽のよさや美しさを味わうことである。鑑賞活動のみでも音楽のよさや美しさを味わうことは可能であるが，我が国の伝統音楽を学ぶ上で，間の感じ方，我が国の伝統的な歌唱などの学習は不可欠である。それらをともに関わらせながら学習することで，生徒自身の思考が深まり，鑑賞だけでは感じ取れない音楽のよさや美しさに迫ることができるのである。

また今回は，間や序破急を感じ取る活動として，「寄せの合方」を楽器ではなく，口唱歌や手拍子でまねて演奏する活動を取り入れた。それにより歌舞伎の音楽の緊張感，序破急や間といった我が国の伝統音楽の特徴などを音楽活動を通して理解することができ，鑑賞させる際，声だけでなく三味線や囃子にも耳が向くようになり，歌舞伎の音楽をより深く味わうことができる。

より系統的で教科横断的な授業を意識するのならば，第4時の学習活動の中でも記したように，共通教材でもある，滝廉太郎の「花」と関わらせたい。1840年に初演された「勧進帳」と1900年に生まれた日本で初めての合唱曲である「花」。この60年間に日本ではどんなことが起こり，それによって音楽がどのように変化していったのかを，その当時の歴史と関わらせて考えていくことは，教科横断的な視点で物事を考え，生徒の思考をさらに深めさせる上でも非常に有効である。

歌舞伎の魅力を味わおう⑤　**歌舞伎『勧進帳』**　歌舞伎の魅力を味わおう　3年生音楽-鑑賞①

1　歌舞伎や長唄を一言であらわすと　(　)年(　)組(　)番　氏名(　)

学習前 → 学習後

その理由（今まで学習したことを踏まえて）

2　歌舞伎や「勧進帳」についてまとめ、歌舞伎のよさや魅力を味わおう！！

第1段落目に書く内容

①　「歌舞伎における長唄の役割と音楽の特徴」　や「役者の演技と音楽の関わり」を、「自分の感じたこと」と「なぜ、そのように感じたかの理由」を踏まえて書く。その際に、実際に長唄をうたってみて感じたことなども関連させながら書くこと。

②　感じたことの理由については、音楽の要素を表す言葉や音楽用語を使って書き、〔音色〕、〔リズム〕、〔速度〕、〔旋律〕、〔強弱〕、〔拍・拍子〕、〔間〕の中から3つ以上の言葉を使って書くこと。

第2段落目に書く内容

③　「歌舞伎『勧進帳』の自分が気に入ったところ」、「当時の日本の様子を踏まえ、なぜ、歌舞伎が江戸庶民の中で発展してきたのか」について触れ、自分の考える「歌舞伎のよさや魅力」について書くこと。

私の考える「歌舞伎における長唄の役割と音楽の特徴」や「役者の演技と音楽の関わり」とは、

第4時のワークシート

▶ 例2

〔共通事項〕

アに関わる要素

音色，リズム，旋律，速度

イに関わる用語・記号

間，序破急，フレーズ，音階

題材名：楽器の特徴を生かして表現を工夫し，箏曲のよさや魅力を味わおう

教材名：

器楽曲1「やさしい六段」（水野利彦作曲）

鑑賞曲1「アランフェス協奏曲」（ロドリーゴ作曲）

鑑賞曲2「さくらさくら」（作曲者不詳）

鑑賞曲3「六段の調」（八橋検校作曲）

◎学習内容と活動の流れ（全4時間）

〈第1時〉

① 鑑賞曲1の主題をコール・アングレとギターで，鑑賞曲2の主題をピアノと箏のそれぞれの音色で鑑賞し，どのような違いがあり，その違いによってどんな感じがするかを考える。

② 感じ取った違いをもとに弦楽器をはじくときの余韻の響きの特徴を考え，それによりどんなよさがあるのかを考える。

③ 鑑賞曲3を音の余韻に注目しながら鑑賞し，どのような特徴があり，どのように演奏されているのかを考える。

〈第2時〉

④ 引き色，かき爪，合わせ爪の奏法を音や余韻の特徴と合わせて知る。

⑤ 引き色，かき爪，合わせ爪の奏法を使って，器楽曲1の1，2小節目を演奏する。

⑥ 箏の音色を味わいながら器楽曲1を演奏する。

〈第3時〉

⑦ 器楽曲1の範奏を聴き，どのように演奏されているか楽譜やワークシートに記入しながら考える。

⑧ 箏の音色や奏法，箏曲のリズムやフレーズ，平調子の旋律，間などを感じ取りながら器楽曲1を演奏する。

〈第4時〉

⑨ 鑑賞曲1，2を聴き，楽器の特徴を生かして演奏する意味やよさについて考える。

⑩ 鑑賞曲3を聴き，箏曲のよさや魅力について実際に演奏して感じた響きなどをもとに考える。

◎この学習のポイント

本題材では，その楽器のもつ音色に着目し，そのよさを生かす奏法の工夫，それらによって生み出される箏曲のよさや魅力について考えさせる。

第1時で鑑賞した「六段の調」を，第2時，第3時で使われている奏法を用いて演奏することで，音色や旋律の動き，間の取り方などから箏曲のよさや美しさを感じ取り，第4時で改めてそれぞれの楽器の特徴を生かして演奏することの意義や，それによって生み出される楽曲のよさや魅力に鑑賞を通して迫っていくことで，我が国の伝統音楽のよさや美しさを味わわせることができるであろう。

（辻浦拓人）

2 創作と鑑賞を関連させた実践例

▶ 題材のねらいと学習指導要領との関わり

西洋音楽を形づくる要素のひとつ,「和音」に着目させることで,このジャンルの音楽の仕組みを理解し,機能和声によってつくられた作品の聴き方,あるいはメロディーのつくり方を学習することが本題材のねらいである。

本題材は,中学校学習指導要領のA表現(3),創作の活動についての文言のうち,特にイ(イ)「音素材の特徴及び音の重なり方や反復,変化,対照などの構成上の特徴」を理解すること,B鑑賞では,(1)のア(ウ)「音楽表現の共通性や固有性」から,音楽のよさや美しさを味わって聴くこと,及びイ(ア)「曲想と音楽の構造との関わり」を理解することに関連している。このねらいに沿った授業の具体例として,機能和声の仕組みを分かりやすく伝える指導内容の構想を,以下に提示する。

▶ 授業の流れ —創作と鑑賞を関連させるための工夫—

題材「ハーモニーの流れと響きを意識して メロディーを創作しよう」

両領域の活動内容を有機的に関連させるために,「Believe」「翼をください」「さくら(独唱)」「パッヘルベルのカノン」「いつも何度でも」[(1)]（いずれも曲の一部を使用する)を取り上げる。どの曲も和声進行(特にベースラインの流れ)が共通していること(**譜例**参照),また各曲のメロディーが,和音の響きに支えられていることを鑑賞して理解させる。

次に上三声の構成音を使って,2拍ずつの単位で旋律を創作させる。跳躍進行をできるだけ回避した,歌いやすいメロディーをつくることを指示する。使用するリズムは,あらかじめ指定したほうがよいだろう。メロディーの中に非和声音を使っていたとしても,響きの上で不快感が少ないようであれば,その生徒のアイデア(ひらめき)を大いに賞賛しよう。なぜなら滑らかなメロディーラインは,美しい旋律だと感じさせる一つの重要な要素だからである。

悪戦苦闘する生徒たちの姿に,予想外の展開を見ることになるかもしれない。しかしつくる活動を通して取り組んだ努力の成果は,本時の冒頭で鑑賞したときの心の動きとは違って,確実に目標をもった聴き方(=音楽美の享受)となって表れるのではないだろうか。実は,このわずかな「変化」こそが日々の授業にとって大切なのである。

▶ 評価の観点/指導のポイント

周知の通り,平成29年の学習指導要領改訂で,各教科等の目標及び内容が資質・能力の三つの柱で示されたことから,観点別学習状況の評価の観点についても,「知識・技能」「思考・判断・表現」「主体的に学習に取り組む態度」の三つに整理された。この趣旨にしたがって,例えば本題材における観点別評価規準を,以下のように設定できる。

知識・技能

ハーモニーの美しさや和音の働きを知覚しながら,その和音の響きに溶け込むような旋律を,指定されたリズムを用いて創作する技能を身に付けている。

思考・判断・表現

作品のよさを感受し,それを自らの創作活動の中で生かすとともに,思いや意図をもって表現したり鑑賞したりすることができる。

主体的に学習に取り組む態度

西洋音楽の特徴(=和声進行とベースラインの関係)に興味・関心をもち,進んで創作活動に取り組もうとしている。

また「指導上のポイント」として次の3点を挙げておきたい。

(1) 教師も自ら創作した作品を,生徒に紹介する場面を設定する。
(2) 生徒の能力差に応じて,数種類のリズムパターンを用意しておく。
(3) 譜例の「上三声の和音とベース」を,適当な楽器で分奏させながら創作した旋律を歌わせる(あるいは演奏させる)ことによって,移り行くハーモニーの上に美しいメロディーが流れることを実感させる。

譜例　4曲に共通するベースライン

▶ 音楽活動の基礎的な能力習得に向けて

ハ長調のⅠ度の和音（C・E・Gの三つの音）が鳴ったとき，そのハーモニーの聴き取り方は決して一つではない。①三つの構成音を絶対音が分かるように瞬時に聴き取ったり，②和音としての機能を理解したり，③その響きを「長三和音」と識別したり，④前後の和音の流れ（＝連結）から，終止形（カデンツ）を感じることもできる。

学校教育においては，④のような感じ方ができる生徒の育成を目指したい。そのためにもピアノなどに向かって伴奏するとき，教材研究の段階で入念な和音分析を行い，ときにはセブンス・コードやマイナー・コードを取り入れた伴奏付けを試みるとよい。微妙な響きの違いに気付く生徒がいたとすれば，それはこれまでの指導の成果が実を結んだ瞬間と捉えることができるだろう。

▶ まとめ

廣瀬量平は，自らの作曲体験を振り返りながら「作曲家はメロディーに和音を付けるのではなく，いい低音を感じながら，その上べりを彩るメロディーを書き留めるのです」と誌上インタビューの中で語っていた(2)。この「はじめに和音ありき」の理念は，ある様式観をもつ楽曲の中から音楽的な意味を理解するために，一つの手がかりを与えてくれる。

創作活動を体験して，「音楽とは，こういう規則に基づいて作曲されているのか」と初めて気付く生徒も多いことだろう。音程の正しい記憶とか，音高の正確な識別ということよりも，むしろ音と音との間の関係から生じる和音感覚，あるいはそれに付随する調感覚を，いろいろな音楽作品を通して味わうことのほうがむしろ大切だと考える。これは目標レベルの質的な差こそあるにせよ，専門教育にも学校音楽教育にも，双方に相通じる共通課題といえるだろう。

それにしても17世紀後半に作曲された名曲の一貫した低音（Basso Ostinato）が，時代を超えてジャンルを超えて，今も現代の作風に息づいていることは，実に興味深いことである。

（伊藤　誠）

(1)「いつも何度でも」は4分の3拍子の曲であることから，譜例には掲載していない。
(2) 廣瀬量平（1996）「豊かな和音感を育てる歌唱教材を」『教育音楽 小学版』第51巻第12号，音楽之友社 pp.52-54

3 | 言語活動の充実と音楽科

▶ 音楽の活動と言語活動の関係

新学習指導要領の「総則」第1の2（1）及び第3の1（2）には，各教科等において言語活動の充実を求めた記述がある。これを受けて音楽科でも言語を介在させた音楽活動を取り入れることになるが，第5節「音楽」第3の2（1）イ「（前略）音楽科の特質に応じた言語活動を適切に位置付けられるよう指導を工夫すること」とあることから，音や音楽を伴った言語活動を工夫し，話し合いや記述による活動と音や音楽による活動とのバランスをとることが大切になる。しかし現実には音や音楽から聴き取り感じたことを生徒に言葉で表現させることはとても難しい。音楽の諸要素を感覚的に捉えることができても，それを音楽と結び付けたり生徒自身の音楽的嗜好や表現欲求と照らし合わせたりしながら，適切な言葉に置き換えることができない。その原因を探るために，音楽を教える立場から言語活動の働きについて考えてみよう。多く見られるのは言葉を用いないで「やってみせる方法」である。これは初級者を対象にしてお手本を示す場合には一目瞭然で分かりやすく効果がある。それとは逆に，指導者の模範演奏と自分の演奏の違いを自分自身の力で分析できるレベルの高い上級者に対しても効果的である。しかし自らの演奏を客観的に省みることが難しい大部分の生徒に対しては「□□はできているが，まだ△△がうまくできていない」のように問題点を言葉へ置き換えて指導する方がより効果的な場合が多い。例えば，プロ指揮者は限られた時間内で自らの音楽的要求（思い）を演奏者へ的確に伝えて音楽的解釈（意図）のすり合わせを効率よく行うために，豊かな表現力と語彙を身に付けて説明力を高める努力をしている。同じく優秀な指導者はレッスン生へ「どのように演奏したいのか？」（思い）を言葉で説明させ，「なぜそう思うのか？なぜそのように演奏したいのか？」（意図）という根拠を求め，勘や閃きに頼った演奏を排除しようとする。なぜなら，音楽表現上の技術や知識は思考による裏付けを伴うことでより確かなものになり，その思考とは言語に置き換えることで整理されるからである。

このような音楽の諸要素や音楽上の知識や技術を拠りどころにした指導や説明を教師が日々の授業で生徒へ見せていれば，生徒もそれを手本として冷静に自己のイメージや思いを伝え合い，根拠に基づいた話し合いや批評ができるようになる。

▶ 根拠をもった言語活動へ結び付ける

無秩序な言語活動や必要以上の話し合いを避けるには，まず「根拠のもち方」から教えよう。

（1）音楽の諸要素を知覚する（センサーのように）

まず音色，強弱，音高，リズム，メロディー，ハーモニー，テンポ，タイミングなどの感覚的な音楽の諸要素を知覚できるようにする。

（2）音楽の諸要素を感受する（プロセッサのように）

知覚した音楽の諸要素の働きを理解し，そのよさを味わう。以下，活動例を示す。

「ボディ・パーカッション，ボイス・パーカッション」
→音色，強弱，リズム，テンポ，タイミング
「ア・カペラ，ボーカル・アンサンブル」
→音色，強弱，音高，メロディー，ハーモニー
「楽器を用いたアンサンブル（指揮者なし）」
→様々な音楽の諸要素

（3）音楽の諸要素を拠りどころとした表現や鑑賞

行き過ぎた詩的・物語的な言語表現や，音や音楽から離れた話し合いを重ねるのではなく，「音楽の○○からそう感じた」「音が△△したから○○な感じがした」などの，音楽の諸要素を拠りどころとした表現の工夫や話し合いを行うようにする。

上達する秘訣の一つは「演奏の違いに気付き，自覚すること」であろう。気付いたことを，言語活動を介して他者と確かめ合ったり，音や音楽から感じ取って言葉に置き換えることで具体化したことを自らの音楽行動（演奏・創作，鑑賞）へ結び付けたりするような生徒を育てたい。気付き，思考を伴った試行錯誤で創意工夫し，言葉によって整理することで次へつなぐように促すことが教師の仕事である。　（新山王政和）

第３部
今日的課題

1 ｜音楽と様々な関わり

▶ 社会に開かれた音楽科教育を目指す

今回の学習指導要領改訂の大きな特徴の一つが，「生活や社会との結び付き」が強調されている点である。中央教育審議会の答申（平成28年12月21日）では，学校の教育課程に「社会に開かれた教育課程」としての役割が期待され，中学校音楽科，高等学校芸術科（音楽）の教科目標には，「生活や社会の中の音や音楽，音楽文化と豊かに（幅広く）関わる資質・能力」の育成が明記された。これらは，学校教育段階を越えて生涯にわたって生きて働く力となる「音楽的な見方・考え方」の育成とも密接に結び付いている。

これまで以上に「生活や社会の中の音や音楽と関わる資質・能力」が大切にされる音楽科においては，生活や社会の中で音や音楽がどのように生まれ，そして役立ち，生かされているのか，学校での学びが音楽文化とどのように関わっているのかなど，「生活や社会の中の音や音楽の働き」という視点から，生徒自身が音楽の学びを捉えていくことが求められるのである。

また，「カリキュラム・マネジメント」の実現に向けても，生活や社会との結び付きは欠くことのできない視点であり，これからの音楽科は，他教科等や他校種との連携，地域の伝統音楽の保存会や音楽団体などとの連携が一層重要になってくる。

社会に開かれた教育課程の中で生徒が様々な関わりを経験し，そうした経験を通して教科等で身に付けた資質・能力が更新されていくようにするには，学校内の音楽をプロデュースすることはもちろん，学外の音楽とも結んで，それらを効果的に取り入れる工夫が大切となる。

▶ これからの音楽教師に求められるもの

(1) 教える専門家は学びの専門家でもある

生徒が音や音楽と生活や社会，伝統や文化との関わりについて考えたり，音楽を学校で学ぶ意味や価値について気付いたりする学びを実現していくためには，社会や文化などとの関わりを感じ取りやすい教材，音楽活動が生活や社会に役立っているような事象（音楽療法，音楽による様々な復興支援，音楽アウトリーチの活動など）を取り上げる必要がある。音楽と社会との関わりという視点から，生徒の立場に立った新たな教材の選択や開発が求められる。

また，社会における音楽の意味や役割に生徒が気付くようになるためには，教師が音楽の社会的な役割や意味，音楽科の存在意義などを理解し，しかもそれらを自らの言葉で分かりやすく表現することが大切である。すなわち，教師は，常に学び手という自覚をもって，音楽と社会の様々な関わりを探究したり，自分自身の言語力を磨いたりする必要がある。

(2) 協働的なネットワークを構築する

新学習指導要領では，「主体的・協働的」に音楽活動に取り組むことが目指されている。「協働的」という表現は，他者と協働しながら学ぶという音楽科の特質を反映したものである。音楽の学習活動には，他者と一緒に音楽表現を工夫したり，一つの表現をみんなでつくり上げたり，感じ取った音楽のよさや特徴などについて発表し合って互いの思いやイメージを共有したり，他者との価値観の違いに気付いたりするなど，他者との関わり，すなわち，「協働」なくしては成立しない学びが数多くある。

このような学びを実現するためには，教師自らが積極的に協働的なネットワークを構築し，協働的な学びのよさや可能性，課題などを実感することが大切である。グローバル化がますます進む時代を生き抜く生徒を育てていくために，これからの音楽教師には，生涯学習の体現者として，「様々な関わりを開く力」が一層強く求められるのである。

（佐野 靖）

2 | 音楽科と生涯学習

▶ 生涯学習と生涯学習社会

生涯学習の理念は，教育基本法第1章第3条において，「国民一人一人が，自己の人格を磨き，豊かな人生を送ることができるよう，その生涯にわたって，あらゆる機会に，あらゆる場所において学習することができ，その成果を適切に生かすことのできる社会の実現が図られなければならない。」と示されている。広い概念で捉えると，生涯学習は人々が生涯に行う様々な学習(学校教育，家庭教育，社会教育，文化活動，スポーツ活動，レクリエーション活動，ボランティア活動，企業内活動，趣味など)をその射程としており，生涯学習社会の実現に向けた多様な施策が行われている。

生涯学習は，ポール・ラングランを中心とするユネスコ成人教育推進国際委員会で示された生涯教育の理念を契機とし，日本では1981年の中教審答申以降，広く使われてきた語である。成人の教育と学習，生涯の各期における教育（垂直的統合）や様々な教育の機会（水平的統合）の在り方，自発的意思に基づく学習とその支援，旧来の教育観への批判と是正，生活や文化における不公正や格差の改善，学習成果の適切な評価，学習の需要と供給のマッチングなど，生涯学習は社会的課題の解決に向けたキータームとなっている。

生涯学習社会の実現において，その礎を築く場の一つが学校教育である。現在，地域学校協働本部などを含め，コーディネート機能の充実と個別活動の総合化ネットワーク化を図り，連携・協働的な体制をとりつつ，学びや活動の循環を含めた生涯学習の促進や支援が図られている。

▶ 音楽科と生涯学習

中学校学習指導要領（音楽）には，「(略）音や音楽が生活に果たす役割を考えさせるなどして，生徒が音や音楽と生活や社会との関わりを実感できるよう指導を工夫すること。〈第3.2.(1)ア〉」や，「生徒が学校内及び公共施設などの学校外における音楽活動とのつながりを意識できるようにするなど，（略）生活や社会の中の音や音楽，音楽文化と主体的に関わっていくことができるよう配慮すること。〈同.オ〉」といった，生涯学習の考え方に関連した事項がある。高等学校芸術科音楽も同様に，次の点を踏まえて授業づくりを行いたい。

(1) 生涯にわたり音楽を愛好する心情を育む

まずは音や音楽を介したコミュニケーションを大切にしたい。これにより育まれた心情は，生活や社会の中の音や音楽，音楽文化と幅広く関わる資質・能力の育成や，実社会で展開されている音楽活動に生かすことができる汎用的な力の獲得にも深く関わるものである。

(2) 主体的な参加

生涯学習では学習者の自発的意思が重要となる。生徒の主体的な参加を基盤とした，個が活きる授業を展開したい。自発的意思は，既習経験が生かせたり，自己実現が果たせることでさらに促されるため，生徒の音楽経験や音楽環境，学習ニーズを把握することが重要である。また生徒一人一人に適した手段や方法の選択，協働的活動において個が主体となりうる工夫も考えたい。

(3) 人や社会とつながる音楽科

他者との共有により学習の深まりが実感できる音楽の授業を目指すとともに，学校内外を問わず，学習した成果を活用してゆきたい。

アウトリーチで演奏家を招く場合は，音楽学習歴，所属する団体など社会との繋がり，音楽や音楽教育に対する考え，職としての音楽家など，音楽活動以外の側面からも学びとるようにしたい。

社会に目を向けると，地域の音楽活動や音楽教室では同種・異種の交流による音楽コミュニティの形成も様々である。学び方をみても，指導者が介入しない学びあい（バンド活動など)や，メディアを通じた学習など多岐にわたる。生徒が卒業後も音や音楽と自分との関わりを築いていけるよう，社会における音楽学習や音楽活動にも目を配り，それらの意味や価値を伝え，生徒の音楽によるライフデザインにも音楽科が積極的に関わりたい。

①〜③の実現に向けて，適宜ICTも活用したい。〈例：情報収集／生徒主体のパート練習／音楽アプリを利用した創作／成果の発信など〉　（石川裕司）

3 カリキュラム・マネジメントの概説・構想例

▶ カリキュラム・マネジメントとは何か

平成29年改訂学習指導要領ではコンテンツ・ベースからコンピテンシー・ベースへと学力観が転換した。これに伴いアクティブ・ラーニング，21世紀型能力，など，聞き慣れない言葉を耳にすることが多くなってきた。カリキュラム・マネジメント（カリマネ，CMとも略記）もその一つである。

こうした用語が登場してきた背景には，次世代を担う青少年にどのように生きる力を育てるかということがある。これからは第4次産業革命の時代だと言われる（ちなみに第3次産業革命はインターネットである）。そこではAIが大きな役割を果たし，日本の仕事の約49％が，今後数十年のうちに自動化の影響を受けやすいとする研究もある。そうした中で来るべき時代に対応したカリキュラムを開発することは，学校にとって喫緊の課題となっている。プログラミングが導入されるのもその具体化の一つである。

しかし一部の学校を除いて，一般の学校がカリキュラム開発について強い関心をもつようになったのは，平成10年の総合的な学習の時間の創設からであろう。各学校はこれに合わせて独自のカリキュラム開発を迫られたからである。また，続く平成20年改訂に伴う「言語活動の充実」においては，思考力・判断力・表現力を培うために，各教科でどのように展開するのかということが求められた。そして平成29年学習指導要領では，「知識及び理解」「思考力，判断力，表現力等」「学びに向かう力，人間性等」という学力観に基づいたカリキュラム構成が求められるようになった。

このように学校ではそれぞれの学校の独自性に基づいたカリキュラムを作ることが求められている。そこで必要となる考え方がカリキュラム・マネジメントである。

カリキュラム・マネジメントについて，中学校学習指導要領では，第1章「総則」の第1「中学校教育の基本と教育課程の役割」4において，次のように示されている。

> （前略）生徒や学校，地域の実態を適切に把握し，教育の目的や目標の実現に必要な教育の内容等を教科等横断的な視点で組み立てていくこと（①），教育課程の実施状況を評価してその改善を図っていくこと（②），教育課程の実施に必要な人的又は物的な体制を確保するとともにその改善を図っていくこと（③）などを通して，教育課程に基づき組織的かつ計画的に各学校の教育活動の質の向上を図っていくこと（後略）
>
> （ ）内の丸数字は筆者による

田村知子はこのことをより分かりやすく，「カリキュラムを主たる手段として，学校の課題を解決し，教育目標を達成していく試み」（田村2014）と述べている。

▶ カリキュラム・マネジメントの手順

上に示したように，カリキュラム・マネジメントには①から③の側面がある。

そこでまず必要なことは，生徒，学校，地域の現状を把握することである。自分がいる学校はどのような地域なのか，地域の人々の学校に対する願いは何か，生徒が学習面や生活面でできること，抱えている課題は何かなどを調べる。特に学習面ではテストなどの数値的なものだけでなく教師による観察も大切な要素である。

次に教育内容の質の向上に向けて，PDCAサイクルによって改善を図ることである。しかし，一からカリキュラムを創るのは新設校でもない限り困難である。むしろこれまでのカリキュラムを見直し，課題を発見することから始める方がよい。すなわち，まず現行のカリキュラムを振り返り成果と課題を洗い出す（C）。次いで改善を図り（A），指導計画や題材などを編成し直して（P）実行する（D）のである。これを1サイクルとして繰り返していく。これならばどの学校でもできる。これらは具体的には学校の全体計画，各教科・領域の年間指導計画，時間割，題材指導計画，週案などの形で表れてくる。

第三にカリキュラムの実施に必要な人や物を準

備することである。これは人事や予算とも関わってくるので学校全体の問題として取り組む必要がある。田村は「子どもにこのような力をつけるため，このような教育活動が必要だ。その教育活動のためにどのような条件整備が必要か」という観点が必要だと述べている。その際，学校内だけで解決しようとするのではなく，地域（保護者，地域住民，地域企業など）の力も借りながら行うことでより地域との関係も深まっていくだろう。

▶ 音楽科におけるカリキュラム・マネジメント

すでに述べてきたように，カリキュラム・マネジメントとは，音楽科だけで行えるものではなく，学校全体で行っていくものである。したがって音楽科はそれ自体独立して存在するものではなく，学校の教育目標を達成する上でどのように貢献できるのかという視点が必要となってくる。

そこで音楽科としてできることは次の点である。

(1) 学校の教育目標を確認する。
(2) 学校の教育目標の達成に際して，生徒に育てたい資質・能力を明らかにする。
(3) 学校の教育目標を実現するために音楽科としてできることは何かを，資質・能力と関連付けて考える。
(4) 音楽科学習指導要領を踏まえつつ，学年ごとの題材構成や年間計画を考える。
(5) 指導計画に沿って授業を行い，目指す目標に近づけたかどうかを検証する。
(6) 授業終了後，成果と課題を明確にする。課題は次の授業や題材で行うことができるかどうかを検討し，実施する。
(7) 年度末に一年間の成果を振り返り，次年度の指導計画に反映させる。

具体例を述べよう。

A中学校の教育目標は「独歩，信愛，協働」である (1)。ここで期待される資質・能力は，「夢や願いの実現を目指してひたむきに全力を尽くす」「仲間への思いやり・心づかいを行動で示す」「仲間とともに高まろうとする」であり (2)，教育目標はそれを生徒に分かりやすくしたものである。

音楽科の場合は，音楽の授業を通して「独歩，信愛，協働」を実現していくことになる。例えば「独歩」を実現するために，授業の導入場面の工夫によって生徒がめざす表現に向けての課題意識をもつようにする。次いで，その課題意識を原動力としてグループ練習などで友達と一緒に考えを深めていくことで「協働」を育てていくと同時に，仲間同士が支えあうことで「信愛」をも育てる (3)。

そのために教師は，音楽科学習指導要領や教科書の配列をもとに，各題材の指導内容を明確にし，学年ごとに題材構成や年間指導計画を立てる(4)。この際，それぞれの指導内容を修得する上で，(3)に示した資質・能力が発揮できるような授業の方法を考える。例えばどこで個人の思考活動を行うか，どこでグループ活動を行うかといった授業形態や，思考活動を促すワークシートなどの工夫などである。また資質・能力ベースで教科横断的な学習を行うことも検討できる。

実際に授業を行う際には，簡略な指導の流れとそれぞれの場でどのように資質・能力が発揮されるかを想定したシナリオを作っておくとよい(5)。

授業終了後，この授業では子どもは主体性を発揮して学習を進めていたかなど，三つの資質能力に基づいた検証を，演奏だけでなく，授業観察やワークシートなどを通して行う (6)。

各学校で年度末に実施される教育指導の評価に関する会議で音楽科としての取り組みを報告する。報告に向けて一年間の指導を振り返り，不十分であった点はどのようにすれば改善できるかという試案をメモし，次年度の指導に生かす (7)。

年度が替われば生徒も変わる。したがって，カリキュラムは一度つくればそれを毎年同じように使い続けるのではなく，絶えず検証され改善されるものでなくてはならない。　（松永洋介）

【参考文献】

・田村知子（2014）『カリキュラム・マネジメント―学力向上へのアクションプラン―』日本標準
・中央教育審議会（2016）『幼稚園，小学校，中学校，高等学校及び特別支援学校の学習指導要領の改善及び必要な方策等について（答申）』
・カール・フレイ&マイケル・オズボーン（2015）「日本におけるコンピューター化と仕事の未来」野村総合研究所，p.44
https://www.nri.com/-/media/Corporate/jp/Files/PDF/journal/2017/05/01J.pdf?la=ja-JP&hash=6B537BB1EB48465D0AF4A3EA1B1138809F916683（2020.1.17 閲覧）

4 | 音楽科と他教科等との関連

1 道徳教育との関連

▶ 道徳教育と音楽科の目標の関連

音楽科の学習指導要領第3の1（6）には，「第1章総則の第1の2の（2）に示す道徳教育の目標に基づき，道徳科などとの関連を考慮しながら，第3章特別の教科道徳の第2に示す内容について，音楽科の特質に応じて適切な指導をすること」と示されている。これは，音楽科の指導において，その特質に応じて，道徳について適切に指導する必要があることを示すものである。

新しい学習指導要領では，総則に「学校における道徳教育は，特別の教科である道徳（以下「道徳科」という。）を要として学校の教育活動全体を通じて行うものであり，道徳科はもとより，各教科，総合的な学習の時間及び特別活動のそれぞれの特質に応じて，生徒の発達の段階を考慮して，適切な指導を行うこと」と規定されている。この考え方は，従前のものと変わらない。音楽科の特性に応じた指導として，例えば以下のような視点をもとにして指導することが考えられる。

○音楽科の教科の目標（3）では，「音楽を愛好する心情を育むとともに，音楽に対する感性を豊かにし，音楽に親しんでいく態度を養い，豊かな情操を培う」と示している。「音楽を愛好する心情や音楽に対する感性」は，美しいものや崇高なものを尊重することにつながる。また，「音楽による豊かな情操」は，道徳性の基盤を培い一人一人の豊かな心を育てるものである。

○音楽科で取り扱う共通教材は，我が国の自然や四季の美しさを感じ取れるもの，我が国の文化や日本語のもつ美しさを味わえるものなどを含んでおり，道徳的心情の育成につながるものである。

○「道徳科」の指導との関連を考慮することが重要である。

・音楽科で扱った内容や教材を道徳科で活用したり，道徳科で扱った内容や教材を音楽科で扱う場合は，道徳科の指導の成果を生かしたりする。

▶ 音楽科における道徳教育の推進

上記のことを踏まえ，音楽科における道徳教育の推進に当たっては，目標及び指導内容に応じた教材との関連を図る必要がある。

○音楽科と道徳科で学習したことを互いに関連させた学習の例として，共通教材「赤とんぼ」を用いて指導するとき，拍子や速度が生み出す雰囲気，旋律と言葉との関係などを感じ取り，歌詞がもっている詩情を味わいながら日本語の美しい響きを生かして表現を工夫する活動などが考えられる。日本の四季の美しさを捉え，歌唱表現を工夫して歌うことは，道徳的心情の育成につながる。また，共通教材「花の街」が作曲された背景について道徳科で学習したことを，音楽科における歌唱の表現に生かすような学習などが考えられる。

○特別の教科道徳の第2内容の「B 主として人との関わりに関すること」の中にある「思いやり，感謝」，「友情，信頼」と音楽科の学習を関連させる。音楽科で扱う合唱曲には，それらの内容や感謝の気持ちなどが含まれている楽曲が多く，歌詞の内容を考えながら工夫して音楽表現をすることは，道徳的な心情の育成につながる。

○特別の教科道徳の第2内容の「C 主として集団や社会との関わりに関すること」の中にある「郷土の伝統と文化の尊重，郷土を愛する態度」，「我が国の伝統と文化の尊重，国を愛する態度」と関連させて，音楽科において郷土の音楽や我が国の音楽を扱うことは，郷土や国を愛する態度の育成につながる。また，鑑賞教材の「我が祖国（スメタナ作曲）」や「フィンランディア（シベリウス作曲）」などを扱う際に，作曲家の生きざま，作品に込めた思い，作曲された背景などと関連させて学習することは，国を愛する態度や国際理解などにつながる。

▶ 留意点

音楽科の年間指導計画を作成する際には，道徳教育の全体計画や指導の内容及び時期などにも配慮し，音楽科と道徳科の両者が相互に効果を高め合えるようにすることが重要である。（佐藤太一）

2 その他の教科との関連

各学校において，教科などの目標や内容を見通し，特に学習の基盤となる資質・能力（言語活動，情報活用能力〔情報モラルを含む〕，問題発見・解決能力など）や現代的な諸課題に対応して求められる資質・能力の育成のためには，教科等横断的な学習を充実することが重要である。資質・能力は，各教科等の学習を通じて育成されるものであるが，それらは必ずしも特定の教科等あるいは単元・題材などのみによって育まれることではない。

本項では，学校全体としての広い意味でのカリキュラム・マネジメントの視点ではなく，音楽科と他教科の学習内容について関連して取り組むことで，相互に学習の質を高め合えるような具体的な実践を考えていく。音楽科と他教科との関連例を以下に示す。

▶ 音楽科と他教科との関連例

国語科との関連例

○「春に（谷川俊太郎作詞）」の詩の学習と合唱曲「春に（木下牧子作曲）」を関連させて扱うことにより，詩の内容を深く理解しながら表現の工夫をする。

○古典の「平家物語」と能の「敦盛」を関連して扱い，歴史的な背景や場面設定を理解しながら謡曲を歌ったり能を鑑賞したりする。

○国語での俳句の学習を生かし，言葉の抑揚やリズムの特徴を生かして創作表現をする。

社会科との関連例

○フランス7月革命の学習と「幻想交響曲（ベルリオーズ作曲）」や第2次世界大戦の学習と「交響曲第5番（ショスタコーヴィチ作曲）」とを関連して扱うことにより，時代背景の理解を深めながら，鑑賞の学習をする。

○平安時代の学習と雅楽「越天楽」の学習を関連させて行い，雅楽の音色やリズムの特徴などからゆったりとした曲想を味わい，平安時代の貴族の優雅な生活を想像することで，当時の生活を音楽を通じて理解する。

理科との関連例

○音とは空気の振動であることを科学的に理解することで，音そのものや音楽に対する理解を深める。

○楽器の音色の違いなどを音の波形などで視覚化することで，楽器の音色や響きの特徴をより深く理解する。これを楽器の奏法と関連させて工夫して表現したり鑑賞したりする。

美術科との関連例

○鑑賞活動において，楽曲についてのイメージや感じたことを言葉だけでなく絵などで表現する。

○歌舞伎やオペラなどで使われている舞台背景や様々な道具の意味など，美術の芸術作品としての価値についての学習を通して，音楽の役割と総合芸術の特徴を関連させて理解し，表現したり鑑賞したりする。

○絵画や映像からイメージやヒントを得て，創作表現したり，鑑賞したりする。

保健体育科との関連例

○音楽に合わせてダンスをしたり，身体を動かしたりすることで，音楽の曲想や構成，リズムの特徴などを理解する。

技術・家庭科との関連例

○歌舞伎・文楽・能楽などの装束の変遷と音楽表現の共通性や固有性とを関連させながら理解し，表現したり鑑賞したりする。

外国語科との関連

○外国語科で扱った詩や歌などを，声の音色や響き及び言葉の特性と曲種に応じた発声との関わりとして理解し，工夫して表現する。

○外国語と日本語で同じ教材を歌い，外国語の特徴と日本語の特徴を実感を伴って理解することにより，それぞれの言葉の特性を理解し，表現したり鑑賞したりする。

▶ 留意点

時間数が少ない中で，音楽科の学習を深めるために他教科との学習内容の関連を図ることは極めて重要である。学校や生徒の実態に応じて他教科との連携を取り，実施時期や内容について精査していくことが大切である。（佐藤太一）

5 | 特別活動との関連

▶ 特別活動の位置付け

特別活動は，各教科，道徳，総合的な学習の時間と並び，教育課程に位置付けられている一領域であり，中学校では**学級活動**，**生徒会活動**，**学校行事**の三つの内容がある。特別活動の特質としては，第一に**集団活動**が基盤となること，第二に**実践的な活動**であることが挙げられる。

学習指導要領において，特別活動は「様々な構成の集団から学校生活を捉え，課題の発見や解決を行い，よりよい集団や学校生活を目指して様々に行われる活動の総体である」とされ，特別活動の中で育まれた資質・能力は，「社会に出た後の様々な集団や人間関係の中で生かされていく」ものと捉えられている。そして，具体的な目標整理及び指導上の視点として，「人間関係形成」「社会参画」「自己実現」の三つが示されている。重視されるのは，集団活動における自治的能力，主権者として積極的に社会に参画する力の育成であり，そのために，話し合いによる合意形成，主体的な組織づくり，役割分担により協力し合うことが求められている。

こうした背景には，前学習指導要領の時期からすでに社会的問題として指摘されていた少子化，核家族化，地域共同体の弱体化に加え，SNSを介した通信やゲームなどによる仮想現実の中で，現代の子どもたちにリアルな生活経験が不足しており，他者や社会と間接的・擬似的な関係しか築けなくなっているという現状への課題認識がある。

こうした課題に対応していくために，集団活動や実践的な体験活動を通して，人の心に直接触れ合い，他者との望ましい人間関係を築きながら，社会の形成者として，社会の中で行動していく人間を育てるということに，特別活動の意義が明確に示されているといえる。

さらに，新学習指導要領では，学級活動，生徒会活動，学校行事の各活動を通してそれぞれ何を育てるかを明確にするために，各内容の目標が設定されている。この各内容の目標に共通するのは，特別活動全体の中心的な目標である**自主的，実践的態度**の育成である。

▶ 特別活動の各内容と音楽活動

(1) 学級活動

学級は，生徒にとって学校生活の基本的な構成単位であり，各教科の授業を受ける場であるとともに，学校生活全般に関わる自主的，実践的な集団活動を通して，人間関係やものの見方・考え方を育てていく大切な活動単位である。したがって，学級は，個々の生徒が自己の存在感を実感でき，心の居場所として安心して学べる場であることが求められる。

学級における音楽活動は，そのために大きな力を発揮することができる。学級単位での合唱コンクールや合唱祭などへの取り組みが，生徒たちを一つにまとめ，そのことで学級が学習集団としての機能を取り戻し，ひいては学校全体が落ち着くとともに活性化したという事例が多く存在する。ハーモニーの心地よさを味わうことを通して集団活動の意義を感じ取ったり，互いの声を聴き合う経験を通して他者に思いを馳せ，相互に調整し合う力を身に付けたりすることは，学級活動の目標達成につながる活動である。その他にも，学級活動の時間に個々の生徒が音楽演奏を発表し合ったり，学級単位で文化祭などに向けて音楽劇や音楽表現を含めたステージ発表に取り組んだりするなど，学級活動への音楽活動の導入には多様な可能性がある。音楽活動の価値を学校生活全体に位置付かせるために，学級活動における音楽活動は重要な意義をもつといえる。

(2) 生徒会活動

生徒会活動は，全校生徒を会員として組織し，生徒の立場から自発的・自治的に行われる活動である。学級活動の取り組みで述べた合唱コンクール，合唱祭，文化祭などは，生徒会活動の一環として実施されることが多く，その点で学級活動と生徒会活動とは相互に関連し合っている。それとともに，後述する学校行事とも関連し合っている。生徒会活動の内容において，音楽活動との関連で重要な事項として，**異年齢集団による交流**と**ボラ**

ンティア活動への参加が挙げられる。

少子化や地域共同体の弱体化の中で，現代の子どもたちは異年齢集団での活動体験が極めて乏しい。ゆえに，学校生活の中で異年齢集団による交流の機会を意図的に設定することの意義は大きい。音楽活動においても，1年生の生徒が3年生の混声合唱の響きを聴いて憧れをもつといったことは，学年を超えた全校的な活動であるからこそ生まれる成果である。学年を縦割りして1年生から3年生までが合同練習を行う機会を設けることによって，1年生の生徒が3年生の男声の歌声の力強さや女声のしっかりした発声に圧倒されるといった効果も報告されている。

さらに，異年齢集団との交流の場を学校外まで広げ，小学生や幼児，あるいは地域の高齢者などと，音楽活動を通して交流していくことは，生徒会活動として推奨されているボランティア活動などの社会参加にもつながっていく。

(3) 学校行事

学校行事は，学校全体や学年全体という規模の大きな集団を単位として，日常の学習や経験の成果を総合的に発揮し，その発展を図る体験的な活動である。学習指導要領には**学校行事**の内容として，①儀式的行事，②**文化的行事**，③健康安全・体育的行事，④旅行・集団宿泊的行事，⑤勤労生産・奉仕的行事の5種類が示されている。この中で，音楽との関わりが強い領域としては，①の「儀式的行事」と②の「文化的行事」が挙げられるが，特に音楽教育や音楽活動という視点から重要なのは，②の「文化的行事」である。「文化的行事」の内容は，「平素の学習活動の成果を発表し，自己の向上の意欲を一層高めたり，文化や芸術に親しんだりするようにすること」と記されている。

ここで重視されている「文化や芸術に親しむ」活動は，生徒自らの文化的・芸術的創造活動を促進する活動と，美しいもの，優れたもの，芸術的なものを享受する活動の両面から行われることが必要である。音楽の創造活動と鑑賞活動が，この「文化的行事」において重要な位置を占めることは言うまでもない。

▶ 特別活動における音楽活動と音楽科教育

特別活動における音楽活動は，生徒の自主的活動を尊重しながらも，そこに創り出される音楽表現は音楽的な観点からも価値のあるものであってほしい。そこで，音楽教師の関わり方が重要になる。積極的に生徒の中に入り，学級担任や生徒会と相互協力関係を築きながら，指導を進めていくことが有効である。また，特別活動における音楽活動は教科としての音楽科教育との関連も深く，音楽科の授業の成果はこうした活動の中に自ずと現れてくるものである。

しかしながら，一方で留意すべき点として，教科学習としての音楽科カリキュラムが特別活動のためのカリキュラムにならないようにすることを挙げておきたい。実際に，学校によっては，年間の音楽科の授業時数のかなりの割合が合唱コンクールや合唱祭に向けての練習に費やされている傾向が見られる。しかし，音楽科教育においては，歌唱，器楽，創作，鑑賞の各活動をバランスよく，相互の関連性をもたせながら取り扱うこと，そのことを通して，生徒が多様な音楽教材や音楽活動に出合う機会を保障することが必要である。特別活動との効果的な関連を図りながらも，主体は音楽科教育にあるということを忘れてはならない。

※勤務先の学校が必ずしも合唱コンクールや合唱祭，音楽会などを行事として設定しているとは限らない。しかし，その場合にも生徒会活動のひとつとして行われている文化祭などにおいて，音楽表現を取り入れた発表に取り組むなど，音楽活動の場を設定することは可能である。音楽教師の熱意と工夫で学校全体を動かすこともできるだろう。

（杉江淑子）

【参考文献】
(1) 文部科学省（2017）『中学校学習指導要領解説 特別活動編』
(2) 藤池和子（2006）『音楽がつなぐ生徒の輪』サンライズ出版
(3) 杉江淑子（2007）『教科「音楽」の授業内容と学力に関する調査』科研費研究中間報告

6 「総合的な学習の時間」と音楽科

▶ 総合的な学習の日本における変遷

総合的な学習は，1896年にJ.デューイがシカゴ大学に開設したデューイ・スクールが，その端緒を開いたと考えられている。一方，日本においても，教科の枠を越える総合的な学習は，明治期から形を変えながら何度も登場してきた。

国家的な統制が厳しい近代教育草創期の明治期に，すでに谷本富や樋口勘次郎らは，子どもの主体的な活動を尊重しようとした。特に音楽に造詣が深い谷本は，唱歌科と他教科との関連の重視や祝祭日儀式に唱歌を義務付けることを主張した。

大正期には，大正新教育の広がりの中で，先導的な教師たちにより，明治以来の歌唱に器楽や鑑賞や創作活動が加わり，音楽学習の多様化が見られた。大正期にも，音楽と他教科との有機的な関連の必要性が主張され，郷土教育も盛んに行われていた。大正期を代表する童謡運動もまた，文学・音楽・美術による総合的な文化運動であった。

第二次世界大戦下の国民学校では，唱歌科の名称が，初めて音楽が付く芸能科音楽に変えられた。

戦後は，CIE（民間情報教育局）の指導の下，昭和22年に学習指導要領第1次試案，昭和26年に学習指導要領第2次試案が出された。第2次試案の中学・高等学校版には，音楽科と他教科との関連を図る重要性が強調されていた。また戦後の民間教育運動コア・カリキュラムの複数の地域プランにも，歌唱と鑑賞の活動が位置付いていた。

時を経て，平成元年の第6次改訂で小学校に生活科が誕生し，平成10年の第7次改訂では，小学校から高等学校まで総合的な学習の時間が創設された。平成20年の第8次改訂では時間数は減少したが，実施上の問題点の改善が目指された。平成29年の第9次改訂では，探究的な見方・考え方を重視するとともに，教科と同様に資質・能力の三つの柱（知識及び技能，思考力，判断力，表現力等，学びに向かう力，人間性等）で再構成された。

▶ 総合的な学習と音楽科

総合的な学習は，教科教育を補完し，子どもの自立と成長を願って「生きる力」を育成する切り札として登場してきた。したがって総合的な学習の定着と質的な向上のために，学校としての全体計画及び年間指導計画の作成は必須である。計画作成に当たっては，次の理由から，音楽科は，総合的な学習に連携しやすい教科であることを主張するべきであろう。

①心にダイレクトに響く音楽を扱う音楽科は，心のケアという療法的な視点からも，様々な場面に関わる使命と存在意義がある。

②総合的な学習の主体的，創造的，協働的に取り組む態度の育成やプロセス重視の評価の考え方は，音楽科の教科の本質と共通する部分が多い。

③民俗芸能，諸外国（諸民族）の音楽，総合芸術，音楽あそびや音楽づくりというような音楽科の内容・活動の多様性が，総合的な学習に直結する。

④総合的な学習に参加することにより，音楽科の授業時数による制約のため，取り組みが難しい総合的な音楽活動の実践の可能性が生まれる。

▶ 総合的な学習の時間の課題と音楽学習

総合的な学習の時間の目標は，探究的な見方・考え方を働かせ，横断的・総合的な学習を行うことを通して，よりよく課題を解決し，自己の生き方を考えていくための資質・能力の育成を目指すことである。具体的には，(1) 探究的な学習の過程で得た知識や技能及び課題に関わる概念形成や探究的な学習のよさの理解，(2) 実社会や実生活からの問いに自ら課題を立てて情報収集，整理・分析，まとめ・表現する力，(3) 探究的な学習に主体的・協働的に取り組み，互いのよさを生かして積極的に社会に参画しようとする態度などの育成が掲げられている。

目標達成に向けて重視されている教科の枠を超えた価値のある探究課題例は，①国際理解，情報，環境，福祉・健康など現代的な諸課題，②地域や学校の特色に応じた課題，③生徒の興味・関心に基づく課題，④職業や自己の将来に関する課題などである。これらの探究課題にアクセス可能な音楽の学習内容・活動例を表に示す。　（島崎篤子）

表 総合的な学習の時間における探求課題と音楽学習

〈探求課題〉
①国際理解，情報，環境，福祉・健康などの横断的・総合的な課題（＊②③④の課題を含む）
②地域や学校の特色に応じた課題　③生徒の興味・関心に基づく課題　④職業や自己の将来に関わる課題

<table>
<tr><th colspan="2">課題</th><th>対象となる
ひと・もの・こと</th><th colspan="2">総合的な学習と関連する音楽の学習内容・活動例</th></tr>
<tr><td rowspan="12">①国際理解，情報，環境，福祉・健康などの横断的・総合的な課題</td><td rowspan="3">国際理解＋②＋③＋④</td><td rowspan="2">・身近な人々
（親，兄弟，友達，先生など）
・自国の人々
・外国の人々
など</td><td>様々な音楽を通じて，自分と他との関わりを把握する。</td><td>関連教科</td></tr>
<tr><td>○アンサンブル，合奏，合唱，音楽づくりなど多様な音楽学習活動における仲間との関わり
○自分なりの豊かな音楽表現の追究
○自分の国の音楽文化についての知識と理解と伝達
・民俗芸能の音楽　・伝統音楽　・新しい音楽　など
○諸外国（諸民族）の音楽文化についての知識と理解
・世界の諸民族の音楽やクラシック音楽
○様々なジャンルの音楽についての知識と理解
・ポピュラー音楽や現代音楽　など
○英語の歌の歌唱　など</td><td>国語
社会
美術
保健体育
外国語
など</td></tr>
<tr><td colspan="3">〈活動例〉太鼓音楽，地域の祭りや音楽，沖縄の音楽，雅楽，ケチャ，バンブーダンス，アフリカの音楽，韓国の音楽，ハワイの音楽，サンバなどの鑑賞や音楽づくり，木片の音楽，時代の音楽，ラップ音楽，J-POP，ジャズなどの鑑賞や音楽づくり　など</td></tr>
<tr><td rowspan="3">情報＋③＋④</td><td rowspan="2">・情報の収集，整理，分析，選択，活用
・情報のまとめと表現
・情報化社会と人々の暮らし
など</td><td>音・音楽の情報を収集活用し，自分との関わりを認識する。</td><td>関連教科</td></tr>
<tr><td>○音や音楽についての情報集めの方法・活用
○音の収集や選択の能力
・CD，DVD，生活や自然の音，コンピュータなど
○多様な音楽（地域・ジャンル面）の情報の収集・活用
○音の再構成と作品づくりや発表
・自分のイメージに合う音の収集や選択
・音の組み合わせのよさの探求と発見　など</td><td>国語
社会
数学
理科
美術
など</td></tr>
<tr><td colspan="3">〈活動例〉友達同士の鑑賞，音楽家による演奏の鑑賞，コンピュータの活用（DTM，HP や CM づくりなど），作曲家や楽曲などの音楽情報を調べる学習　など</td></tr>
<tr><td rowspan="3">環境＋②＋③</td><td rowspan="2">・家庭環境
・学校環境
・自然環境
・生活環境
など</td><td>自分と音環境の関わりや望ましい音環境について考える。</td><td>関連教科</td></tr>
<tr><td>○自分を取り巻く音環境を探求しようとする意欲や関心
・家庭や学校の中と周りの音
・生活の音や自然にある音
○自分を取り巻く望ましい音環境づくり
・家庭や学校の中やその近辺
○音素材としての日用品や廃物などへの関心・活用
○「聴く力」の高まり　など</td><td>理科
美術
技術・家庭
保健体育
など</td></tr>
<tr><td colspan="3">〈活動例〉身近な音を聴いたり探したりする活動，音素材から多様な音を発見する活動，場や場所や音環境を考える活動，手づくり楽器　など</td></tr>
<tr><td rowspan="3">福祉・健康＋③＋④</td><td rowspan="2">・障がいのある人々
・高齢者
・食事や運動
・ストレス
など</td><td>音楽を通じて，他と関わる力や精神的な安らぎを獲得する。</td><td>関連教科</td></tr>
<tr><td>○音楽あそび，音楽づくり，アンサンブル，合奏，合唱など多様な音楽学習活動や人との関わり
○手話による歌唱の知識や表現
○心が安らぐ音楽鑑賞　など</td><td>国語
保健体育
技術・家庭
など</td></tr>
<tr><td colspan="3">〈活動例〉多様なジャンルの癒しの音楽の鑑賞，グループ・アンサンブル，様々な楽器やライアー（竪琴）を活用した音楽療法的活動や創造的な活動　など</td></tr>
<tr><td colspan="2">②地域や学校の特色に応じた課題</td><td>・地域の習慣，伝統，自然，生活，経済，行事・歴史
など</td><td>○地域の実態把握や伝統文化への理解とゲスト・ティーチャーの活用
○地域の民俗芸能への興味関心や参加　例：保存会との連携
○複数の学校による音楽活動の連携　例：連合音楽会
○地域の施設の有効利用　例　：音楽演奏や音楽鑑賞
○地域に残したい音環境や創造したい音環境の追究　など</td><td>国語
理科
保健体育
美術
など</td></tr>
<tr><td colspan="2">③生徒の興味・関心に基づく課題</td><td>・学校・社会
・自然現象
・生活の変化
など</td><td>○自ら取り組む音楽に関わる課題の発見，自ら学び，考え，主体的な判断による問題解決
○他者との協働による問題解決
・音楽に関連する課題の発見　例：音楽と心，音楽と環境
○①の横断的・総合的な課題（情報）の探求経験の活用　など</td><td>国語
社会
理科
美術
など</td></tr>
<tr><td colspan="2">④職業や自己の将来に関わる課題</td><td>・生活・会社
・職業・施設
・働く人
など</td><td>○音楽に関する産業や職業の調査と知識・理解
○音楽関係の職場体験や関連職業のゲスト・ティーチャーの話
例：CDショップ，ミュージシャン，コンサートマネジメント，D.J.，音楽家，音楽療法士，音楽教師，楽器店　など</td><td>国語
社会
数学
技術・家庭
など</td></tr>
</table>

7 特別支援教育と音楽教育

▶ マイノリティの学習群への着目

「障害者」は,「貧困層」,「生活習慣が異なる層」といった代表的なマイノリティ（一般的にある人口集団で特定の特徴に基づき，抑圧・差別されている人々）の一つとされている。そのため，この学習群の生徒の教育を受ける権利と学力を保障するために，教育政策が果たす役割が不可欠である。つまり，障害ある生徒を学校で教育するに当たって,「障害者基本法」「発達障害者支援法」「障害者差別解消法」など「特別支援教育」を実施するために多くの法律が施行されていることを知り，その趣旨を理解し授業実践することが不可欠である。

「障害者の権利に関する条約」の反映

障害者に対する教育政策として2001年12月の第56回国連総会では，メキシコ提案の「障害者の権利及び尊厳を保護・促進するための包括的総合的な国際条約」決議案を採択し，2007年に署名が可能となったのが「障害者の権利に関する条約」である。我が国は2007年署名し，2014年1月にこの条約を批准している。この条約の第24条に表記されている概念が「インクルーシブ教育」(障害者を包容する)であり,学習指導要領では「交流及び共同学習」と表記されている。通常の学級の生徒にとっても教科学習をはじめ，学校活動全般を通して障害に対する理解を深める場とするなど，条約の理念の具現化が求められている。

特別支援教育の目的と教育課程

「障害者の権利に関する条約」の署名を契機に関連法が改正され，障害種ごとに教育の場を分けていた従来の「特殊教育」も，一人一人の教育的ニーズに応じて適切な教育を行う「特別支援教育」に転換した。「特別支援教育」は,「学校教育法」の「第8章　特別支援教育」第72条で「特別支援学校は，視覚障害者，聴覚障害者，知的障害者,肢体不自由者又は病弱者（身体虚弱者を含む，以下同じ。）に対して，幼稚園，小学校，中学校又は高等学校に**準ずる**教育を施すとともに，障害による学習上又は生活上の困難を克服し自立を図るために必要な知識技能を授けることを目的とする」と規定されている。この文中の「**準ずる**」**とは「同じ」という意味**で，中学校，高等学校の教育より教育レベルを下げる，という意味ではない。したがって，音楽科の授業内容においても「障害者のための音楽教育」という概念は存在しない。この考え方は，2017年4月に改訂告示された特別支援学校学習指導要領に顕著で，中学校学習指導要領との内容の連続性を明確にするため,「知的障害者である生徒に対する教育を行う特別支援学校」の「各教科の目標及び内容」が大幅に改訂された。具体的には，2009年告示の「音楽」は1ページ内の8行足らずのところ8ページに大きく増加し,〔共通事項〕と歌唱共通教材が新設された。

▶「生徒」観を「分ける」から「つなげる」へ

上記のような改訂は，音楽科での教材曲を準備するに当たり，通常の学級で障害のある生徒を含めた授業を計画する際，教師が「生徒」観を捉え直す必要をもたらした。2007年4月の学校教育法改正施行が根拠である。

つまり，これまでは特殊教育学級の生徒が通常の学級で授業を受ける場合,「学力の向上」という観点が明確でなかった。そのため,授業者は「特殊学級の生徒の困難は分からないため，教育支援員に任せれば授業内容をうまく解説してくれるだろう」と任せがちであった。しかし，この授業の形態は，通常の学級の生徒が障害のある生徒に話しかける機会がない,「分ける」関わり方になっていた。それに対して，特別支援教育の趣旨はすべての生徒の学力を保障し向上することを目標としている。かつ，通常の学級の生徒にとっても，同じ社会を構成している障害者への理解の場，と位置付けている。すなわち，授業で一緒に歌ったり，演奏したり，話し合ったりと〈図1〉のように生徒同士を「分ける」のではなく,連続的に「つなげる」活動が望まれる。特に，音楽科は知的障害のある生徒を含む「交流及び共同学習」の実施率が88.4%と最も高く，この「つなげる」活動への期待が大きい。

〈2007年3月以前〉

特殊教育	中学校（通常の学級）での教育

〈2007年4月以降〉

特別支援教育	中学校（通常の学級）での教育

〈図1〉「分ける」から「つなげる」へ

▶「手だて」の考え方

しかし，実際に教師が授業を行う際は，学級の生徒の困難が何なのか見極め，困難が表面化しないよう「支援」や「配慮」といった手だてを準備しておかなければならない。手だてを準備する必要性は，これまでの音楽科に限らず教科の学びは「均質な力をもつ子どもの集団」を前提にコアとなる理論が確立されてきた経緯にある。例えば，視覚障害のある生徒がいる場合は，歌唱指導の際に点字訳の歌詞を渡す。聴覚障害のある生徒の場合は，FMの電波などを使用した集団補聴システムで聞こえを補うといった手だてがある。このような感覚障害系の手だては何を補えばよいか分かりやすい。問題は，知的障害など「学習面における問題」や一定時間集中して着席していられないといった「行動面における問題」のある生徒の場合の手だてである。このような生徒の場合，学習課題が伝わるよう具体的な手だてを講ずるにしても障害に基づく困難には個別性があるため，必ずしもすべてが伝わるとは限らない。一般的に自閉スペクトラム症の生徒は視覚優位と言われるが，教材曲のリズムの構造を音符ではなく○の図形で図解しても，情報量が適切でなければ伝わらないことがあるのはこういった理由による。すなわち，診断名による一般的な特性をもとに，個々の生徒の困難に応じた手だてを教師が見極め，適切な対応策を教師間で共有する対応が必要である。

▶学習のユニバーサルデザイン（UDL）は万能ではない

障害のある生徒への「手だて」として「学習のユニバーサルデザイン（UDL）」の考え方の導入が有効である。アメリカ合衆国の教育に関する応用テクノロジーの研究機関であるCAST（Center for Applied Special Technology）が提唱するUDLガイドラインver.2.2を音楽科に当てはめると，「学ぶ意義が明確な教材曲かどうか」，「生徒に伝わる教え方かどうか」，そして「生徒の内部の世界（音楽を聴いて知覚・感受した心の内面）を表出する方法が多様かどうか」，という三つの基本原則がある。ただし，この三つの原則にのっとった手だてがある生徒に有効であっても，他の生徒に有効であるとは限らない。その意味でUDLは万能ではないのである。担当する生徒の困難によって，何が有効で何が不適当か，教師は常に問題意識をもって改善に心がけて欲しい。

▶授業構成の「時間の構造化」

学習面や行動面に問題のある生徒の場合，授業の展開が予想できるよう，場面を順序立て（「時間の構造化」）パターン化する方法がある。例えば，「常同活動」→「既習曲を歌う」→「音楽記号の確認」→「楽器（振る，叩く，こする）の演奏」→「音楽に合わせて体を動かす」といった展開である。そして，時期によって教材曲を入れ替えるという方法である。しかし，活動はあるけれども「学び」は何なのか，という授業に陥りやすいため，具体的に思考を促すどのような発問をするのか指導方略（ストラテジー）を練る必要がある。

▶「自立活動」を反映した「情緒の安定」

中高生の学齢期は人間関係のトラブルなどで自己肯定感が低かったり，感情を上手くコントロールできなかったりして不登校の状態になる生徒もいる。そのため，成功経験を重ねながら「情緒の安定」をもたらす活動が音楽科に期待される。これは音楽科で学ぶ活動の背景に，領域「自立活動」の内容6区分の一つ「情緒の安定」を反映した取り組みである。この点が中・高等学校のカリキュラムと異なる点である。

すなわち，特別支援教育における音楽教育は，「障害」という困難があることが前提であるため，どういった手だてで中・高等学校と同じ学習目標の達成に近づけられる（欧米では「アクセス」という）か，という考え方で授業を実践することになる。（尾崎祐司）

8 校種間の連携と音楽科

1 小・中の連携

学校教育法などの一部改正により，平成28年度から小学校から中学校までの義務教育を一貫して行う「義務教育学校」が新たな校種として規定され，小・中学校段階の9年間を一貫させた教育課程の編成が進められるなど，小・中の連携がますます求められている。

また，中央教育審議会の答申（平成28年12月）においても，子どもたちが未来を切り拓いていくために必要な資質・能力を確実に身に付けられるように，学校段階間のつながりを踏まえた教育課程の編成の重要性が示され，これを受けて平成29年3月に告示された学習指導要領においても，第1章総則に「学校段階等間の接続」が新設され，配慮事項が示されている。

音楽科においても，改訂された学習指導要領を踏まえ，義務教育9年間を通して音楽的な見方・考え方を働かせ，生活や社会の中の音や音楽，音楽文化と豊かに関わる資質･能力の育成を目指し，小・中学校の教員が連携の意識を高くもち，子どもの9年間の音楽的な成長を大切にした学習指導と評価を進めていくことが肝要である。

▶ カリキュラムや指導方法における連携

中学校では，小学校に比べて音楽の授業時数が縮減されるため，小学校での子どもの音楽経験を最大限に生かした音楽活動を展開する必要がある。そのためには，子どもが在籍していた小学校の音楽の教員と連携を図り，互いの音楽のカリキュラムに目を通したり，扱う教材や活動の仕方，指導方法などの情報交換をしたりすることが有効である。

例えば，器楽指導でのリコーダーの扱いなどは，小学校では主にソプラノ・リコーダーを中心に扱い，アルト・リコーダーを扱う場合は，その導入時期や指導については学校によって異なっている。中学校の器楽指導では，アルト・リコーダーを中心に扱う場合が多いが，小中の教員が互いにリコーダーの指導の流れを共有し，指導方法などを情報交換していると実際の指導に大いに役立つ。和楽器についても，小学校でどんな和楽器を扱い，どのような活動経験をしているのかを把握しておくと，中学校での和楽器の用い方や表現活動への生かし方などの参考になる。鑑賞の指導においても，小中学校で扱っている楽曲を知っておくだけでも，指導の補充や発展に役立つ。

▶ 教員同士の授業連携

小中学校の接続を考えた場合，特に小学校5，6年と中学校1年の指導のつながりを図ることが大切である。小学校に音楽専科教員が配置されていると，中学校の音楽教員との連携が比較的図りやすい。すでに述べてきた，小中の教員同士のカリキュラムや指導方法などの情報交換はもちろんのこと，時間的に可能ならば，小中の教員が互いに授業を見合ったり，また中学校の教員が小学校高学年の授業を実際に行ったり，小学校の教員が中学校の授業にチーム・ティーチングで関わったりするなど子どもとの関わりをもつことで，教師自身が子どもの成長を実感でき，そこから子どもが意欲的に音楽活動に取り組めるような指導方法などを工夫し，授業改善につなげることができる。

▶ 児童生徒の音楽交流

小中学生が互いに創り上げた音楽を鑑賞し合う場を教育活動の中でもてると，子どもたちの音楽活動への意欲や励みにつながる。例えば，小学校での学習発表会などに中学生を招待し，ブラスバンドや合唱の演奏などを聴かせてもらったり，小学生が中学校の校内合唱コンクールや文化祭などに参加し，中学生の演奏を聴いたり演奏を披露したりするなど，様々な可能性がある。小学校に特設の音楽の部活動があれば，部活動の交流も可能である。小中互いの行事を見ながら教師の負担にならない範囲で設定できるとよい。小学生は中学生のすごさを感じ，「あんな中学生になりたい」という中学生への憧れと期待をもち，中学生は年長者である自らの存在を実感し，優しく思いやりの気持ちをもって接するよい機会となる。（長谷川祐子）

2 中・高の連携

▶ 中高一貫教育校での授業の一例

平成11年以降，公立中高一貫教育校（以下，中高一貫校と略す）は全国的な広がりをみせ，高校受験に縛られない特色ある教育活動をそれぞれ展開している。現在は，これらの成果を明らかにし，その検証を行っている段階である。

中高一貫校における学習指導の利点は，中学校・高等学校間の学習内容の重複を避け，基礎から発展へと系統的かつ効率的に学習活動を展開できることにある。また中・高をまたいだ6年間という時間が，音楽科で大切な積み重ね・繰り返し学習を可能にし，音楽の技能を定着させやすい。

ここでは，こうした中高一貫校の利点を生かした学習指導計画を紹介したい。

中学校	〈器楽〉 ハンドベルによるアンサンブル アルト・リコーダーの導入 アルト・リコーダーによるアンサンブル （カノン，パートナー・ソングなど） 〈読譜〉 英語音名による読譜 (五線譜・簡易譜) 音の高さと英語音名を結び付ける 英語音名でリコーダーの指づかいを覚える
高等学校	〈器楽〉 ギターの導入（旋律・コード伴奏） アルト・リコーダーとギターによるアンサンブル 〈読譜〉 英語音名による読譜（五線譜・簡易譜） コード理論

上記は筆者の勤務する（執筆時）都立両国高等学校及び附属中学校の授業から，器楽活動（日本音楽を除く）とそれに伴う読譜・コード理論学習を抜き出したものである。一連の活動を通じて目標にしていることは，以下の3点である。

①アンサンブル活動を通して仲間と音楽を共感し，楽しむ態度を育む。
②様々な楽器の基礎的な技能を高める。
③読譜能力（コードネームを含む）を高める。

この学習指導計画の特徴は，中・高を通じて一貫した英語音名での読譜にある。これは，英語音名での読譜をコード理論の理解に結び付け，将来においても音楽に親しむことのできる素地を身に付けさせることを目的としている。筆者の勤務校は，学校外で音楽を習っていたり，音楽系の部活動に入っていたりする生徒が多く，進学校でありながらも音楽に高い関心をもっている生徒が多い。また，英語教育に力を入れていることもあり，生徒は英語音名による読譜に抵抗なく取り組むことができる。英語音名での読譜は，このような環境をふまえた特色ある教育活動といえよう。

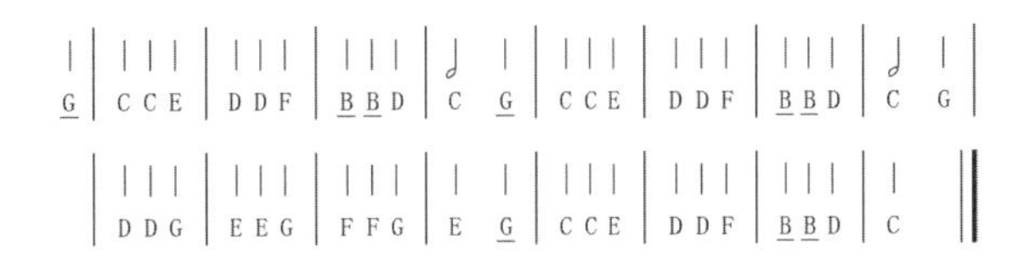

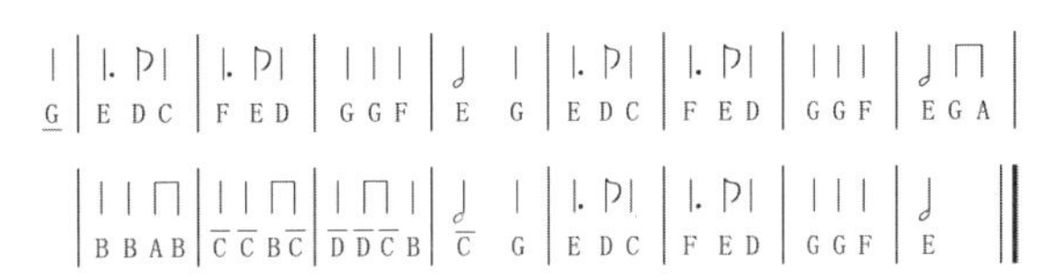

中１アルト・リコーダー課題～パートナー・ソングによる２重奏～

▶ 中高連携の強化と相互理解の重要性

中高一貫校が増加しているとはいえ，多くの子どもたちは，公立中学校に入学し，やがて受験を経て，高等学校での学習に向き合うことになる。

生徒が中学校でどういう学びをしたのか，あるいは高等学校ではどのような教え方をするのかを中・高それぞれの教員が互いに認識しておくことが必要であることは言うまでもない。

現在，教育現場では，出前授業，上級学校訪問，近隣学校合同コンサートなどの異校種交流が行われている。まずは異校種の学習状況を知り，生徒の実態を理解することが大切である。そうすることで，目の前にいる生徒は，今何ができるのか，今後どのような力を身に付けさせていかなくてはいけないかなど，学習指導計画を作成する上で必要な情報や課題が見えてくるであろう。

（島田沙苗）

❸ 高・大の連携

▶ 方法や内容の多様化

新しい高等学校学習指導要領では,「総則」の「第2款　教育課程の編成」に「4　学校段階等間の接続」が設けられ，その（3）では,「大学や専門学校等における教育や社会的・職業的自立，生涯にわたる学習のために，高等学校卒業以降の教育や職業との円滑な接続が図られるよう，関連する教育機関や企業等との連携により，卒業後の進路に求められる資質・能力を着実に育成することができるよう工夫すること」と示されている。1999年12月の中央教育審議会答申「今後の初等中等教育と高等教育の接続の改善について」以降広まった高・大の連携・接続は，今後一層の多様化が進むと考えられる。

内容的には,「大学教員の出張講義や教員研修への協力」や「高校生の科目等履修生や聴講生としての大学授業の受講」,「学生による高校生対象の相談会」や「キャンパスツアーや見学講座」から高大連携のシンポジウムやフォーラムの開催や共同の教育プログラムの開発など，多岐にわたるプログラムが提供されている。さらに，例えば京都のように，産学公連携による「大学コンソーシアム京都」と教育委員会，私立中学高等学校連合会，商工会議所が連携して「京都高大連携研究協議会」を組織し，独自の取り組みを発信している地域もある。

ただし，専門部署を設置して全学で積極的に取り組んでいる大学がある一方で，一部の教育交流やオープンキャンパスなどの機会活用レベルにとどまっている大学もあり，大学側の対応はまちまちである。高校側も，目的や課題意識を大学と共有し，対話をしながら連携を図っている学校もあれば，大学にいわば丸投げ状態の学校も少なくない。つまり質的なレベルという点では，高大連携はまだ試行錯誤の段階といえなくもない。

大学側には少子化の進む中での学生募集という現実，高校側には進路指導と切り離せない現状があるのは理解できるが，実り多い接続とするためには，やはり何のための接続かという原点に立ち返り，生徒一人一人の資質・能力を伸ばすという学習指導の視点から，高校・大学双方の教員が交流を深める必要がある。相互が意思疎通を図って意識改革を行い，高校と大学の間にある様々なギャップを埋める協議を継続し，信頼関係を築いていくという地道な作業が大切である。そうした対話と意識改革がなければ，高大接続は絵に描いた餅になりかねない。

生徒一人一人にとって意味のある連携・接続，高校・大学双方にメリットがある連携・接続が実現できれば，地域活性化や地方創生につながる可能性も開けてくるのである。

▶「高大接続改革」の促進

2014年12月の中央教育審議会答申「新しい時代にふさわしい高大接続の実現に向けた高等学校教育，大学教育，大学入学者選抜の一体的改革について」以降，文部科学省は高大接続システム改革会議を発足させ,高大接続改革が加速化された。その議論の中で，ディプロマ・ポリシー，カリキュラム・ポリシー，アドミッション・ポリシーの一体的策定やアクティブ・ラーニングへの転換などが大学に求められたのである。高大接続改革は，これまで高校教育，大学入試，大学教育で求められる資質・能力が異なっていた状況を改め，学力の３要素（①知識・技能の習得，②思考力，判断力，表現力等の育成，③学びに向かう力，人間性等の涵養）を柱に，高校教育，大学入試，大学教育をひとつの流れの中に結び付けようとする取り組みなのである。

従来の大学入試センター試験に代わり，2020年度からは「大学入学共通テスト」が導入される。実施に向けては，2017年11月には高校・中等教育学校において，2018年11月には大学を会場として試行調査（プレテスト）が行われ，検討・準備が進められている。

（佐野 靖）

9 ｜地域との連携

▶「地域との連携」の意義

中学校学習指導要領「総則」の「第5　学校運営上の留意事項」2のアでは，「学校がその目的を達成するため，学校や地域の実態等に応じ，教育活動の実施に必要な人的又は物的な体制を家庭や地域の人々の協力を得ながら整えるなど，家庭や地域社会との連携及び協働を深めること。また，高齢者や異年齢の子供など，地域における世代を越えた交流の機会を設けること」と，家庭や地域社会との連携及び協働が示されている。また，同じく2のイでは，学校間の連携や交流を図ることが示されている。さらに，「第3　教育課程の実施と学習評価」の1（7）では，「地域の図書館や博物館，美術館，劇場，音楽堂等の施設の活用を積極的に図り，資料を活用した情報の収集や鑑賞等の学習活動を充実すること」とある。

こうした方向性は，第9次学習指導要領の理念である「社会に開かれた教育課程」に通じるものである。

地域と様々なレベルで連携，協働して音楽活動を展開することは，生徒にとって「日常の音楽活動の可能性を越え出る経験をする」という点で意義がある。また，そうした連携，協働で生まれた音楽活動が，地域と学校を結ぶ架け橋となり，さらには「文化」として学校や地域に定着するようになれば，それはまさに新たな音楽文化や地域文化の創造，発信となる。地域と学校の双方が，「地域と学校がつながっている」，「学校が地域に生かされている」などと実感することは，地域の活性化につながる重要なファクターと考えられる。

▶「地域との連携」に向けて

実際に連携を進めるに当たっては，学校や地域の実態，協働の内容などに応じて，様々な方法が考えられる。以下に，連携の手順の一例及び留意点などを挙げることにする。

(1) 学校内で連携に向けた意見交換を行い，その目的や方法，内容を学校内に周知する。

何のために地域と連携するのか，どんな内容の協力を依頼するのかなど，まずは，学校内でスタンスを明確にしておく必要がある。もちろん，実際の取り組みが始まると，当初の計画からの変更もあり得るが，地域に適切に情報を発信するためにも，学校側の明確なスタンスは重要である。音楽活動で連携する際でも，総合的な学習の時間や特別活動などを有効に活用するよう工夫する必要がある。

(2) 地域に関する情報を収集し，目的に照らして適切な人材や施設などを確定する。

地域にどのような人的資源があり，どのような音楽に関係する団体や施設などがあるのかなど，いろいろなネットワークを通して詳細な情報を収集する。その際，学校側の連携の目的，生徒の実態などに照らして，どのような人材や施設などが適切なのかを見極めることが大切となる。

(3) 取り組みに向けて活発な意見交換を行う。

ここでは，地域と学校双方の意図や思いを真摯に伝え合い，受け止め合うことが重要である。実り多い連携，協働とするためには，事前の共感的なコミュニケーションが不可欠である。

(4) 事前の計画に従って取り組みを遂行する。

準備が入念に行われていれば，取り組み中に予想外の出来事などが起きても，臨機応変に対応できると考える。

(5) 取り組み後，生徒たちや学校側の感想などを必ず地域に伝える。

(6) 計画から事後に至るまでのプロセスを振り返り，可能性や課題を明らかにする。

多岐にわたる「地域との連携」を着実に実施し，発展的に継続させていくためには，コミュニケーション力，情報発信力，新たな関わりを開いてネットワークを構築していく力などが求められる。

（佐野　靖）

10 | 多様な音楽文化

1 日本の伝統音楽

▶ 日本の伝統音楽の文化的特質

(1) 形成と発展

外来音楽の受容と伝統音楽の形成

日本は主として古代，近世初頭，明治期の各時期に外来音楽の影響を受けた。

まず，日本の器楽・声楽諸分野の源流とされる雅楽・声明は5世紀から9世紀にかけて大陸より伝来した。雅楽については唐や朝鮮半島の国などから多くの楽舞が伝わり，次第に日本に溶け込み，あるいは整理されていった。これらの音楽に倣って催馬楽や朗詠などの歌謡が新たにつくられ，またそれまで朝廷や神社で行われてきた日本古来の歌舞も再整備された。これらの雅楽は大宝令(701年）で設置された雅楽寮の管理のもとで伝承されていくが，平安中期以降には楽所が実質的な伝承を担っていく。声明はさらに12，13世紀，17世紀初頭の各時期にも伝わり，雅楽の場合と同様に，大陸伝来系の声明をもとに，和讃や講式など日本語による声明もつくられた。

1549年に始まるF.ザビエルのキリスト教宣教を契機にラテン語聖歌や器楽が伝わった。しかし江戸初期のキリスト教弾圧，その後の鎖国により，これらの音楽の多くは日本に定着しなかった。その中，「オラショ」の名で日本化した聖歌が今日も長崎県生月島で行われ，また鎖国時代にも当時の中国の流行音楽や，オランダ人経由でピアノや木琴などの楽器も持ち込まれていた。

開国後，洋楽が流入し始めるが，本格的な受容は明治維新後である。文部省所属の音楽取調掛では学校音楽教育の教材選定と教員養成を推進し，日本音楽の教材化の調査や，洋楽と邦楽との和洋折衷策，教員養成での和洋楽器の学習など，日本の伝統音楽の学校音楽教育への導入を模索したが，結局は洋楽中心となった。ただ和洋折衷策の成果の一つ「ヨナ抜き音階」は文部省唱歌やその後の演歌などに用いられ，日本人が親しんできた。

一方，明治維新以降，雅楽は式部寮の伶人（楽人）が担っていくが，外国からの賓客接待に洋楽も必要となり，伶人は雅楽と並び，洋楽も学ぶことになり，この伝統は現在も継承されている。

音楽の受容態度と重層的発展

日本人は外来音楽について，基本的にはまずそのまま受け入れ，その中で日本人に合わないものは排除し，また必要が生じれば新規のものを付加した。

新規のものの付加は，従前のものの変形・援用により行われ，それが新たな音楽分野・楽器の形成につながった。外来の雅楽に倣い，日本語歌詞の催馬楽を新作し，また雅楽の竜笛から能の囃子の笛（能管）を，雅楽の琵琶から平家琵琶をと，新たな楽器が派生したことはこの例である。

西洋の芸術音楽は従前の音楽を否定し，あるいは乗り越えて新たな音楽を創り出し，バロック，古典派，ロマン派などの時代様式を形成してきた。しかし，日本では音楽のある分野が一度成立すると，その多くは漸次変容しつつも継承され，またそれから新たな音楽が派生していくというように重層的な発展を遂げてきた。また，一つの音楽分野の中でも分派が行われ複数の流派が存在することもあり，例えば箏の場合，寺院で行われた雅楽から筑紫箏が生まれ，それをもとに八橋検校が箏曲を創始し，さらに生田流，山田流などが派生した。

(2) 日本人と音・音楽

音の聴き方

日本語の「聴く（聞く）」は，「香を聞く」「聞き酒（利き酒）」のように他の感覚にも用いられるが，このような聴くことの多義性は日本人の音の捉え方を象徴している。

日本人は古来，自然音など様々な音を鋭敏に捉え，音に個人の思いや感じ方を込めた。欧米人には雑音にすぎない虫の音を日本人はこよなく愛し，秋には虫の音を聴く会などが催されたり，庭に遣水として，自然を模して小川をつくり，そのせせらぎの音を楽しんだり，水琴窟をつくってその水滴に耳を傾けたりするなど，音の楽しみ方は豊かであった。また歌舞伎の陰囃子では，水の流れや雨を，擬音ではなく，太鼓で象徴的，美的に表現し，また雪など音がないものでも敢えて音で表現もする。観客はそこからその場面を自らの思いと重ねて想像し，その風情を感じ取る。これはまさに「創造的聴取」ということができる。

創造・伝承・楽譜

「作曲」に相当する行為は，ヨーロッパ近代の芸術音楽における音楽自体の自律性の追求や作曲者の独創性の尊重という方向ではなく，伝承されてきた一定の約束に従い，既成の型を利用しながら，適度な変化のある新曲をつくり出すことであった。しかも作曲者はおおよその骨格を示し，あとは作曲者自身が即興演奏も含めた演奏により音楽の具体像を示すことで，作曲が完結した。作曲と演奏とが一元的に捉えられていたのである。

したがって作曲者は音楽を克明に描き出すような楽譜を作成する必要はなく，音楽は基本的には口頭伝承（口承・口伝・口授）によって受け継がれてきた。弟子は師匠の音楽をそのまま継承することが原則であるが，一方で演奏の細部については演奏者に委ねられるため，意図的・非意図的に即興が行われることも少なくない。このような伝承過程における変形が音楽の発展や流派の分流の要因ともなった。

口頭伝承が尊重され，楽譜は備忘，伝承の保存，伝承の証として用いられた。またその音楽を知らない部外者に分かりやすく理解させる必要がないことから，分野，流派，楽器ごとに記譜法が異なり，また雅楽のようなアンサンブルの音楽にはスコアに相当する楽譜もない。また器楽の習得には唱歌（しょうが＝楽器のリズムや旋律を一定のシラブルにより唱える。もとは雅楽の用語。口唱歌とも）を用い，唱歌を口授により正確に覚えること，それをそのまま唱えられることが演奏には必須である。

なお，以上のことは日本の伝統音楽に限ったことではなく，作曲者が五線譜で楽曲を詳細に記譜する近代西洋芸術音楽がむしろ特別といえる。

音楽以外の媒体との結び付き

音楽は「演ずる」という表現行為によって初めて他者に伝わることから，音楽は詩や文学，演劇，舞踊などと結び付きやすい性格を本来備えている。このことはヨーロッパ語の「音楽」（music, Musik, musicaなど）が，音楽，韻文，舞踊の統一体を意味する古代ギリシャのmousikeに由来することに象徴されよう。

日本の伝統音楽はよく声楽的といわれるが，確かに声楽分野が数多くあり，また多くの器楽が唱歌により学習できる。その声楽の諸分野については歌詞の抑揚やリズム，あるいは内容が音楽形成と密接に結び付いている。

さらに音楽は儀式，宗教，文芸，演劇，舞踊，習俗などと結び付き，西洋音楽でいう絶対音楽に対応するものは非常に少なく，箏曲や尺八楽の中に見られる程度である。

音楽・空間・身体

日本の伝統音楽は，歴史的変遷を遂げつつ，それぞれの特有の空間で行われてきた。能楽堂・文楽劇場・歌舞伎座などがあるように，個々の分野のために作られた広い空間で，一方，箏曲・地歌などは比較的狭い座敷空間で奏されるなど，また郷土の音楽では作業の際に野外で歌うもの，お祝いとして座敷で演じるもの，あるいは物売りや地域の祭礼で路上を移動しながら演じるものなど様々である。このため，個々の空間に応じた表現が発達した。ただし今日では多くの伝統音楽が近代的なホールで演じられ，民謡はマイクを通して歌うことが慣例化しているなど，上演形態の変化に伴う表現の変化も見られる。

音楽を演じる際の身体の使い方も表現と結び付いている。多くの音楽分野の場合，複数の人による演奏では，西洋音楽のように扇形ではなく，一直線で並び，お互いの目は合わせない。演奏の開始はリーダー格の人のソロに引き続いて行うか，相手の呼吸を見計らって始める。したがって，「三，はい」というような拍の予備を共有して演奏することはなく，もちろん指揮者もいない。このことがリズムにも影響し，演奏者間の微妙なずれを生じさせ，全体の響きを複雑にしている。

▶ 学習構成のための基本的視点

(1) 新学習指導要領

平成29年3月告示の幼稚園教育要領，小・中学校学習指導要領，及び平成30年3月告示の高等学校学習指導要領の改善事項のひとつに「伝統や文化に関する教育の充実」が掲げられ，これに基づき，例えば，中学校学習指導要領では「我が国や郷土の伝統音楽（中略）の特徴と，その特徴から生まれる音楽の多様性」が示され，これらの音楽の特徴や多様性を理解すること，あるいは「3学年間を通じて1種類以上の和楽器を取り扱い，その表現活動を通して，生徒が我が国や郷土の伝統音楽のよさを味わい，愛着をもつことができるよう工夫すること」とあり，「愛着をもつこと」まで求めるなど，伝統音楽が一層重視されるようになった。また我が国の伝統的な歌唱や和楽器の指導について，従前の「言葉と音楽との関係，姿勢や身体の使い方についても配慮する」に加えて，新たに「適宜,口唱歌を用いること」が示された。

なお,今回の改訂では幼稚園には「わらべうた」「我が国の伝統的な遊び」が，また高等学校には〔共通事項〕が示された。

以上の改善点を踏まえ，次項以降に示す視点をもち，生徒に内在する伝統的な音・音楽的な感性を引き出し，気付かせることが肝要である。

(2) 日本の伝統音楽の特質に根ざした学習

鑑賞では前項「日本の伝統音楽の文化的特質」で述べた事柄をまず指導者が十分理解し，入念な教材研究をしていることが望ましい。曖昧な知識ではかえって生徒を混乱させる。また，日本の伝統音楽の特質はアジア諸地域の諸民族の音楽とも共通する点が多々あり，それらを視野に入れて指導計画を立てる必要がある。以下，主に表現活動について,前項の「日本の伝統音楽の文化的特質」の2項に示した事項を視点として示す。

音・音楽の聴き方

日本語の抑揚や拍，オノマトペ，風土や生活・行事に伴う音・音楽など，またそれらを構成するリズム・旋律・音色・強弱の特徴を，音・音楽に対する日本人の美的価値観の視点をもって意識化し，またはそれを言語で表現してみる。さらにこの経験に基づいて，周辺の事物から音素材の探求や工夫，音づくりを行うことができる。

創造・伝承・楽譜

演奏の場合，教師，あるいは視聴覚教材やゲスト・ティーチャーの演奏を口授により模倣する，あるいは伝統的な楽譜がある場合はそれを見ながら行い，器楽については唱歌を利用する。五線譜で記譜したものもあるが，それはあるときのある個人の採譜であるので，一つの目安として位置付け，「塩梅」「ユリ」「コブシ」などの装飾について生徒が工夫するなどの自由さをもたせてもよい。器楽については各楽器に特有の唱歌のパターンを組み合わせて簡単な創作が行える。

創作に当たっては共通事項の項目と関連付け，各音楽の分野で伝承されてきた一定の約束に基づいて,あるいは生徒の感性に委ねて行う。また「作曲と演奏との一元化」という伝統的な特性に依拠し，創作・演奏を一体化し，さらに鑑賞が連動した包括的な学習を行うことが望ましい。

音楽以外の媒体との結び付き

歌舞伎など他の媒体と結び付いたものについては，主に映像などを活用した鑑賞で扱うことが多いが，地域に伝わる郷土芸能があれば，それを活用するなど，年間の授業の中で何らかの形で，また部分的にでも体験させることが望ましい。郷土芸能がなくとも，わらべうたを取り上げて，歌詞を発音し，その抑揚を確かめ，抑揚の高低を線画譜で図示し旋律を対応させる，実際に動いてみてリズムの関係を確認する，その結果から絵描き歌やまりつき歌などをつくる，などの活動による学習ができる。そのほか，声楽曲の歌詞の音数律に注目し，能の大ノリの部分を創作してみるなど，国語科を視野に入れた指導も可能である。

音楽・空間・身体

長唄と地歌の声における音量，音色，声域，装飾法の違いは，本来の演奏空間の違いと深く関わっているなど，各声楽分野の歌唱や鑑賞では，まずそれぞれの演奏空間を認識させることが必要である。さらに，西洋の石造建築と日本の木造建築の響きの比較により，前者の音楽は複数の旋律を重ねる方向へ，後者は一つの旋律を複雑に変える方向へ，それぞれ発展していった背景が理解できよう。

身体を駆使する和太鼓が人気を呼んでいる。和太鼓は本来音楽を奏でる楽器ではなく，宗教，行事，伝達の手段であったが，地に轟き渡るような響きや身体の動きの面白さから表現としての組太鼓が生まれた。また太鼓は複数の人で打つことができ，その響きと動きの共有から連帯感も生まれ，共同体の絆を深める役割も果たしてきた。

▶ 指導上のポイント

(1) 表現と鑑賞との関連

今日の青少年が日常的に耳にすることが少ない日本の伝統音楽は，鑑賞活動であっても必ず表現を伴うことが望ましい。鑑賞に頼ることの多い雅楽「越天楽」などについても，まずCDなどの演奏に合わせて拍を打ち（1，2拍は腿の上，3，4拍は腿の脇），その拍が必ずしも等間隔ではないことを感じ取る，篳篥の唱歌を歌うことにより主旋律を認識する，竜笛の唱歌とともに歌うことで，両者の旋律が部分的に異なり，「すれる」（テクスチュアに対応）という効果を生むことを理解する，さらにカノンに似た効果がある追吹（おいぶき）を唱歌でアンサンブルをするなど，雅楽を身近に楽しむこともできる。また雅楽器の音色に近い身の回りの楽器を探索し，雅楽器の音色になるべく近づけるように奏法を工夫するという活動も可能である。

(2)〔共通事項〕と創作

〔共通事項〕については，活動に創作を取り入れることが学びを深化させる。箏の学習の中で「音階」を探る場合，まず平調子に調弦した箏で「さくら」を弾く。そして「六段の調」を聴き，どちらも同じ調弦であり，13弦の中に半音が4箇所あることを知る。半音の箇所にある四，六，九，斗の柱を移動させ，半音上げることで律音階（乃木調子），さらに半音上げて民謡音階，さらに半音上げると沖縄音階となる。民謡音階の調弦で「かごめ」や「ソーラン節」「こきりこ」などの部分奏や，4種の音階による創作も親しみやすい。

(3) 学校と地域社会

わらべうたも含めた各地域の伝統的な音楽や芸能はぜひ取り入れたい。例えば地域の祭礼のお囃子では，それを模倣により実際の楽器や代用楽器で演奏する，お囃子の唱歌を組み合わせて短いお囃子をつくる，また，山車などでお囃子が移動する場合，その空間をイメージし，場所によるお囃子の変化を取り入れて創作するなど，多様な活動が可能である。

これら地域に伝わる音楽や芸能の学習には地域の人々の協力が必要である。指導者自ら地元の伝承者から学び，あるいは伝承者にゲスト・ティーチャーとして生徒に直接指導させるなど，地域社会と学校との連携により，学習を展開していくことができる。またこのことが地域の教育力の活性化，生涯学習の振興，そして地域の伝統文化保存にもつながっていく。

(4) 伝統と現代

伝統は常に創造を内在する。伝統音楽は古の昔よりその姿を少しずつ変容させてきた。映像記録も容易になった現在，これまでとは伝統の在りようが変わっていくと思われる。現在に伝わる伝統を維持・継承することと，伝統がもつ創造性を活用すること，今後，この二つの方向を生徒に示すことが求められよう。（澤田篤子）

【篳篥譜「越天楽－平調」】

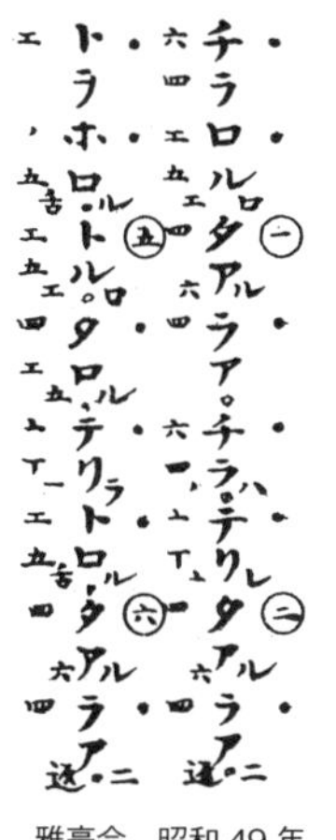

雅亮会　昭和49年

【声明譜「云何唄－真言声明」】
現存する世界最古の印刷楽譜－
文明4年版（1472年）

上野学園日本音楽資料室蔵

2 諸外国(諸民族)の音楽

▶「諸外国（諸民族）の音楽」を指導する意義

音楽教員志望者のほとんどは西洋音楽を中心に学んできただろうし，教壇に立てば自分の学んできたことが授業の出発点になるのは自然なことであろう。しかし，我が国の学校音楽教育においては，様々な音楽のよさを幅広く指導することが求められている。生徒たちが普段接することのない世界の様々な音楽に出合う機会をつくり，その豊かさや美しさを柔軟に感じ取ることのできる感性を育てることは大変意義のあることなのである。

ここで大切なのは，生徒たちが，様々な音楽の特徴や様式を単なる知識として捉えることではなく，出合った音楽がもつ固有の語り口や表現を，しばしば自らの感性の拡張を伴いつつ直接的に受けとめ，美的に理解し享受する体験をもつことである。そしてこのような体験は，見慣れないものを積極的に理解しようとする態度を育てると同時に，自分が属している文化を相対化する視点を与えてくれるのである。

音楽を個人的な娯楽として享受している中高生たちが，世界の様々な人々の精神生活において音楽がどのように息づいているのかを学ぶことは，音楽とは何か，人間にとって音楽とはどんな意味があるのか，という根源的な問いに考えを巡らせる貴重な機会になるだろう。そして，馴染みのなかった音楽の体験によって異文化に属している人々と感覚や感情を少しでも共有できるのなら，それは内的な異文化理解と言うことができよう。

さて，学習指導要領の平成29年及び30年の改訂で，中学校では「音楽の多様性について理解する」(「目標」及び各学年「目標」)，「生活や社会における音楽の意味や役割」「音楽表現の共通性や固有性」(各学年「鑑賞」)との文言が新たに加わった。また，具体的な項目としては，中学校「鑑賞」で「音楽の特徴とその背景となる文化や歴史，他の芸術との関わり」(各学年)，「我が国や郷土の伝統音楽及びアジア地域の諸民族の音楽の特徴と，その特徴から生まれる音楽の多様性」(第1学年)，「我が国や郷土の伝統音楽及び諸外国の様々な音楽の特徴と，その特徴から生まれる音楽の多様性」(第2学年及び第3学年)，高等学校音楽Ⅰ及び音楽Ⅱ「内容の取扱い」で「内容の「A表現」及び「B鑑賞」の教材については，学校や地域の実態等を考慮し，我が国や郷土の伝統音楽を含む我が国及び諸外国の様々な音楽から幅広く扱うようにする。また，「B鑑賞」の教材については，アジア地域の諸民族の音楽を含めて扱うようにする」と示された。

ここで，本項のタイトル「諸外国（諸民族）の音楽」の語について触れておく。従来から，西洋音楽，ポピュラー音楽などを除いた世界の様々な民族の音楽を意味する語として「民俗音楽」の語が用いられていたが，この語は西洋中心の音楽観によるものとして避けられることが多くなり，学習指導要領においても，平成10年及び11年の改訂で「世界の諸民族の音楽」という語に代わり，さらに平成20年及び21年の改訂では，より包括的な意味の「我が国及び諸外国の様々な音楽」という言い回しに置き換えられた。この語は「世界のあらゆる音楽」と同義で，指導のねらいに適したものであれば，どのような音楽でも授業で扱うことが可能とされている。本項は，西洋音楽，ポピュラー音楽，そして我が国の音楽を除いた世界の様々な音楽の指導について扱うものであるが，考え方の基本はあらゆる音楽の指導に適応しうることを留意しておきたい。

▶まず教える側が自ら学ぶこと

教師が専門外の音楽を題材に選び，授業に導入するのであれば，まず自分自身がそれらを学んでいなければならないが，世界の様々な音楽を学ぶに当たって望ましい態度は「広く」と「深く」の並行であろう。

大学で「広く」学ぶ方法のひとつは諸民族の音楽を幅広く扱う講座の受講である。世界各地の音楽の映像全集の視聴（解説文の熟読も含め）や諸民族の音楽を幅広く扱う書籍などを読むのもよいだろう。TV番組にも世界の人々の生活と音楽の関係を紹介しているものが時々ある。また近年は，YouTubeで世界各地の様々な音楽の映像を簡単に視聴できるようになった。

より重要なのは「深く」のアプローチ，すなわち，西洋音楽とは異なる音楽の演奏を体験し，できれば簡単な曲を演奏できるレベル以上まで修得することである。ちなみに，二つ以上の異なる音楽文化の演奏能力を獲得することを，外国語の学習になぞらえて「バイミュージカリティー」という。言語と同様，それぞれの音楽文化には固有の体系がある。西洋音楽に熟達した者が異なる体系の音楽を聴いても，しばしば「調子外れ」，あるいは「的外れ」にしか聞こえない。聴き慣れない音楽に出合った際にかかりやすいバイアス(偏見，先入観) を避け，その音楽の固有の体系を内側から認識する最良の方法が実技の修得であり，それにより，西洋音楽の感覚を相対化し様々な音楽を聴いたり演奏したりする際に必要な柔軟性が獲得されるのである。

▶ 指導計画の作成

(1) 鑑賞か表現か

学習指導要領において諸外国（諸民族）の音楽を指導するよう示されているのは鑑賞分野であり，表現分野は必要なら指導してよいということである。音楽の多様性を深く理解するのであれば表現活動こそ好ましいのであるが，現実的な考え方はまず鑑賞の授業の充実であり，機会や条件に恵まれた際に表現活動を導入できるとよいだろう。

もっとも鑑賞の指導においても，できれば実際の演奏のエッセンスを体験させる活動を取り入れることが望ましい。鑑賞の場合，生徒はともすると聞こえた音楽を自分が聴き慣れている音楽のイメージに結び付けて解釈してしまいがちなので，演奏体験とリンクできれば，授業意欲を高めつつ音楽の構造や身体性を意識した聴取につなげることができるだろう。また，良質の視聴覚教材を利用できれば，実際の演奏の体験により近い感覚をもたらすことも可能であろう。

学習指導要領では中学1年と高校の音楽Ⅰ及び音楽Ⅱの鑑賞でアジアの諸民族の音楽を指導するよう示されている。アジア各地には西洋音楽と異なる体系を有する多種多様な音楽文化が存在しているが，歴史的経緯もあり，それらと我が国の音楽との共通点も少なくない。また，我が国と人的交流が盛んなアジア諸国の音楽を取り上げる意義も大きい。西洋の音楽，我が国の音楽，アジアの音楽などを比較して聴かせ，グループ活動で意見を出し合うといった展開も可能であろう。

表現活動として諸民族の音楽を導入することは時間数や楽器確保などの困難があるが，大切なことはその音楽を教えることの指導上の必要性であり，授業の成否はその点にかかっているだろう。筆者が授業にガムランを導入したのも，生徒のアンサンブル能力と，協働して音楽を作る力を高めたいと考えたからであった。バリ・ガムランの基本をグループ活動により生徒たちが協力して学んでいくことで，お互いの音を聴きあい，互いに意見を出し合って音楽を作っていく力が格段に向上したのに加え，音楽文化の多様性や人間と音楽の関わりについても深く考える機会を作ることができたと思う。

(2) その音楽の伝統的教授法を生かす

地域の文化の中で培われてきた音楽の多くは，その特徴にふさわしい教授法を発達させている。もしこれらの音楽の実技をその土地の音楽家から習う機会があったなら，そのときの教わり方は自分が生徒を指導する際にも参考になるはずである。

非西洋の諸民族の音楽の教授法の多くは，楽譜を用いない口頭伝承（口伝え）か，口頭伝承とその音楽特有の記譜法を混合したものであろう。口頭伝承には，教師の演奏を生徒がそのまま模倣していくやり方のほか，楽器の音や身体動作を言葉に置き換えて記憶していく「口唱歌（くちしょうが）」などがある。記譜法を用いる場合もその楽器の身体動作を示す「奏法譜」がよくみられる。

これらの音楽教授法は，その音楽を伝承している人たちの音感覚が反映されており，また，その成り立ちには地域の歴史や文化が関わっている。伝統的教授法により音楽を習うことは，それ自体文化を学ぶことでもある。

ただ，伝統的教授法の多くは一人ないし少人数に時間をかけて教えることを前提としている。集団授業に適合させるため，時間数，生徒たちの能力(レディネス)，楽器数などの諸条件を勘案して，教材化の作業を行う必要が生じてくる。学習内容の重点化，学習過程の分割，グループ活動の導入やワークシートの活用などの工夫が考えられる。

(3) 五線譜を使ってよいか

授業に当たって五線譜を用いたくなることがあるかもしれないが，これは避けるか，少なくとも限定されたやり方に留めるべきであろう。特に口頭伝承主体の音楽を五線譜に採譜して，それを見ながら演奏させるというのは一番好ましくない方法である。五線譜は様々な面において西洋音楽の特質と結び付いた記譜法であり，それを使用することは非西洋の音楽の特質を損なう可能性が高いだろう。

一方，西洋音楽には見られない音の動きや拍節感などを意識させるため図形などを用いることは必要に応じて検討されるべきであろう。私たちが見知らぬ音楽に接すると，どうしても五線譜で表現できる要素を優先して聴いてしまう傾向がある。例えば，音高が連続的に変化するタイプの声楽（イスラムのアザーン，モンゴルのオルティンドー，日本の追分節など）を扱う際，声の動きを曲線で書き表すことによって音程や拍節の連続的な変化を意識できるようになるだろう。

(4) 評価

諸民族の音楽の授業での評価に当たっては，授業に導入した意図をよく踏まえて，技能や知識の表面的な獲得よりも，感受性の拡張や異文化受容の内面的なプロセスを検証することが大切である。ワークシート，鑑賞の感想，活動全体の報告書などは評価の重要な材料となるだろう。

▶ 指導事例

●題材名「バリ・ガムランでアンサンブルの楽しさを学ぶ」（高校・音楽Ⅱ）

(1) 目標

①アンサンブル能力の育成（相手の音を聴きながら演奏する能力を高める）
②コミュニケーション能力の育成（互いに意見を出し合いながら練習をする）
③音楽文化の多様性の認識（様々な音楽文化の特徴を相対化して捉える）

(2) 編成

〈バリ島のガムラン・アンクルン〉
［鉄琴類］　プマデ，カンティラン2，ジェゴガン
［太鼓］　クンダン2
［ゴング類］ゴング＆クンプル

(3) 楽曲

「ギラ」…バリ・ガムランの基本的な楽曲形式

(4) 指導の概要

・1クラスを6～7人単位のグループに分割して練習と発表を行う。
・五線譜を用いず，口伝えにより習得を行う。
・音型の習得に当たっては，グループで最初に憶えた生徒が残りのメンバーに教えていく。
・前半では曲の基本形の5パートをグループ全員で習得していき，後半ではパートを分担してアンセル（変化形）を含むアンサンブルを練習していく。最後に発表を行う。

(5) 指導計画（10時間）

時	内容
第1時	演奏の映像を鑑賞。グループ決め(1班6～7人)。
第2時	ガンサ（鉄琴）の基本奏法と楽曲「ギラ」の核旋律を習得。 次の音を叩くのと同時に左手で前の音の余韻を止める。
第3時～第4時	ガンサのコテカン（番(つが)いリズム音型）を習得。 コテカンとは二つの音型が組み合わさって一つの音型になるもの。 お互いに相手の音を聴き合って拍を合わせないと音型がずれてしまう。
第5時～第6時	クンダンの音型（表裏リズム）を習得。 二つの太鼓のリズムが表裏の関係にある。 お互いに相手の音を聴き合って拍を合わせないと音型がずれてしまう。
第7時	全体でアンサンブル練習。アンセル（変化形）の理解と練習。 アンセルに入るときはクンダンが音で合図する。 クンダンの音を聴きながら演奏できていないと，アンセルに入れない。
第8時	グループでアンサンブル練習。
第9時	演奏のCDを鑑賞し，アンセルの雰囲気を感覚的に捉える。 グループでアンサンブル練習。
第10時	発表。報告書作成。

(6) 評価の観点

①各楽器の演奏法や音型を習得し，互いに聴き合いながら演奏できるようになったか。(知識・技能)

②積極的に意見を出し合ったり，助け合ったりしてグループ活動ができたか。(主体的に学習に取り組む態度)

③バリ・ガムランの味わいを感じ取って演奏することで，音楽文化の多様性を実感できたか。(思考・判断・表現)

(瀬戸 宏)

「ギラ」の拍節構造

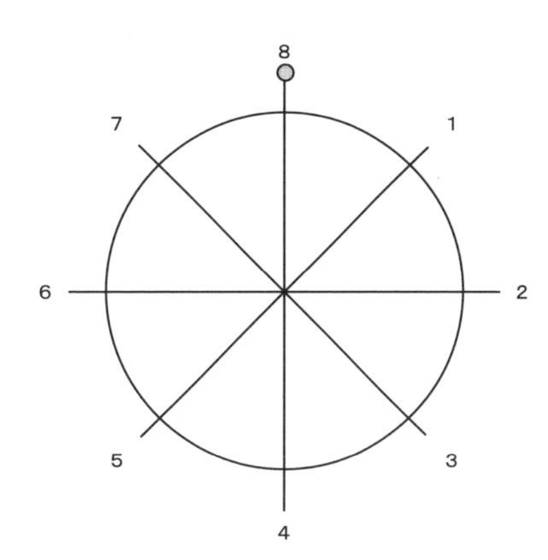

「ギラ」の基本音型（例）

楽器	パート	音名																																	
カンティラン（高音鉄琴）	サンシ（コテカン裏）	ning	i			i			i			i			i			i		i			i			i			i			i			i
		nang			a			a			a			a			a				a			a			a			a			a		
	ポロス（コテカン表）	nung		u			u			u			u			u			u			u			u			u			u			u	
		neng	e			e			e			e			e			e		e			e			e			e			e			e
プマデ（中音鉄琴）	ポコック（核旋律）	ning													I		I						I		I										
		nang									A		A														A		A						
		nung					U		U										U		U										U		U		
		neng	E		E																														E
ジェゴガン（低音鉄琴）		ning																																	
		nang									A																A								
		nung																	U																
		neng	E																																E
クンプル（補助ゴング）		pur																					P								P				
ゴング		gong	G																G																G
クンダン（太鼓）	ラナン（雄）	dung		u		u	u		u		u		u			u		u		u		u	u		u		u		u			u		u	
	ワドン（雌）	deng	e		e			e		e		e		e	e		e		e		e			e		e		e		e	e		e		e
		拍	8				1				2				3				4				5				6				7				8

【注】ガムラン・アンクルンの鉄琴パートの音階は，通常スレンドロと呼ばれており，neng，nung，nang，ning の相対音高はド，レ，ミ，ソに近い。
neng の音の絶対音高は A♭ ぐらいの場合が多い。

3 ポピュラー音楽

▶ 指導の意義

当然のことながら，マスメディアを通して広く一般に流布されているJ-POPなどのポピュラー音楽も，多様な音楽文化のひとつであり，固有の価値をもっている。しかしこれまで，音楽科教師の間に，ポピュラー音楽を授業の教材として積極的に活用しようとする気運が高まることはなかった。なぜだろうか。その必要性を感じないからだろうか。具体的な学習のイメージが浮かばないからだろうか。実は，ポピュラー音楽の教材としての有用性については，以下の理由から疑いようがないのである。

第一に，それが多くの生徒にとって，実質的な「生活の音楽」となっていることによる。問題解決に生きて働く力を育む上で，直接経験を基盤に学習活動を構成する効果は明らかである。それは，ポピュラー音楽と「学校音楽」を区別している生徒の意識を変えることにもなる。第二に，その影響力の大きさによる。生徒が強くリアリティーを感じる素材を扱うことで学習の質が変化し，その効果が高まる。第三に，音楽や音楽を含む総合的表現に見いだされる現代性による。音響にしても，表現に反映される作者の思いにしても，「今」の作品にしか学べない内容を含んでいる。

つまり，ポピュラー音楽の教材化は生徒のために必要なのであり，教師自身にその音楽観を問うものとなるのである。

▶ 指導のポイントと留意点

上記の有効性は，ポピュラー音楽を教材化する際のポイントになる。具体的には，①教材の選択，②音楽嗜好の活用，③ポピュラー音楽の表現的特質，④コンテクストの導入の4点に配慮するとよい。

(1) 教材の選択

高校生のポピュラー音楽受容を調査した小泉は，その実態からポピュラー音楽を3種類に分類した。そして，生徒が日常生活で個人的に好んでいる音楽（パーソナル・ミュージック）をいかに学校に迎え入れるかを，課題のひとつに挙げている。実際，選択する教材が生徒の好きなものであれば，授業に対する関心が増し，より密度の濃い学習となる。その意味で，音楽科教育における教材選択の理想は，パーソナル・ミュージックを扱うことといえる。しかし，それを包み隠そうとするがゆえにグループ共通の音楽（コモン・ミュージック）が存在するとの指摘や，その本質的な個別性からも現実的な課題は残る。教師には，定期的なアンケートや普段の会話の中でさりげなく現在の音楽状況を把握するほか，生徒に楽曲選択の自由を与えるような工夫も必要となる。

(2) 音楽嗜好の活用

強い音楽嗜好（曲に対する思い入れ）は，自らの音楽的な感性や理解のフィルターとして働き，他の曲を拒絶したり，他者の好みを許容できない心情を醸成することも多い。したがって，音楽嗜好を，学習を生き生きと動機付け，展開させる動力源として活用するためには，その音楽ならではの特徴による「よさ」と個人的な「好み」の違いを理解させておかねばならない。それによって初めて，音楽的な偏見から解放され，異なる音楽へと視野を広げることができる。「よさ」と「好み」を区別させることが，ポピュラー音楽を教材とする学習の条件となる。

(3) ポピュラー音楽の表現的特質

ポピュラー音楽を教材とするために，特別な指導法が必要になるわけではない。他の学習と同じく，音楽の諸要素とその関連を聴き取り，その働きによって生じる音楽の質的な特徴を感じ取ることがその中核となる。異なるのは，対象とする質の範囲がポピュラー音楽に特有の表現にまで広がる点のみといえる。しかし一方で，それは現代音楽や日本の伝統音楽を教材とする場合と同じく，西洋古典音楽を中心に展開された学習や，それが固定化した音楽観を相対化するのである。

(4) コンテクストの導入

音楽（テクスト）そのものに対して，その文脈や背景となるもの（コンテクスト）を理解することは音楽の文化的側面の学習となる。そしてそれは，人間的な成長を促すという点からも，芸術教育における重要な内容となる。特に，現代の社会や生活感情が反映されるポピュラー音楽のコンテクストを扱うことで，生徒は現在の意識や価値観を捉え直す機会を得ることができる。

▶ 指導の具体例

指導のポイント（1）「**教材の選択**」で述べた生徒の音楽状況を把握するとともに，（2）「**音楽嗜好の活用**」の条件を整えるべく発展的に構成した学習展開の例を挙げる。

まず，ポピュラー音楽に関する音楽嗜好調査を行う。対象曲選定では，できるだけ教師側の恣意性を排除する。CDの売り上げや楽曲データのダウンロード件数のランキングに従うような方法である。そして，各曲に対する個人的な好き嫌いを点数化して記入させる。このような調査に目新しさを感じて熱心に取り組む生徒は多いが，あくまでもその目的は，生徒個人や全体の音楽嗜好の傾向を見取ることにある。

次に，調査結果から，特定の傾向が見られた曲を取り上げ，その原因を探らせる。「○○が嫌われた理由を考えてみよう」を題材名とするなら，生徒から嫌われた曲のメロディー，コード進行，歌詞といった作品を構成する要素ごとに検討し，嫌われた理由と売れた理由の両面について考えさせる。それは，音楽の諸要素の働きに意識を向かわせ，音楽に対する「好み」と「よさ」の判断をはっきりと区別させることになるのである。

指導のポイント（3）「**ポピュラー音楽の表現的特質**」を学習に反映させるには，家でも街中でも，流行のポピュラー音楽を耳にしたとき，常に，その特徴的な表現の要素は何かと意識する姿勢が欠かせない。どのような曲にも，何らかの表現の工夫は見いだせるはずである。年間指導計画に照らして，必要な学習効果の期待できるものを教材として取り上げていく。

例えば，ポピュラー音楽の歌唱表現における微細な音程変化に注目させる学習がある。ヴィブラートやしゃくり，ポルタメントといった独特のヴォーカル・テクニックは，パソコンによる音響解析で比較的簡単に視覚化することができる。実際，音程変化の実態を，科学的な分析結果として確認することで，生徒の「歌唱表現」に対する認識は大きく変化する。また，それを数種類の微細な音程変化パターンの組み合わせと捉えることで技能面の指導も容易になる。さらに，その組合せを考える歌唱計画の立案を通して，生徒の表現の工夫を見いだすことができる。

あるいは，音響表現の特徴となるマイクを通した歌声や，エフェクト（音響効果）処理，スピーカーからの再生音といった要素に注目することもできる。それは，生の歌声こそ歌唱表現のあるべき姿と見る音楽観を揺さぶり，例えば，CDプレーヤーの再生音に合わせてハモるような学習活動に具体化される。

指導のポイント（4）「**コンテクストの導入**」に際しては，まず，音楽の文化的側面をどのようなレベルで扱うかに自覚的でなければならない。歴史的な事実を確認する程度の表面的な理解に終わらせず，生徒の認識にズレが生じるような仕掛けを準備することができれば，彼らの音楽観や価値観を大きく更新することができる。

例えば，個人と社会，理性と感情という2系統の相反する立場から歌詞の意味内容を検討し，そのメッセージ性について考える学習がある。歌詞中に「いっしょに生きていこう」という言葉があったとして，それを立場を変えて読むと解釈は変わってくる。ここでは，作品に託された作者の願いを当てるのではなく，あくまでも聴き手の立場から，受け取った内容について主体的に意味付けるのである。物事には両面があるがゆえ，生徒はそれぞれに悩みながら暫定的な答えに至る。その過程を経ることで，意識される歌詞の意味内容は一気に深みを増し，音楽はまったく異なるものとして聞こえるようになる。それとともに，生徒のメッセージの発信や受信に関する意識が高まり，コミュニケーション能力も育まれるのである。

（吉村治広）

【参考文献】
小泉恭子（2007）『音楽をまとう若者』勁草書房

11 | 著作権

中学校学習指導要領「音楽」第3の2(1)カ及び高等学校学習指導要領「芸術」第1 音楽Iの3(11)には，下記のように著作権（知的財産権）に関する内容が前よりも大幅に増え，その意義も明らかになった。

> 自己や他者の著作物及びそれらの著作者の創造性を尊重する態度の形成を図るとともに，必要に応じて，音楽に関する知的財産権について触れるようにすること。また，こうした態度の形成が，音楽文化の継承，発展，創造を支えていることへの理解につながるよう配慮する（こと）。

▶ 著作権とは

そもそも著作権とは何か。学校や音楽科は著作権と常に隣り合わせにある。関わりの深い内容を抜粋する。

(1) 著作権の位置付け

『知的財産権』の中の，

- 産業財産権（特許権，商標権など）
- 著作権（著作権，著作隣接権など）
- その他の権利（回路配置利用権，育成者権など）

(2) 主な特徴

- 作者に対して与えられる権利
- 登録が必要ない
- 対象物は音楽のほか，書物，言語，絵画，建築，図形，映画，写真，コンピュータ・プログラムなど
- 保護期間は著作者の生存期間と死後70年

(3) 主な権利の内容

- 作者に断りなく，作品や作者の名前を公表したり，作品を変えたりしてはいけない。
- 作者には，複製，演奏，放送やインターネット送信，作品の改変に対する権利が与えられる。

▶ 学校における著作権

(1) 生徒

生徒がつくった作品や演奏を録音・録画した物にも著作権は発生する。学校外に出す場合など，作品がどう使われるか説明する必要がある。また，部活動の発表，運動会，卒業式，学芸的行事などは細かく定められているので後述の専門的なサイトを参照されたい。

(2) 教員

作品を複製するには許可が必要だが，学校では下記の要件を満たせば許可をとる必要がない。

- 営利を目的としない教育機関
- 授業をする教員や受ける生徒がコピーをする
- 本人の授業で使用する
- 授業で必要な限度内の部数である
- 既に公表されている著作物である
- 著作権者の利益を害しない
- 原則として「出所の明示」が必要

しかし，あくまで学校内で許されていることなので，生活や家庭の中では同じでない場合があることに注意させたい。

▶ 実践

生徒が法律や権利の内容に触れるのは困難な場合がある。そこで，作詞者・作曲者に触れる，いろいろなアレンジを聴き分けるなど，生徒が作者の存在を意識し，曲を理解するために，折をみて取り上げるようにしたい。また，生徒自身が作者になる場合を想定し，自分の作品が意図せずに使用されたり，他人の作品を加工したりすることにも触れたい。このような内容は道徳でも扱える。

▶ 情報源

生徒向け，指導者向けに著作権を学ぶための様々な資料がある。知識がなくても，分かりやすくまとめられている上，指導の仕方や実践事例もある。特に学校行事の項目は音楽科として必読の内容である。

（原口 直）

【参考資料】
・著作権情報センター「みんなのための著作権教室」
http://kids.cric.or.jp/（2020.1.17. 閲覧）
・JASRAC「音楽著作権を楽しく学ぶ JASRAC PARK」
http://www.jasrac.or.jp/jasracpark/index.html（2020.1.17. 閲覧）

12 | 音楽科とICT

▶ 音楽室のICT環境整備

学習指導要領が示す学びを支えるために,「教育のICT化に向けた環境整備5か年計画(2018〜2022年度)」が策定され,「2018年度以降の学校におけるICT環境の整備方針」が明らかになった。音楽室をはじめとする特別教室もこの方針の対象とされた結果,音楽室のICT環境整備の方向性を示すことができるようになった。音楽室には次のICT機器を整備する必要がある。

・教師用パソコン及び教師用タブレット
・実物投影機(書画カメラ)
・大型提示装置:教材の拡大提示,映像の出力用として使用する。電子黒板,プロジェクター+大型モニターまたはスクリーンによる表示がある。画面のサイズは教室最後方から楽譜が十分見える大きさのものが望ましい。
・無線LAN:大容量データのダウンロードや集中アクセス時にも安定的に稼動する環境を確保する。
・生徒用タブレット:授業展開に応じて「一人1台」もしくはグループで1台使用する。

▶ 音楽科におけるICT活用のメリット

ICT環境が整った際の教師側の主なメリットは,以下の4点である。

①教務や授業準備などの効率化:教務用のソフトやアプリによる授業計画や実施記録,評価記録の作成及び教材の電子化によって,再利用や書き込み,再編集が容易になり,教務や授業準備に要する時間を短縮する。②授業のスピード感アップと音楽室のシンプル化:パソコンやタブレットで関連画像,音源,動画を一元管理することによって,教材提示や伴奏再生などが瞬時に可能となると同時に,音楽室内の整理整頓が促される。③分かりやすい授業の実現:大型画面に画像や映像を提示すること,実物投影機で教師による範奏の手元を映すこと,音形編集アプリで楽曲のテンポや調を瞬時に変化させることなどによって,生徒の理解度や技能に合った授業ができる。④音楽行事の現代化:演奏に関連する映像やスライドショーの投影,使用音源などの管理ができる。

生徒用タブレットが普及した時点での生徒側の主なメリットは,以下の4点であろう。①演奏に対する自己評価:タブレットの録画・録音機能を使用し,自身の演奏を省察できる。②主体的で協働的な学びのための道具として:アプリを使用して仲間と音楽づくりができる,音楽を形づくっている諸要素を個別にあるいは協働で学べる。③音楽体験などの増加:鑑賞/楽器アプリや動画共有サイトなどを活用し,学習の機会が増える。④家庭学習の確保:生徒がタブレットを自宅に持ち帰ることができるならば,家庭学習(反転学習)を促進する。

▶ タブレットを活用した新たな実践例

近年,タブレットやアプリを活用した実践は少しずつ増えている。具体例としては,箏アプリと実際の箏の両方を使った箏体験学習,カード型プレゼンテーションアプリを使って,主題の展開を個人あるいはグループで考えさせる鑑賞の活動,ビジュアルプログラミングアプリを使ったリズム創作,生徒用タブレットに入れた演奏動画教材を視聴しながら行う家庭での演奏練習,iMovie教材によるリコーダー学習,GarageBandを使った五音音階によるメロディ創作などである。

音楽科が学校教育全体のICT化の動きに乗り遅れないためにも,さらなる実践の蓄積が急務である。

▶ プログラミング教育との関連

音楽には順次処理,条件分岐,反復といったプログラムの構造を支える要素と共通する性質があるため,とりわけコンピュータを使用した音楽制作がプログラミング的思考の育成に有効であるとされている。しかし,個々の実践については,音楽の本質的な学びとなっているかを検証する必要がある。一方,従来のアナログな論理的思考によってプログラミング的思考の代替にしようという安直さは避けなければならない。プログラミング的思考の育成につながる音楽の授業とはいかなるものなのか,議論を重ねてほしい。(深見友紀子)

学習指導要領の変遷

第1次『学習指導要領・音楽編（試案）』1947（昭和22）年

戦後初の「音楽編」の中心的編纂者は作曲家諸井三郎。「音楽美の理解・感得」を目標の第一に掲げ，「音楽は本来芸術であるから，目的であって手段となりうるものではない」とし，戦前の徳育としての音楽教育との違いを明示。指導領域は歌唱，器楽，鑑賞，創作の4領域。小・中学校の内容を1冊に所収。

第2次『学習指導要領・音楽編（試案）』小・中・高：1951（昭和26）年

中学校・高等学校版と小学校版が発行。指導領域は歌唱，器楽，鑑賞，創作，理解の5領域。生徒や地域社会の生活と音楽文化との関係を把握し，他教科との関連性にも留意した問題解決型学習の単元を例示。1956年高等学校学習指導要領改訂，音楽は芸能ではなく芸術の一科目として配置。

第3次『学習指導要領』小・中：1958（昭和33）年，高：1960（昭和35）年　告示

学習指導要領は法的拘束力をもつ「告示」に。小・中学校では歌唱と鑑賞の共通教材を創設。指導領域は，中学校・高等学校ともに表現と鑑賞の2領域となり，表現の中に（歌唱・器楽・創作）を包含。また中学校の表現で扱う調性は♯，♭三つの長調とし関係短調も加えられるとした。

第4次『学習指導要領』小:1968（昭和43）年，中:1969（昭和44）年，高:1970（昭和45）年　告示

米国の教育改革の影響を受け「教育内容の現代化」が進行。中学校では，「音楽の表現や鑑賞の能力を高める」ことを冒頭目標に設定。指導領域は，中学校・高等学校ともに新領域として基礎が加わり，歌唱，器楽，創作，鑑賞の5領域に。中学校では歌唱共通教材に民謡を採用。

第5次『学習指導要領』小・中：1977（昭和52）年，高：1978（昭和53）年　告示

「ゆとりのある教育」が改訂方針。目標に「音楽を愛好する心情」が加わり，中学校の目標には「音楽性」が掲げられた。指導領域は表現と鑑賞に整理統合され，視唱で扱う調が♯，♭2程度となった。

第6次『学習指導要領』小・中・高：1989（平成元）年　告示

関心・意欲・態度を重視する「新学力観」に基づいた改訂。目標・指導内容は第1学年と第2及び第3学年の2区分によって提示。創作では中学校「自由な発想による即興的な表現や創作」，高等学校「いろいろな音素材による即興的表現」の設定が特徴的。「諸外国の民族音楽」は「世界の諸民族の音楽」に変更。

第7次『学習指導要領』小・中：1998（平成10）年，高：1999（平成11）年 告示，2003（平成15）年一部改正

「総合的な学習の時間」の創設，音楽の時間数は減。歌唱と鑑賞の共通教材が廃止（小学校歌唱を除く）。読譜指導として扱う調は♯,♭1程度と減少。日本の伝統音楽や世界の諸民族の音楽の表現領域での指導を重視し，歌唱では「曲種に応じた発声」（中学校・高等学校），器楽では「和楽器については，3学年を通じて一種類以上」（中学校）と記載。中学校では「自然音」，「環境音」を取り扱うことを明記。

第8次『学習指導要領』小・中・高：2008（平成20）年　告示

中学校・高等学校では「音楽文化についての理解」を目標に加筆。表現と鑑賞を通して指導する内容を小・中学校の〔共通事項〕として新設。歌唱共通教材が復活。「音楽に関する知的財産権」の内容を加筆。

第9次『学習指導要領』小・中：2017（平成29）年，高：2018（平成30）年　告示

中学校では，「生活や社会の中の音や音楽，音楽文化と豊かに関わる資質・能力」の育成を一般目標として掲げ，具体目標や内容は①知識・技能，②思考力，判断力，表現力等，③学びに向かう力，人間性等の育成すべき資質・能力の三つの柱に対応。全教科で障害のある生徒等への指導内容・方法の工夫を明示。中学校の伝統的歌唱や和楽器の指導においては「適宜，口唱歌を用いること」を追加。

（菅　道子）

第 4 部
教材編

【歌唱共通教材】

赤とんぼ

（斉唱・二部合唱）

三木露風 作詞
山田耕筰 作曲

注　☆の曲は，一部修正または編曲されています。以下，同じ。

浜辺の歌

林　古渓 作詞
成田為三 作曲

● あした…朝　もとおれば…当てもなく歩き回れば

荒城の月

一、
春高楼の花の宴
めぐる盃かげさして
千代の松が枝わけいでし
昔の光　いまいづこ

二、
秋陣営の霜の色
鳴きゆく雁の数見せて
植うるつるぎに照りそひし
昔の光　いまいづこ

三、
いま荒城のよはの月
替らぬ光たがためぞ
垣に残るはただかずら
松に歌ふはただあらし

四、
天上影は替わらねど
栄枯は移る世の姿
写さんとてか今もなほ
嗚呼荒城の　よはの月

土井晩翠 作詞
滝廉太郎 作曲

原曲版

山田耕筰　補作編曲版

● **高楼**(こうろう)…高く構えた建物　**花の宴**(えん)…花見の宴会　**千代の松が枝**(え)…古い松の枝　**植うるつるぎに照りそひし**…植えたように立ち並ぶ剣(つるぎ)に照り輝いた　**かづら**…つる草　**天上影は**…空の月の光は

早春賦

一、
春は名のみの　風の寒さや
谷の鶯　歌は思えど
時にあらずと　声も立てず
時にあらずと　声も立てず

二、
氷解け去り　葦は角ぐむ
さては時ぞと　思うあやにく
今日もきのうも　雪の空
今日もきのうも　雪の空

三、
春と聞かねば　知らでありしを
聞けば急かるる　胸の思いを
いかにせよとの　この頃か
いかにせよとの　この頃か

吉丸一昌 作詞
中田　章 作曲

● 角ぐむ…角のように芽を出す　あやにく…あいにく　知らでありしを…気付かないでいたのに　賦…詩や歌の意味

ぜ の さ む さ や ー た に の う ぐ い す う
し は つ の ぐ む ー さ て は と き ぞ と お
ら で あ り し を ー き け ば せ か る る む
f
た は お も え ど ー と き に あ ら ず ー と こ
も う あ や に く ー きょ う も き の う ー も ゆ
ね の お も い を ー い か に せ よ と ー の こ
p
pp
え も た ー て ず ー と き に あ ら ず と こ
き の そ ー ー ら ー きょ う も き の う も ゆ
の ー ご ー ろ か ー い か に せ よ と の こ
rit.
1.2.
(a tempo)
(mf)
3.
え ー も た ー て ず ー 2.こ
き ー の そ ー ー ら ー 3.は
の ー ー ご ー ろ か ー
1.2.
3.
rit.
(a tempo)
p
pp
☆

夏の思い出

（二部合唱）

一、

夏がくれば　思い出す
はるかな尾瀬（おぜ）　遠い空
霧（きり）のなかに　うかびくる
やさしい影　野の小径（こみち）
水芭蕉（ばしょう）の花が　咲いている
夢みて咲いている　水の辺り（ほとり）
石楠花色（しゃくなげいろ）に　たそがれる
はるかな尾瀬　遠い空

二、

夏がくれば　思い出す
はるかな尾瀬　野の旅よ
花のなかに　そよそよと
ゆれゆれる　浮き島よ
水芭蕉の花が　におっている
夢みてにおっている　水の辺り
まなこつぶれば　懐（なつ）かしい
はるかな尾瀬　遠い空

江間章子　作詞
中田喜直　作曲・編曲

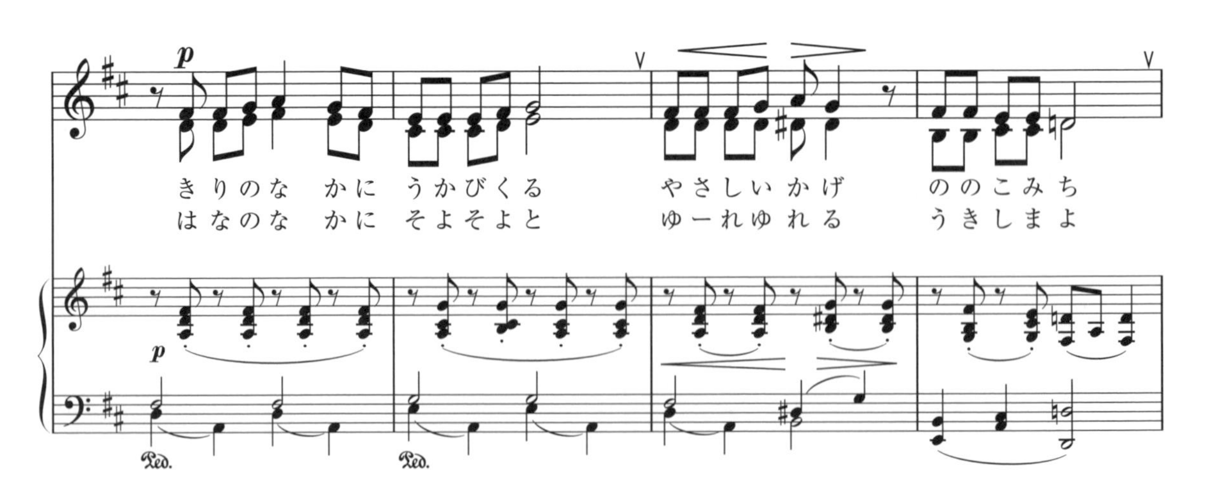

● 石楠花色…淡（たん）紅色　浮き島…島状に浮く水草

（♬♬♬♬2番のとき）
mp
pp
mp
dim.
みずばしょう　のは　なが　さいている　ゆめみてさいている　み　ずのほとり
みずばしょう　のは　なが　におっている　ゆめみてにおっている　み　ずのほとり

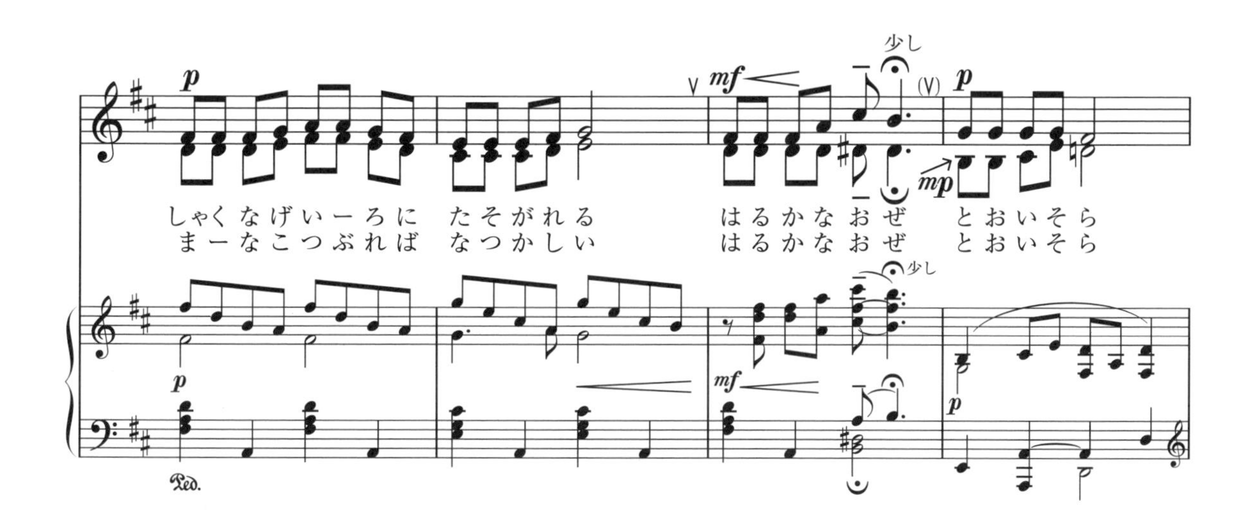

p
mf
少し
mp
しゃくなげいーろに　たそがれる　はるかなおぜ　とおいそら
まーなこつぶれば　なつかしい　はるかなおぜ　とおいそら
Ped.

1.
2.
mp
p

花

（二部合唱）

一、
春のうららの隅田川
のぼりくだりの船人が
櫂のしづくも花と散る
眺めを何にたとふべき

二、
見ずやあけぼの露浴びて
われにもの言ふ桜木を
見ずや夕ぐれ手をのべて
われさしまねく青柳を

三、
錦おりなす長堤に
くるればのぼるおぼろ月
げに一刻も千金の
眺めを何にたとふべき

武島羽衣 作詞
滝廉太郎 作曲

かいのしずくもはなとちる
ながめをなーにーにたとーおべーき
みずやあけーぼーのつーゆーあびて

わ れに も のーいーう さ くら ぎ を
(∧)
f
み ずや ゆ う ぐれ て を の べ て
f
mf
(∨)
わ れさ し まーねーく あ おーや ぎ を
mf
f

にしきおりーなーす　ちょうーーていに
くるればのーぼーる　おぼろーづーき
げにいーっこくもせんきんの　ながめを
なーにーに　たーとおーべーき
rit.
a tempo

花の街

（二部合唱）

江 間 章 子 作詞
團 伊 玖 磨 作曲
Moderato
1. な な い ろ の た に を こ え て な が れ て い く か ぜ の リ ー ボ ー
2. う つ く し い う み を み た よ あ ふ れ て い た は な の ま ー ち ー
3. す み れ い ろ し て た ま ど で な い て い た よ ま ち の か ー ど ー

mf cresc.
ン わ に な ー っ て わ に な ー っ て
よ わ に な ー っ て わ に な ー っ て
で わ に な ー っ て わ に な ー っ て
mf cresc.
f
mp
か け て い っ た よ ー は る よ
お ど っ て い た よ ー は る よ
は る の ゆ う ぐ れ ー ひ と り
f
mp
は る よ と か け て い ー っ た ー よ
は る よ と お ど ー っ て い た ー よ
さ び し く な い て い ー た ー よ
8va
p

歌唱共通教材解説

（ここでは主に作詞・作曲者及び各曲について『学習指導要領解説』に示された指導の一例を掲載する）

●「赤とんぼ」 昭和2（1927）年作曲

作詞者 三木露風（1889～1964 兵庫県生）16歳で最初の詩集「夏姫」を刊行。叙情詩人として知られ，象徴的な手法でもすぐれた才能を発揮した。多くの詩集，著書がある。

作曲者 山田耕筰（1886～1965 東京都生）東京音楽学校卒業後ドイツに留学。帰国後我が国最初の交響楽団を組織するなど，西洋音楽の普及に多大な貢献をした。童謡や歌曲にも名作が多い。

指導例 日本を代表する童謡として長い間親しまれてきた楽曲で，幼い頃の経験や情景が表現されている。歌詞の内容や曲想を感じ取り，情景を思い浮かべながら，旋律のまとまり（フレーズ）や強弱を意識して表現を工夫する。

夕やけ小やけの 赤とんぼ
負われて見たのは いつの日か

山の畑の 桑の実を
小籠に摘んだは まぼろしか

十五で姐やは 嫁に行き
お里のたよりも 絶えはてた

夕やけ小やけの 赤とんぼ
とまっているよ 竿の先

●「浜辺の歌」 大正7（1918）年出版

作詞者 林古溪（1875～1947 東京都生）本名は，林竹次郎。国文学者・漢文学者として知られ，多くの著書を残す。中学・高校や東京音楽学校，立正大学などで教鞭をとった。

作曲者 成田為三（1893～1945 秋田県生）「浜辺の歌」は東京音楽学校在学中に書かれたもの。大正時代の童謡運動にも深く関わり，「かなりや」など童謡の名作を残している。

指導例 浜辺に打ち寄せる波の情景を表すような伴奏が印象的な楽曲で，曲全体が叙情的な味わいにあふれている。拍子や速度が生み出す雰囲気，歌詞の内容と強弱の変化との関係などを感じ取り，フレーズや形式などを意識して表現を工夫する。

あした浜辺を さまよえば
昔のことぞ しのばるる
風の音よ 雲のさまよ
寄する波も かいの色も

ゆうべ浜辺を もとおれば
昔の人ぞ しのばるる
寄する波よ かえす波よ
月の色も 星のかげも

●「荒城の月」 明治34（1901）年発表

作詞者 土井晩翠（1871～1952 宮城県生）本名は，土井林吉。力強い作風の詩人として有名。数多くの校歌や寮歌も作詞。ホメロスやバイロンなどの翻訳も手がけた。

作曲者 滝 廉太郎（1879～1903 東京都生）23歳の若さで世を去ったため，作品数は多くないが，歌曲やピアノ曲のほか，「お正月」「鳩ぽっぽ」などのすぐれた幼稚園唱歌も作曲した。

指導例 人の世の栄枯盛衰を歌いあげた楽曲で，滝の原曲と山田耕筰の編作によるものとがある。二つの楽譜を比較して歌い比べてみよう。歌詞の内容や言葉の特性，旋律の特徴や短調の響きなどを感じ取り，これらを生かした表現を工夫する。

●「早春賦」 大正2（1913）年出版『新作唱歌集』

作詞者 吉丸一昌（1873～1916 大分県生）国文学者で東京音楽学校の教授を務める。『新作唱歌』の編集・刊行などを手がけ，当時の若手作曲家の育成にも尽力した。

作曲者 中田 章（1886～1931 東京都生）東京音楽学校の教授を務める。専門はオルガンで，奏者として名をはせた。「夏の思い出」などの作曲家，中田喜直の父。

指導例 6/8拍子の伴奏にのって美しい旋律が早春の情景や春を待ちわびる気持ちを表現する。拍子によって生み出される雰囲気，旋律と強弱との関わりなどを感じ取り，フレーズや曲の形式を意識して，情景を想像しながら表現を工夫する。

●「夏の思い出」 昭和24（1949）年 NHKラジオ歌謡

作詞者 江間章子（1913～2005 新潟県生）詩集『春への招待』『レーダーと私』をはじめ，『イラク紀行』などの著書や訳書もある。「花の街」など歌曲の作詞も多く手がけている。

作曲者 中田喜直（1923～2000 東京都生）東京音楽学校ではピアノを専攻。「ちいさい秋みつけた」「雪の降る町を」などの童謡や歌曲，合唱曲をはじめ，ピアノ曲など多数の名作がある。

指導例 夏の日の静寂な尾瀬沼を思い出し，その風物への追憶を表した叙情的な楽曲。歌詞の内容や曲想を感じ取り，言葉の抑揚と旋律との関わりを生かして表現を工夫する。強弱の変化やピアノ伴奏にも着目しよう。

● 「花」 明治33（1900）年発表 合唱組曲「四季」第1曲

作詞者 武島羽衣（1872～1967 東京都生）本名は，武島又次郎。国文学者であり，歌人としても知られる。東京音楽学校や日本女子大学などで教鞭をとった。

作曲者 滝 廉太郎…「荒城の月」の項参照。

指導例 春の隅田川の情景を優美に表した楽曲で，「荒城の月」とともに滝 廉太郎の名曲として広く歌われている。歌詞の内容や曲想を感じ取り，言葉と旋律との関わりや強弱，速度の特徴を生かして表現を工夫する。

● 「花の街」 昭和22（1947）年 NHKラジオ歌謡

作詞者 江間章子…「夏の思い出」の項参照。

作曲者 團 伊玖磨（1924～2001 東京都生）交響曲や歌劇（「夕鶴」など）のほか，混声合唱組曲「筑後川」などで有名。「ぞうさん」など数多くの童謡も作曲。随筆家としても活躍した。

指導例 希望に満ちた思いを叙情豊かに歌いあげた楽曲。歌詞からイメージを膨らませ，強弱の変化と旋律との関わり，豊かなピアノ伴奏の響きなどを感じ取り，フレージングを意識して表現を工夫する。

七色の谷を越えて
流れていく風のリボン
輪になって 輪になって 駆けていったよ
春よ春よと 駆けていったよ

美しい海を見たよ
あふれていた花の街よ
輪になって 輪になって 踊っていたよ
春よ春よと 踊っていたよ

すみれ色してた窓で
泣いていたよ街の角で
輪になって 輪になって 春の夕暮れ
ひとりさびしく 泣いていたよ

（作詞・作曲者解説：佐野 靖）

国歌「君が代」

歌詞は延喜5（905）年に編纂された『古今和歌集』に「詠み人知らず」として収載されたものが文献としての初見とされており，11世紀初期に成立した藤原公任撰の『和漢朗詠集』にも収載されている。当初は冒頭部分が「わがきみは～」であったが，平安時代末期頃より「君が代は～」という形が流布されるようになり，その後謡曲などにも取り入れられ，現在に及んだという。

曲に視点を移すと，「君が代」にはいくつかの旋律が知られている。

明治2（1869）年，英国王子の明治天皇への謁見が決まり，歓迎行事で国歌を演奏する必要が生じた。そこで急きょ琵琶歌「蓬莱山」にある「君が代」の歌詞が選ばれ，横浜に駐屯中の英国軍楽隊長 J.W.フェントンが曲を付けた。しかしこの「君が代」は，一部を除いて日本語の抑揚と旋律が合わず，数年後には改訂が上申された。

明治12（1879）年3月，F.エッケルトがドイツから来日，海軍軍楽隊の軍楽教師に就任した。彼が，届けられた数曲の楽譜のなかから選び出して吹奏楽に編曲したのが，現行の「君が代」の原型であった。作曲者は宮内省雅楽課一等伶人だった林広守とされているが，実際には若い四等伶人の奥好義が作曲，代表者の林の名義となったようだ。この「君が代」は試演の際にさらに手が加えられ，明治13（1880）年10月に新しい国歌となった。その後，明治26（1893）年に文部省告示「祝日大祭日唱歌」に示され，平成11（1999）年に法律で国歌となり現在に至っている。

（編集部）

【参考文献】
辻田真佐憲『ふしぎな君が代』（幻冬舎新書，2015）
CD「君が代のすべて」（キングレコード，2000）

●平成11（1999）年の法制化の際に示された国歌「君が代」の楽譜

【ウォーミングアップ】 **楽しい発声のドリル①**

（あくび）

岩河三郎 作詞 作曲

Dona nobis pacem

ドナ・ノービス・パーチェム
（３部輪唱）

作者不詳

Dona（ドナ）…与えたまえ　nobis（ノービス）…われらに　pacem（パーチェム）…平和を（ラテン語）

「ア・カペラ（a cappella）」は，イタリア語で「教会礼拝堂風に」という意味の，楽器の伴奏を伴わない合唱曲，またはその演奏形態のこと。もともとは宗教的な無伴奏の合唱曲にのみこの言葉が用いられていたが，現在では，ゴスペルやポップスなど，あらゆるジャンルの音楽において，無伴奏の合唱曲を指し示す言葉として用いられている。

【ヨーロッパの歌】

野いちご ＋ 雪のおどり

阪田寛夫作詞
フィンランド民謡
油井圭三作詞
チェコ／スロバキア民謡

Caro mio ben

カーロ・ミオ・ベン

作詞者不詳
堀内敬三訳詞
G.ジョルダーニ 作曲

（原調：変ホ長調）

❖原語（イタリア語）歌詞の意味❖

いとしい	私の	恋人	私を信じてくれ	せめて	～なしには（前置詞句）		あなた	衰える	（定冠詞）	心
Caro	**mio**	**ben,**	**credimi**	**almen,**	**senza**	**di**	**te**	**languisce**	**il**	**cor.**
カーロ	ミオ	ベン	クレーディミ	アルメン	センツァ	ディ	テ	ラングイッシェ	イル	コール

いとしき私の恋人よ，せめて私を信じてください，　あなたなしでは私の心はしおれてしまいます。

（定冠詞）	あなたの	忠実な人	ため息をつく	いつも	やめてくれ	残酷な人	多くの	むごさ
Il	**tuo**	**fedel**	**sospira**	**ognor.**	**Cessa,**	**crudel,**	**tanto**	**rigor!**
イル	トゥオ	フェデール	ソスピーラ	オニョール	チェッサ	クルデール	タント	リゴール

あなたに真心ささげる男はいつも嘆き悲しんでいます，　やめてください，むごい人よ，こんな冷たい仕打ちは！

◆ **Giuseppe Giordani**［1751 – 1798］……イタリア，ナポリ生まれの作曲家。恋人にひたすら思いを寄せる男のせつなさがよく表された有名な曲である。近年，他の人の作品という説も出されている。

Heidenröslein

野ばら

❖原語（ドイツ語）歌詞の意味❖

見た 一人の 少年が 一つの 小さなばらを 立っている ／ 小さなばら ～の上に （定冠詞） 荒れ野
Sah ein Kbab ein Röslein stehn, ／ Röslein auf der Heiden,
ザー アイン クナーブ アイン レースライン シュテーン レースライン アウフ デア ハイデン
少年が一輪の小さなばらが咲いているのを見つけた，荒れ野の小さなばら，

～だった そんなに 若い そして 朝のように美しい ／ 走った 彼は 速く それを 近くで ～すること 見る
War so jung und morgenschön, ／ Lief er schnell, es nah zu sehn,
ヴァール ソー ユング ウント モルゲンシェーン リーフ エーア シュネル エス ナー ツゥー ゼーン
咲いたばかりで朝のように清々(すがすが)しく美しかったので，少年は，それを近くで見ようと急いで走り寄り，

見た それを ～とともに 多くの 喜び ／ 小さなばら 赤い ／ 小さなばら ～の上に （定冠詞） 荒れ野
Sah's mit vielen Freuden. ／ Röslein, Röslein, Röslein rot, ／ Röslein auf der Heiden.
ザース ミット フィーレン フロイデン レースライン ロート レースライン アウフ デア ハイデン
大喜びで眺めた。小さなばら 小さなばら，赤い小さなばら，荒れ野の小さなばら。

春に

（混声三部合唱）

谷川俊太郎 作詞
木下牧子 作曲

◆ 1989年に，月刊誌『教育音楽 中学・高校版』で発表された。木下牧子には，若い人たちのための合唱作品が多数ある。

mf
そらの あおにて を ひたした い まだあっ たことのない すべての ひとと
そらの ー あのあおに ー てを ひ た し た い すべて の ーひとと
くるとい
あっ てみたいはな して みたい あした と あ さっ てがい ちど にくるとい
f
あっ てみたいはなして みたい あした と あ さっ てがい ちど にくるとい
い
い ぼくはもどかし い ー あるき つづけたい この
mf
cresc.
い ー ー ちへいせんのかなたへ と そのく
ff
くさのうえでじっとして いたい こえにならない さけびとなっ て こみあげる
せ じっ として いたい こえにならない さけびとなっ て こみあげる
f
rit.
a tempo
ー このきもちは なん だ ろう ー ー ー
ー このきもちは なん だ ろう ー ー ー

大地讃頌（さんしょう）

（混声四部合唱）

大木惇夫 作詞
佐藤　眞 作曲

◆ **1962** 年に作曲された **7** 楽章構成の，混声合唱と管弦楽のためのカンタータ「土の歌」の終曲。自然と人間との関わりが壮大に歌い上げられている。

【リズム・アンサンブルの楽しみ】 風になりたい

（斉唱・二部合唱）

宮沢和史 作詞
作曲
森垣桂一 編曲

しずみーゆくたい よ うーおいこし てみーーたいー う
なみだーふらすく も をーつきぬけ てみーーたいー て
F/G G13/7 CM7 Am7 Dm7 G7
まれてきーたこと を しあわせにーかんじ る か
んごくじゃーなくて も らくえんじゃーなくて も あ
(𝄋)んごくじゃーなくて も らくえんじゃーなくて も あ
C9/6 Em7 Gm7 FM7
っこわるーくたっ ていい あなた と
なたのてーのぬく もりを かんじ て かぜに なりた
なたにあーえたし あわせ かんじ て
Dm7 Fm7 Em7 Am7 FM7 Em7 Dm7 G13/7
い い て
D.S.
C9/6 Cadd9 C9/6
Coda
い かぜ
D.S.

※次の三つのサンバの基本リズムを合わせて伴奏できます。ピアノ伴奏に3連符が入るところは，ピアノと同じリズムを一緒に演奏してブレイクします。サンバは2拍子ですが，原曲に合わせて4拍子で記譜してあります。（編者）

野菜の気持ち
（ヴォイス・アンサンブル）

古谷（ふるたに）哲也 作詞 作曲

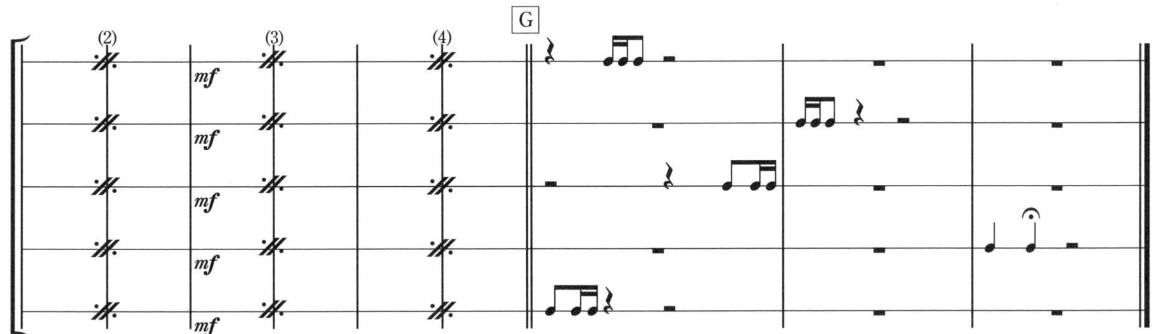

⁒…前の１小節を反復する記号　　⁒⁒…前の２小節を反復する記号

◆この曲は，言葉（野菜や果物の名前）のリズムで構成したヴォイス・アンサンブルである。

【日本の伝統音楽の響き】

越天楽

（合奏）

日本古曲

文部省（1991）『中学校 音楽 指導資料　指導計画の作成と学習指導の工夫』より

※原曲をよく聴き，各パートをどの楽器で演奏したらよいか考えてみよう。
例：リコーダー，和楽器，各種打楽器，リード楽器，電子楽器など（編者）

◆中学生にも平易に演奏できるよう，原曲に対して大幅な手直しを加えてある。

こきりこ

［打楽器の例］ ①こきりこ ②びんざさら ③太鼓

かなかいじゃ…邪魔になる　かづこと…担ごうと　になわ…荷を背負う縄　サンサ，デデレコデン…囃子詞（はやしことば）

1. 筑子の竹は　七寸五分じゃ　長いは袖のかなかいじゃ　窓のサンサもデデレコデン　はれのサンサもデデレコデン
2. 向いの山を担ことすれば　荷縄が切れて担かれん　窓のサンサもデデレコデン　はれのサンサもデデレコデン

南部牛追歌

1. 田舎なれども（サハエ） 南部の国は（サ） 西も東も（サハエ）金の山（コラサンサエ）
2. 今度来るとき（サハエ） 持てきてたもれや 奥の御山の（サハエ）なぎの葉を（コラサンサエ）

◆ 自由リズムによる旋律なので，点線で示した小節の区切りは目安にすぎない。

【器楽アンサンブル】

なんとすばらしい音だ

歌劇「魔笛」から

（二重奏）

モーツァルト 作曲

キーボード・コード表

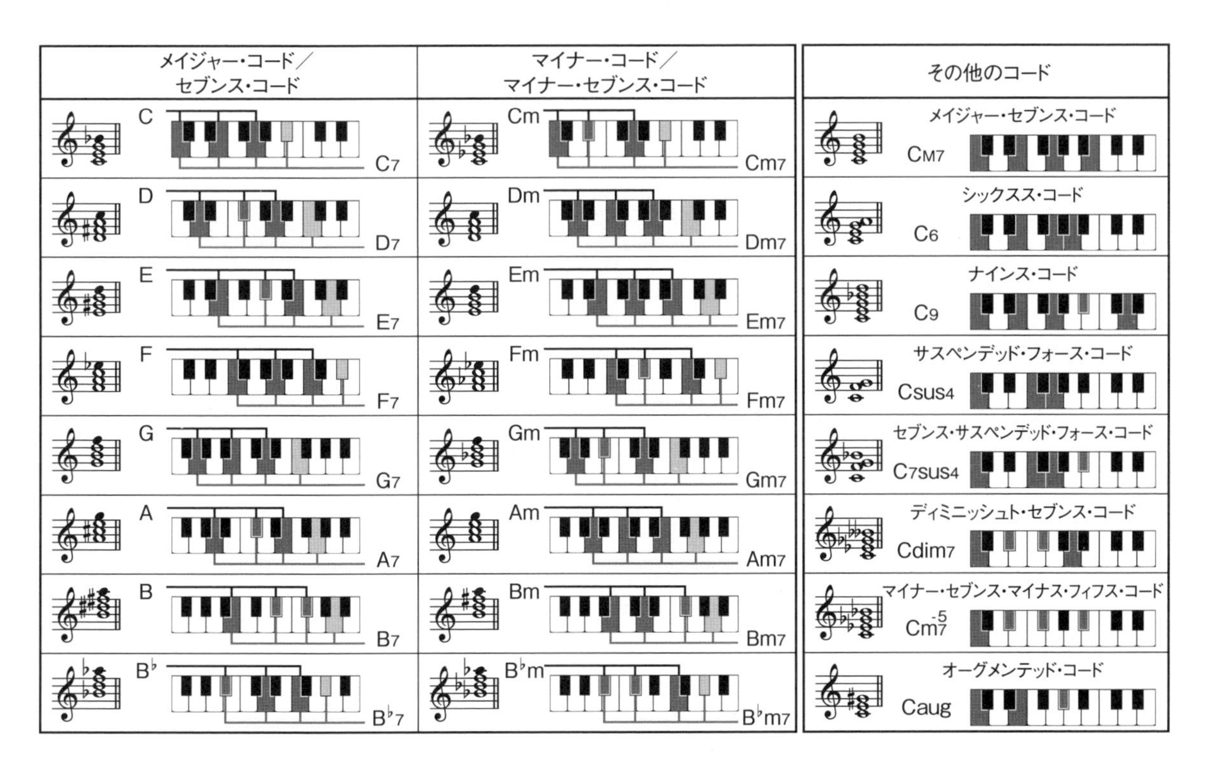

ガヴォット
Gavotte
（二重奏）

J. S. バッハ 作曲
森 田 一 浩 編曲

（原調：ホ長調）

◆ **Gavotte**…**17** 世紀フランスの舞曲。中庸な速度で，$\frac{2}{2}$拍子のアウフタクトで始まる。この曲は，「無伴奏ヴァイオリンのための三つのソナタと三つのパルティータ」から「パルティータ第 **3** 番」の第 **3** 曲。

シチリアーナ

Siciliana

（リコーダー二重奏＋ギター）

O.レスピーギ 作曲
森 田 一 浩 編曲

◆ 17 世紀スペインで流行したリュート曲「スパニョレッタ」が原曲。

グリーンスリーヴス
Greensleeves
（四重奏）

イングランド 民謡
森 田 一 浩 編曲

◆ この曲は，愛を受け入れようとしない恋人への嘆きを歌ったイングランド民謡。16 世紀末頃から歌われている。「グリーンスリーヴス」とは緑色の袖のこと。

第 5 部
資料編

1 | 特色ある音楽教育法

1 リトミック

(1) リトミック教育の原理と理念

リトミックとは，ジュネーヴ音楽院の教授であったジャック=ダルクローズ Jaques-Dalcroze, Émile（1865～1950）によって創案された，音楽に合わせて身体を動かす活動を通して，心と身体の調和を図ることを目指す教育である。そして，リトミック教育は，子どもたちが音楽的能力を高め，精神の落ち着き，内省力（自分自身について考える力），集中力，社会性などを身に付けることを目指すものである。

(2) メソード誕生の背景と経緯

リトミックが創案され，発展したプロセスは以下のとおりである。：①ソルフェージュ学習を重視した段階：ジャック=ダルクローズ以前のソルフェージュは，読譜を重視し，作品の演奏を強く意識したものであった。しかし，ジャック=ダルクローズは聴き取ること，言い換えるならば，子どもたちが自分で感じとることを重視した学習法へと転換した。ジャック=ダルクローズのソルフェージュはこれ以外にも，音の高さを記憶すること，様々な音階練習法，調性感の養成，和音の学習，旋律の即興，音楽に合わせて身体を動かしながら聴き取る練習などを含むことが特徴である。
②リズム運動によって音楽リズムの表現を学ぶことを中心に行った段階：次に，ジャック=ダルクローズは，音楽に合わせて身体運動を行うことによって，子どもたちのリズム感を養うことができるばかりでなく，音楽の構造を深く理解させ，精神を活性化し，創造性を高めることができると考えた。具体的には，拍，拍子，フレーズ，形式などを，両腕による指揮や片方ずつの腕で空中に描くこと，それらと同時に行う歩行や走ることなどをリズムや旋律に完全に合致させつつ行う。
③音楽を身体表現へと置き換える，プラスティック・アニメ（動的造形）の技法の活用を行った段階：前の段階で音楽に合わせて身体運動を行うことの意義を見いだしたジャック=ダルクローズは，これをさらに進めて，音楽の内容を身体運動によって表現するための基準を作り上げた。この基準による身体表現はプラスティック・アニメ（動的造形）と呼ばれ，「どのような原則に基づいて動けばよいのか？」という課題を抱えていたドイツのモダンダンス，体操教育，演劇などに明確な指針を示した。
④特別支援教育への応用を行った段階：1920年代になると，ジャック=ダルクローズは主に視覚障害者のためのリトミック教育の応用に着手した。そして，その後には精神的に遅滞のある子どもたちに対する教育についても教師，保護者らが配慮すべき事柄を明確にしている。

(3) 教育実践におけるリトミック

①学習指導要領では「知覚したことと感受したこととの関わりをもとに音楽の特徴を捉えたり，思考，判断の過程や結果を表したり，それらについて他者と共有，共感したりする際に」体を動かす活動を取り入れることが求められているが，リトミックのアイデアを活用して，音楽の諸要素をより強く感じ取るために，音楽に合わせて身体運動を行うことは効果的であり，クラスのメンバーとともに動いたり，動きを見て話し合いをすることは音楽の美しさを認識し，他者との関わりを重視しつつ，子どもたちの生活における音楽芸術の意味を知るために重要な活動であると思われる。
②「主体的・対話的で深い学び」の実現に向けた授業改善の推進とリトミック：音楽と身体運動を結び付けて行う指導は，これまでも学校教育現場で実施・蓄積されてきたものであり，主体的・対話的で深い学びを実現してゆくために「生涯にわたって能動的に学び続けることができるようにする」とされているが，先に指摘した特別支援教育や体操・ダンスなどと音楽の関わりを明らかにするリトミック教育法は「音楽は，美しく，私たちの生活に直接的に役立つ，価値のあるものである」という認識を，子どもたちにもたらすものである。

（板野和彦）

【参考文献】
・チョクシー，エイブラムソン他著（1994）『音楽教育メソードの比較』板野和彦訳，全音楽譜出版社
・ミード著（2006）『ダルクローズ・アプローチによる子どものための音楽授業』神原雅之，板野和彦，山下薫子訳，ふくろう出版

2 コダーイ・メソッド

(1) コダーイの音楽教育理念と学校教育

ハンガリーの音楽教育は，作曲家・民俗音楽学者・音楽教育家，コダーイ・ゾルターン（1882～1967）が提唱した教育理念に基づいている。コダーイの基本的な理念は，①**音楽はすべての人のもの**（**古今東西の音楽的傑作**を人々の共通の財産とする）②**歌唱の重視**（音楽の神髄に近づく最も良い手段は「**歌う**」こと）③**民族音楽**の重視（「**音楽的母語**」であるわらべうた，民謡から音楽教育を始める）④**ソルフェージュ教育の重視**（すべての人が「**音楽の読み書き**」ができるようになる）⑤**学校教育の重視**，にまとめられる（降矢1996）。

(2) コダーイの理念を実現するメソッド

コダーイは諸外国の先人の優れた音楽教育の方法を取り入れて教授法を整え，発達に応じた音楽教育を計画し，幼稚園から大学まで一貫した系統的な音楽教育を実現した。コダーイの理念・カリキュラム・教材・メソッドは一体を成している。

幼児はわらべうたを遊ぶ中で，身体を通して拍・リズム・フレーズ・形式・音程を感覚的に身に付ける。小学校以降の「音楽の読み書き」の基礎がここにある。1－3年生の教材はわらべうた，唱え歌，ハンガリー民謡で，様式的統一感を重視する。1年生から「**移動ド（階名唱法）**」で旋律の「**音程**」関係を順序立てて，耳と目と手を結び付けて学ぶ。「ソ－ミ」から始めるのは「音楽的母語」の基本音程だからである。リズム譜，リズム唱，階名の文字譜，階名唱，ハンドサイン（音階各音の機能を手の形で示す簡易譜，内唱を助ける）を用いて「聴いたものが書け，書いたものが歌える」ようになる。4年生で「読み書き」の基礎教育が完了し，5年生から音楽専科による音楽史の学習が始まる。

(3) コダーイ・メソッドの意義

「移動ド」は音階・形式・和声の分析を可能にするので「**相対的な音程感覚**」を育成（学習指導要領）できるのみならず，「**曲想と音楽の構造の理解**」「**音楽表現の工夫**」（総括目標）や〔共通事項〕の指導，音楽の理解に基づく鑑賞教育に寄与する。「移動ド」をはじめとするコダーイ・メソッドは，音楽授業をより楽しく，音楽的で，知的なものにできる魅力的なメソッドである。

（尾見敦子）

【引用・参考文献】

(1) フォライ・カタリン，セーニ・エルジェーベト（1974）『コダーイ・システムとは何か』羽仁協子・谷本一之・中川弘一郎訳，全音楽譜出版社

(2) 降矢美彌子（1996）「コダーイの音楽教育」『幼児の音楽教育』音楽教育研究協会，pp.58-61.

(3) 尾見敦子（2012）「なぜ音楽の授業で読譜力が養われないのか―ハンガリーの音楽教科書が語るもの」『音楽教育実践ジャーナル』9巻2号，pp.58-66.

(4) *ÉNEK-ZENE*（歌－音楽）（2001-2005）Nemzeti Tankönyvkiádó.（ハンガリーの音楽教科書）1年～8年．

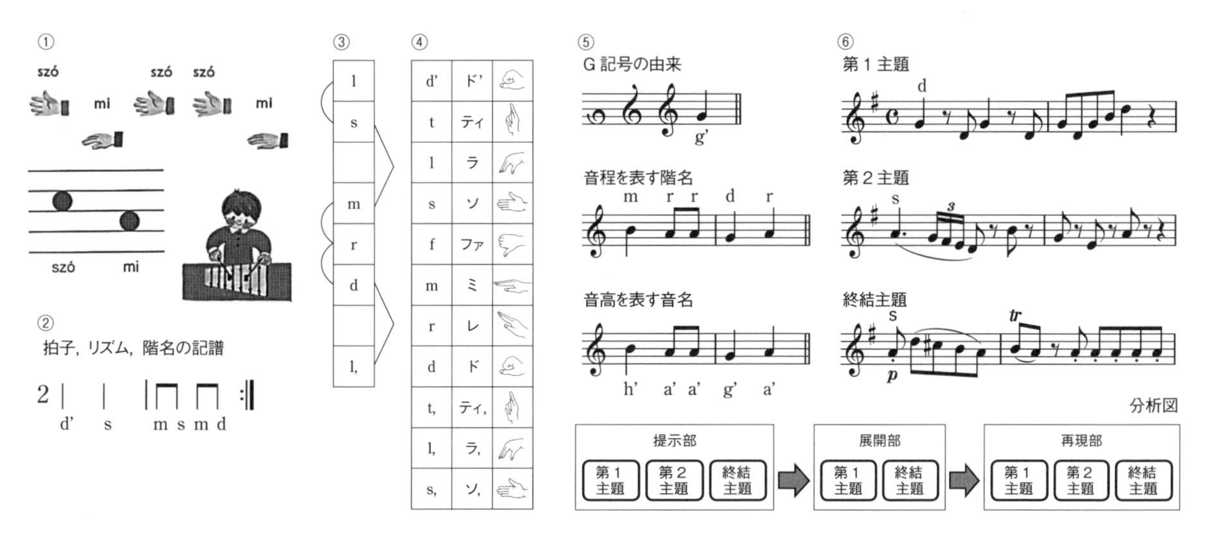

【コダーイ・メソッドの展開（尾見2012)】①1年（p.26):最初に習う音程「szó-mi（ソーミ）」（文字譜,ハンドサイン,5線上の玉の位置を結び付ける）②3年（p.63):「こう始まる歌は何?」（内唱で既習の歌を当てる）③4年（p.25):「ハンガリー民謡の特徴はラを主音とする5音音階（ラ，ドレミソラ）です」（音の柱の図:「隣り合う音」「隔たった音」を示す）④4年（p.120，巻末，1-4年の学習のまとめ):階名の文字譜〔ソと区別してシはティ（t)〕とハンドサイン⑤5年（p.78):階名と音名（5年で初出）の関係。「『音楽のABC』は音の不変の位置と高さを示します。Gの鍵は『音楽のABC』の門を開きます。G記号はgの文字からできました。同じモチーフをABCの名前で歌ってみましょう。」⑥6年（p.81)〔鑑賞〕第1，第2，終結の各主題を階名で歌い（旋律の開始音の上に階名の文字譜)，分析図を見ながら曲の構成を理解する。

3 オルフ・シュールヴェルク

(1) 概要

「カルミナ・ブラーナ」の作曲家として知られるカール・オルフ　Carl Orff（1895～1982）は，舞踏家D.ギュンターとともに1924年ミュンヘンに体操と音楽とダンスのための学校を設立し，新しい芸術教育を実践した。ここでオルフは，舞踏家たちにも容易に演奏でき，〈動き〉と関連した即興表現を可能とする〈オルフ楽器〉を開発した。この実践は第二次世界大戦によって中断されたが，1948年にバイエルン放送の教育番組を通じて再開された。これは，G.ケートマンの協力を得て5年間続き，大きな反響を呼んだ。〈音楽〉〈動き〉〈ことば〉による，これらの教育実践の成果として出版されたのが『オルフ・シュールヴェルク』である。この語は，出版物のみならず教育理念と実践の総体を意味するものとなっている。1961年には，ザルツブルクに「オルフ研究所」が設立され，その影響は国際的に拡張していった。

(2) 理念

オルフの教育理念の中心となるのは，〈基礎的音楽 elementare Musik〉である。音楽は本来孤立した存在ではなく，ことばや動きと関係しながら各国の文化を背景に発展したもので，ここでは，その関連を重視した実践が展開される。基礎的音楽の中核にあるのが，時間芸術を統合する〈リズム〉で，表現教育の出発点に位置付けられている。

リズム表現はまず〈声〉や〈ボディ・パーカッション〉など，体を用いて展開される。また，オスティナート（同音型の反復），ペンタトニック（五音音階），ボルドゥーン（保続5度）といった世界の民族音楽に見られる単純な形態から出発し，複雑なものへと発展する系統性が構想されている。

オルフの教育理念の背景には，民族音楽学や人間学の思潮があり，それゆえに各文化に応じた教育実践の展開が必要不可欠である。この基礎的音楽の解釈は時代とともに拡張され，近年ではリズム以前の〈音〉からの出発，あるいは〈造形芸術〉〈視覚〉などと関連した実践，ジャズ・ラテン・現代音楽などの音楽様式への発展も行われている。

(3) 方法

オルフ・シュールヴェルクは，〈理念 Idee〉が重要であり，固定的な方法論というものではない。具体的な方法は，各教師の工夫によって創出されるべきである。ここでは，シュールヴェルクに示されている活動をモデルとして示したい。

模倣：短いリズムや旋律を模倣する活動が出発点となり，ことばのリズム，ボディ・パーカッション，名前の呼びかけなど，素朴で単純なものから開始される。リーダーが最初に示したパターンを，グループで模倣したり（Solo→Tutti），二人組で相互に模倣したりする。リーダーは，最初は教師が行うが，徐々に生徒が担当する（aa，bb，cc）。

問答・即興：模倣は問答へと発展させられる。決められた問いのフレーズ（Soloまたは全体）に即興的に応答する（Solo）。問いのフレーズの例としては，「お名前は?」「何が好き?」などのことばにリズムや旋律（ミソラなどの数音）を付けたもの，ボディ・パーカッションやリコーダーなどでの演奏が考えられる。答え（応答）のフレーズは，Soloで即興的に表現する（ab，ac，ad……）。徐々に，即興表現のフレーズを長くする。

ロンド：4～8小節のまとまったフレーズをテーマ（A）として，間奏部を即興的に挿入してロンド形式に発展させる（ABACAD……）。

いずれの活動も，リズムを複雑にし，使用する音を増やし，フレーズを長くして徐々に発展させる。ことばやボディ・パーカッションのリズムから，うたや楽器へと系統的に展開させられる。

(4) 教材

活動モデルとして，バイエルンの子どもの歌などを用いたオルフ自身によるシュールヴェルクが，また日本を含めた様々な音楽文化圏のバージョンなどがある。それらを参考に，独自のアイデアで活動を展開することが望ましい。（中地雅之）

【参考文献】

(1) 星野圭朗（1970/2018）『オルフ・シュールベルク理論とその実際』全音楽譜出版社
(2) 星野圭朗，井口太編著（1998）『子どものための音楽Ⅰ－Ⅲ』，ショット・ミュージック
(3) 井口太（1987）「オルフの〈子どものための音楽〉」『特色のある音楽教育』，同朋舎出版
(4) 中地雅之（1998）『ことば・あそび・うた（詩：谷川俊太郎）』，ショット・ミュージック
(5) 日本オルフ音楽教育研究会（2015）『オルフ・シュールヴェルクの研究と実践』朝日出版社

4 コンセプチュアル・ラーニング（概念学習）

（1）定義

コンセプチュアル・ラーニングとは，音楽を概念＝コンセプトの集合体として捉え，それぞれを体系的に学ぶことによって音楽理解を深めていくことを目指した音楽教育思想である。音楽を「ピッチ」「メロディー」「リズム」などの概念に細分化し，また音楽活動を「知覚」「反応」「生成」などに分類し，一方を縦軸，他方を横軸として組み合わせ，それぞれの概念の交差するところを押さえながら学習を進める。ひととおり終わると，レベルを上げて再び各概念を学んでいく上向螺旋形による学習体系がこの音楽教育理念の特徴である。

（2）背景

コンセプチュアル・ラーニングによる音楽教育は，1950年代後半に起こったスプートニク・ショックを契機とするアメリカの教育改革，特にブルーナーの『教育の過程』の影響を受けて発展した。その特徴として，①構造化された教科内容とそれに基づいたカリキュラム，②構造化によってどんな高度な内容も，その本質をいかなる年齢の人にも教えることができるという思想，③直感による理解の重視，④学習内容そのものの魅力による学習意欲の向上，の4点が挙げられる。この理念を最初に音楽教育に採用したのが，1965年に作曲家ロナルド・トーマスらによって実践された「マンハッタンビル音楽カリキュラムプログラム（MMCP）」である。これは，特に現代音楽の創作に焦点を当て，音楽を「ピッチ」「リズム」「形式」「ダイナミックス」「音色」の5概念に分類し，幼児から高校までを一貫したアメリカ版「創造的音楽づくり」のカリキュラムである。この理念はそのままベネット・リーマーらの提唱する「美的音楽教育」のカリキュラム理論に引き継がれ，「メロディー」や「リズム」などの概念の学習は美的音楽教育の中心活動となった。しかし，音楽を文化的コンテクストと切り離し，音楽のもつ社会的機能への配慮を欠いていたこと，また西洋芸術音楽を音楽価値観の中心に置いていたことなどにより，1990年代前半にデイヴィッド・エリオットやトマス・レゲルスキーらの批判を浴びた。その後，リーマーは2003年に出版された『音楽教育の哲学』第3版で，これまでの考えをほぼ全面的に改め，概念学習においては必ずしも音楽を言語化して理解する必要はなく，イメージ＝非言語による音楽知覚の重要性を訴えている。例として，トランペットの音色を聴く際，学習者は「トランペット」という言葉を発せずとも概念として「トランペット」を認識しており，言語化よりもむしろ体験そのものの重要性を強調している。そして，コンセプト化とはある現象についての理解の方法であり，現象そのものの理解とは本質的に異なるものとして，従来の概念学習＝音楽の本質理解の方法という考えをほぼ撤回した。

（3）我が国の新学習指導要領との関連

新学習指導要領では〔共通事項〕として「音楽を形づくっている要素や要素同士の関連を知覚し，それらの働きが生み出す特質や雰囲気を感受しながら，知覚したことと感受したこととの関わりについて考えること」「音楽を形づくっている要素及びそれらに関わる用語や記号などについて，音楽における働きと関わらせて理解すること」という項目が小学校，中学校ともに設けられた。これは明らかに上記のコンセプチュアル・ラーニングの影響を受けたものであり，表現活動，鑑賞活動双方において教材となる楽曲をこれらの概念に分類し，それぞれについて学習することを指示している。

（4）実際の授業の方法

授業では，学習者に教材のそれぞれの概念の特徴を把握させ，それらの意味と効果について考えさせることが一般的な方法であろう。しかし，教材の特徴を概念として言語化するだけでは音楽の本質的な理解にはつながるものではないことを知っておく必要がある。また，わが国の伝統音楽や民族音楽などにおいては，これらの概念を使用することがなじまない場合もある。教材を言語化することが学習の中心的内容になるのではなく，あくまでも音楽体験そのものを核とし，知覚された諸概念が一体化されているという感覚（feeling）を味わわせることを心がけたい。概念学習は，より高次元の音楽体験，音楽学習のための手段として初めて有効に機能するのである。（小川昌文）

【参考文献】
（1）Mark, M.（1996）*Contemporary Music Education.* New York: Schirmer, pp.67-68.
（2）Reimer, B.（2003）*A Philosophy of Music Education,* Prentice Hall.

5 創造的音楽学習（CMM）

（1）概観

創造的音楽学習とは，子どもが身の回りのすべての音をもとに音楽をつくる活動を指す。1970年代から，世界各地で現代音楽の語法に基づいた，子どもの創造的な活動に着目した音楽教育の試みが相次いだが，イギリスのJ.ペインターらが著書*Sound and Silence*（1970年）の中で，こうした活動を「創造的音楽学習」（Creative Music Making）と呼んだのが始まりである。創造的音楽学習の影響によって，イギリスで1992年に制定された「ナショナル・カリキュラム」にもComposing（作曲）が，2013年版にはCompose（作曲），Create（創造），Improvise（即興）といった活動が取り入れられている。

日本でも1982年に上掲書が『音楽の語るもの』(1)として邦訳されて反響を呼び，子ども（生徒）自身が音楽をつくる活動は1989年告示の学習指導要領の，小・中・高いずれにも取り入れられた。また，2008年3月に告示された学習指導要領で，小学校では「音楽づくり」，中学校・高等学校では「創作」として「A 表現」の独立した領域の一つとなっている。

2004年出版の『日本音楽教育事典』(2)には，その時点で明らかになっている30数か国の，国家または州などによって定められたカリキュラム（日本の学習指導要領に当たるもの）の概要が載っている。それを見ると，そのほとんどすべてに何らかの形で「創作」活動が取り入れられ，それが欧米諸国はもとより，中国，韓国やその他のアジア諸国にも広がっていることが分かる。たとえ音楽的な技術は乏しくても一人一人の創造性や自己表現を大切にする教科へとシフトしつつある音楽教育の傾向を，ここに見ることができよう。

さらには社会教育においても，創造的音楽学習をベースとした教育プログラムは1990年頃から盛んとなり，イギリスでは多くのオーケストラやオペラなどがこれを取り入れている。また音楽系大学にもファシリテーター養成コースが置かれているところは多い。参加者とともに音楽をつくるこうした教育プログラムは，様々な形でヨーロッパ諸国，そして日本にも広がりつつある。2000年代に入ると，日本でも多くの音楽・教育系大学でファシリテーター養成がカリキュラムに取り入れられるようになっているのである。

（2）創造的音楽学習の特徴

創造的音楽学習には以下のような特徴がある。

①身の回りのすべての音を音楽の素材とする。
②反復性，応答性などの基本的な音楽構造をベースとすることが多い。
③五線譜の読譜や，楽器の演奏技術が乏しくても取り組むことができる。
④現代音楽，諸民族の音楽，日本の伝統音楽，ポピュラー音楽など，多様な音楽様式の理解へとつながる。
⑤鑑賞との関わりが深い。
⑥即興的な活動が含まれる場合が多い。
⑦一般的には一人ではなく，グループで音楽をつくることが多く，音楽を通じたコミュニケーションを図ることができる。

（3）実践への手がかり

子どもが自由な発想で音楽をつくる活動である創造的音楽学習には，一定のメソッドがあるわけではないが，発想を得るための手だては必要であり，それは2017年告示の学習指導要領に〔共通事項〕として示されている。音色，リズム，音階，テクスチュア，形式などの「音楽を形づくっている要素」がそれに当たる。例えばどんな楽器で，どんなリズムの，そしてどんな音階で音楽をつくるかを限定することは大切な手だてである。

なかでも本質的に重要なのは「音楽構造」に関わる要素（テクスチュア，形式，構成など）である。「オスティナート」や「リフ」のような反復性，「コール・アンド・リスポンス」のような応答性・対照性をもった音楽構造を骨組みとすることにより，即興的にあるいは推敲を重ねつつ，音楽をつくることができるのである。（坪能由紀子）

(1) ジョン・ペインター／ピーター・アストン著（1982）『音楽の語るもの』山本文茂他訳，音楽之友社
(2) 日本音楽教育学会編（2004）『日本音楽教育事典』音楽之友社

6 サウンド・エデュケーション

(1) 概要

カナダの音楽家，マリー・シェーファー［R. Murray Schafer］（1933～ ）が，「サウンドスケープ［soundscape］」の考え方をもとに生み出した教育プログラムの総称。1960年代後半のシェーファーの一連の音楽教育活動と深い関係にあるが，彼が1970年代前半に仲間たちと野外調査活動を展開し，「サウンドスケープ」を「個人，あるいは特定の社会がどのように知覚し，理解しているかに強調点の置かれた音の環境。個人（や社会）が環境とどのような関係を取り結んでいるかによって規定される」と定義した以降にまとめたもの。従来の「音楽」の概念にとらわれることなく，音の世界を自由に遊ぶため，身近な環境の様々な聴取の文化を回復・育成するために開発された。

これまでの「音楽教育」，とりわけ「学校音楽」が，既成の音楽文化に向けられた活動であるのに対し，サウンド・エデュケーションは「自然界との響き合い」を含めた音楽の根源的な在り方に立ち戻り，「音楽とは何か」「音とは何か」といった問題を扱うことを可能にする。同時に，従来の「音楽」や「音」に留まらず，その背景にある環境や文化について，さらには自分自身の存在と世界との関係について，様々な発見や思索を促す。

(2) 特徴と種類

「サウンド・エデュケーション［sound education］」という言葉は，最も狭義には，シェーファーによる同名の著書とそこに収められた課題を指すが，広義にはサウンドスケープの考え方をもとに生み出された課題やプロジェクト全体を意味する。前者の場合においても，「聞こえる限り最も遠くの音を聴き取ってみよう」など，現実の環境に向けられたもの，「あなたの人生で経験した最も心に残る音は?」「お年寄りにあなたが生まれる前の時代に聞こえていた音について話を聞いてみよう」といった個人やコミュニティーの記憶に耳を傾けるもの，「紙を楽器にしてみよう」といった身近な素材による表現活動を促すもの，「あなたの家（部屋や庭）の環境をよりよくする音を何か，探しなさい/ふさわしくないと思う音を取り除きなさい」「あなたのコミュニティーを特徴付ける音は?」というように，自己（及び他者）理解，ホリスティック教育，環境教育，環境デザインやまちづくりにつながるものまで，その内容や方法は多様である。

(3) 意義

近代的な意味での「音楽」とその活動に関連して，サウンド・エデュケーションには，前述の「概要」に記した事項のほか，次のような意義がある。

①「音楽」を，特定の場所における音環境の現実の中に引き戻し，その文脈の中で捉える。

②私たちの耳や身体を，自然の音も含め，「音楽以前」の様々な音に開く。聴くことには多様な方法や意味があり，それによって豊かな世界が拓かれることを示す。

③「音楽」から「音の美学」への拡大，さらには音を通じての「生活環境の（保全も含めた）デザイン活動」への展開を可能とする。

④音楽活動を「音を聴く技術（アート）」という側面から捉え直す。すなわち，「聴取活動」そのものが「音を創造する力」をもつことを明らかにする。

(4) 指導に関する注意

「サウンド・エデュケーション」は近代文明の枠組みを超え，子どもたち（そして人間）の存在の原点に基づく，自由でクリエイティブな聴取活動の発動とその多様な展開に向けられたものである。「音楽の時間」で取り上げる場合にも，その最終的段階で，従来のような「楽曲づくり」にもっていかねばならないといった固定概念を捨てること。また，各自の聴取体験を振り返り，ともに分かち合う時間を確保することも大切である。

（鳥越けい子）

【参考文献】
(1) R. マリー・シェーファー（1992）『サウンド・エデュケーション』鳥越けい子・若尾裕・今田匡彦訳，春秋社
(2) R. マリー・シェーファー，今田匡彦（1996）『音さがしの本：リトル・サウンド・エデュケーション』春秋社
(3) 鳥越けい子（1997）『サウンドスケープ：その思想と実践』鹿島出版会
(4) 鳥越けい子（2008）『サウンドスケープの詩学』春秋社

2 日本の伝統音楽の指導法

○なぜ「指導法」か

学習指導要領の改訂により，日本の伝統音楽の指導の充実がいっそう期待されている。

伝統音楽について考え，指導法を模索するその意義は，授業における有効な方法論を見いだすことだけではない。伝統音楽や文化の深い理解を通して，音楽や文化の多様性，言語や身体と音楽との関係性，文化の伝承や学習法など，音楽科教育において，多くの示唆や授業改善の視点を得ることにつながっていく。

○どのように伝承されてきたか

指導法を考えるには，伝承法を押さえる必要がある。伝統音楽は，基本的には口承，すなわち「口づて」で伝えられてきており，口頭性が重視される。

師匠と弟子といった用語に代表されるように，学習者としての弟子は，規範となる人，すなわち師匠の演奏の模倣を繰り返すことにより型を習得し，やがて自身の表現を獲得，表出していく。その際，楽譜など書かれたもの，つまり書記性は二次的な扱いである。

また，リズムや旋律，音の重なりといったような分析的・部分的な受け止めよりも，身体を通して音楽の全体を学ぶことが大切となる。

○音楽の特徴

伝統音楽は，日本の風土の中で育まれてきた。日本人の生活様式や言語の影響を基盤としつつ，歴史的にはユーラシア大陸など，外来の文化を受け入れ，例えば，声明，雅楽，能楽，地歌・箏曲，長唄，琉球古典音楽，あるいは種々の民俗音楽などのように，時代や社会階層により様々な様式の音楽を生み出してきた。これらは，層をなすようにして現代でも生きた音楽として受け継がれている。

個々の様式は，それぞれ特徴的で独自性をもつ一方，樹木の枝のように様々な関連性をもって成立している。音楽的には，言葉と音楽の関係性やリズムの捉え，音色へのこだわり，音階や旋律の構造や構成法などの点で共通性ももつ。

○指導法への展開

伝統音楽の世界は奥が深いが，「難しくて指導できない」という考えをせず，子どもや教師の日常性や模倣を基本とした伝承法を生かした指導法を見いだすといった発想に立つと具体的な方法論が見えてくる。

学習指導要領解説では，口承，口唱歌（くちしょうが），縦方向に書かれた楽譜の活用や話し声を生かした歌い方をすることなどが示されている。また，言葉と音楽との関係，姿勢や身体の使い方についての配慮も必要となる。

例えば，箏曲を口唱歌の「テーン」や「コロリン」を用いて弾くことにより，「テーン」の音の立ち上がりや音色，減衰感，「コロリン」の奏法や音色，リズムなどを身体の動きとともに一体的に捉えることができるのである。「まねる」「身体を使う」「日本語を生かす」といった方法を効果的に用いるとよい。

○授業への展開

様々な展開例が考えられるが，一例を示す。

・教材を選択し，規範となる映像や音源を準備する。授業のねらいを明確にする。
・模倣を核とした授業展開を構想する。規範に近づくために試行錯誤し，体験を通して音楽の特徴を把握する。
・その際，姿勢や身体の使い方や言葉の表現の仕方に着目する。口唱歌を用いる。縦方向の楽譜など，伝統的な学習法を生かした譜も活用する。
・学びの経験を振り返り，表現したり批評したりする。

○発展的な発想と取り組み

例えば，太鼓を「ドンドコドン」と口唱歌で打つか，五線譜を用い「タンタタタン」と打つかで音楽の捉えが異なる。こうした様式の比較や現代の日本の音楽に見られる伝統性の探索など，伝統音楽の枠組みに閉じず，横断的な発想で学びを拡げることも大切である。

（伊野義博）

3 | 学習指導案例

[歌唱] 第1学年音楽科学習指導案

1. 題材名

「日本の自然や四季の歌の美しさを感じ取りながら表現を工夫して歌おう」

教材 「夏の思い出」江間章子作詞　中田喜直作曲

既習曲「校歌」

2. 題材の目標

○「夏の思い出」の雰囲気や表情，味わいなどを感じ取り，その理由を音楽の構造や歌詞の内容から捉えて理解し,思いや意図を生かして歌うために必要な発声，言葉の発音，身体の使い方などの技能を身に付けて歌う。「知識及び技能」

○音色，旋律，強弱，形式などを知覚し，それらの働きが生み出す特質や雰囲気を感受しながら，どのように歌唱表現するかについて思いや意図をもつことができる。「思考力,判断力,表現力等」

○主体的に曲想と音楽の構造や歌詞の内容との関わりを理解するとともに，それらを生かした歌唱表現を創意工夫して歌うことを通して，日本の自然や四季の歌に親しむ態度を養う。

「主体的に学習に取り組む態度」

3. 学習指導要領との関わり

A表現（1）ア，イ（ｱ)，ウ（ｱ)

〔共通事項〕・主として扱う「音楽を形づくっている要素」　音色，速度，旋律，強弱，形式

・「用語や記号など」　フレーズ　*dim.*　*pp*　𝄐

4. 題材について

(1) 題材の特徴

本題材は「夏の思い出」を教材とした題材である。

本校では，表現・歌唱において「日本の自然や四季の歌の美しさを感じ取りながら表現を工夫して歌おう」という題材で3年間貫いて，日本の自然や四季の美しさが感じ取れるもの，文化や日本語のもつ美しさが味わえる歌唱教材を扱い学習している。本題材はその一つである。

生徒たちは，それぞれの曲のよさや美しさについて味わい，歌うことを通して，自然への親しみや畏敬の念を抱いたり,日本の文化のよさや歴史,未来に対しての思いを馳せたりする。自然災害の際には「ふるさと」や「赤とんぼ」など既習曲を地域の方々とともに歌うことで，歌を通して人や社会がつながり，世代を超えて生活の様々な場面で音楽に親しんだり，共有したりすることの価値について実感を伴って理解することができた。

題材の計画は，これまでの学習経験を生かし，知覚したことと感受したこととの関わりをもとに音楽の特徴を捉えながら，新たに知識や技能を習得したり，既に習得している知識や技能を活用したりして，歌い試しながら，創意工夫に必要な知識や技能を身に付けていく。また，私たちの生活の中において歌が果たしている役割についても関心をもつ，学習の流れである。

教材の2曲は，生徒が親しみをもち，歌唱への意欲を高め，生活や社会において音楽が果たしている役

割を感じ取ることができるものとして選択している。また，生徒たちの思考・判断を促すために比較しながら学べる曲想が異なる2曲を選択している。

教材「夏の思い出」は，夏の日の静寂な尾瀬沼の風物への追憶を表した叙情的な曲である。教材としての魅力は，自己のイメージや感じ取った理由を音楽の構造や歌詞の内容の視点から，形式や楽譜に記された様々な記号と関わらせて捉えることができること，そして，心情や情景に思いを馳せながら強弱や速度の変化，言葉の発音など様々な歌唱表現を試しながら愛着をもって歌えることである。

(2) 生徒の実態

「歌唱表現に関わる知識」として，曲の表情や雰囲気を，様々な音楽を形づくっている要素や歌詞の内容と関わらせて，捉えようとする姿は見られる。例えば，「はつらつとした感じがした」，その理由は「タッカが多くあるからだ」，「力強い歌詞がある」などである。ただし，すべての生徒がこの視点で，曲想がどのような音楽の構造や歌詞の内容によって生み出されているか，捉えるまでには至っていない。

「歌唱表現の創意工夫」については，多くの生徒が自分の思いや意図が伝わるように意識して，音楽の言葉などを用いて発言などできるようになっている。互いに歌い試すなどして，共感して新たに思いや意図をもつ姿については，育んでいるところである。

「歌唱の技能」としては，大半の生徒はある程度の音量で歌うことができている。ただし，変声前，後の生徒が混在しており，変声の理解とともに無理のない声域や声量で歌わせている。読譜に関しては，ハ長調，イ短調の視唱はおおむねできている。また，記譜されている強弱記号に気を付けて歌うことはできている。歌唱表現への思いや意図との関わりを捉えながら，他の記号を理解して歌ったり，声の音色，言葉の発音，息の使い方など，表現方法を変えながら歌ったりする力については，学習を通してさらに身に付けていく段階にある。

(3) 授業づくりの視点

「主体的・対話的で深い学び」の授業内容の実現に向け，次の視点で授業づくりを行う。特別に支援を要する生徒については，個別の指導計画に基づき，指導内容や指導方法を工夫する。その際，学習内容の変更や学習活動の代替を安易に行わず，生徒の学習負担や心理面に配慮して計画する。

①学習の見通しと振り返り

「この曲のよさはこのようなところだ」「自分はこのように歌いたい」と主体的に知識・技能を身に付けたり，思考・判断・表現しようとしたりしている姿に導くには，題材の学習内容や課題の理解，学び方などを生徒自身に理解させておくことが大切である。学習の開始時に「めあて」を示し，「学習の見通し」を描かせることにより，「何を学ぶか」「どのように学ぶのか」を明確にする。また，題材の終わりに「学習の振り返り」を行い，学習内容の確認とともに，学びの結果をつなげた自己の変容や新たな課題を見いだす場面を設定する。その為に学習シートを「めあての設定」から「まとめ」まで，一連の学習を振り返ることができる仕立てとする。また，主体的に学ぶ意欲を高めるために，前時の生徒達の自己評価や相互評価を生かし，基礎となる知識や技術の課題が見られる場合など，取り上げて導入時に助言などを行い，次への学びにつなげることができるよう形成的な指導を行う。

②音楽科の特質に応じた対話的・協働的な学び

対話的・協働的な学びとして，生徒が音楽の見方・考え方を働かせて，自分の考えなど広げたり，深めたりできるような場面をつくる。その為に題材の計画や1時間の授業にて，「教師が教える場面」「仲間と学ぶ場面」「一人で学ぶ場面」に整理し，授業展開を工夫する。「教師が教える場面」では学習内容に応じて，発問や指示を適切に行う。ICTを活用し，インタラクティブに意欲や理解を高め，技能の向上などを図る。「仲間と学ぶ場面」では生徒たちが課題を見つけ，追求していく過程に言語活動を位置付ける。その際に指導のねらいに応じて，「音楽を形づくっている要素」や「用語や記号」を関連付けながら，生徒が楽譜に書き込み，意見を交換したり，歌い試したりできるように，音や音楽及び言葉によるコミュニケーションを図る。また，生徒たちの知識や技能を協働的につなげ，創造的に新たな知識を得たり，技能を身に付けたりできるように展開する。「一人で学ぶ場面」では仲間との対話が生まれるように，一人で考える時間を設定したり，思考・判断・表現する過程で学習シートやICTを用いて確認させたり，歌声を録画したりするなどして記録し，「深い学び」へ導くことに留意する。

③評価の進め方

評価の実施にあたっては，生徒の学習成果を的確に捉え，指導の改善とともに，生徒が自らの学びを振り返り，意欲をもって次の学習につながるように行う。評価の位置付けは，次のように行う。

「主体的に学習に取り組む態度」については，評価規準①を第1時から第3時まで一体的に位置付ける。生徒が自ら目標をもち，見通しをもって思考・判断・表現しようとしているか，学習の振り返りまでの考え方や思いを学習シートなどから評価する。

「思考・判断・表現」については，評価規準①を第1時に位置付けて，〔共通事項〕アに関すること，知覚したことと感受したこととの関わりについて考えたことなどの学習状況を学習シートとともに発言などから評価する。第2時に音楽表現を工夫してどのように歌うかについて思いや意図をもつ学習を位置付けて，楽譜への書き込みやグループ活動などの観察から評価する。

「知識・技能」については，知識を評価規準①として第1時，技能を②として第3時に位置付けて，曲想や音楽の構造や歌詞の内容の関わりについて理解していること，創意工夫を生かした歌唱表現をするために必要な技能を身に付けているか，グループ活動や歌唱などから評価する。

観点別の評価では示すことのできない個々のよい点や可能性については，学習シートや声かけでコメントしていく。また，自らの成長についてポートフォリオにて形成的に把握できるようにする。

5．題材の評価規準

1　知識・技能	2　思考・判断・表現	3　主体的に学習に取り組む態度
①曲想と音楽の構造及び歌詞の内容との関わりについて理解している。 ②創意工夫を生かし，歌唱表現をするために必要な発声，言葉の発音，身体の使い方などを身に付けて歌っている。	①音色，速度，旋律，強弱，形式を知覚し，それらの働きが生み出す特質や雰囲気を感受しながら，知覚したことと感受したこととの関わりについて考える。 ②どのように歌うかについて思いや意図をもっている。	①曲想と曲の構造及び歌詞の内容との関わりに関心をもち，音楽活動を楽しみながら主体的・協働的に歌唱の活動に取り組もうとしている。
「おおむね満足できる」状況（B）と判断するポイント〔評価方法〕		
・曲想と曲の構造及び歌詞の内容との関わりを捉えている。〔学習シート〕 ・創意工夫を生かして歌うために必要な発声，子音や母音等の発音，ブレス，強弱や速度を工夫した歌い方など学習した内容が歌に表れている。〔観察〕	・曲想と曲の構造及び歌詞の内容との関わりについて他の人の考えなども交えて記述している。〔学習シート〕 ・どのように歌いたいか思いや意図を書き込み，発言したり，歌い試したりしている。〔楽譜〕〔観察〕	・知覚・感受したことなどや歌唱表現の工夫について，記入したり歌い試したりなどして主体的・協働的に取り組んでいる。〔観察〕 ・振り返りに学習内容や，自己の変容等書いている。〔学習シート〕

6. 題材の指導と評価計画（3時間取扱い　本時3／3）

時	主な学習活動	教師の働きかけ　及び　◇評価方法
1	「夏の思い出」の雰囲気や表情，味わいを感じ，音楽がどのようにつくられているか，歌詞の内容と関わらせて理解する。 めあて①「どうして～な感じがするのだろうか」 めあて②「感じた理由を歌詞の内容や音楽と結び付けて関わりを考えよう」	・本題材で「何を学ぶのか」「どのように学ぶのか」題材の計画を視覚的に示し，全体の見通しをもたせる。(学習シート) ・めあてを示し，「校歌」と比較させながら，「夏の思い出」の音楽を捉えさせる。 1-①　◇学習シート　2-①　3-①
2	理解したことをもとに，どのように歌うか，思いや意図を考え，歌い方を工夫する。 めあて③「理解したことをもとにどのように歌うか思いや意図を考え，歌い方を工夫しよう」	・楽譜に工夫したい思いや意図を記入させる。 ・言葉の発音や息の仕方，強弱や速度を工夫するなど生徒が思いや意図との関わりを捉えて工夫できるように指導する。　2-②　◇楽譜・観察　3-①
3	(本時)	(本時)　1-②　◇観察　3-①

7. 本時の展開

時間	学習活動　◎学習内容・予想される生徒の反応	教師の働きかけ及び評価方法	備考
【一斉・10分】	**1　前時までの学習を振り返る。** ◎学習のアウトラインを確認する。 ◎「夏の思い出」について曲想と音楽の構造や歌詞の関わりについて理解したことや工夫したいことを確認する。 **2　本時のめあてをつかむ。** **(めあて) 創意工夫を生かして「夏の思い出」の歌唱表現を深めよう**	○アウトラインを視覚的に示し，本時の見通しをもたせる。 ○「夏の思い出」を歌いながら，楽譜に記入した表現の工夫について，音楽記号などと関わらせながら振り返りをさせる。	タブレット 録画 学習シート 楽譜
【班・30分】	**3　歌唱表現を深めていく。** ◎録画を聴き，思いや意図との関わりを捉え，声の響かせ方や言葉の発音やブレスの仕方などについて確認し，互いにアドバイスをする。 ・入り方は柔らかい歌い方でいいな。 ・***pp***の部分の工夫がもう少しかな。 ・言葉がよく聴こえないな。 ・曲の雰囲気と*dim.*や𝄐の表現が…。 ◎グループで歌い試しながら，歌い方を身に付けていく。 ・歌詞はこの歌い方で聴こえるかな…。 ・声の響かせ方はこうかな…。 ・*dim.*は息のコントロールが必要なのか。 ・形式Bの部分は，いろいろ工夫して歌えたな。	○フレーズの特徴を生かして歌うため，声の響きや強弱，母音や子音の歌い方がふさわしいか気付かせる。 ○楽譜にチェックをさせる。 ○友達の歌い方などを参考に，これまでに身に付けた歌い方などを生かして思いや意図との関わりを捉えさせながら声の響かせ方や言葉の発音や呼吸の仕方の技能を身に付けさせる。 ○気付いたこと，友達の助言，先生の助言を楽譜に青ペンや赤ペンで色分けして記入させる。 ○観察しながら子音の発音の仕方や声の響きのポイント，ブレスの仕方など適宜，歌ってみせるなどして助言する。 1-②　◇観察　タブレットに録音	タブレット 録画 学習シート 楽譜
【一斉・10分】	**4　本時の振り返りをする。** ◎工夫した学習内容や自分の変容を学習シートに記録する。 ・音楽の捉え方や捉えたことをどのように歌唱表現するのか，分かってきた。声の響かせ方は課題だな。 ・どちらも大切に歌っていきたい。歌はいろいろな生活の中で親しまれているな。	○音楽の捉え方や思いや意図をどのように歌唱表現するのか，学習シートから振り返りをさせる。 ○どのような価値があるのか，生活や社会において，歌が果たしている役割について問いかける。 ㊫「歌にはどんな力があるのか」 3-①　◇学習シート	タブレット 録画 学習シート 楽譜

（上野正直）

［創作］　第１学年音楽科学習指導案

1．題材

言葉のアクセントやリズムを感じ取り，音のつながり方の特徴を理解して，「おやおや，おやさい」の言葉に合う旋律をつくろう

2．題材設定の趣旨

○本題材は，音のつながり方を，自分が表したい「おやおや，おやさい」の中の言葉がもつイメージと関わらせて理解し，必要な技能を身に付け，創作表現に関わる知識や技能を得たり生かしたりしながら，創作表現を創意工夫することをねらいとしている。学習指導要領（平成20年改訂）における指導事項はA表現（3）創作の指導事項ア「言葉や音階などの特徴を感じ取り，表現を工夫して簡単な旋律をつくること」であり，新学習指導要領の内容としては，A表現（3）創作のア，イ（ｱ），ウを組み合わせて題材を設定することとなる。本題材では，新学習指導要領において，理解する事項として示されているイ（ｱ）音のつながり方の特徴も位置付けて指導を行う。また，本題材は，小学校における「音楽づくり」の学習を踏まえ，中学校で初めて取り組む創作学習として位置付けている。

本題材で教材として用いる絵本『おやおや，おやさい』（石津ちひろ・文／山村浩二・絵）は，擬人化された野菜がマラソン大会で走っているという内容の絵本であり，様々に走る野菜の様子をユーモラスに描いている。韻を踏んだような言葉遊びがユニークで，思わず口ずさみたくなるような内容である。生徒が言葉のアクセントやリズムなどの特徴を手がかりとして旋律をつくるのに適した教材である。

○本学級の生徒は，学習アンケートの結果より，約7割の生徒が音楽の授業について，「好き」「楽しい」といった肯定的な回答をしている。しかしながら，「音楽の授業で一番好きな学習活動」について質問した結果は，「歌唱」が約5割，「器楽」と「鑑賞」がそれぞれ約2割で，「創作」と回答した生徒は全体の1割弱であった。小学校における音楽科学習において，「音楽づくり」の学習に取り組んだ経験が少ないために，創作の学習のイメージがあまりできていないと考えられる。本題材の学習を通して，「創作」の学習活動の楽しさを味わわせるよい機会となるのではないかと思われる。

○指導に当たっては，小学校音楽科における「音楽づくり」の学習の経験が少ないことを踏まえ，生徒の実態に応じた学習過程を工夫することで，生徒が旋律をつくる楽しさや喜びを実感することができるようにする。既習の歌唱教材を振り返らせるなどして，日本語の言葉にはリズムや高低のアクセントが内包されていることを確認するとともに，様々な音のつながり方について知り，創作表現の創意工夫につなげることとする。また，つくる過程では，実際に口ずさんだり，リコーダーで音を出して音高を確かめたりしながら旋律をつくることができるようにする。つくった旋律の記録については，旋律を階名とリズム呼称で記録できるようなワークシートも準備し，まずは，記譜することが苦手な生徒が五線譜に記譜することにとらわれず旋律づくりに集中することができるようにする。

3．題材の目標

言葉のアクセントやリズムを感じ取り，音のつながり方の特徴を理解して，「おやおや，おやさい」の中の言葉に合う簡単な旋律をつくる。

4. 題材の評価規準

知識・技能	思考・判断・表現	主体的に学習に取り組む態度
知 音のつながり方の特徴について理解している。 技 創意工夫を生かした表現で旋律をつくるために必要な，課題や条件に沿った音の選択や組合せなどの技能を身に付け，創作で表している。	思 リズム，旋律，構成（反復，変化）を知覚し，それらの働きが生み出す特質や雰囲気を感受しながら，知覚したことと感受したこととの関わりについて考え，どのように旋律をつくるかについて思いや意図をもっている。	態 音のつながり方，言葉のアクセントやリズム，ハ長調の旋律，反復や変化などの構成に関心をもち，音楽活動を楽しみながら主体的・協働的に創作の学習活動に取り組もうとしている。

5. 本題材において思考・判断のよりどころとなる音楽を形づくっている要素

音楽を形づくっている要素	本題材における音楽を形づくっている要素の具体
リズム	言葉に内包される様々なリズム　例　えのき（ツツツ），おとうと（ツツーツ）
旋律	ハ長調の旋律　　旋律の上行，下行　　順次進行　　跳躍進行
構成	リズムや旋律の反復や変化

6. 題材の指導計画と評価計画（全3時間）

時間	◇ねらい　○学習内容　・学習活動	教師の指導・支援	評価
1	◇音のつながり方，言葉のアクセントやリズム，ハ長調による旋律，構成（反復，変化）などの特徴に関心をもち，それらを生かして音楽表現を工夫して簡単な旋律をつくる学習に主体的に取り組む。		
	○絵本「おやおや，おやさい」や，音のつながり方などの特徴に関心をもち，言葉に合う旋律をつくる。 ・絵本「おやおや，おやさい」を全員で音読する。 ・絵本の中の言葉に合う旋律をつくることを知り，本題材3時間の見通しをもつ。 ・歌唱の既習教材を想起しながら，日本語の言葉にはリズムや高低のアクセントがあることを確認する。 ・いろいろな音のつながり方（上行，下行，順次進行，跳躍進行など）について知る。 ・旋律をつくるときの条件について知る。 ・言葉に合う旋律をつくり，ワークシートに記録する。	・大きな声と豊かな表現で音読するようにさせることで，言葉のリズムやアクセントを感じ取ることができるようにする。 ・口ずさんだり，実際に音を出したりしながらつくることを確認する。	
2	◇知覚・感受しながら，音のつながり方，言葉のアクセントやリズム，ハ長調による旋律，構成（反復，変化）などの特徴を生かした音楽表現を工夫し，どのように旋律をつくるかについて思いや意図をもつ。		知 思
	○音のつながり方の特徴などを生かした音楽表現を工夫し，どのように旋律をつくるかについて思いや意図をもつ。 ・前時の学習内容を想起する。 ・前時に引き続き，言葉に合う旋律をつくる。 ・五線譜への記譜の仕方を知り，五線譜に記譜する。 ・代表の生徒数名の発表を聴き，よさや工夫している点を学級で共有する。 ・自分の作品を再度，見直すとともに，「工夫したこと」をワークシートに記述する。	・学級で共有したよさや工夫は自分がつくった旋律を見直すときの参考にしてもよいことを伝える。	

3	◇音楽表現を工夫するために必要な音の選び方や組合せ方，記録の仕方などの技能を身に付け，自分がつくった旋律を完成させて，作品発表会を行う。		技 態
	○自分がつくった旋律を，お互いに紹介し合い，よさや工夫している点を学級で共有する。 ・旋律を完成させ，発表の準備をする。 ・学級全員の前で，自分がつくった旋律を紹介し合い，お互いによさや工夫している点を伝え合う。 ・本題材の振り返りを行い，旋律創作に取り組んでの自分の考えや感想をワークシートに記述する。	・自分がつくった旋律の発表がうまくできない生徒には教師が発表のサポートをする。	

7．本時の学習指導（2/3）

（1）指導目標

言葉の特徴を感じ取り，音のつながり方，言葉のアクセントやリズム，ハ長調による旋律，構成（反復，変化）などの特徴を生かした創作表現を工夫することを通して，音のつながり方を理解し，どのように旋律をつくるかについて思いや意図をもつことができるようにする。

（2）指導過程

過程	学習活動	教師の指導・支援	評価
導入	・前時の学習内容を想起する。 ・本時の目標を知る。 音のつながり方などの特徴を生かして，「おやおや，おやさい」の言葉に合う旋律を完成させよう	・音のつながり方の特徴や言葉の特徴などを示し，再度，確認する。	
展開	・言葉に合う旋律をつくり，ワークシートに記録する。 ・教師による五線譜への記譜の仕方の説明を聞き，階名とリズム呼称で記録している生徒は五線譜への記譜を試みる。 ・完成している生徒の旋律を聴き，よさや工夫している点を学級内で伝え合う。 ・学級内で共有したよさや工夫を参考にして，自分の旋律を見直す。 ・自分が旋律をつくるときに「工夫したこと」をワークシートに記述する。	・自分が選んだ言葉を何度も抑揚をつけて音読し，実際に口ずさんだり，リコーダーなどで音高を確かめたりしながらつくることを確認する。 ・ツー＝4分音符，ツ＝8分音符などに置き換えていくと，五線譜に記譜ができることを説明する。 ・他の生徒の参考となるような作品を紹介することで，よさや工夫している点を学級内で共有できるようにする。	思 行動観察 ワークシートの記述
まとめ	・グループ内で「工夫したこと」を伝え合い，音のつながり方，言葉，構成の特徴などに着目して，そのよさについて考える。 ・音のつながり方の特徴について分かったことをワークシートに書く。 ・ワークシートに本時の振り返りを書く。 ・次時は作品発表会を行い，つくった旋律（作品）を紹介し合うことを伝える。	・それぞれの生徒が工夫したことを「音のつながり方」「言葉」「構成」などの視点で整理させ，それぞれの特徴についての理解を深めることができるようにする。	知 ワークシートの記述

（副島和久）

［器楽］ 第２学年音楽科学習指導案

1. 題材名

「箏の音色や響きと奏法との関わりを理解しながら，《さくらさくら》を奏でよう！」

2. 対応する新学習指導要領の指導事項（第２・３学年）

【A表現：器楽】ア　曲にふさわしい器楽表現を創意工夫すること　＜思考・判断・表現＞
イ (ｲ) 楽器の音色や響きと奏法との関わり　＜知識＞
ウ (ｱ) 奏法，身体の使い方などの技能　＜技能＞
〔共通事項〕ア　知覚したことと感受したこととの関わり　＜思考・判断・表現＞
イ　要素，用語や記号など，音楽における働きとの関わり　＜知識＞

3. 指導内容（及び題材観）

本題材は，箏の音色や響きと奏法との関わりを理解したり，箏の基礎的な奏法（基本奏法，コロリン，トレモロ，流し爪，ピッツィカートなど）や身体の使い方（姿勢，構え方，爪の当て方など）の技能を身に付けたりしながら，日本古謡「さくらさくら」の表現を創意工夫して，演奏する。

日本音楽らしさを大切にするために，授業の中では「唱歌」を用い，〔共通事項〕の音色（箏の音色，奏法による様々な響き，余韻），リズム（間），旋律（平調子，旋律の流れ，箏の奏法による旋律装飾）などを器楽の指導事項と併せて指導し，生徒が授業の表現活動を通して，自分からこう表現したいという思いや意図をもち，箏や日本音楽のよさを味わって，愛着をもてるような授業を展開したい。

4. 題材の目標

(1)「さくらさくら」の箏の音色や響きと奏法との関わりを理解し，創意工夫を生かした表現で演奏するために必要な奏法や身体の使い方などを身に付けて演奏する。　＜知識・技能＞

(2)「さくらさくら」の音色，リズム，旋律などを知覚・感受しながら，知覚したことと感受したこととの関わりについて考え，箏や日本音楽の特徴を捉えて，どのように器楽表現するかについて思いや意図をもったり，知識・技能を得たり生かしたりしながら，箏の器楽表現を創意工夫する。
＜思考・判断・表現＞

(3) 箏の特徴や「さくらさくら」の音楽の特徴に関心をもち，音楽活動を楽しみながら，主体的・協働的に表現する学習に主体的に取り組む。　＜主体的に学習に取り組む態度＞

5. 題材の評価規準

知識・技能	思考・判断・表現	主体的に学習に取り組む態度
①「さくらさくら」の箏の音色や響きと奏法との関わりを理解している。〔ワークシート〕 ②創意工夫を生かした表現で演奏するために必要な奏法や身体の使い方などを身に付けて演奏している。〔演奏発表〕〔ワークシート〕	①「さくらさくら」の音色，リズム，旋律などを知覚し，それらの働きが生み出す特質や雰囲気を知覚・感受しながら，知覚したことと感受したこととの関わりについて考えている。〔ワークシート〕 ②箏や日本音楽の特徴を捉えて，どのように器楽表現するかについて思いや意図をもったり，知識・技能を得たり生かしたりしながら，箏の器楽表現を創意工夫している。〔ワークシート〕	①箏の特徴や「さくらさくら」の音楽の特徴に関心をもち，音楽活動を楽しみながら，主体的・協働的に表現する学習に取り組もうとしている。〔観察〕〔ワークシート〕

6. 指導観

(1) 題材観　**3. 指導内容**に明記

授業で取り扱うペア学習の中で，低音（伴奏型）と合わせて演奏することは，箏の音色や響きと奏法との関わりを理解するためや表現意図をもつためのものとする。

(2) 生徒観　生徒は，今年度の芸術鑑賞教室において，オーケストラの生演奏を鑑賞している。器楽の授業には興味がある生徒たちのため，鑑賞会後のアンケートにおいても，ギターや和楽器（箏・和太鼓・三味線など）を知ろうという意欲がみられた。12月には，1300年前から日本で表現されてきた雅楽「越天楽」を鑑賞した。日本音楽の特徴やよさを耳から味わった経験を生かして，箏による表現活動を充実させることに期待したい。

(3) 教材観　日本古謡「さくらさくら」　参考教材：宮城道雄「さくら変奏曲」，八橋検校「六段の調」

①「さくらさくら」は，箏に親しみをもたせ，箏の基礎的な奏法を身に付けた上で，曲想を捉えながら，誰でも演奏ができる楽曲である。

②「さくらさくら」は，歌詞の内容から，春の情景や桜の咲く状態をイメージさせて，自分と関わりのある人や生活と自分が住んでいる地域社会とも結び付けることができる。桜に関する写真や資料も豊富にあり，俳句や短歌から先人の捉え方にも触れることもできる。生徒たちが音楽と豊かに関わり，試行錯誤しながら音楽表現の創意工夫をする上でも適切な教材である。

7. 指導計画と評価計画（4時間扱い）

時	本時の目標　学習内容　学習活動	評価規準〔評価方法〕
第1時	箏の特徴に関心をもち,《さくらさくら》を演奏する学習に主体的に取り組もう！ 1　教科書を参照しながら，箏の構造や各部分の名称，背景となる文化や歴史，調絃（平調子）などについて知る。 2　「さくらさくら」を歌い，この曲の旋律や間，雰囲気やイメージについて感じ取ったことを，ワークシート（楽譜）に記入する。 3　箏の楽譜について理解し，基礎的な奏法（基本奏法，コロリン，トレモロ，流し爪など）を身に付けながら，「さくらさくら」の旋律を奏でる。 4　ペア学習で取り組み，箏の唄い手になって唱歌を歌いながら学びあい，曲の終わりでは，余韻を味わいながら奏でる。 5　箏の特徴や「さくらさくら」を奏でて関心をもったことをまとめる。	
第2時	知覚・感受しながら，箏や日本音楽の特徴を捉えた音楽表現を工夫しよう！ 1　「さくらさくら」箏の音色や響き，余韻，間，箏の奏法による旋律装飾などを知覚・感受し，その関わりについて考えながら奏でる。 2　箏の奏法に着目して，箏の音色や響きの変化を味わいながら奏でる。 3　間や雰囲気，余韻など日本音楽らしい曲想を捉えて，表現を工夫する。 4　ペア学習で，どのような音色や旋律の流れで演奏すれば，より日本の音楽らしさを醸し出し，自分のイメージした桜に近づけるのかなどについて，仲間と意見交換しながら試行錯誤をして，箏を演奏する。 5　創意工夫したことや考えたことについて，ワークシートに記入しておく。	思考・判断・表現①〔ワークシート〕 知識①〔ワークシート〕
第3時	箏の音色や響きと奏法との関わりを理解して，音楽表現を工夫しよう！ 1　ペア学習で，低音（伴奏型）をピッツィカート奏法で奏で，本手（旋律）と合わせて演奏する。	

第3時	2　爪をあてる基本奏法による音色とピッツィカート奏法による響きの違いを感じ取りながら，演奏する。 3　箏の音色や響きと奏法との関わりや伴奏型による曲想の違いを理解したうえで，自分のイメージに合う伴奏を選び，曲にふさわしい旋律を創意工夫して奏でる。 4　本手（旋律）と低音の音色や響き，間を考えながら創意工夫して奏でる。 どのように演奏するかについて思いや意図をもとう！ 5　箏の音色や日本音楽の特徴を捉えて，どのように演奏するかについて，創意工夫したことや思いや意図をワークシートに記入して，演奏を追求する。	思考・判断・表現② 〔ワークシート〕
第4時	《さくらさくら》を奏でるための奏法や身体の使い方を身に付けて演奏しよう！ 1　自分の選んだ低音（伴奏型）と創意工夫したことや表現意図を伝えて，「さくらさくら」の演奏発表をする。 2　他の仲間が演奏したよさを聴き，相互評価して，感想を伝え合う。 3「さくらさくら」をクラス全員で，本手（旋律）と先生の奏でる替手（飾りの旋律）と低音（伴奏型）に分かれて，全体の響きやお互いの音色を聴き合いながら，合わせて演奏する。 4　この演奏を通して味わったことをもとにして，もう一度個人で深まりのある演奏を追求し，最後に音楽活動を楽しみながら，箏を奏でる。 5　本題材で学んだこと，身に付いたことなどを振り返り，まとめをする。	技能②〔演奏発表〕 主体的に学習に取り組む態度① 〔ワークシート〕

8. その他・資料（本題材で使用したワークシート）

ワークシート【表現：器楽（箏）】　No. 1　　　20　.　.

箏の音色や響きを味わい、奏法を身に付け、
「さくらさくら」を奏でながら、日本の音楽に親しもう！

1　箏の特徴を知ろう！　主体的に取り組む態度　学び（知識）

2　箏の調絃（我が国の音階 ＿＿＿＿）を知ろう！　学び（知識）

3　『さくらさくら』を唄ってみよう！（歌詞の内容）　学び（知識）

「さくらさくら」
さくら　さくら　やよいのそらは　みわたすかぎり
かすみかくもか　においぞいずる　いざや　いざや　みにゆかん

（桜の花、春の空には、見渡す限り、あたり一面に、霞か雲がたなびいているように　桜の花が咲いて、美しく映えて（照り輝いて、引き立って）います。　さあ、見に行きましょう！）

4　箏を奏でるための身体の使い方（姿勢、構え方、爪のあてかたなど）と基礎的な奏法を身に付けながら、『さくらさくら』を奏でてみよう！　技能

□　基礎的な奏法

構え方・奏でかた　コロリン　トレモロ奏法　流し爪

5　箏の楽譜（縦書きの絃名譜）の見方を知ろう！（右の楽譜参照）　学び（知識）

6　ペア学習で、口唱歌（くちしょうが）も唄いながら、奏でてみよう！　技能

□「七七八」☞「ツンツンテェ～ン」　□「八七六」☞「コロリ～ン」
□「巾ｔｒ」☞「サラサラサラサラ」　□「巾～二」☞「サ～～ラリン」　□「一」☞「シャン」

7『さくらさくら』の曲想を感じ取り、表現の工夫をして演奏しよう！　思考・判断・表現

□『さくらさくら』の旋律をどんなふうに、どこを工夫して、奏でたいのかな？

□どこの奏法に注目して、箏の音色や響きの変化を大切にして、奏でたいのかな？

□《さくら》のどこの部分の間を大切にして、速度の変化をどう工夫するのかな？

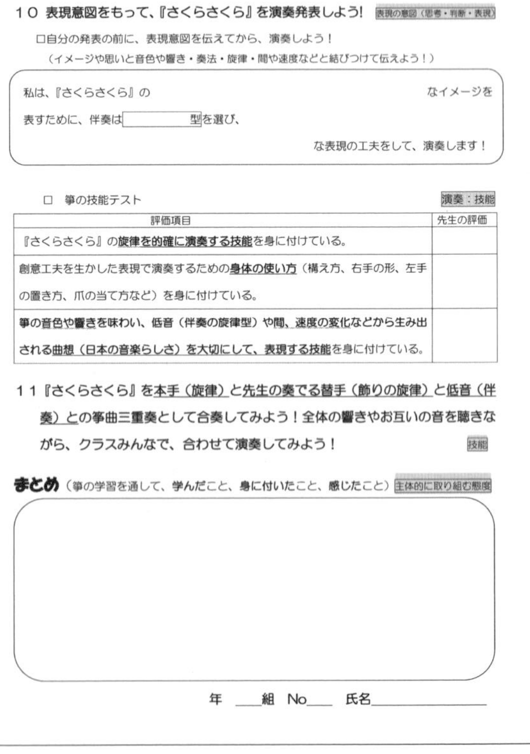

１０ 表現意図をもって、『さくらさくら』を演奏発表しよう!　表現の意図（思考・判断・表現）

□自分の発表の前に、表現意図を伝えてから、演奏しよう！
（イメージや思いと音色や響き・奏法・旋律・間や速度などと結びつけて伝えよう！）

私は、『さくらさくら』の　　　　なイメージを
表すために、伴奏は＿＿＿＿型を選び、
　　　　な表現の工夫をして、演奏します！

□　箏の技能テスト　演奏：技能

評価項目	先生の評価
『さくらさくら』の旋律を的確に演奏する技能を身に付けている。	
創意工夫を生かした表現で演奏するための身体の使い方（構え方、右手の形、左手の置き方、爪の当て方など）を身に付けている。	
箏の音色や響きを味わい、低音（伴奏の旋律型）や間、速度の変化などから生み出される曲想（日本の音楽らしさ）を大切にして、表現する技能を身に付けている。	

１１『さくらさくら』を本手（旋律）と先生の奏でる替手（飾りの旋律）と低音（伴奏）との箏曲三重奏として合奏してみよう！全体の響きやお互いの音を聴きながら、クラスみんなで、合わせて演奏してみよう！　技能

まとめ（箏の学習を通して、学んだこと、身に付いたこと、感じたこと）主体的に取り組む態度

年 ＿＿組　No＿＿　氏名＿＿＿＿＿＿＿＿

ワークシート【表現：器楽（箏）】Ｎｏ．２ 楽譜(絃名譜) 20　．　．

箏の音色や響きを味わい、奏法を身に付け、『さくらさくら』を奏でながら、日本の音楽に親しもう！

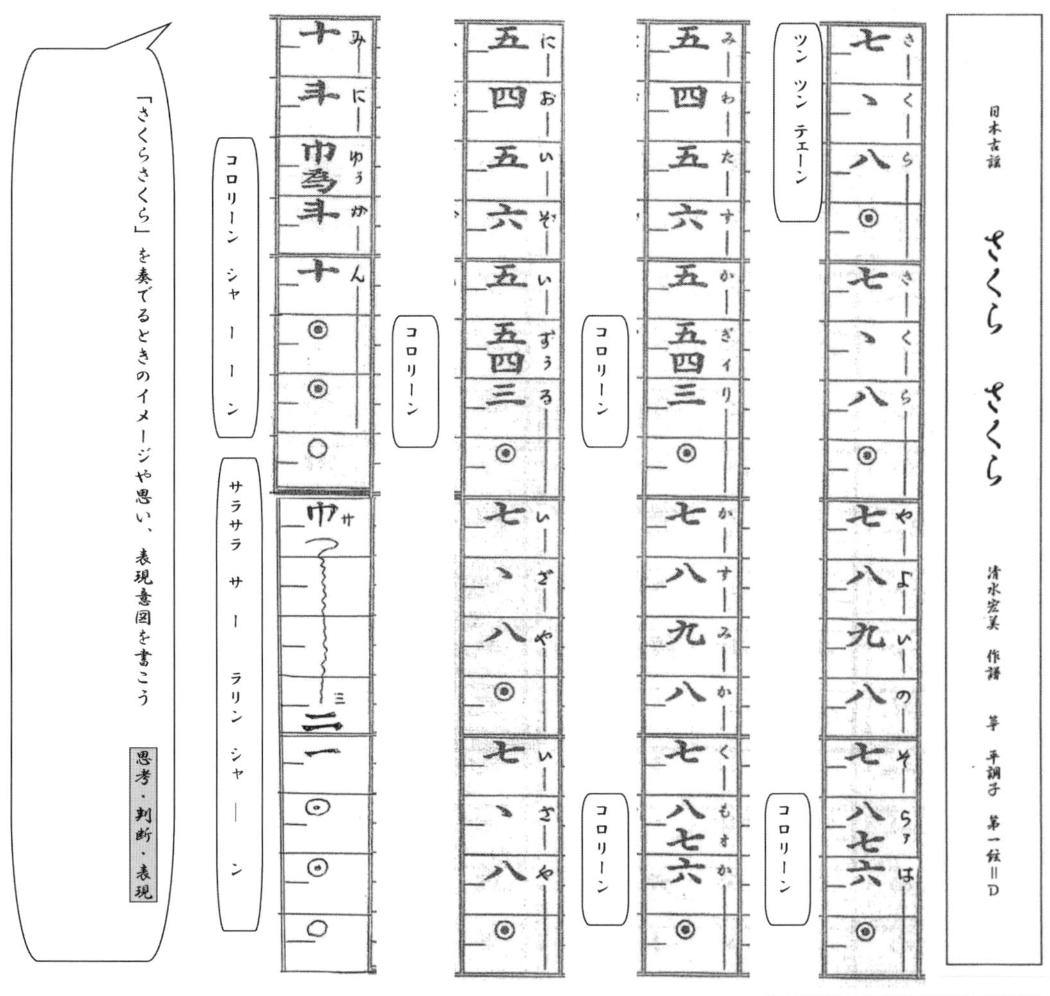

唱歌(しょうが)をいいながら、旋律型の奏法や間のニュアンスなどを、日本の音楽の味わいを、丸ごとつかんで、奏でよう！

楽譜について
◎…二分音符
○…四分休符
ゝ…同じ音を繰り返す

調弦（平調子）	一	二	三	四	五	六	七	八	九	十	斗	為	巾
	ミ	ラ	シ	ド	ミ	ファ	ラ	シ	ド	ミ	ファ	ラ	シ

年＿＿組　No＿＿

氏名＿＿＿＿＿＿＿＿＿＿＿＿

※ワークシート　No.3は省略

（清水宏美）

［鑑賞］　第３学年音楽科学習指導案

1．題材名

「反復と変化の面白さを味わおう」（2時間）

2．題材について

本題材は，「ボレロ」を教材に取り上げ，学習指導要領の指導事項「B鑑賞」ア（ｱ），イ（ｱ）を扱う題材である。「ボレロ」の音色（オーケストラの楽器の音色），リズム（反復する二つのリズム），旋律（反復する二つの主題），テクスチュア（楽器の組み合わせによる響きの変化），強弱（強弱の変化），構成（主題の反復と変化）などを知覚し，それらの働きが生み出す特質や雰囲気を感受しながら，曲想と音楽の構造との関わりを理解し，曲や演奏に対する評価とその根拠について考え，音楽のよさや美しさを味わって聴く。

旋律を口ずさむ，リズム打ちをするなどの表現活動を取り入れたり，グループで課題に取り組む場面を設けたりすることで，生徒が主体的に学習に取り組み，対話によって鑑賞を深められるように工夫した。

3．題材で取り扱う学習指導要領の指導内容（第３学年）

【B鑑賞】　ア　鑑賞に関わる知識を得たり生かしたりしながら，次の（ｱ）について考え，音楽のよさや美しさを味わって聴くこと。

（ｱ）曲や演奏に対する評価とその根拠

イ　次の（ｱ）について理解すること。

（ｱ）曲想と音楽の構造との関わり

4．教材について

ラヴェル作曲。4分の3拍子。小太鼓が譜例1のリズムを繰り返す，様々な楽器が譜例2のリズムを繰り返す，主題Aと主題Bの二つの旋律が楽器の組み合わせを変えながら繰り返される，楽曲全体にわたるクレシェンドがある，などの特徴をもつ。

5．題材の目標

(1)「ボレロ」の曲想と音楽の構造との関わりについて理解する。

(2)「ボレロ」の音色，リズム，旋律，テクスチュア，強弱，構成を知覚し，それらの働きが生み出す特質や雰囲気を感受しながら，知覚したことと感受したこととの関わりについて考えるとともに，曲や演奏に対する評価とその根拠について考え，「ボレロ」のよさや美しさを味わって聴く。

(3) 曲想の変化に関心をもち，音楽活動を楽しみながら主体的・協働的に鑑賞の学習活動に取り組む。

6. 題材の評価規準

知識・技能	思考・判断・表現	主体的に学習に取り組む態度
①「ボレロ」の，曲想と音楽の構造との関わりについて理解している。	①「ボレロ」の音色，リズム，旋律，テクスチュア，強弱，構成を知覚し，それらの働きが生み出す特質や雰囲気を感受しながら，知覚したことと感受したこととの関わりについて考えるとともに，曲や演奏に対する評価とその根拠について考え，「ボレロ」のよさや美しさを味わって聴いている。	① 曲想の変化に関心をもち，音楽活動を楽しみながら主体的・協働的に鑑賞の学習活動に取り組もうとしている。

7. 題材の指導計画（2 時間扱い）

時	○学習内容 ・学習活動	●留意点 《評価規準》（評価方法）
第1時	①「ボレロ」の全体構成を把握する。 ・二つの主題（A，B）と，主題を奏でる楽器に着目して全曲を視聴し，ワークシート（1）①②を記入する。 ・主題Aと主題Bの二つの旋律が楽器の組み合わせを変えながら繰り返されることを確認する。 ②主題Aと主題Bの旋律の動きや楽器の音色を聴き取り，曲想を感じ取る。 ・主題Aと主題Bを口ずさんだり聴いたりして旋律の動きを捉え，主題Aと主題Bを比較して，それぞれの特徴をワークシート（2）に記入し，意見交流する。 ③反復する2種類のリズム（譜例1，2）を聴き取り，曲想を感じ取る。 ・2種類のリズム打ちを練習する。 ・クラスを二つに分けて2種類のリズムを分担し，CDまたはDVDの演奏に合わせてリズム打ちをし，感じたことを述べ合う。 ④作曲者についてや，バレエ音楽であることなどを知る。	●DVDを視聴することで，楽器の名前や奏法などを目で確認しながら聴く。 ●主題Aと主題Bの楽譜を提示する。 ●目や指を使って楽譜を追いながら口ずさみ，旋律の動きと特徴を捉えさせる。 ●出された意見は，その都度音楽を聴いて確認する。 ●2種類のリズムを分担して合わせるので，一つは机を打つ，一つは膝打ちをするなど音色を変える。
第2時	⑤「ボレロ」の曲想と音楽の構造との関わりを理解する。 ・強弱の変化に着目して全曲を視聴し，強弱の変化について意見交流する。 ・全曲にわたるクレシェンドという構成を，音楽（部分）を聴いて確認する。 ・「ボレロ」の中で「反復するもの，変化するもの」「反復と変化の効果や面白さ」について個人で考え，ワークシート（3）①②③に記入する。その後，グループで話し合い，クラス全体で発表し合う。 ⑥曲や演奏に対する評価とその根拠について考え，「ボレロ」のよさや美しさを味わって聴く。 ・全曲を視聴し，「ボレロ」のよさや面白さとその理由について自分の考えをワークシート（4）（批評文）にまとめる。 ・批評文を発表し合い，友達の意見も参考にして，題材の学習のまとめをする。	●グループ活動で友達の意見に触れ，クラスで発表し合うことで，自分の考えを広げたり深めたりすることができるようにする。 ●出された意見は，その都度音楽を聴いて確認する。 《知識・技能－①》（観察，ワークシート） 《思考・判断・表現－①》（観察，ワークシート） 《主体的に学習に取り組む態度－①》（観察，ワークシート）

8. 資料　ワークシートの例

（1）主題Aと主題Bを演奏する楽器や楽曲構成に注目して聴こう。

① 下の表の【　　　　　】に当てはまる楽器の名前を記入しよう。

② 下の表の【ア】【イ】に当てはまる主題（AかB）を記入しよう。

順	主題	楽　　器
1	A	【　　　　　　　　　　】
2	A	クラリネット
3	B	ファゴット
4	B	小クラリネット
5	A	オーボエ
6	A	【　　　　　　　　　　(弱音器つき)】
7	B	テナーサックス
8	B	ソプラノサックス
9	A	ピッコロ、ホルン、チェレスタ
10	A	クラリネット、オーボエ
11	B	【　　　　　　　　　　】
12	B	フルート、ピッコロ、オーボエ、クラリネット、テナーサックス
13	A	フルート、ピッコロ、オーボエ、クラリネット、【　　　　　　　　　　】
14	A	フルート、ピッコロ、オーボエ、クラリネット、テナーサックス、第1ヴァイオリン、第2ヴァイオリン
15	B	フルート、ピッコロ、オーボエ、第1トランペット、第1ヴァイオリン、第2ヴァイオリン
16	B	フルート、ピッコロ、オーボエ、クラリネット、第1トロンボーン、ソプラノサックス、第1ヴァイオリン、第2ヴァイオリン、ヴィオラ、チェロ
17	【ア　】	フルート、ピッコロ、トランペット、サックス、第1ヴァイオリン
18	【イ　】	フルート、ピッコロ、トランペット、第1トロンボーン、サックス、第1ヴァイオリン

注：演奏によって楽器は変わることがあります。

（2）主題A、主題Bを比較し、それぞれの特徴を記入しよう。

〔主題A〕　　　　　　　　〔主題B〕

（3）①「ボレロ」で「反復」するものは何だろう？

②「ボレロ」で「変化」するものは何だろう？

③「反復」と「変化」の効果や面白さは何だろう？

（4）「ボレロ」の、①よさや面白さ、②その理由について、あなたの考えを書こう。

（勝山幸子）

[表現]　高等学校芸術科音楽Ⅰ学習指導案

平成　年　月　日 第　時限
第1学年　組
授業者

1. 題材名　「詩の韻律と旋律の関係を感じ取って歌おう　―ドイツ語による原語演奏―」
教材名　歌曲「野ばら」（作詞：J.W.v.ゲーテ　作曲：F.シューベルト）

2. 題材について

(1) 教材観

本教材は，最もよく知られたドイツ・リートの一つであり，初めてのドイツ語原語演奏に抵抗なく取り組める楽曲であると考え選定した。

これまでイタリア歌曲の原語演奏を通し，「良い発声で歌う」という目標で歌唱指導の授業を展開してきた。原語演奏の第2段階としてドイツ・リートを選定した理由としては，他の言語に比べ発音の規則性が理解しやすいことや，ドイツ・リートの，ドイツ文学（詩的内容や韻律など）と音楽の融合による芸術性を生徒自身の演奏を通して体感させたいと考えたからである。

この詩は，ゲーテがまだ若かりし頃の苦い恋愛体験を，「男の子」と「野に咲く薔薇」というメタファーを用いて書かれており，彼の傑作の一つとして数えられている。シューベルトはこの詩に対し，その韻律を生かした躍動感ある有節歌曲に仕上げた。今回の授業では原語歌詞を用いることで，訳詞では味わえない詩の韻律と楽曲の関係を学び，本教材はもちろんのこと欧米各国の歌曲に対するさらなる理解を深めることをねらいとした。

(2) 生徒観

高等学校芸術科は選択科目であり，音楽選択の生徒は心身ともに活発で，協調性に富んだ生徒が数多く選択してくる。様々な音楽活動を通して表現をすることに意欲的であり，広い分野にわたって興味関心をもって学習することができる。特に歌唱の授業には意欲的に取り組む生徒が多く，前回のイタリア歌曲の原語演奏についても強い理解と関心を示した。ドイツ・リートの原語演奏を通して，その言語と旋律の関係や曲が作られた背景，歌詞の内容の理解といった音楽表現の観点から，声のコントロールや生徒一人一人の演奏解釈といった幅広い内容への発展学習が期待できる。

(3) 指導観

今回の指導に当たっては，特にドイツ語歌詞の抑揚と楽曲中の旋律の関係に着目させ，シューベルトが作曲した「野ばら」特有の躍動感を感じて演奏することをねらいとした。そのためには，原詩特有の「強－弱－強－弱（あるいは揚－抑－揚－抑）」というアクセント体系を理解し，それを音楽表現へとつなげられるような指導が求められる。ウムラウトやドイツ語特有の発音について抵抗なく進められるような指導法を工夫するとともに，日本語のアクセント体系（ピッチ・アクセント）と欧米言語のアクセント体系（ストレス・アクセント）の違いなど，言語と音楽との関連に対する理解・関心につなげたい。
→学習指導要領との関連：〔A表現（1）歌唱 ア，イ（ア），（イ），ウ（ア）〕。

3. 題材の目標

〔知識・技能〕

・旋律の抑揚や強弱，歌詞内容や曲想との関わりを理解し，ドイツ・リートを歌うために必要な発声や発音などの歌唱表現の技能を身に付けて歌う。

〔思考・判断・表現〕

・旋律がもつ抑揚を知覚し，詩の韻律との関係やそれらが生み出す特性を感受しながら，それらを歌唱表現に生かす工夫をする。

〔主体的に学習に取り組む態度〕

・ドイツ語歌詞の抑揚と旋律の関係に関心をもち，ふさわしい音楽表現を工夫して歌う学習に意欲的に取り組む。

4. 題材の評価規準

【観点1】知識・技能	【観点2】思考・判断・表現	【観点3】主体的に学習に取り組む態度
(知識) ドイツ・リートの旋律の抑揚や強弱，歌詞内容や曲想との関わりを理解している。 (技能) 創意工夫を生かした表現で歌うために必要な，発音や発声などの歌唱表現の技能を身に付けて歌っている。	旋律がもつ抑揚を知覚し，詩の韻律との関係やそれらが生み出す特性を感受しながら，それらを歌唱表現に生かす工夫をしている。	①ドイツ語歌詞の抑揚と旋律の関係に着目し，それを歌唱表現に生かす工夫をしている。 ②フェルマータや語末の子音の処理など，外国語歌曲に必要な技術を演奏に取り入れて歌唱表現をしようとしている。

5. 学習指導計画（2時間扱い）

時	◆ねらい	○学習活動
1 (本時)	◆「野ばら」という楽曲について知る ◆ドイツ語の発音について知る ◆「野ばら」の原語演奏と歌詞の理解 ◆ドイツ語の抑揚を音楽表現に生かす	○「野ばら」原語演奏の鑑賞 ○階名唱による音取り ○母音［ö］，［ei］，［eu］の発音練習 ○ドイツ語歌詞の音読 ○ドイツ語歌詞による歌唱練習（1番のみ） ○朗読を通した詩の抑揚の理解 ○歌詞の抑揚と旋律の関係について学ぶ
2	◆前時の学習内容の続き ◆歌詞内容と作詞者についての理解 ◆音楽表現の工夫 ◆作曲者について知る ◆「野ばら」学習のまとめ	○歌詞唱による復習 ○1番から3番までの歌詞内容の朗読と理解 ○詩が作られた背景を知り，ドイツ文学やゲーテについて理解を深める ○前時の内容と関連した歌詞内容を含んだ表現方法の検討（1番～3番） ○シューベルトの生涯や音楽史上の位置付けについて学ぶ ○これまでの学習内容をふまえて，歌唱表現を工夫して歌う ○有節歌曲，リート形式の理解などの関連学習を含む

6. 本時の目標

ドイツ語歌詞の抑揚を生かした歌唱表現を工夫して，「野ばら」の原語演奏に取り組む。

7. 本時の展開

○学習活動　・生徒の行動	○指導内容　・指導上の留意点	評価規準
○ウムラウトを含んだ発声練習 ・[ö]は初めて発音する母音なので，戸惑う生徒が多いことが予想される。	○下記のパターンによる発声練習 a e i e a o u o a a e ö e a o ö o a ① [a]-[e]-[i]-[e]-[a]-[o]-[u]-[o]-[a] ② [a]-[e]-[ö]-[e]-[a]-[o]-[ö]-[o]-[a] ・普段歌っている母音（エ，オ）から[ö]の発音を導く →[e]または[ɛ]の円唇母音であることを理解させる。	
○「野ばら」の旋律を歌う。	○「野ばら」原語演奏ＣＤの鑑賞 ・歌詞の抑揚を理解しやすい演奏を選ぶ。 ○階名唱による音取り ・6小節目のa'（A♮）音は2小節目との混同で低くなりやすいので，必要に応じ伴奏の和音を示し，より確実なものとする。 ・この段階ではフェルマータなどのアゴーギクはつけず，旋律の理解に集中させる。	
○ドイツ語歌詞の音読（1番のみ）	○母音［ö］，［ei］，［eu］の発音を確認する。 ・歌唱の際に［ö］が日本語の「ウ」や「エ」にならないよう，音声だけでなく口の形にも注意を向ける。 ○単語ごとに復唱させ，慣れてきたらフレーズごとに発音できるようにする。	
○ドイツ語歌詞唱（1番のみ） ・範唱を聴いて歌う。 ・ガイドメロディーを聴いて歌う。 ・ピアノ伴奏のみで歌う。	○フレーズごとに範唱をし，生徒に復唱をさせる。 ・少しずつアゴーギクを取り入れていく。特にフェルマータの後の子音の処理やブレスの取り方について適宜説明を加える。 ○ドイツ語の定着具合を見て，最終的にはピアノ伴奏のみでも歌えるように導く。	
○旋律と詩の関係についての理解 ・詩の抑揚を理解する。 ・旋律の動きと詩の抑揚が一致していることを理解する。 ・範唱に基づいて詩の抑揚を生かした音楽表現を工夫する。	○詩のみを朗読し，その際にドイツ語の抑揚を手の動きなどで視覚的に分かりやすく示す（揚拍:手を上に向ける，抑拍：手を下に向ける）。 ○「野ばら」を範唱し，詩の抑揚との一致を示す。 ○抑揚が歌い方に反映されるよう導く。 ・単に音量の大小だけではなく，旋律の躍動感につながるような気付きを与える。	【観点2】
○本時のまとめ ・ＣＤの鑑賞を通して原語の抑揚と旋律の関係を再確認する。 ・1番のみを通して歌い，本時の学習内容を確認する。	○授業の冒頭に用いたＣＤをもう一度聴き，旋律と歌詞の関係をあらためて確認させる。 ○本時に学習した「野ばら」のドイツ語唱，抑揚などをふまえた歌い方ができているか確認する。	

（田中正雄）

[表現と鑑賞の関連]　高等学校芸術科音楽Ⅱ学習指導案

1. 題材名

Jazz! Jazz!! Jazz!!!

2. 題材について

(1) 題材観

本題材は,「音楽Ⅰ」における創作や鑑賞の学習を基礎として,創作や鑑賞に関わる知識を深く理解し,個性豊かに創作表現を創意工夫したり楽曲を深く味わって聴いたりすることを目標としている。

本題材で扱うジャズについては,日常生活の中で耳にした経験から,多くの生徒はそれぞれに雰囲気やイメージを捉えていると考えるが,それらと音楽の構造や構成上の特徴との関わりについて理解している生徒は多くはないと考える。そこで,ジャズの雰囲気やイメージを音楽の構造や構成上の特徴とを関連させて理解し,それらを生かし「音楽を形づくっている要素」の働きを変化させ,よりジャズらしい旋律へと変奏することや,その経験を生かして楽曲を鑑賞する題材を設定した。

(2) 題材の目標

○ブルー・ノート・スケールやスウィングのリズムに関心をもち,その働きを生かして楽曲を変奏したり,曲想や表現上の効果と音楽の構造との関わりを理解して味わって聴いたりする。

(3) 本題材で扱う学習指導要領の事項

学習指導要領「音楽Ⅱ」の内容から

○「A表現」(3)「創作」より

ア　創作表現に関わる知識や技能を得たり生かしたりしながら,個性豊かに創作表現を創意工夫すること。

イ　音素材,音を連ねたり重ねたりしたときの響き,音階や音型などの特徴及び構成上の特徴について,表したいイメージと関わらせて理解を深めること。

ウ　(ウ) 音楽を形づくっている要素の働きを変化させ,変奏や編曲をする技能

○「B鑑賞」(1) 鑑賞より

ア　(ア) 曲や演奏に対する評価とその根拠

イ　(ア) 曲想や表現上の効果と音楽の構造との関わり

○〔共通事項〕

本題材において思考・判断のよりどころとなる主な音楽を形づくっている要素は「リズム,旋律,形式」である。

(4) 教材

C Jam Blues(D.エリントン作曲)

When The Saints Go Marching In「聖者の行進」(スピリチュアル)

3. 題材の評価規準

知識・技能	思考・判断・表現	主体的に学習に取り組む態度
知 ①音階や音型などの特徴及び構成上の特徴について理解している。 ②曲想や表現上の効果と音楽の構造との関わりについて理解している。 技 創意工夫を生かし，音楽を形づくっている要素の働きを変化させ，変奏する技能を身に付け，創作で表している。	思 リズム，旋律，形式を知覚し，それらの働きが生み出す特質や雰囲気を感受しながら，知覚したことと感受したこととの関わりについて考えるとともに， ①個性豊かな創作表現としてどのように表すかについて思いや意図をもっている。 ②曲や演奏に対する評価とその根拠について考え，よさや美しさを味わって聴いている。	態 ジャズに関心をもち，音や音楽，音楽文化と豊かに関わり主体的・協働的に創作と鑑賞の学習活動に取り組もうとしている。

4. 指導方針

本題材において思考・判断の拠りどころとなる主な音楽を形づくっている要素は，ジャム・セッションにおけるコール・アンド・レスポンスの「形式」，スウィングの「リズム」，そしてブルー・ノートを用いた「旋律」である。これらの要素の働きに生徒が気付き，要素を変化させたり，要素を生かしたりして変奏していく。

その気付きの場面では，比較聴取と感受した内容を共有する場の設定を中心にして，音や音楽の構造と生徒の思考・判断とが往還するようスモールステップの学習過程（第2～4時）をとることとする。このことで，「音楽を形づくっている要素」の働きを変化させる必要感を感じ，イメージを膨らませて個性豊かに創意工夫させたい。

5. 指導と評価の計画（全5時間計画）

次	時間	学習内容と主な学習活動	知・技	思	態
			【 】内は評価方法		
1次	1	ジャズの特質や雰囲気を感じ取り，題材の学習全体について関心をもつ。			
		1-1 限られた音で表現できる身近な音や音楽について考える。また，少ない音でもジャズらしい演奏になることを知る。 1-2 「C Jam Blues」を聴取したりリコーダーで演奏したりし，ジャズの雰囲気や特質を味わうとともに，「C Jam Blues」が2音による旋律からできていることに気付く。 1-3 「聖者の行進」の旋律をリコーダーで練習し，演奏する。			
2次	2	形式，リズム，旋律の働きやその変化に気付き，「聖者の行進」をよりジャズらしく演奏できるよう，試行錯誤しながら変奏していく。			
		2-1 形式の異なる二つの「聖者の行進」の演奏を聴き，それらを比較しながらそれぞれの音楽的な特徴をまとめ，どちらの演奏がよりジャズらしい演奏かを考える。〈WS1〉 2-2 〈WS1〉の内容をクラス全体で共有し，着目したものがコール・アンド・レスポンスという形式であることを理解する。 2-3 レスポンスの声部を練習し，旋律と合わせて演奏する。 2-4 コール・アンド・レスポンスの形式の「Oh, Happy Day」を試聴し，その働きが生み出す特質や雰囲気を感じ取る。	↓		

	3	3-1 「聖者の行進」を演奏し，ジャズの要素として不足しているものについて，自分なりの考えをもつ。また，それをクラス全体で共有する。 3-2 リズムの異なる二つの「聖者の行進」の演奏を聴き，それらを比較しながらそれぞれの音楽的な特徴をまとめ，どちらの演奏がよりジャズらしい演奏かを考える。〈WS2〉 3-3 3-2で考えたことをクラス全体で共有し，スウィングのリズムについて理解する。 3-4 スウィングのリズムを生かして，「聖者の行進」の変奏をする。	↓		
	4	4-1 3-1を振り返った後，異なる音階に基づいた二つの「聖者の行進」の演奏を聴き，それらを比較しながらそれぞれの音楽的な特徴をまとめ，どちらの演奏がよりジャズらしい演奏かを考える。〈WS3〉 4-2 4-1で考えたことをクラス全体で共有し，ブルー・ノート・スケールについて理解する。 4-3 ブルー・ノート・スケールの音を用いて，「聖者の行進」の旋律をよりジャズらしく変奏し，「聖者の行進」の変奏を完成させる。〈WS4〉	知① 【WS】 【観察】 技 【WS】 【観察】	思① 【WS】	
3次	5	これまでの学習を振り返り，音楽を形づくっている要素を意識して演奏したり，鑑賞したりする。また，様々な奏者による「聖者の行進」を鑑賞し，それらを比較しながら自分にとってどのような価値があるかを考える。			
		5-1 コール・アンド・レスポンスの形式をとり，列ごとに5人で変奏を発表する。 5-2 様々な奏者による「聖者の行進」の演奏を聴き，自分にとっての楽曲や演奏の価値を考える。	知② 【WS】	思② 【WS】	態 【観察】

6. 本時の展開（第4時間目）

(1) 本時の目標

○「聖者の行進」をよりジャズらしく表現するため，ジャズの旋律が基づくブルー・ノート・スケールを知覚し，その働きを感受し，表現したい音楽をイメージして個性豊かに創作表現を創意工夫する。

(2) 展開

	主な学習活動	◇支援及び指導上の留意点 ■評価規準と【評価方法】
導入10分	①前時の内容を全体で振り返り，隣同士のペアでそれぞれの変奏（コール・アンド・レスポンスの形式とスウィングのリズムを取り入れたもの）を演奏し，聴き合う。 ②①の内容をもとに本日の学習目標に向かう問いについて，自分なりの考えをもち，それをクラス全体で共有する。	◇本時の学習につながるよう，ジャズらしさを感じられるかどうかを視点に互いの演奏を聴き，その内容を交流させる。
	さらにジャズらしい「聖者の行進」にするために，どの要素の働きをどう変化させたらいいのだろう？	

展開①15分	③異なる音階に基づいた2種類の「聖者の行進」の演奏（演奏1，演奏2）を聴き，それらを比較しながらそれぞれの音楽的な特徴をまとめる。また，どちらの演奏がよりジャズらしい演奏かを考える。〈WS3〉 ④③でまとめた音楽的な特徴をクラス全体で共有した後，教師の説明を聞きブルー・ノート・スケールについて理解する。	◇演奏1は長音階，演奏2はブルー・ノート・スケールによる「聖者の行進」とする。 ◇必要に応じて，再度，2種類の演奏を聴き，ブルー・ノート・スケールが生み出す音楽の特質を感じ取る。 ■知①【WS】【観察】
展開②20分	⑤ブルー・ノート・スケールを用い，「聖者の行進」の旋律をよりジャズらしく変奏したり，それをペアで聴き合って互いの助言をもとに修正したりする。〈WS4〉	◇他者の作品を聴き合ったり，生徒の作品を書画カメラとプロジェクタにより提示したりして，学び合いや共有を図り，音楽表現の創意工夫を促す。 ■技【WS】【観察】 ■思①【WS】
まとめ5分	⑥生徒を数名指名し，それぞれが変奏した旋律を演奏表現し，工夫した点などについてクラス全体で共有する。 ⑦変奏した旋律を生徒それぞれが演奏し，⑥で共有したことと併せて次時の活動への見通しをもつ。	

演奏１（長音階）

演奏２（ブルー・ノート・スケール）

（島田 聡）

4 | 音楽教育の歩み(略史)

[明　治]

(1) 学制と唱歌

明治維新における政府の重要な政策のひとつは，教育を普及し，先進諸国の文化を吸収して早急に我が国の近代化を図ることであった。そのため明治4年に文部省を設置すると，学制取調掛を任命し，その答申を得て翌5年8月（陰暦）「**学制**」を制定した。

学制では下等小学（6～9歳）の「唱歌」，下等中学（14～16歳）の「奏楽」の科目が，「当分之ヲ欠ク」とされた。

(2) 唱歌教育の試行

後に唱歌実施の先達となった**伊沢修二**（いさわ）（1851～1917）は，明治7年愛知師範学校長に任命され，そこで幼児に唱歌遊戯を試みた。また明治10年から東京女子師範学校附属幼稚園では，唱歌を用いた保育が行われた。その**保育唱歌**（例「風車」）は，宮内省式部寮雅楽課に依頼して作られた。

(3) 音楽取調掛の設置

明治8年，伊沢修二は師範学科取調のためアメリカへ派遣されたが，11年，留学生監督官目賀田種太郎と連名で，「学校唱歌ニ用フベキ音楽取調ノ事業ニ着手スベキ見込書」を文部大輔（たゆう）に提出，さらに目賀田は個人でも見込書を提出した。これらのことがあって文部省は明治12年，**音楽取調掛**を設置し，伊沢を御用掛(後に掛長)に任命した。

伊沢が文部卿に提出した見込書には，「東西二洋ノ音楽ヲ折衷シテ新曲ヲ作ル事」「将来国楽ヲ興スベキ人物ヲ養成スル事」「諸学校ニ音楽ヲ実施スル事」が述べられている。

翌13年にはボストンの音楽教育家メーソン（L.W.Mason）が招聘され，東京師範学校，同女子師範学校で唱歌を教えた。またその助力を得て，取調掛では伝習生の教育，**『小学唱歌集』**，**『唱歌掛図』**の編集などを推進した。

『小学唱歌集』は明治15年から17年にかけて3冊が発行された。これらの曲の大部分は，外国の曲に日本語の歌詞を付けたもので,「蝶々」,「蛍（蛍の光）」,「菊（庭の千草）」など，現在でも歌われているものがある。

取調掛はこの他に音楽書の出版，楽器の試作や改良，俗楽の改良，**『箏曲集』**の編集，**『幼稚園唱歌集』**の出版なども行ったが，明治20年，**東京音楽学校**となった。

(4) 唱歌の位置と目標

明治14年の「小学校教則綱領」で，小学初等科の唱歌は,「教授法等ノ整フヲ待テ」設けるとしたが，初等科・中等科・高等科とも，唱歌を含めて学科の増減が可能であった。唱歌の目標は「…凡（およそ）唱歌ヲ授クルニハ児童ノ胸郭ヲ開暢シテ其健康ヲ補益シ心情ヲ感動シテ其美徳ヲ涵養センコトヲ要ス」と示した。

その後音楽取調掛が唱歌集を出し，また卒業生が出るようになって，唱歌は徐々に広まっていった。しかし明治19年・23年の「小学校令」，33年における改正においても，唱歌は加えてもよい学科，あるいは欠いてもよい学科といった扱いであった。

唱歌の目標は，33年の「小学校令施行規則」についていえば,「唱歌ハ平易ナル歌曲ヲ唱フコトヲ得シメ兼テ美感ヲ養ヒ徳性ノ涵養ニ資スルヲ以テ要旨トス」と示した。

(5) 儀式唱歌の制定

明治22年の「大日本帝国憲法」の発布により，天皇制国家主義体制の基礎が固まり，さらに23年の「**教育ニ関スル勅語**」によって，教育の向かうべき方向が示された。

文部省は翌24年「小学校祝日大祭日儀式規定」の中で，祝祭日に相応する唱歌を合唱することを定めた。これにより，審査委員が任命され，26年8月「祝日大祭日歌詞並楽譜」として，「君が代」「勅語奉答」「一月一日」「元始祭」「紀元節」「神嘗祭（かんなめさい）」「天長節」「新嘗祭（にいなめさい）」を告示した。これらの中の式日唱歌は太平洋戦争終結まで歌われ，イデオロギーの形成に役割の一端を担った。

(6) 唱歌教材の多様化と言文一致唱歌

明治19年の小学校令で，教科書は文部大臣の検定したものに限ると定め，**教科書検定制度**ができた。27年に日清戦争が始まり，その前後には**軍歌**（例「勇敢なる水兵」）が大流行した。これらも多くは文部省検定済であった。

明治20年代，30年代には伊沢修二編『小学唱歌』をはじめ，多くの検定教科書が出現した。題材も様々な教科と関連を図り，修身，国語，地理，歴史などの唱歌が現れ（例「金剛石」「川中島」「鉄道唱歌」），唱歌は新しい役割を担うようになった。

明治33年から出た納所弁次郎・田村虎蔵編『幼年唱歌』，それに続く『少年唱歌』の中には**言文一致**（げんぶんいっち）（口語体）の唱歌が出現した。これは唱歌の革命ともいえるもので，保守派からの批判もあったが広く愛唱された。**滝廉太郎**も，『幼稚園唱歌』の中の言文一致唱歌を作曲している。（例「お正月」「鳩ぽっぽ」）

(7) 国定教科書と文部省唱歌

かねてから，教科書採択をめぐる贈収賄が問題になっていたが，明治35年12月，教科書疑獄事件が起こり，それを機に小学校では国定教科書が生まれた。唱歌は国定にならなかったが，40年に小学校令が改正されたこともあり，文部省は43年に『**尋常小学読本**（とくほん）**唱歌**』を，44年から大正3年までに読本唱歌を吸収した学年別の，『**尋常小学唱歌**』6冊を発行した。

この中には，現在でも小学校の歌唱共通教材として取り扱われ，日本人ならだれもが知っている「春がきた」「もみじ」「ふるさと」（いずれも文部省唱歌／高野辰之作詞／岡野貞一作曲）などの名歌が数多く含まれている。

『尋常小学唱歌』の作成に当たった東京音楽学校関係者は，全国の師範学校にアンケート調査をした上で編集方針を立て，教科統合的な題材構成，言文一致体の一部採用などの従来の流れを継承する一方，記譜に関しては従来の本譜数字譜併記形態を改め，第1学年から本譜一本に統一した。

年 代	事 項
1871（明4）	● 文部省設置。
72（明5）	● 学制公布。 下等小学　唱歌…当分之ヲ欠ク 下等中学　奏楽…当分之ヲ欠ク
74（明7）	● 伊沢修二を愛知師範学校長に任命。伊沢，唱歌遊戯を試みる。
77（明10）	● 東京女子師範学校附属幼稚園で唱歌による保育。
78（明11）	● 目賀田種太郎・伊沢修二，米国より文部省へ音楽取調事業の着手につき上申書。
79（明12）	● 文部省音楽取調掛設置（御用掛伊沢修二）。
80（明13）	● ボストンよりメーソンを招聘。
82（明15）	●『小学唱歌集』初篇発行（16年，第二篇。17年，第三篇）『唱歌掛図』初篇・続篇発行。
87（明20）	● 音楽取調掛は東京音楽学校となる。『幼稚園唱歌集』発行。
93（明26）	● 祝日大祭日儀式用唱歌選定。「君が代」「勅語奉答」など8曲
94（明27）	● 日清戦争をはさんで軍歌盛ん。
1900（明33）	● 言文一致唱歌の出現。納所弁次郎・田村虎蔵編『幼年唱歌』。
1（明34）	● 東京音楽学校編『中学唱歌』に滝廉太郎の「荒城の月」「箱根八里」が載る。
2（明35）	● 教科書疑獄事件発生。国定教科書発行の要因となる。
7（明40）	● 小学校令改正，尋常小学校6か年が義務教育となる。
10（明43）	●『尋常小学読本唱歌』発行。
11（明44）	● 大正3年までに『尋常小学唱歌』6冊（読本唱歌を吸収）発行。
18（大7）	● 鈴木三重吉『赤い鳥』発刊。翌年『赤い鳥童謡』発行。童謡運動の口火となる。
20（大9）	● 福井直秋，児童発声研究会開催。同じ頃に草川宣雄，頭声発声を提唱。
22（大11）	● 日本教育音楽協会設立（理事長小山作之助）。翌12年『教育音楽』創刊。

［大　正］

(8) 芸術教育思潮の紹介と影響

明治の後期から大正にかけて，欧米の新しい思想や教育思潮が，我が国に伝えられた。

大正3年頃，ドイツで起こった**芸術教育思潮**が小西重直によって紹介されたのもそのひとつである。それは，すべての児童や青年を芸術的に陶冶しようとするもので，音楽では鑑賞教育や創作教育が主張された。

その頃から青柳善吾が音楽の**鑑賞教育**を提唱し，大正期の後半においてはレコードによる鑑賞教育が試みられた。また創作は，「自由画」に倣ってか「**自由作曲**」が提唱され，10年頃から試みられた。これは唱歌教育から音楽教育へ脱皮する兆しであった。

(9) 童謡運動

大正7年，鈴木三重吉が児童雑誌『**赤い鳥**』を発刊した。その中の西条八十の詩「かなりや」に成田為三が作曲したものが大ヒットし，童謡運動に火をつけた。「**童謡**」は「童話」に対する言葉として用いられたが，この運動の中心であった北原白秋は，子どもの歌の基本をわらべうたに置き，明治以来の西洋的，教化的唱歌教育に批判的であった。

「赤い鳥」に刺激されて「金の船」（**金の星**に改題）が創刊，野口雨情を中心にして多くの童謡を生んだ。（例「十五夜お月さん」「七つの子」「証々寺の狸囃子」「あの町この町」）

［昭　和］

(10) 文部省音楽教科書の改訂

大正童謡は子どもの心情に合い，広く歌われたが，検定を受けたものは10曲ほどで（例「靴が鳴る」「背くらべ」「夕焼小焼」），正式な学校教材に用いられる曲は少数であり，唱歌教材の主流は『尋常小学唱歌』であった。

その改訂版『**新訂尋常小学唱歌**』が昭和7年に発行された（新教材の例「牧場の朝」「スキーの歌」）。また昭和5年に発行された『高等小学唱歌』の改訂版『**新訂高等小学唱歌**』が10年に発行された。

(11) 軍国主義と国民学校の音楽

昭和6年，我が国の関東軍は満州（中国）の，奉天（現瀋陽）近くで南満州鉄道の線路を爆破した。そして，これを中国側のしわざとして軍事行動を起こし（満州事変），それが十五年戦争の発火点となった。12年には日華事変が勃発，戦火は次第に中国大陸に広がり長期化した。

文部省は12年に「教育審議会」を設置し，審議会は教学刷新の大々的な改革案を答申した。基本方針は，皇国の道にのっとった国民の錬成であった。

昭和16年，小学校は国民学校と改称，唱歌は「**芸能科音楽**」と変わった。その目標は，「芸能科音楽ハ歌曲ヲ正シク歌唱シ音楽ヲ鑑賞スルノ能力ヲ養ヒ国民的情操ヲ醇化スルモノトス」と示した。

教科書は国定となり，時局を反映した多くの新作教材が掲載された（例「戦友」「特別攻撃隊」「満州のひろ野」）。また，唱歌の他に鑑賞が加わり，器楽指導をしてもよいことになった。

(12) 戦後の教育改革と音楽教育

昭和20年8月の終戦により，以後，連合国軍の占領下において，民主主義に基づく教育改革が進められた。21年の「日本国憲法」に次いで，22年には「教育基本法」や「学校教育法」が公布され，6・3・3・4制の小・中学校がまず発足した。この年文部省は小・中学校の音楽教科書を発行したが，以前のような国定ではなく，検定教科書へ移行していった。

昭和22年にはまた占領軍（担当は民間情報教育局=CIE）の指示によって，『**学習指導要領**』（試案）が作成・発行された。

音楽は歌唱・器楽・鑑賞・創作の4領域となり，音楽教育の目標を「音楽美の理解，感得によって高い美的情操と豊かな人間性を養う」と定めた。

学習指導要領はその後右の年表のように改訂され，今日に及んでいるが，講和条約が発効してから初めての昭和33年の学習指導要領からは，官報に告示されるようになり，国家的基準としての性格をもつようになった。

(13) 音楽教育の発展

戦後の音楽教育は，各領域とも指導内容・指導法が研究され，戦前の教育とは面目を一新した。その間，30年代にはカール・オルフやコダーイの教育法が紹介されたり，我が国でも民間教育団体が，わらべうたから出発する教育を提唱したりした。

昭和38年に開催された国際音楽教育会議は，音楽教育国際化の口火を切るものであった。

40年代には，小・中・高・大の全国組織を一本化した，「全日本音楽教育研究会」が発足，部会大会と合同の全国大会が交互に開催されている。

昭和50年代には，中央教育審議会が「生涯教育について」答申を行い，社会の変化に対応できる学習社会を提唱し，学校教育も従来の詰め込み方式の教育から，ゆとりある児童・生徒の側に立つ教育へと転換が図られた。

[平　成]

平成に入ってからは，〈自己教育力〉〈国際理解〉〈生涯学習〉などをキーワードとして改革が進められ，音楽教育においては「創造的音楽学習」「世界の諸民族の音楽」の学習などが導入された。

平成18年には，教育基本法が59年ぶりに改正され，伝統と文化の尊重などが盛り込まれたのを受けて，音楽教育でも「我が国や郷土の音楽」「音楽文化」への理解が，より重視されるようになる。

今日の学校音楽教育では，「生きる力」を育むために，三つの柱で整理された資質・能力の着実な育成を目指して，〔共通事項〕の指導内容の改善，言語活動の充実などの課題に応えることが求められている。

（文責：編者）

年	事項
1930（昭5）	● 文部省『高等小学唱歌』を発行。
32（昭7）	● 文部省『新訂尋常小学唱歌』（1～6）を発行。
35（昭10）	● 文部省『新訂高等小学唱歌』を発行。
41（昭16）	● 国民学校令公布。唱歌は芸能科音楽となる。音楽教科書は国定となり，イロハ音名唱法を採用。
45（昭20）	● 終戦，21年暫定教科書を発行。
47（昭22）	● 教育基本法公布，新制小・中学校音楽教科書を発行。学習領域が歌唱・器楽・鑑賞・創作となる。
51（昭26）	● 第2次学習指導要領発行。
56（昭31）	● 全国音楽教育連合会の結成。
58（昭33）	● 第3次学習指導要領（小・中）を告示。共通教材の提示。
62（昭37）	● カール・オルフ来日，東京など6か所で講演と指導。
63（昭38）	● 第5回国際音楽教育会議（ISME）を東京で開催。
68（昭43）	● 第4次学習指導要領告示。中学校は44年。基礎の重視。
69（昭44）	● 全日本音楽教育研究会発足（会長福井直弘）。
77（昭52）	● 第5次学習指導要領（小・中）告示。領域の統合，内容の精選。
89（平元）	● 第6次学習指導要領（小・中）告示。豊かな感性，個性的・創造的な学習活動。
98（平10）	● 第7次学習指導要領（小・中）告示。愛好する心情，内容の厳選，小学校歌唱を除く共通教材曲目指定の廃止。
2006（平18）	● 教育基本法改正。
08（平20）	● 第8次学習指導要領（小・中）告示。中学校目標で「音楽文化についての理解」を導入し，歌唱共通教材7曲を復活させた。
17（平29）	● 第9次学習指導要領（小・中）告示。生活や社会の中の音や音楽と豊かに関わる資質・能力，音楽的な見方・考え方。

5 | 教育実習

▶ 自覚，不安，期待

学生であって教師。現在の身分は学生である。実習に行った学校現場では教師である。この両面を意識し，現場に対する尊敬と真摯に学ぶ気持ちを常に自覚するべきであろう。

「自分のことを生徒たちは受け入れてくれるのだろうか」「上手く伝えることができるのだろうか」，不安が渦巻き様々な思いが駆け巡っていることであろう。答えは簡単です。心から生徒を信じ，誠心誠意働きかけるのです。小細工は不要である。姑息な手段はすぐに見破られる。

実習が終わる頃には感謝の気持ちと感慨に胸を震わせているだろう。中身の濃い充実した期間を経験し，忘れがたい思いに感激するだろう。現場の先生方は優秀な後輩の存在を期待している。

▶ 準備

実習前に年間指導計画に沿った題材があらかじめ示される。自分にとって苦手な分野かもしれない。現場ではカリキュラムに沿って授業が行われている。得意な分野のみの展開は偶然でしかない。設定された題材に関する情報を可能な限り収集し，かつ題材に強い興味をもち，**共感**することが重要である。収集した資料が一見不必要に思われても必ず生きてくる。枝葉と思える知識が授業を行う上で大きな心の支えとなる。教えるときの余裕ともいえる。

次に，一つのことを伝えるために**複数の方法**を準備しておくことも必要である。思惑通りに授業が進む場合のほうがむしろ少ないものである。一つの方法のみの準備では，思いがけない展開になった場合の対処に戸惑うことが多々ある。

授業の中心点，伝えたいところを明確にしておくことが重要である。豊富な専門知識があるので，“あれも，これも”伝えたいと思うのは理解できるが，結果的には焦点がぼけてしまい何も残らず散漫な印象しか残らない，といった状況が多々見られる。**適切な目標設定**を心がけたい。

授業が成功するか否かの鍵は，この準備段階で決まるといってよい。

▶ 導入

授業の最初の導入部分は重要である。教室に入る，全体を見渡す，挨拶をする，出欠をとる，第一声を発するなど，様々なことが短時間で行われる。この数分間は後々の授業の展開に大きく影響をもたらすだけでなく，おおげさでなく，1年間の授業の成果に大きな影響が出る。そしてこの導入の方法が担当するクラス全部に利用できるとは限らない。同じ話題でも表現の仕方，表情や態度で伝わり方は変わってくるものである。導入部分で大切なことは生徒の状態を把握することである。そして，今から“音楽の授業が始まる”という楽しくかつ芸術的な雰囲気を醸し出してほしいものである。

▶ 教材に入る

授業の中心となる部分である。「準備」の項で述べたが，内容を絞って明確な目標を設定する。余裕のある時間配分を心がけることに留意すること。**厳選された内容**は生徒にとって分かりやすく，教師も到達点の把握が容易になる。

授業を進める中でちょっとしたヒントを示したいと思う。生徒の状況を把握するために，**机間巡視**をぜひ試みてほしい。机間巡視を実施すると，個々の生徒が見えてくる。思いもかけない場面で戸惑っている生徒が発見できる。教師がそばにいることで，生徒は気軽に質問できる。ときには集中できていない生徒の直接指導も可能となる。授業に慣れていない実習生にとって，ピアノの前にいることは安心感につながり，そこを離れることは恐怖感に近い感情を覚えるようである。できる限り，ピアノの前から離れてみよう。

板書も有効活用したい。重要な項目やキーポイントになる言葉を適宜板書し，生徒の注意を喚起する。板書された項目を書き写すという行為は記憶中枢を刺激し，記憶を確実なものにする手段となる。また，漠然と考えていた物事を整理する過程としても有効である。

授業は，時間ごとに完成を心がけること。時間が余ったり不足したりするが，その時間としての成果を示す必要がある。この1時間に行われた授業の目的と成果が目に見えることは，次回の展開を左右すると考える。

▶ まとめと次時予告

授業の最後にはその時間のまとめが必要である。全曲を通したり，生徒が感じたことを話し合ったり，教師の感想や批評などを的確に話すなどまとめが必要である。授業の成果や内容の確認など，その成果を共有することも必要と思われる。

最後に**次時予告**をする。これは計画的に授業が行われているから可能であり，次時予告をすることにより，生徒の計画的で自主的な学習を促す役割を果たすものとなるのである。

▶ 実習の心構え

教育実習は，皆さんにとって初めての学校現場の体験である。母校に遊びに行くのではありません。学校で行われている大切なカリキュラムの一部を担当するのである。真面目に，そして真剣に誠心誠意取り組んでほしいと思う。

実習を実施するに当たり，学校現場から見ると年間計画の一部を見直したりする必要が出てきます。教育実習の実施は現場教師の大きな負担になる。余分な仕事ともいえる，しかし，先生方をはじめ学校は実習の実施に協力を惜しまない。

生気に満ち溢れ，多くの可能性のある若い先生の卵を大事に育てたいとの熱望からである。そんな先生方の期待に添うように努力するのは当然であり，いい加減な気持ちで現場に立つことは絶対に控えて欲しいと思う。教えを乞うという**真摯な態度**で臨んでほしいと思う。

▶ 生徒は生きている

授業を行えば分かるが，教える側の教師の思惑通りに進むことは稀である。生徒の反応は予想の域をはるかに超えているのが普通である。冷静に考えれば分かることであるが，生徒は個々の個性をもっている。判で押したような答えを期待することはおかしい。期待どおりの答えが返ってくる方が何か恐ろしいものを感ずる。そして生徒の個々の反応はすべて正解であり正しいといえる。言い換えればそのような反応しかできないといった方が正解である。反抗的であったとするなら，何がそのようにさせたのかを想像したいものである。豊かな**想像力**と**感性**が求められている。

▶ 先生はピエロ

「先生，楽しそう!」，よく聞く生徒の言葉である。素晴らしい評価である。先生が楽しくなければ生徒も楽しくないものである。先生自身に感動がなければ生徒には伝わらないものである。

楽しそうに振る舞う。ピエロは面白おかしく道化を演じている。お分かりのようにピエロは素晴らしい技術をもっている。そしてすべてを把握している。意識的な道化，これこそピエロの真骨頂だと思う。先生方に求められる素養のひとつと言えるかもしれない。音楽的に素晴らしいものがある，でもそのことが大事ではなく，生徒の興味をいかに引き付けるかが大事になってくる。

▶ 学校行事など

授業以外に学校では多くの行事などがある。文化祭，体育祭，音楽会，遠足，生徒会活動，部活動など多くの行事が存在する。毎日の生活を見ても清掃活動や放課後の一時なども生徒との会話が生まれる場となる。授業も終わり解放感に包まれている生徒たちと自由な会話が期待できる場である。生徒を理解する上でも絶好の機会である。時間が許す限り**積極的に参加**するべきであろう。

指導案の作成に日々追われるのは事実であるが，それをいいことに学校行事に目がいかなくなるのは本当に残念だしもったいないことだと思う。授業以外に多くの行事があることは意味があるのである。人間として成長する過程で知るべきことはたくさん存在する。学校教育はいろいろな分野に関係性をもっているのである。集団活動もその中に入るであろう。

学校教育は生活手段の基礎力の獲得を委ねられている。皆さんの責任のある行動を期待している。

（角谷史孝）

6 教員採用試験

教員採用選考（音楽）とも呼ばれ，採用する全国の都道府県・政令指定都市が教員の人材を求めて実施する，総合的な判断のための検査である。専門（音楽），論作文，教職教養，一般教養など，その内容や種類は地域により異なり，例えば一般教養テストを実施しない府県もある。したがって，受験する地域学校別（中学校・高等学校）を早期に決めて情報を収集し，対処する必要がある。

ペーパー・テスト，実技テスト，面接，集団討論，模擬授業などが第一次，二次選考に分けて実施される。その結果，教育公務員として適切な人材と認められた場合には「教員候補者」名簿に登載される。

▶ 採用選考の内容と傾向

ここでは音楽の専門教養・専門実技についての全国的な傾向を示すが，地域によりその傾向はかなり違うため，地域ごとの情報の収集が非常に重要である。

(1) 専門教養（音楽：ペーパー・テスト）

①学習指導要領の出題は全国的に多い

学習指導要領及びその「解説」に関する設問は全都道府県で出題され，その出題も記述式や穴埋め式など多岐にわたっている。平成29及び30年改訂の学習指導要領については，出題する各都道府県の教育委員会が深く研究し，出題しているので留意したい。

②広範囲にわたる音楽教養問題

情報開示の時代背景から，出題の問題と解答（例）がテスト後日に公開されている。むしろそのためもあり，広範囲にわたる総合的な出題が増加している。その具体例を挙げてみよう。

- オーケストラの総譜を示した設問が増加。総譜から曲名や作曲者名，諸用語，移調管楽器の実音を考え，音程や和声（コードネーム）を答えるスコア・リーディングを含めた出題が増えている。
- 吹奏楽が盛んになった影響から，吹奏楽器の移調楽器に関する出題が多い。クラリネットとトランペット（B♭管），サクソフォーン（アルトとバリトンはE♭管，テナーはB♭管），ホルンとコール・アングレ（F管）などの実音と記音，「それらの楽器による重奏・合奏曲を編曲せよ」などの設問。
- 諸民族の音楽からの出題では，楽器名や国名を答えるものなどが多い。放送を流してそれと連結させる設問の実施には留意したい。日本の伝統音楽の放送には苦手な人が多い。

③授業に関連した実践的出題

授業に直結した実技の出題――和楽器（箏，三味線，尺八）の奏法，諸記号など。リコーダー（ソプラノ，アルト）の運指表，ギターのダイヤグラム（運指表）及びコードネームを結んだ設問など。

旋律を示して混声三（または四）部用に合唱編曲する（ピアノ伴奏を付ける場合も）ことを求める出題もある。合唱ではなく，器楽（リコーダー）の場合もある。

④放送を流して設問に答える出題

放送で楽曲を流し，曲名，作曲者名，国名，楽器名や演奏形態を問う出題（楽曲はクラシック，諸民族の音楽，日本の伝統音楽）。放送で聴音を実施する府県もある。

(2) 専門実技テスト

◎東京都の実技テスト例

内容

以下の3点全てを行う。

1　ピアノ初見演奏

2　声楽初見視唱

3　ピアノ伴奏付き歌曲

以下の7曲のうちから当日指定された1曲をピアノで伴奏しながら歌う。

①「赤とんぼ」（三木露風作詞　山田耕筰作曲）

②「荒城の月」（土井晩翠作詞　滝廉太郎作曲）

③「早春賦」（吉丸一昌作詞　中田章作曲）

④「夏の思い出」（江間章子作詞　中田喜直作曲）

⑤「花」（武島羽衣作詞　滝廉太郎作曲）

⑥「花の街」（江間章子作詞　團伊玖磨作曲）

⑦「浜辺の歌」（林古溪作詞　成田為三作曲）

移調は可能とし，伴奏譜は指定しないので各自で用意する。

主な評価の観点

曲想にふさわしい表現の工夫及び基礎的な表現の技能等を評価する。

◎東京都以外の実技テストについては，おおよそ次のように分けられる。

・ピアノ独奏……任意曲
・声楽……コンコーネや歌曲
・和楽器を含むピアノ以外の楽器の任意演奏
・指揮……楽譜やスコアに合わせて指揮をする／指揮をしながらア・カペラ独唱をする

選考の第一次で実技テストを実施する府県が増えている。その理由として，「授業力の向上」「実践力の重視」の視点から実技を重視し，人材数を絞っていると捉えることができる。ただし，これは音楽教員選考を第一次，二次に分けて実施している府県の場合のことである。

▶ 採用選考への対策

受験する地域を早く決め，数年分の過去問や出題傾向をしっかり調べて対処したい。都道府県別の問題集をよく調べることが大切である。

(1) 専門教養

①学習指導要領とその「解説」の深い学習を

示されている学習指導要領を単に暗記するだけでなく，「解説」の深い理解が重要である。設問によっては「解説」の文をそのまま提示し，出題とする場合がある。文部科学省発行の学習指導要領は，ほぼ10年ごとに改訂されており，改訂の折には特に「解説」を十分に研究し，理解する必要がある。

②音楽理論の集中的な学習を

楽典，音楽用語，調判定，和声やコードネーム，西洋（日本）音楽史など，音楽小辞典の類を常に携帯して活用するなどの集中した学習を行いたい。管弦楽の総譜の楽器名・諸記号など広範囲の理解もほしい。

③日本の伝統音楽,世界の諸民族の音楽の理解を

日本の音楽は全国的に出題が増える傾向にある。雅楽，声明，能楽，近世邦楽（箏曲，三味線音楽，尺八楽，琵琶楽，民謡）などへの十分な対処が必要となる。

世界の諸民族の音楽はかなり広範囲のため，興味をもち，整理する努力と工夫が大切である。

④作曲・編曲

出題が易しい曲であっても，ピアノなしで紙面上だけの記譜になることに留意した対処をしたい。

⑤学習指導案，評価の観点の理解

学習指導案（教材の指導計画案）記述の出題に対処できるよう復習しておきたい。また，「生徒指導要録」の評価の観点3項目についても理解を深めておきたい。

⑥吹奏楽・移調楽器の記譜と実音の理解

次の表をよく理解しておきたい。

調	移調楽器	記譜
B♭管	クラリネット，トランペット	実音の長2度上
	ソプラノ・サクソフォーン	
	テナー・サクソフォーン	実音の長9度上
E♭管	アルト・サクソフォーン	実音の長6度上
	バリトン・サクソフォーン	実音の長13度上
F管	ホルン，コール・アングレ	実音の完全5度上

(2) 専門実技

①初見の視奏・視唱・弾き歌いの習熟を

対策として，ピアノ初級者用小品集などを数多く初見で弾く。あるいは中学，高等学校の教科書（指導書）掲載の楽曲すべてを弾き，歌って活用したい。教科書会社1社が発行する教科書は，中学校で4種（4冊），高校では5～6種類にのぼる。教材曲にコードネームが付されている場合も多く，弾き歌い用や初見用に適している。

②リコーダーに親しみ，その習練を

リコーダーの運指表を見て運指などを即座に正答するのは意外に難しい。実技に慣れるとともに，呼吸法，タンギング，運指法の基本的な指導法やサミング，アーティキュレーションなどの復習をしたい。

また，ソプラノ・リコーダーでは，ジャーマン式とバロック式それぞれを所持する生徒がいるため，両方の運指の違いも理解しておきたい。

③和楽器の習熟を

実技試験で，任意の和楽器演奏を認めるところが増えている。それは有利に評価されることが多い。

（小山昌治）

7 | 部活動指導

▶ 学校教育における部活動の位置付け

「中学校学習指導要領（平成29年告示）解説特別活動編」には，教育課程外の学校教育活動について，「スポーツや文化，科学等に親しませ，学習意欲の向上や責任感，連帯感の涵養等，学校教育が目指す資質・能力の育成に資するもの」であると述べられている。学級や学年の枠を越えた多様な集団の中で，異なる意見を理解・尊重しつつ，文化的・体育的・儀式的行事での発表を通じて地域社会や学校に貢献することにより，協調性や自尊感情を育てていくところに音楽系部活動の意義がある。

▶ 生徒の自主的・自発的参加

部活動は，生徒の自主的，自発的な参加に基づいて行われるものであるから，まず生徒の自治能力を高めていくことが基本である。教師の絶大な主導性によってコントロールされる活動では，たとえ結果的に質の高い演奏ができたとしても生徒の主体性は育っていかない。結果ではなく，自分の力を確かめ伸ばしつつ，仲間とともに目標に向かって努力していくそのプロセス自体を大切にしたい。

そのためには，まず生徒による自主運営的な組織を構築し，それを教師がサポートしていく体制を整える必要がある。部長や生徒指揮者，あるいはパートリーダーなど核になる生徒を育て，リーダーとしての責任感を自覚させていくことが重要だ。

集団全体に対する指導よりも，むしろ個々の生徒に対する配慮こそ教師の役割といえる。自治的な活動の中で生じる深刻な人間関係のトラブルが特定の生徒の孤立やいじめにつながらないよう，教師は常に生徒の様子に目配りをしなければならない。集団の中の一人としてではなく，個人として「自分のことを見てくれている」と生徒に感じさせることが大切である。

▶ 自己調整的学習

吹奏楽や合唱など，演奏ジャンルは異なっても基礎的な技能の重要性は変わらない。発声練習や音階練習などの基礎的な練習をおろそかにせず，継続して取り組ませることが演奏水準の向上につながる。このときも教師が練習の進め方をすべてコントロールするのではなく，生徒の自己調整的な学習能力を育てていくことが長期的な技能の向上と学習意欲の維持につながる。

自己調整的学習では，「見通し」「遂行」「振り返り」の三つのフェーズが循環することになる。「見通し」では，目標を設定し，それに到達するための課題の分析を行う。「遂行」では課題となる技にフォーカスし，試行錯誤する。そして「振り返り」では,自己評価し，成否についての要因分析を行い，再び「見通し」フェーズに戻る。つまり解決すべき自分の課題を自覚し，明確な目的意識をもって練習に取り組み，その結果を自己評価し，次の課題発見へとつなげていく習慣を確立していくことが重要なのである。

▶ 短時間で効率のよい練習

中央教育審議会初等中等教育分科会学校における働き方改革特別部会は，平成29年8月に「部活動の適切な運営について，教員の負担軽減や生徒の発達を踏まえた適切な指導体制の充実に向けて，休養日を含めた適切な活動時間の設定を行う」ことを提言している。コンクール上位入賞を目標として，協力しながら努力を続けていくことには意味がある。しかしそれ自体が目的化し，休日も返上して過酷な練習に取り組むことで，生徒も指導する教員も疲弊し，本来の学業や業務に支障が出てしまっては本末転倒である。また常に競争に晒される緊張状態の中で部活動に取り組んだ人は，卒業後に活動を継続することが少ないことも分かっている。短時間で効率のよい練習を心がけ，参加者同士が協力して活動に取り組む雰囲気を醸成していくことが大切である。　（菅　裕）

【参考文献】
・McPherson, G. E. , Renwick, J. M. (2011). “Self-regulation and mastery of musical skills.” In *Handbook of self-regulation of learning and performance.* eds. Zimmerman, B. J. , Schunk, D. H. New York and London: Routledge, pp. 234-248.
・畑田麻由美・菅裕（2010）「音楽演奏活動における動機づけおよび心理的欲求」『教育学研究ジャーナル』6, pp. 11-19.

8 生徒指導

▶ 教科における生徒指導の意義

生徒にとって，学校生活の中心は授業であり，毎日の教科指導において生徒指導の機能を発揮させることは，生徒一人一人が生き生きと学習に取り組み，自己存在感や有用感を味わわせて自尊感情を高め，自己実現を図ることにつながる。ここに教科における生徒指導の意義がある。このような意義を踏まえ，生徒指導の機能を発揮させるためには，生徒理解が基盤となることは言うまでもない。

音楽科教員は，各学校に1名，ないしは2名の配属であり，全学級，全生徒の指導を担うことが常である。生徒指導を推進する上で，音楽科教員の責務は重要であると言える。

▶ 音楽科における生徒指導推進のために

(1) 授業の場で生徒の居場所をつくる

生徒の居場所をつくるためには，まず，生徒一人一人を深く理解することが基盤となる。その上で，安心して授業に参加できる・挑戦できる・失敗できる環境をつくるよう努めなければならない。

例えば，合唱指導において，合唱に参加しない生徒がいるとしよう。「参加していないこと」を意図的に歌っていないかのように指導するのではなく，その要因を明らかにする必要がある。変声期を迎えて，思うように声を出すことができない場合は，無理に声を出すことは避け，どのように活動すればよいのかを個別に指導する。また，友達との関わりが気になり，歌唱に抵抗を感じている生徒がいる場合は，担任と協働して方策を考えることも必要である。一つの目標に向かって，全員で合唱に取り組む学級風土を醸成するとともに，自分の歌声が全体へと生かされ，一人一人が大切な存在なのだということを感じるよう，全体指導と個別指導のバランスをとりながら指導を進めることが必要である。

(2) 分かる・できる授業を行い，主体的な学習態度を養う

質の高い授業を実現するためには，生徒自らが目標や課題をもち，自ら考え判断し，行動しながら主体的に課題を解決していく能力や態度を育むことが必要である。この能力や態度は，生徒指導が目指している姿そのものである。

そこで，教師は，その時間の音楽活動において，「何が分かり」「何ができるように」なればよいのかを明確にするとともに，生徒が自分の課題に気付き，解決する方法を考える過程を大切にしなければならない。

また，学習規律やルールの確立をするためには，学級担任（ホームルーム担任），学年主任や他教科等の担当者との連携も外すことはできない。教科指導において，一人一人の生徒をみんなで見守り育てていくという意識をもち，それを具現化するという目的を共有した「そろえた指導」に努めなければならない。

(3) ともに学び合うことの意義と大切さを実感させる

ここでは，音楽科固有の二つの側面から授業づくりを考えたい。一つは，音楽活動そのものが，音楽を媒介として，他者と一つになる体験を可能にすること。もう一つは，生徒一人一人の音楽への感じ取りの内容は異なるということである。この二つの側面から生徒指導の推進を考える。

合唱や合奏，創作の活動においては，みんなで立てた一つの目標に向かって，友達と協力しながらよりよい音楽をつくり上げる過程を大切にしたい。その中で，自分とは異なる音楽の捉え方や感じ方に出合い，自分の考えを深めたり広げたりする「学び合い」のよさを味わわせていく。

例えば，グループでのアンサンブルに取り組む場合は，楽譜を読んだり技能を習得したりするための教え合いが可能となるよう，グループ編成を工夫することなどが考えられる。

しかし，忘れてならないのは，集団で取り組むからこそ，その輪の中に入ることができない生徒もいるということである。その生徒に，どのようにアプローチするのか。教科指導のプロとして見極める眼が求められる。

（原 クミ）

9 | 諸民族の音楽の主要ジャンルと楽器

地域		東アジア	東南アジア	南アジア	西アジア・北アフリカ
主要なジャンル		声楽 パンソリ（朝鮮半島）。ミングー／民歌（中国）。ガロ（中国のトン族）。オルディンドー，ホーミー（モンゴル）。 器楽 アアク／雅楽，サンジョー／散調，サムルノリ（朝鮮半島）。スージューユエ／絲竹楽，グーチュイユエ／鼓吹楽（中国）。 芸能・舞踊等 ノンアク／農楽，仮面劇（朝鮮半島）。ジンジュ／京劇（中国）。	器楽 ピーパート（タイ）。サウンガウ独奏，サインワイン（ミャンマー）。ガムラン，アンクルン合奏（インドネシア）。クロンチョン（インドネシア，マレーシア）。クリンタン（フィリピン）。 芸能・舞踊等 音楽舞踊劇：ケチャ，バロン（インドネシア）。影絵芝居：ワヤン・クリッ（インドネシア，マレーシア）。	声楽を中心とするもの カッワーリー（パキスタン，北インド）。南インド古典音楽／カルナータカ音楽（インド）。 器楽を中心とするもの 北インド古典音楽／ヒンドゥスターニー音楽（インド）。 芸能・舞踊等 音楽舞踊劇：カタカリ，バラタナーティアムなど。仮面劇：チョウなど（インド）。	声楽 アザーン詠唱，コーラン朗唱，イラン古典音楽，アラブ古典音楽，トルコ古典音楽。 器楽 サントゥール独奏（イラン）。メヘテルハーネ／軍楽（トルコ）。
主要な楽器	打楽器（体鳴楽器）	銅鑼の仲間 ケンガリ，チン（朝鮮半島）。ダールオ／大鑼，シアオルオ／小鑼（中国）。 拍子木の仲間 パイバン／拍板（中国）。	木琴・鉄琴の仲間 ラナートエク（タイ）。サロン，グンデル（インドネシア）。 銅鑼の仲間 サインワイン（ミャンマー）。ボナン，ゴング（インドネシア）。 拍子木の仲間 バリンビン（フィリピン） ガラガラの仲間 アンクルン（インドネシア）。	木琴・鉄琴の仲間 ターラム（インド）。 カネの仲間 ジャルタラング（インド）。	カスタネット・シンバルの仲間 シンバル（シリア）。ジル（トルコ）。
	（膜鳴楽器）	太鼓の仲間 チャンゴ／杖鼓，プク（朝鮮半島）。ダーグー／太鼓（中国）。	太鼓の仲間 クンダン（インドネシア）。タポン（タイ）。オージー（ミャンマー）。	太鼓の仲間 ムリダンガム，タブラー，ナグラ（インド）。ゲタベラ（スリランカ）。	太鼓の仲間 ドール（アフガニスタン）。ダヴル，ナッカーラ，ダラブッカ（アラブ，トルコ）。ドンバク（イラン）。
	弦楽器（弦鳴楽器）	コトの仲間 カヤグム／伽倻琴（朝鮮半島）。グージォン／古箏，ヤンチン／揚琴（中国）。 琵琶の仲間 サンシエン／三弦，ピーパー／琵琶（中国）。 胡弓の仲間 モリンホール〈馬頭琴ともいう〉（モンゴル）。アルフー／二胡（中国）。	コトの仲間 チャケー（タイ）。ダンチャン（ベトナム）。カチャピ（インドネシア）。 琵琶の仲間 サペ（マレーシア）。 胡弓の仲間 ソーサームサイ（タイ）。ルバーブ（インドネシア）。 ハープの仲間 サウンガウ（ミャンマー）。	琵琶の仲間 シタール，ヴィーナー，サロード，タンブーラー（インド）。 ヴァイオリンの仲間 サーランギー（インド）。 コモクの仲間 ゴピチャンド（インド）。	コトの仲間 サントゥール（イラン）。カーヌーン（アラブ，トルコ）。 琵琶の仲間 セタール，タール（イラン）。ウード（アラブ，トルコ）。サズ，タンブール（トルコ）。 ヴァイオリンの仲間 カマーンチェ（イラン）。
	管楽器（気鳴楽器）	笙の仲間 ション／笙（中国）。 横笛の仲間 テグム／大笒（朝鮮半島）。ディーズ／笛子（中国）。 篳篥の仲間 ピリ／觱篥（朝鮮半島）。グァンズ／管子，スオナー／哨吶（中国）。	笙の仲間 ケーン（ラオス，タイ）。 リコーダーの仲間 クルイ（タイ）。スリン（インドネシア）。	笙の仲間 ハルモニウム（インド）。 横笛の仲間 バーンスリー（インド）。 篳篥の仲間 シャハナーイー（インド）。	尺八の仲間 ネイ（イラン，トルコ）。 リコーダーの仲間 カヴァル（トルコ）。 篳篥の仲間 ズルナ（アラブ，トルコ）。

ブラックアフリカ・インド洋	旧ソ連	ヨーロッパ	北　米	中・南米	太平洋
声楽 吟遊詩人の歌。サンザ，楽弓，ヴァリハなどの伴奏による歌。 器楽 太鼓の合奏，コラ合奏，バラフォン合奏，楽弓の演奏。ハイライフ(ガーナ)。 芸能・舞踊等 仮面舞踊。	声楽 英雄叙事の詠唱，地声による女声合唱，男声合唱（ウクライナ，ジョージアなど）。 器楽 民族楽器の合奏。 芸能・舞踊等 舞踊：ホロヴォード，プリャースカ（ロシア）。	声楽 地声による女声合唱（ブルガリアほか）。 叙情歌：ドイナ（ルーマニア）。 器楽 ジプシー楽団（ハンガリー）。バグパイプの合奏。 芸能・舞踊等 舞踊：ロンガ（ギリシャなど）。	声楽 太鼓踊り歌，動物歌（イヌイット）。ヴォーカルゲーム（イヌイット）。 芸能・舞踊等 ペヨーテ，ゴーストダンス（北米のネイティヴ・アメリカン）。	声楽と器楽 フォルクローレ。 舞踊音楽 タンゴ，サンバ，ボサ・ノヴァ，ルンバ，マンボ，ボレロ，チャ・チャ・チャ，サルサなど。	声楽 多声合唱（ポリネシアなど）。 踊り歌（マオリ）。 器楽 太鼓ことば。ディジェリドゥでの音遊び。 芸能・舞踊等 集団舞踊（オセアニア全域）。
木琴・鉄琴の仲間 バラ（マリ）。バラフォン（ガンビアなど）。コギリ（ガーナ）。 木魚の仲間 スリットドラム。 親指ピアノの仲間 サンザ（ザイール）。ムビラ（東南アフリカ）。	カスタネット・シンバルの仲間 ローシキ（ロシア）。 ガラガラの仲間 トレシチョートカ（ロシア）。	口琴の仲間 ヨーロッパ各地の口琴。	ガラガラの仲間 ラトゥル（北米のネイティヴ・アメリカン）。	木琴・鉄琴の仲間 マリンバ。 ガラガラの仲間 マラカス，ラトゥル。 鐘の仲間 アゴゴー（ブラジル）。カウベル。 拍子木の仲間 クラベス。	木魚の仲間 スリットドラム（メラネシア，ポリネシア）。 ガラガラの仲間 ウリウリ（ハワイ）。 ラトゥル（パプアニューギニア）。
太鼓の仲間 鍋型，樽型，杯型，砂時計型の様々な太鼓（アフリカ）。トーキングドラム（ガーナ）。	太鼓の仲間 バラバン（ロシア）。団扇太鼓(シベリア）。ドーイラ，ナガーラ（ウズベク）。	太鼓の仲間 タンブリン，サンボンバ(スペイン)。	太鼓の仲間 団扇太鼓（イヌイット）。	太鼓の仲間 コンガ，ボンゴ，ボンボ，スルド，ボンゴス，タンボリン，パンデイロ。	太鼓の仲間 鍋型，筒型の片面太鼓（ポリネシア）。砂時計型，筒型の片面太鼓（メラネシア）。
コトの仲間 ヴァリハ（マダガスカル）。ミュージカルボウ／楽弓(南アフリカ)。 特殊なもの コラ（マリ）。	コトの仲間 ツィムバルム（ロシア,ウクライナ）。 琵琶の仲間 バラライカ（ロシア）。ドンブラ(カザフ)。コムズ(クルグズ共和国)。	コトの仲間 ツィンバロム（ハンガリー）。ツィター（オーストリア）。カンテレ（フィンランド）。 ヴァイオリンの仲間 フィドル（ノルウェー）。	琵琶の仲間 バンジョー（北アメリカ）。	琵琶の仲間 チャランゴ（アンデス）。 ハープの仲間 アルパ。	琵琶の仲間 ウクレレ(ハワイ，フィジー）。
ラッパの仲間 象牙のホルン，オカリナの類。 篳篥の仲間 アルガイター（ハウザ族）など多数。	ラッパの仲間 カルナイ(ウズベク)。 篳篥の仲間 ゾウルナ／ソウルナイ・ドゥドゥク（ジョージアなど）。 パンパイプの仲間 ナイ(モルダビア)。 バグパイプの仲間 チボニ（ロシア）。	尺八の仲間 カヴァル（ブルガリア）。 ラッパの仲間 アルプホルン（スイス）。 パンパイプの仲間 ナイ（ルーマニア）。 バグパイプの仲間 バグパイプ（スコットランドなど）	横笛の仲間 インディアンフルート（北米のネイティヴ・アメリカン）。	尺八の仲間 ケーナ(アンデス)。 リコーダーの仲間 ピンキージョ（アンデス）。 パンパイプの仲間 サンポーニャ／シーク(アンデス)。	ラッパの仲間 コンチシェル（ポリネシア）。ディジェリドゥ（オーストラリア）。 うなり木の仲間 ブーメラン（オーストラリア）。

（加藤富美子）

10 | 教育用音楽用語

1 学習指導要領の用語

曲想

それぞれの楽曲からは，独特な気分，雰囲気，味わい，表情といったものが感じられるものである。例えば，「明るく生き生きとした感じ」「さびしく物悲しい感じ」などといった楽曲全体から感じられるものが曲想である。音楽学習では，このような楽曲に固有な曲想を感じ取り，それにあった演奏や歌唱表現を工夫したり鑑賞したりすること，さらに，その曲想が生まれるもととなっている音楽を形づくっている要素（音色，リズム，強弱，構成など）を聴き取り，曲想と結び付けて音楽の成り立ちを考えることが重要である。

音楽の構造

曲全体をつくりあげている部分部分の組合せのありようのことである。音楽は様々な要素が関わりあってできているが，その全体を構成する諸要素がそれぞれどのように配置されているか，それらの関係性を捉えることが音楽の構造を意識することとなる。

音楽を形づくっている要素

音楽を成立させている要素すべてを指す。音楽を形づくっている要素には，音色，リズム，速度，旋律，テクスチュア，強弱，形式，構成などがある。

テクスチュア

音楽には，和音などの同時に鳴り響く音の重なりと，旋律などの時間的な流れがあるが，前者（音の重なり）を縦，後者（時間的な流れ）を横と捉え，双方が織りなす関係を指す。織物の縦糸と横糸のように，同時に鳴り響く音（縦糸）と，連続する音のつながり方（横糸）が，曲全体の雰囲気（織物）をつくりあげている。

形式

旋律やリズムが様々に組み合わさり，音楽としてのまとまりのある形が生まれるが，このまとまりのある形が一般化されたものを形式という。代表的なものとしては，西洋音楽では二部形式，三部形式，ソナタ形式などがあり，我が国の伝統音楽では序破急，音頭一同形式などがある。

構成

ある程度の長さをもつ音楽は，旋律やリズムの様々な組み合わせによって成立している。この音楽を成立させている様々な組み合わせを構成という。代表的なものとしては，反復，変化，対照などがある。

音楽の多様性

世界のいろいろな種類・ジャンルの音楽（諸国の民族音楽や様々な種類の音楽，我が国の伝統音楽や郷土の音楽，ポピュラー音楽など）を，歴史的・社会的・文化的な所産として理解することである。単に様々な音楽を紹介するのではなく，その音楽を生み出した風土，文化，歴史，人々の生活と関連付けて学習することが重要である。

知覚と感受

知覚とは，音楽を形づくっている要素（音色，リズム，強弱，構成など）を聴き取ることであり，感受は，音楽の曲想や雰囲気などを感じ取ることである。音楽を形づくっている要素のうちのどの要素の働きによって，どのような曲想や雰囲気が生み出されているのか，ということを意識させることが音楽学習の中核になる。例えば，細かく連打されるようなリズムの知覚と，そのリズムによって数羽の鳥がにぎやかに駆け回っている様子を感受したことを関連付けて意識させることが大切である。

音のつながり方の特徴

音と音とがどのようにつながっているか，つまり音の進行を意識化することである。重要なのは，音と音のつながりが，曲の雰囲気にどのように関わっているのかを理解することである。例えば，8分音符のスタッカートの連打と2分音符の連打では曲の雰囲気がどのように異なるのかを感じ取ったり，隣り合う音へ進行する場合と3度以上の離れた音へ進行する場合とで曲想にどのような違いがあるのかを感じたりすることなど，様々な活動を通して理解を深めていくことが求められる。

自然音や環境音

人々の生活や社会の中には，風の音，虫の声，鐘の音，人々のざわめき，電車の音など様々な音があふれている。これらの音を意識して聴くことにより，これらの音が人々にどのような影響を与えるのか，よりよい音環境とはどういうものなのか，といったことを考える。

曲種に応じた発声

歌唱教材には，民謡などの我が国の伝統的な音楽や諸外国の様々な音楽があるが，それぞれの音楽の特徴に合った発声法がある。例えば，西洋音楽の技法でつくられた楽曲ではベルカント唱法の頭声的発声で歌うことが曲種に応じた発声だが，我が国の民謡などではそのような発声で歌うことはふさわしくない。指導に当たっては，曲種に応じた発声が多様であることを実感できるような学習が必要である。ただし，様々な異なる発声法を身に付けることが目的ではなく，教材として扱っている音楽の特徴がより的確に表現できるよう創意工夫して歌うことが大切である。

言葉の特性

言葉の特性とは，言葉の抑揚，アクセント，リズム，子音･母音の扱い，言語のもつ音質，語感などのことである。歌唱曲の多くはこれらの言葉の特性と音楽とが密接に関連しているため，歌うときにはこれらの言葉の特性を生かす工夫が大切となる。

声部の役割

声部とは，基本的には，一つの楽曲の中で同時に複数の旋律が流れている場合それぞれの旋律を指す。多くの場合，各声部は異なる歌手や演奏家が受け持つが，ピアノやオルガンなど複数の音を同時に出せる楽器では一人で複数の声部を演奏することが可能である。なお，打楽器によるリズム伴奏や合いの手などを声部と捉える考え方もある。

声部は，音楽の構造の中で主旋律，副次的な旋律，装飾，伴奏など様々な役割を果たしている。楽曲の途中で，一つの声部の役割が変わることもある。これらの声部の役割を意識して表現を工夫することが大切である。

我が国の伝統的な歌唱

民謡（仕事歌や盆踊歌など），長唄，謡曲，義太夫節，地歌・箏曲などの我が国や郷土の伝統音楽における歌唱のことである。

フレーズ

音楽の中で，自然に区切られる旋律やリズムのまとまりを指す。例えば歌うときなどには，フレーズのまとまりごとに息つぎをすると自然な歌い方になるので，歌唱及び演奏表現ではフレーズを意識することが大切になる。

動機

楽曲を形づくる最も小さい単位である。動機が繰り返されることによって楽曲にまとまり感がでる。ベートーヴェンの交響曲第5番「運命」は動機の学習（鑑賞）に適した教材であるが，ある動機を即興的につくって創作させるなどの活動も動機を意識させるのに有効である。

拍と拍子

音楽から感じられる等間隔に刻まれる時間単位を拍という。例えば，音楽に合わせて等間隔で手を打ったり足踏みしたりする打点が拍となる。拍に強弱の違いが意識される場合，強いと意識されるものを「強拍」，弱いと意識されるものを「弱拍」という。強弱と弱拍がある一定の周期性をもって現れるときに拍子が生まれる。例えば，2拍ごとに強拍が現れる場合は2拍子，3拍ごとでは3拍子になる。

拍のない音楽

日本の民謡や現代音楽の作品などに見られる一定の拍が感じられないもの（一定の間隔で手を打つことができないもの）である。

拍はあるが拍子のない音楽

拍は等間隔に刻まれるが，拍子のような周期性がないものである。わらべうたや世界の諸民族の音楽に広く見られる。例えば，「あんたがたどこさ」では，言葉のまとまりが拍のまとまり（4-2-3-3-4）となっているため，拍子のような周期性がない。

知的財産権

音楽は知的な創作活動によってつくり出されたものであり，その創作者は創作物を無断で利用されないという知的財産権をもつ。このことを必要に応じて意識させることは必要である。インターネットやデジタル機器の普及により安易に音楽を複製できるようになったため，知的財産権を意識化させることがより重要になってきた。

相対的な音程感覚

ドとレの間は全音，レとミの間は全音，ミとファの間は半音というような，ある音とある音がどの程度離れているのか（音程）を感じる感覚のことである。この感覚は，階名唱を行うことによって身に付きやすい。例えば，ハ長調の曲のドレミファ（音名では「ハニホヘ」）という旋律は，ト長調になると音名では「トイロハ」となり，それぞれの音と音との関係が変化したかのような錯覚を起こしがちだが，階名（主音との相対的な関係を表す名前）で考えるとドレミファ（全全半）のままとなり，相対的な音程は同じである。

口唱歌

もとは雅楽用語で，「チーラーロヲルロ」のように楽器の旋律あるいはリズムに一定の音節をあてて言葉で唱えることである。今日では太鼓，箏，三味線などの伝統音楽に用いられることが多い。ある奏法で生み出される音に特定の言葉（太鼓の「ドンカカドンカ」など）を付けて声に出す。楽器を弾く前に楽譜を用いずに言葉で旋律とリズムを覚え，その口唱歌を唱えながら楽器を弾く。演奏の際に息を合わせることに効果がある。（坂本暁美）

【参考文献】
文部科学省（2017）『中学校学習指導要領解説 音楽編』

2 主として西洋音楽に関するもの

(1) 音の強弱に関する用語と記号

ppp	ピアノピアニッシモ ピアニッシッシモ	***pp*** よりさらに弱く
pp	ピアニッシモ	とても弱く
p	ピアノ	弱く
mp	メッゾ・ピアノ	少し弱く
mf	メッゾ・フォルテ	少し強く
f	フォルテ	強く
ff	フォルティッシモ	とても強く
fff	フォルテフォルティッシモ フォルティッシッシモ	***ff*** よりさらに強く
crescendo (*cresc.*)	クレシェンド	だんだん強く
decrescendo (*decresc.*)	デクレシェンド	だんだん弱く
diminuendo (*dim.*)	ディミヌエンド	だんだん弱く
sf , ***sfz***	スフォルツァンド スフォルツァート	特に強く
fz	フォルツァンド フォルツァート	特に強く
rinforzando (***rinf*** , ***rfz***, ***rf***)	リンフォルツァンド	急に強く
fp	フォルテ・ピアノ	強く直ちに弱く

(2) 速さおよびその変化に関する用語と記号

速さを示す	**adagio**	アダージョ	緩やかに
	grave	グラーヴェ	重々しく
	largo	ラルゴ	幅広く
	lento	レント	緩やかに
	andante	アンダンテ	ゆっくり歩くような速さで
	andantino	アンダンティーノ	アンダンテよりやや速く
	larghetto	ラルゲット	ラルゴよりやや速く
	moderato	モデラート	中ぐらいの速さで
	allegretto	アレグレット	やや速く
	allegro	アレグロ	速く
	allegro moderato	アレグロ・モデラート	ほどよく速く
	animato	アニマート	元気に速く
	presto	プレスト	急速に
	vivace	ヴィヴァーチェ	活発に速く
	vivo	ヴィーヴォ	生き生きと速く
	♩=96		1分間に♩を96打つ速さ
速さの変化を示す	**meno mosso**	メーノ・モッソ	今までより遅く
	rallentando (rall.)	ラレンタンド	だんだん緩やかに
	ritardando (rit.)	リタルダンド	だんだん遅く
	ritenuto (riten.)	リテヌート	すぐに遅く
	accelerando (accel.)	アッチェレランド	だんだん速く
	con moto	コン・モート	動きをつけて
	più mosso	ピウ・モッソ	今までより速く
	stringendo (string.)	ストリンジェンド	だんだんせきこんで
	a tempo	ア・テンポ	もとの速さで
	tempo primo (tempo I)	テンポ・プリモ	最初の速さで

(3) 補助的な用語

assai	アッサイ	非常に
meno	メーノ	より少なく
molto	モルト	非常に
più	ピウ	よりいっそう
poco a poco	ポーコ・ア・ポーコ	少しずつ
quasi	クワジ	ほとんど〜のように
subito (sub.)	スービト	急に
sempre	センプレ	常に

(4) 奏法に関する用語と記号

legato	レガート	音と音との間を滑らかにつなげて
marcato	マルカート	一つ一つの音をはっきりさせて
	スタッカート	その音を短く切って
	テヌート	その音の長さを十分に保って
	アクセント	めだたせて，強調して
	タイ	同じ高さの二つの音をつなぐ
	スラー	違う高さの二つ以上の音を 滑らかに
	フェルマータ	その音符または休符を ほどよくのばして

(5) 発想に関する記号

agitato	アジタート	激しく
amabile	アマービレ	愛らしく
appassionato	アパッショナート	熱情的に
brillante	ブリッランテ	はなやかに
cantabile	カンタービレ	歌うように
con brio	コン・ブリオ	生き生きと
con fuoco	コン・フオーコ	熱烈に
dolce	ドルチェ	甘くやわらかに
espressivo	エスプレッシーヴォ	表情豊かに
grandioso	グランディオーソ	壮大に
leggero(leggiero)	レッジェーロ	軽く
maestoso	マエストーソ	荘厳に
risoluto	リソルート	決然と，きっぱりと
tranquillo	トランクィッロ	静かに

(6) 反復記号

数字の順に演奏する。

D.C.（ダ・カーポ）（最初へもどる）　*D.S.*（ダル・セーニョ／セーニョ）（𝄋へもどる）
Fine（フィーネ）（終わり）　⊕（⊕から⊕へとぶ）　**Coda**（コーダ）（結び）

（石川裕司）

11 日本音楽の用語

用　語	ふりがな	意　味　・　概　念	関連種目・要素等
アイ(間)	あい	能のなかで狂言方が受け持つ演技、間狂言の略	能楽
合方	あいかた	三味線音楽の間奏部分の型	三味線音楽
合の手	あいのて	箏曲や三味線音楽の短い間奏部分	箏曲、三味線音楽
家元	いえもと	茶道、華道、芸能などの伝承組織の中心となる家または個人	伝承
生田流	いくたりゅう	箏曲の二大流派の一つ	箏曲
一中節	いっちゅうぶし	三味線音楽、浄瑠璃の一派	三味線音楽
色	いろ	義太夫節で地合と詞の中間の表現	三味線音楽
謡	うたい	能の伴奏をする声楽曲	能楽
歌い物	うたいもの	音楽的形式美に重点を置いた叙情的な声楽曲	分類
歌垣	うたがき	古代に行われた歌遊び	歴史
うた沢	うたざわ	三味線伴奏の声楽曲	三味線音楽
雅楽寮	うたまいのつかさ	大宝律令で設置された音楽や舞を行う役所	雅楽
打ち物	うちもの	雅楽の打楽器	雅楽
右方の舞楽	うほうのぶがく	舞楽の高麗楽、略して右舞ともいう	雅楽
上調子	うわぢょうし	三味線音楽の主旋律と合奏する高音域の旋律	三味線音楽
詠ノリ	えいのり	謡の非拍節的な歌い方	能楽
追分様式	おいわけようしき	拍節的でないリズムの日本の音楽	リズム
大ノリ	おおのり	謡のリズム型の一種	能楽
荻江節	おぎえぶし	三味線伴奏の声楽曲	三味線音楽
翁	おきな	能の式三番のうちの一演目	能楽
表間・裏間	おもてま・うらま	2拍子の1拍目と2拍目	リズム
音頭一同	おんどういちどう	音頭一人と大勢とに別れて交互に演奏する構成法	形式
外曲	がいきょく	尺八以外の楽曲からとられた尺八で演奏する楽曲	尺八楽
替手	かえて、かえで	箏曲や三味線音楽などの主旋律に対する副次的な旋律のパート	箏曲、三味線音楽
雅楽	ががく	我が国古代の宮廷音楽の総称	雅楽
核音	かくおん	音階やテトラコードのなかで変化しはない重要な音	音階
楽生	がくせい	雅楽寮で音楽や舞を習う人	雅楽
楽制改革	がくせいかいかく	平安時代に行われた雅楽の組織改革	雅楽
楽箏	がくそう	雅楽で用いられる箏	雅楽
楽人	がくにん	雅楽寮で音楽や舞を職業とする役人	雅楽
楽琵琶	がくびわ	雅楽で用いられる琵琶	雅楽
掛け合い	かけあい	異なる奏者や奏者群が交互に演奏する楽曲の構成法	形式
片来	かたらい	特徴あるリズムをもつ鞨鼓の奏法	雅楽
語り物	かたりもの	物語など詞章に重点を置いた叙事的な声楽曲	分類
楽家	がっけ	古代より代々雅楽を受け継ぐ家系	雅楽
鬘能	かずらのう	女性を主役とする能で、五番立の三番目物	能楽
河東節	かとうぶし	三味線音楽、浄瑠璃の一派	三味線音楽
上掛り	かみがかり	能のシテ方の分類で観世流、宝生流が属す	能楽
管絃	かんげん	雅楽の唐楽のうち楽器だけの演奏によるもの	雅楽
義太夫節	ぎだゆうぶし	三味線音楽、浄瑠璃の一派	三味線音楽
砧物	きぬたもの	砧の音を表現する音型をもつ箏曲の器楽曲	箏曲
狂言	きょうげん	能楽に属す台詞と演技を主とする滑稽な劇	能楽
狂言方	きょうげんかた	狂言や能のアイを受けもつ役籍	能楽
清元節	きよもとぶし	三味線音楽、浄瑠璃の一派	三味線音楽

用　　語	ふりがな	意　　味　・　概　　念	関連種目・要素等
吟型	ぎんがた	謡の旋律型	能楽
琴古流尺八	きんこりゅうしゃくはち	黒沢琴古によって江戸時代に創始された尺八の流派	尺八楽
錦心流	きんしんりゅう	永田錦心によって創始された薩摩琵琶の分派	琵琶楽
近世邦楽	きんせいほうがく	概ね江戸時代に作られた箏、三味線、尺八の音楽	分類
くずれ	くずれ	盲僧琵琶で宗教曲以外を演奏すること	琵琶楽
口唱歌	くちしょうが	旋律を練習するための唱法	伝承
国風歌舞	くにぶりのうたまい	雅楽に属す我が国古来の声楽曲と舞楽	雅楽
黒御簾の音楽	くろみすのおんがく	歌舞伎の舞台下手の黒御簾内で演奏されるさまざまな音楽	三味線音楽
検校	けんぎょう	当道制度の階級の一つ、他に別当、勾当、座頭などがある	箏曲
賢順	けんじゅん	筑紫の善導寺の僧で箏曲の創始者	箏曲
現代邦楽	げんだいほうがく	おおむね昭和30年以後に作られた現代の邦楽	分類
小唄	こうた	三味線伴奏の声楽曲	三味線音楽
五音音階	ごおんおんかい	1オクターヴ内に五つの構成音をもつ音階	音階
瞽女	ごぜ	三味線音楽を演奏する盲目の女性の旅芸人	三味線音楽
詞	ことば	義太夫節の台詞の部分	三味線音楽
五番立	ごばんだて	能の五演目からなる番組編成	能楽
小節（コブシ）	こぶし	音を細かく上下させる日本独特の旋律装飾法	旋律
小舞謡	こまいうたい	狂言の劇中で歌われる声楽	能楽
高麗楽	こまがく	主に朝鮮半島系の雅楽で舞楽のみである。狛楽とも記述される	雅楽
虚無僧	こむそう	普化宗の僧侶で読経のかわりに尺八を吹奏する	尺八楽
催馬楽	さいばら	雅楽に属す声楽曲	雅楽
笹琵琶	ささびわ	盲僧琵琶で用いられる楽器	琵琶楽
サシノリ	さしのり	謡の非拍節的な歌い方	能楽
雑能	ざつのう	五番立の四番目物、五番目物に属す多様な内容の能	能楽
薩摩琵琶	さつまびわ	琵琶楽の一種目、使用する楽器をさすこともある	琵琶楽
左方の舞楽	さほうのぶがく	舞楽の唐楽、略して左舞ともいう	雅楽
猿楽	さるがく	人を笑わせる中世の芸能で能の成立に影響を与えた芸能	能楽
サワリ	さわり	特殊な音色を出す三味線の一弦の仕掛け	三味線音楽
三音旋律	さんおんせんりつ	二音旋律に長2度上または短3度下の音を加えた3音からなる旋律	音階
三管両絃三鼓	さんかんりょうげんさんこ	雅楽の管絃で用いられる八種類の楽器	雅楽
三曲（合奏）	さんきょく（がっそう）	三味線、箏、尺八または胡弓による合奏やその伴奏による声楽曲	箏曲
三絃主奏楽	さんげんしゅそうがく	明治時代に生まれた三味線を主とする器楽曲	三味線音楽
三下り	さんさがり	三味線の調弦法の一つ	三味線音楽
三番叟	さんばそう	能の式三番のうちの一演目	能楽
地合	じあい	義太夫節の節のついた詞の部分	三味線音楽
地歌	じうた	三味線伴奏の声楽曲	三味線音楽
式三番	しきさんばん	能楽に属し千歳、翁、三番叟からなる	能楽
シテ方	してかた	能のシテ（主役）や謡などを受け持つ役籍	能楽
下掛り	しもがかり	能のシテ方の分類で金春流、金剛流、喜多流が属す	能楽
自由リズム	じゆうりずむ	拍節的でないリズム	リズム
修羅能	しゅらのう	武人を主役とする能で、五番立の二番目物	能楽
声明	しょうみょう	仏教行事で歌われる声楽曲	分類
浄瑠璃	じょうるり	浄瑠璃姫物語を起源とする語り物音楽の総称	分類
職屋敷	しょくやしき	京都にあった当道制度の中心となる施設	箏曲
序破急	じょはきゅう	雅楽の楽曲構成法、テンポが次第に速くなる楽曲の構成	雅楽
新内節	しんないぶし	三味線音楽、浄瑠璃の一派	三味線音楽
神男女狂鬼	しんなんにょきょうき	能の五番立のこと	能楽
新日本音楽	しんにほんおんがく	宮城道雄などが創作した邦楽	分類
神能	しんのう	神を主役とする能で、五番立の一番目物	能楽
新邦楽	しんほうがく	明治以後に作られた新しい邦楽	分類

用　語	ふりがな	意　味　・　概　念	関連種目・要素等
素唄	すうた	演奏会形式の長唄	三味線音楽
素浄瑠璃	すじょうるり	演奏会形式の浄瑠璃	三味線音楽
須磨琴	すまごと	一弦琴	分類
スレル	すれる	雅楽における微小な音程の違いによる不協和な響き	雅楽
千歳	せんざい	能の式三番のうちの一演目	能楽
善導寺楽	ぜんどうじがく	筑紫の善導寺に伝承されていた音楽	箏曲
俗楽	ぞくがく	雅楽に対する言葉で、箏曲や三味線音楽などの大衆音楽をさす	分類
俗箏	ぞくそう	生田流箏曲や山田流箏曲などで用いられる箏	箏曲
竹本	たけもと	歌舞伎では義太夫節を竹本という	三味線音楽
竹もの	たけもの	尺八の表現をさす言葉で拍節的でないリズムの民謡	分類
大夫	たゆう	義太夫節の語り手	三味線音楽
段物	だんもの	箏曲の器楽曲、数段からなり、「調べ物」ともいう	箏曲
筑前琵琶	ちくぜんびわ	琵琶楽の一種目、使用する楽器をさすこともある	琵琶楽
筑箏	ちくそう	筑紫流箏曲で用いられる箏	箏曲
中間音	ちゅうかんおん	音階やテトラコードのなかで変化しやすい音	音階
中ノリ	ちゅうのり	謡のリズム型の一種	能楽
番舞	つがいまい	左舞と右舞でつり合いのとれた一対の舞	雅楽
筑紫流	つくしりゅう	箏曲の最も古い伝統をもつ流派	箏曲
強吟	つよぎん	謡の旋律型、剛吟ともいう	能楽
手組	てぐみ	能の打楽器における打音と掛声からなるリズムの型	能楽
手事	てごと	箏曲の声楽曲のなかで楽器だけによる間奏部分	箏曲
テトラコード	てとらこーど	完全4度の枠組みを基本とする音階の理論	音階
唐楽	とうがく	主に中国系の雅楽で舞楽と管弦がある	雅楽
当道制度	とうどうせいど	盲目の人々の職業を保障した江戸時代の制度	箏曲
時の調子	ときのちょうし	雅楽の調は演奏する季節が定められている	雅楽
常磐津節	ときわずぶし	三味線音楽、浄瑠璃の一派	三味線音楽
都山流尺八	とざんりゅうしゃくはち	中尾都山によって明治時代に創始された尺八の流派	尺八楽
都々逸	どどいつ	三味線音楽の一種	三味線音楽
富本節	とみもとぶし	三味線音楽、浄瑠璃の一派	三味線音楽
長唄	ながうた	歌舞伎の伴奏音楽として生まれた三味線音楽	三味線音楽
ナガシ	ながし	特徴あるリズムをもつ三味線の奏法	三味線音楽
長もの	ながもの	尺八の表現をさす言葉で拍節的でないリズムの民謡	分類
浪花節	なにわぶし	三味線音楽の一種、浪曲ともいう	三味線音楽
鳴物	なりもの	囃子のうち三味線を除く楽器の総称	三味線音楽
二上り	にあがり	三味線の調弦法の一つ	三味線音楽
二音旋律	におんせんりつ	長2度の音程をもつ2音からなる旋律	音階
錦琵琶	にしきびわ	薩摩琵琶の分派、使用する楽器を指すこともある	琵琶楽
音取	ねとり	雅楽の調ごとにある短い前奏	雅楽
能	のう	能楽の中心となる音楽舞踊劇	能楽
残楽	のこりがく	反復の度に楽器が減少する雅楽の演奏法	雅楽
延拍子	のべびょうし	雅楽の拍子の一種、8拍子で、破の舞のリズム	雅楽
ノリ型	のりがた	謡のリズム型	能楽
ハイヤ節	はいやぶし	その系統の歌が日本各地に分布する民謡	郷土芸能
端唄	はうた	三味線伴奏の声楽曲	三味線音楽
囃子方	はやしかた	能の伴奏音楽を受け持つ役籍	能楽
早只拍子	はやただびょうし	雅楽の拍子の一種	雅楽
早拍子	はやびょうし	雅楽の拍子の一種、4拍子で、急の舞のリズム	雅楽
弾き物	ひきもの	雅楽の弦楽器	雅楽
一節切	ひとよぎり	歴史的な楽器で小型の尺八の一種	尺八楽
雛壇の音楽	ひなだんのおんがく	歌舞伎の舞台正面で演奏される長唄	三味線音楽

用　語	ふりがな	意　味　・　概　念	関連種目・要素等
兵一琵琶	ひょういちびわ	盲僧琵琶で用いられる楽器	琵琶楽
拍子合	ひょうしあい	能楽における拍節的なリズムの部分	能楽
拍子不合	ひょうしあわず	能楽における拍節的でないリズムの部分	能楽
平ノリ	ひらのり	謡のリズム型の一種	能楽
舞楽	ぶがく	雅楽のなかで舞を伴うもの	雅楽
吹き合い	ふきあい	複数の尺八による掛け合いのこと	尺八楽
吹き物	ふきもの	雅楽の管楽器	雅楽
複式夢幻能	ふくしきむげんのう	能の内容と構成を表している言葉	能楽
普化尺八	ふけしゃくはち	普化宗の尺八音楽	尺八楽
普化宗	ふけしゅう	尺八を法器とする仏教の宗派	尺八楽
節	ふし	義太夫節の旋律的に歌われる部分	三味線音楽
風流	ふりゅう	能楽に属す短い演目	能楽
豊後節	ぶんごぶし	古浄瑠璃の一つでこの系統から常磐津節や清元節などが生まれた	三味線音楽
平家琵琶	へいけびわ	琵琶楽の一種目、使用する楽器をさすこともある	琵琶楽
ヘテロフォニー	へてろふぉにー	単一の旋律を変化させて重ねる合奏法の一種	音の重なり
本曲	ほんきょく	尺八楽のうちはじめから尺八のために作られた楽曲	尺八楽
本調子	ほんちょうし	三味線の基本となる調弦	三味線音楽
本手	ほんて	箏曲や三味線音楽などの主旋律のパート	箏曲、三味線音楽
間	ま	日本の音楽独特のリズム感	リズム
前拍・後拍	まえはく・あとはく	2拍子の1拍目と2拍目	リズム
都節音階	みやこぶしおんかい	箏や三味線などの邦楽に多い音階	音階
宮薗節	みやぞのぶし	三味線音楽、浄瑠璃の一派	三味線音楽
民謡音階	みんようおんかい	日本の民謡に多い音階	音階
無拍	むはく	拍節的でないリズム	リズム
盲僧琵琶	もうそうびわ	琵琶楽の一種目	琵琶楽
両来(諸来)	もろらい	両手の撥で細かいリズムを打つ鞨鼓の奏法	雅楽
八木節様式	やぎぶしようしき	2拍子系の拍節的なリズムの日本の音楽	リズム
八雲琴	やくもごと	二弦琴	分類
夜多羅拍子	やたらびょうし	雅楽の拍子の一種、「八多良」とも記述する	雅楽
八橋流	やつはしりゅう	八橋検校に起源をもつ箏曲の流派	箏曲
山田流	やまだりゅう	箏曲の二大流派の一つ	箏曲
有拍	ゆうはく	拍節的なリズム	リズム
床	ゆか	歌舞伎の舞台上手の義太夫節が演奏する場所	三味線音楽
ヨナ抜き音階	よなぬきおんかい	長音階からファとシを抜いた五音音階	音階
弱吟	よわぎん	謡の旋律型、柔吟ともいう	能楽
律音階	りつおんかい	日本の古い音楽に多い雅楽の音階	音階
律旋	りつせん	雅楽の音階のうち平調、黄鐘調、盤渉調がこれにあたる	雅楽
琉球音階	りゅうきゅうおんかい	沖縄地方特有の音階	音階
呂音階	りょおんかい	日本の音階の一種	音階
呂旋	りょせん	雅楽の音階のうち壱越調、双調、太食調がこれにあたる	雅楽
輪説	りんぜつ	残り楽の最後の部分で箏が演奏する独特の旋律	雅楽
朗詠	ろうえい	雅楽に属す声楽曲	雅楽
六調子	ろくちょうし	唐楽に用いられる6種類の調	雅楽
ワキ方	わきかた	能のワキ(脇役)を受け持つ役籍	能楽
渡物	わたしもの	複数の調で演奏される雅楽の楽曲	雅楽

福井昭史（2006）『よくわかる日本音楽基礎講座』音楽之友社 より転載

12 ｜移調楽器

中等科では，移調楽器の扱いについて，単に専門外だからということで避けては通れない。実際に，日々の授業において，リコーダーなどの表現活動にとどまらず，鑑賞や創作の活動場面でも移調楽器についての理論的な知識は必要である。さらに，吹奏楽やオーケストラなどの指導においては，自分自身のみでなく，生徒にも理解させなくてはならない。ここでは，特に移調楽器としての管楽器を中心にまとめたい。

▶ 移調楽器とは

実音（実際にそれぞれの楽器が出す音）とは異なる調で記譜された楽譜で演奏する楽器のこと。実音は，楽譜どおりの音が出るピアノなどの音を基準に考えると分かりやすい。

〈移調楽器の種類〉

①B♭（ベー）管群…トランペット，コルネット，クラリネット，テナー・サクソフォーン，テナー・トロンボーン（バス・トロンボーン）

②E♭（エス）管群…アルト・サクソフォーン，バリトン・サクソフォーン，E♭クラリネット

③F管群…フレンチホルン

④A管群…Aクラリネットなど

▶ 記譜音と実音との関係

B♭管（Tp.，Cor.，Cl.）は記譜上ハ長調であっても，実音は変ロ長調になるので，常に記譜上は実音の長2度上で表さなければならない。

E♭管（Alto Sax.）では，記譜上ハ長調であっても，実音は変ホ長調になるので，記譜上は実音の長6度上で表すことになる。

また，F管やA管の場合は，

のようになる。以上のことから各移調楽器は，記譜上のハ長調を基準にして，それぞれ何調に移調しているかで，B♭管や，E♭管などと呼ばれることが多い。そのほか，

・Ten.Sax.は，記譜よりも長9度（長2度＋オクターヴ）低い音が出る。

・Trb.（Tub.，Euph.）はB♭管だが，一般に実音で記されている楽譜を用いる。

・E♭Cl.は，記譜よりも短3度（Alto Sax.よりオクターヴ）高い音が出る。

・Bar.Sax.は，記譜よりも長6度＋オクターヴ（Alto Sax.よりオクターヴ）低い音が出る。

▶ 移調読みの実際

パート練習やアンサンブルの練習では，各移調楽器の特性を理解するだけでなく，実際に音で表現できなければならない。例えば，調性の異なる楽器間でも，練習の過程で同音（ユニゾン）で確認し合うような場面が出てくることもある。

実音がB♭音の場合，B♭管の記譜上はC音であり，E♭管の記譜上はG音になることから，例えばCl.の楽譜を完全5度上の調で吹奏すれば，E♭管でも同音での演奏が可能になる。

この楽譜をE♭管である，Alto Sax.で吹奏するには，ト長調の完全5度上のニ長調に移調すればよいことになる。

▶ 移調楽器の記譜上の位置

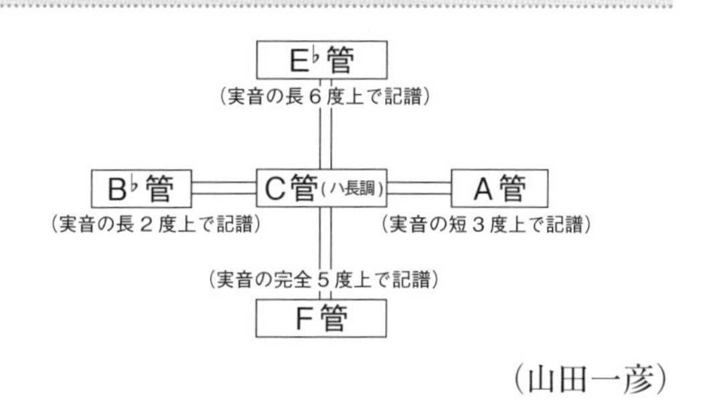

（山田一彦）

13 音楽(教育)史年表

世紀	紀元前	1	2	3	4	5	6	7	8	9	10	11	12	13	14
西暦		1	100	200	300	400	500	600	700	800	900	1000	1100	1200	1300 / 1400

音楽教育史(西洋)

アテネ, スパルタなどで体育・音楽重視
エートス論
プラトン(前427～前347)
アリストテレス(前384～前322)
ローマにスコラ・カントールム創設(314)
ローマに歌手学校創設(461)
七自由学科の教育体系成立
カンタベリーに聖歌の教育施設創設(630)
グイード・ダレッツォ(991/2ころ～33以降)
階名唱法
騎士階級の音楽教育

西洋音楽史

ヘブライ
■ユダヤ教の音楽
ギリシャ
■音楽・劇・舞踊の一体化
ギリシャの音楽理論
• ギリシャ旋法
• ピュタゴラス音律
ピュタゴラス(前6c.に活躍)
★リラ
★キタラ
★アウロス
★水力オルガン

〔単旋律音楽(モノフォニー)〕
■単旋律音楽
グレゴリオ聖歌
グレゴリウス1世(在位590～604)
教会旋法
アウグスティヌス(354～430)
『音楽論』
ボエティウス(480?～524)
『音楽教程』
★オルガンの改良

〔多声音楽(ポリフォニー)の始まり〕
■オルガヌム
■自由オルガヌム
〈理論の発達〉
教会旋法の体系化
『ムジカ・エンキリアディス』
階名・譜線の考案
〈記譜法の発達〉
ネウマ譜

〔対位法の発展〕
■典礼劇　■モテット　■ミサ通常文の通作
ノートル・ダム楽派
レオナン(12c後半活躍)
ペロタン(1200年ころに活躍)
マショー(1300?～77)
■世俗多声歌曲の形式(ロンドー, バラードなど)
■カノン
世俗音楽の興隆
芸人楽士の活躍
四線ネウマ譜　フランコの定量記譜法
★フルート属
★オルガンの普及
★トロンボーン

古代　中世　(アルス・アンティカ)　(アルス・ノヴァ)

世界史・日本史一般事項

ヘレニズム　ローマ　初期キリスト教　ビザンティン　ロマネスク　ゴシック

イエス生誕(前4ころ)
帝政ローマ(前27)
アレクサンドロスの東征(前334～前324)
シャカ生誕
仏教, 中国に伝来(前1cころ)
高句麗成立(1c)　百済・新羅成立(4c)
ササン朝建国(224)
キリスト教公認(313)
ローマ帝国の東西分裂(395)
ゲルマン民族の大移動開始(375)
ムハンマド生誕(570?)
隋の中国統一(589)
唐建国(618)
新羅の朝鮮半島統一(676)
高麗建国(918)
宋建国(960)
神聖ローマ帝国成立(962)
教会の東西分裂(1054)
第1回十字軍(1096)
アンコール・ワット(12c)
パリのノートル・ダム大聖堂起工(1163)
ダンテ　ペトラルカ
英仏百年戦争(1339～1453)
オスマン帝国成立(1299)
元建国(1271)
明建国(1368)
朝鮮建国(1392)

邪馬台国
ヤマト政権(4～7c)
仏教伝来(538?)
改新の詔(646)
遣隋使・遣唐使(7～9c)
平城京遷都(710)
『古事記』(712)
『日本書紀』(720)
平安京遷都(794)
『源氏物語』(1010ころ)
『梁塵秘抄』(1180ころ)
鎌倉幕府
『平家物語』(13c.前半)
元の襲来(1274, 81)
室町幕府(1336)

(小国分立)　(古墳時代)　奈良時代　平安時代　鎌倉時代　(南北朝時代)

日本音楽史

生活に直結した歌謡と舞踊
★銅鐸　★土笛　★石笛
★スズ　★コト　★太鼓
★フエ　★ツヅミ

〔大陸音楽の移入〕
■三韓楽伝来(新羅楽・百済楽・高麗楽)
■伎楽伝来(612)
■仏教音楽伝来　**仏教音楽**
■散楽伝来
■唐楽伝来

〔貴族文化の音楽〕
■声明の日本化
〈雅楽の日本化〉
雅楽　■管絃　■催馬楽　■今様
■舞楽　■朗詠
★雅楽器を篳篥・竜笛・笙・琵琶・箏・鉦鼓・鞨鼓・太鼓などに整理
■田楽・猿楽の流行

〔武家の音楽の興隆〕
能楽
観阿弥(1333～84)
世阿弥(1363?～1443?)
琵琶楽
■平曲(平家)
★平家琵琶　★能管　★一節切

音楽教育史(日本)

味摩之が少年に伎楽の指導(612)
雅楽寮設置(701)
『楽書要録』伝来(735)
『天平琵琶譜』(747)
真言宗で声明業の制定(835ころ)
楽制改革〔楽器・音組織〕(833ころ)
楽所設置(948?)
琴歌譜(981)
貴族の音楽教育
後白河法皇が雅楽・今様などの保護・教習

■＝楽曲の種類に関するもの　★＝楽器の種類に関するもの

15	16	17	18

1400 1500 1600 1700 1800

音楽の個人教授が盛んになる
カントル職成立(ドイツ)
コレギウム・ムシクム
コメニウス(1592〜1670)
コンセルヴァトーリオ・サンタ・マリア・ディ・ロレート設立(イタリア)
音楽家ギルド
ルソー(1712〜78)
パリ音楽院創設(1795)
H.G.ネーゲリ(1773〜1836)
フレーベル(1782〜1852)
ペスタロッチ(1746〜1827)
チェルニー(1791〜1857)

〔多声声楽曲の全盛期〕 〔調性の確立〕〔通奏低音の一般化〕〔多声音楽(ポリフォニー)から和声音楽(ホモフォニー)へ〕

〈オペラの誕生〉 ■バロック・オペラ ■オペラ・セリア ■オペラ・ブッファ

フランドル楽派
■モノディー
リュリ(1632〜87)
グルック(1714〜87)のオペラ改革
ジョスカン・デ・プレ(1450/55〜1521) モンテヴェルディ(1567〜1643)
ヘンデル(1685〜1759) 〈管弦楽の発達〉 ■歌曲 ■ピアノ曲

ブルゴーニュ楽派
ラッソ(1530または32〜94)
■古典組曲 ■合奏協奏曲 ■独奏協奏曲 ■ソナタ■室内楽
デュファイ(1397?〜1474)
〈器楽曲の発展〉
D.スカルラッティ(1685〜1741) ■協奏曲■交響曲
■ミサ曲 ■マドリガル ■シャンソン
■舞曲■変奏曲
ヴィヴァルディ(1678〜1741)
ウィーン古典派
パレストリーナ(1525/26〜94)
パーセル(1659〜95)
ロココの音楽
ハイドン(1732〜1809)
F.クープラン(1668〜1733)
モーツァルト(1756〜91)

宗教改革の音楽
■コラール
■オラトリオ ■受難曲 ■カンタータ〈対位法様式(フーガなど)の完成〉
ベートーヴェン(1770〜1827)
シュッツ(1585〜1672)
J.S.バッハ(1685〜1750)
最初の印刷楽譜(1501)
〈近代五線記譜法〉
〈平均律〉
〈音楽家の自立〉
★ギター ★ヴァイオリンの完成 ★リコーダー全盛期
公開演奏会始まる
★ヴィオール属 ★リュート全盛期 ★チェンバロ(ハープシコード)全盛期 ★ピアノの登場(1709) ★管楽器の改良進む

ルネサンス バロック 古典派

ルネサンス マニエリスム バロック ロココ 新古典主義

レオナルド・ダ・ヴィンチ
ミケランジェロ シェークスピア
モリエール
レンブラント
カント ゲーテ シラー
ルイ14世(在位1643〜1715)
フランス革命開始(1789)
イギリス国教会成立(1534)
大ブリテン王国成立(1707)
イギリスで産業革命(18c.後半)
活版印刷術(15c.後半) ルターの宗教改革開始(1517)
ドイツ30年戦争(1618〜48)
コロンブス,アメリカに到着(1492)
アメリカ独立宣言(1776)
ムガル帝国成立(1526)
後金(清)建国(1616)

キリスト教伝来 徳川幕府(1603〜1867)
応仁の乱(1467〜77) シャビエル〔ザビエル〕来航(1549) 島原の乱(1637)
天正遣欧使節(1582)
洒落本流行 滑稽本流行

室町時代 (戦国時代) 安土桃山 江戸時代

〔庶民の音楽の台頭〕 〔近世邦楽の興隆〕

■幕府,能を式楽とする(四座一流:観世・宝生・金春・金剛・喜多)
■キリスト教音楽伝来
近松門左衛門(1653〜1725) 近松半二(1725〜83)
■古浄瑠璃 ■義太夫節 ■常磐津節
三味線音楽
■地歌 ■人形浄瑠璃 竹本義太夫(1651〜1714)
〈長唄・地歌・箏曲の全盛期〉
■阿国の歌舞伎踊り(出雲の阿国) ■歌舞伎
歌舞伎音楽
■新内節
★筑紫箏
箏曲
八橋検校(1614〜85) 生田検校(1656〜1715)
山田検校(1757〜1817)
★盲僧琵琶
★三味線,琉球より伝来(1560ころ) ★胡弓 ★普化尺八
尺八音楽
黒沢琴古(1710〜71) ★薩摩琵琶

『糸竹初心集』(1664)
武士の音楽に能楽が加わる
世阿弥『風姿花伝』(1400ころ)
三味線音楽・箏曲の町民への個人教授(唱歌(しょうが)が基本)
キリシタン大名による宣教師養成学校やセミナリオ(神学校)設立(音楽も課す)
現存する世界最古の印刷楽譜〔文明4年版 声明集〕(1472)

19　20　21

1800　1900　2000　2010

ウィーン音楽院創設(1817)　ベルリン高等音楽学校創設(1869) 青少年音楽運動　創造的音楽学習〔CMM〕(イギリス)
ジュリアード音楽院創設 (1820)　ケステンベルク改革(ドイツ)
モスクワ音楽院創設(1866)　**オルフ**(1895～1982)　サウンド・エデュケーション(カナダ)
コンコーネ(1801～61)　**コダーイ**(1882～1967)
バイエル(1803～63)　**デューイ**(1859 ～ 1952) **ダルクローズ**(1865～1950)　コンセプチュアル・ラーニング(アメリカ)

〔標題音楽と絶対音楽〕〔古典的規範からの脱却〕〔リズム, 音階, 音素材などの多様化〕〔ポピュラー音楽の台頭〕

ベルリオーズ(1803～69)　印象主義 **ドビュッシー**(1862～1918)　**ベリオ**(1925～2003)
リスト(1811～86)　**ラヴェル**(1875 ～ 1937)　ミュジック・セリエル
■交響詩　新古典主義 **メシアン**(1908～92)
シューベルト(1797～1828) **サン＝サーンス**(1835～1921) **プロコフィエフ**(1891 ～ 1953) **ブーレーズ**(1925～2016)
メンデルスゾーン(1809～47) **フォーレ**(1845～1924) **ストラヴィンスキー**(1882～1971)　電子音楽 **リゲティ**(1923～2006)
シューマン(1810～56) **ブラームス**(1833～97) **マーラー**(1860～1911) 十二音音楽　**シュトックハウゼン**(1928～2007)
ショパン(1810～49)　**シェーンベルク**(1874～1951)
ヴェルディ(1813～1901)　**プッチーニ**(1858～1924) **バルトーク**(1881～1945)　偶然性の音楽　**A.ロイド・ウェッバー**(1948～)
ワーグナー(1813～83)　**R.シュトラウス**(1864～1949)　**ケージ**(1912～92)　■デスクトップ・ミュージック
■オペラ ■楽劇　**チャイコフスキー**(1840～93) **ショスタコーヴィチ**(1906～75)　ミニマル・ミュージック　ブルーレイ・ディスク
国民楽派 〈ロシア五人組〉**ムソルグスキー**(1839～81) **ブリテン**(1913～76) **ライヒ**(1936～)　音楽配信サービス
スメタナ(1824～84) **リムスキー＝コルサコフ**(1844～1908) **ガーシュイン**(1898～1937) **バーンスタイン**(1918～90)
ドヴォルジャーク(1841～1904) **シベリウス**(1865～1957) ■オペレッタ ■ジャズ ■ミュージカル　■映画音楽 ■ロック ■ワールドミュージック
★金管・木管楽器の改良　★蓄音機の発明(1877)　★電気楽器 ★電子楽器　LPレコード　CD, DVD, mp3 プレーヤー

ロ　マ　ン　派　(近　代)　20　世　紀　以　降 (現　代)

ロマン主義　写実主義　印象主義　象徴主義　キュビズム／未来派／シュールレアリスム／ポップ・アート／ミニマル・アートなど

〈印象派絵画〉(セザンヌ, ルノアール, モネなど)　ピカソ　ウォーホル　アメリカで同時多発テロ(2001)
ナポレオン皇帝即位(1804)　ドイツ帝国成立 (1871)　第1次世界大戦(1914～18)　第2次世界大戦(1939～45)　ドイツ統一(1990)　イラク戦争(2003)
神聖ローマ帝国滅亡(1806)　パリ万国博(1889)
ロシア革命(1917)　ソ連消滅(1991)
南北戦争(1861 ～ 65)　湾岸戦争(1991)
映画の発明(1898)　国際連合成立(1945)　EU 発足(1993)
スエズ運河開通(1869) 英領インド帝国成立(1877 ～ 1947)　パソコン　スマートフォン
インドシナ連邦成立(1887)
アヘン戦争(1840 ～ 42)　中華民国建国(1912) 中華人民共和国建国(1949)　インターネット　携帯電話　SNS

明治維新(1868)　太平洋戦争(1941 ～ 45) 沖縄本土復帰(1972)　東日本大震災／福島第一原発事故(2011)
学制公布(1872)　『赤い鳥』創刊(1918)　日本万国博(1970)
鹿鳴館完成(1883) ラジオ放送開始(1925)　東京オリンピック(1964)　東京オリンピック(2020)
ペリー来航(1853)　テレビ放送開始 (1953)
人情本流行　国産初のトーキー映画(1931)　阪神・淡路大震災(1995)

江　戸　時　代　明　治　大正　昭　和　平成　令和

〔西洋音楽の移入〕〔西洋音楽の浸透と新展開〕〔メディアの発達と音楽の多様化〕

大正童謡運動　童謡復興運動
■歌謡曲　■現代邦楽 ■グループ・サウンズ　■アイドル・グループ
■新日本音楽　■ニューミュージック　■テクノ・ポップ
■清元節 (1814 創始)　**滝 廉太郎** (1879 ～ 1903) **中田喜直**(1923～2000)
■端唄・うた沢・小唄　**山田耕筰**(1886 ～ 1965) **團 伊玖磨**(1924～2001)
■変化物の流行　■雅楽の復興 ■文楽座開場(1872)　**武満 徹**(1930～96)
初世中尾都山(1876-1956) **宮城道雄**(1894～1956)　■J-POP
★筑前琵琶　★津軽三味線　★十七弦箏 ★電子楽器普及　カラオケ
★オルガン, ピアノの国産品製造

伊沢修二(1851 ～ 1917)　東京音楽学校設立(1887)
音楽取調掛設置(1879)　学習指導要領試案(1947)　教育基本法改正(2006)
音楽取調掛第1回伝習生卒業(1885)　国民学校・芸能科音楽(1941)　第9次学習指導要領告示(2017, 18)
宮内省雅楽局設置(1870)「君が代」公布(1893)
島津藩軍楽隊(1869)　『小学唱歌集』初編発行(1882)

14　中学校生徒指導要録（参考様式）

文部科学省初等中等教育局長通知（平成 31 年 3 月 29 日）より

区分＼学年	1	2	3
学　級			
整理番号			

学　籍　の　記　録

生徒	ふりがな		性別	入学・編入学等	年　月　日　第 1 学年　入学 第　学年編入学
	氏　名				
	生年月日	年　月　日生		転　入　学	年　月　日　第　学年転入学
	現住所				
保護者	ふりがな			転学・退学等	（　年　月　日） 年　月　日
	氏　名				
	現住所			卒　業	年　月　日
入学前の経歴				進学先 就職先等	

学校名 及び 所在地 （分校名・所在地等）	

年　度	年度	年度	年度
区分＼学年	1	2	3
校長氏名印			
学級担任者 氏名印			

様式２（指導に関する記録）

生 徒 氏 名	学 校 名	区分＼学年	1	2	3
		学 級			
		整理番号			

各 教 科 の 学 習 の 記 録

教科	観 点 ＼ 学 年	1	2	3
国語	知識・技能			
	思考・判断・表現			
	主体的に学習に取り組む態度			
	評定			
社会	知識・技能			
	思考・判断・表現			
	主体的に学習に取り組む態度			
	評定			
数学	知識・技能			
	思考・判断・表現			
	主体的に学習に取り組む態度			
	評定			
理科	知識・技能			
	思考・判断・表現			
	主体的に学習に取り組む態度			
	評定			
音楽	知識・技能			
	思考・判断・表現			
	主体的に学習に取り組む態度			
	評定			
美術	知識・技能			
	思考・判断・表現			
	主体的に学習に取り組む態度			
	評定			
保健体育	知識・技能			
	思考・判断・表現			
	主体的に学習に取り組む態度			
	評定			
技術・家庭	知識・技能			
	思考・判断・表現			
	主体的に学習に取り組む態度			
	評定			
外国語	知識・技能			
	思考・判断・表現			
	主体的に学習に取り組む態度			
	評定			

教科	観 点 ＼ 学 年	1	2	3
	知識・技能			
	思考・判断・表現			
	主体的に学習に取り組む態度			
	評定			

特 別 の 教 科 道 徳

学年	学習状況及び道徳性に係る成長の様子
1	
2	
3	

総 合 的 な 学 習 の 時 間 の 記 録

学年	学 習 活 動	観 点	評 価
1			
2			
3			

特 別 活 動 の 記 録

内 容	観 点 ＼ 学 年	1	2	3
学級活動				
生徒会活動				
学校行事				

生徒氏名

行動の記録							
項目＼学年	1	2	3	項目＼学年	1	2	3
基本的な生活習慣				思いやり・協力			
健康・体力の向上				生命尊重·自然愛護			
自主・自律				勤労・奉仕			
責任感				公正・公平			
創意工夫				公共心・公徳心			

総合所見及び指導上参考となる諸事項	
第1学年	
第2学年	
第3学年	

出欠の記録						
区分＼学年	授業日数	出席停止・忌引等の日数	出席しなければならない日数	欠席日数	出席日数	備考
1						
2						
3						

(注)「総合所見及び指導上参考となる諸事項」については，生徒の成長の状況を総合的にとらえるため，以下の事項等を文章で箇条書き等により端的に記述すること。特に【5】のうち，生徒の特徴·特技や学校外の活動等については，今後の学習指導等を進めていく上で必要な情報に精選して記述する。

【1】各教科や総合的な学習の時間の学習に関する所見
【2】特別活動に関する事実及び所見
【3】行動に関する所見
【4】進路指導に関する事項
【5】生徒の特徴・特技，部活動，学校内外におけるボランティア活動など社会奉仕体験活動，表彰を受けた行為や活動，学力について標準化された検査の結果等指導上参考となる諸事項
【6】生徒の成長の状況にかかわる総合的な所見

15　小学校学習指導要領 音楽

（2017年3月31日告示/2020年4月1日施行）

第1　目標

表現及び鑑賞の活動を通して，音楽的な見方・考え方を働かせ，生活や社会の中の音や音楽と豊かに関わる資質・能力を次のとおり育成することを目指す。

(1) 曲想と音楽の構造などとの関わりについて理解するとともに，表したい音楽表現をするために必要な技能を身に付けるようにする。

(2) 音楽表現を工夫することや，音楽を味わって聴くことができるようにする。

(3) 音楽活動の楽しさを体験することを通して，音楽を愛好する心情と音楽に対する感性を育むとともに，音楽に親しむ態度を養い，豊かな情操を培う。

第2　各学年の目標及び内容

第1学年 及び 第2学年

1　目標

(1) 曲想と音楽の構造などとの関わりについて気付くとともに，音楽表現を楽しむために必要な歌唱，器楽，音楽づくりの技能を身に付けるようにする。

(2) 音楽表現を考えて表現に対する思いをもつことや，曲や演奏の楽しさを見いだしながら音楽を味わって聴くことができるようにする。

(3) 楽しく音楽に関わり，協働して音楽活動をする楽しさを感じながら，身の回りの様々な音楽に親しむとともに，音楽経験を生かして生活を明るく潤いのあるものにしようとする態度を養う。

2　内容

A　表現

(1) 歌唱の活動を通して，次の事項を身に付けることができるよう指導する。

ア　歌唱表現についての知識や技能を得たり生かしたりしながら，曲想を感じ取って表現を工夫し，どのように歌うかについて思いをもつこと。

イ　曲想と音楽の構造との関わり，曲想と歌詞の表す情景や気持ちとの関わりについて気付くこと。

ウ　思いに合った表現をするために必要な次の(ｱ)から(ｳ)までの技能を身に付けること。

(ｱ) 範唱を聴いて歌ったり，階名で模唱したり暗唱したりする技能

(ｲ) 自分の歌声及び発音に気を付けて歌う技能

(ｳ) 互いの歌声や伴奏を聴いて，声を合わせて歌う技能

(2) 器楽の活動を通して，次の事項を身に付けることができるよう指導する。

ア　器楽表現についての知識や技能を得たり生かしたりしながら，曲想を感じ取って表現を工夫し，どのように演奏するかについて思いをもつこと。

イ　次の(ｱ)及び(ｲ)について気付くこと。

(ｱ) 曲想と音楽の構造との関わり

(ｲ) 楽器の音色と演奏の仕方との関わり

ウ　思いに合った表現をするために必要な次の(ｱ)から(ｳ)までの技能を身に付けること。

(ｱ) 範奏を聴いたり，リズム譜などを見たりして演奏する技能

(ｲ) 音色に気を付けて，旋律楽器及び打楽器を演奏する技能

(ｳ) 互いの楽器の音や伴奏を聴いて，音を合わせて演奏する技能

(3) 音楽づくりの活動を通して，次の事項を身に付けることができるよう指導する。

ア　音楽づくりについての知識や技能を得たり生かしたりしながら，次の(ｱ)及び(ｲ)をできるようにすること。

(ｱ) 音遊びを通して，音楽づくりの発想を得ること。

(ｲ) どのように音を音楽にしていくかについて思いをもつこと。

イ　次の(ｱ)及び(ｲ)について，それらが生み出す面白さなどと関わらせて気付くこと。

(ｱ) 声や身の回りの様々な音の特徴

(ｲ) 音やフレーズのつなげ方の特徴

ウ　発想を生かした表現や，思いに合った表現をするために必要な次の(ｱ)及び(ｲ)の技能を身に付けること。

(ｱ) 設定した条件に基づいて，即興的に音を選んだりつなげたりして表現する技能

(ｲ) 音楽の仕組みを用いて，簡単な音楽をつくる技能

B　鑑賞

(1) 鑑賞の活動を通して，次の事項を身に付けることができるよう指導する。

ア　鑑賞についての知識を得たり生かしたりしながら，曲や演奏の楽しさを見いだし，曲全体を味わって聴くこと。

イ　曲想と音楽の構造との関わりについて気付くこと。

〔共通事項〕

(1) 「A表現」及び「B鑑賞」の指導を通して，次の事項を身に付けることができるよう指導する。

ア　音楽を形づくっている要素を聴き取り，それらの働きが生み出すよさや面白さ，美しさを感じ取りながら，聴き取ったことと感じ取ったこととの関わりについて考えること。

イ　音楽を形づくっている要素及びそれらに関わる身近な音符，休符，記号や用語について，音楽における働きと関わらせて理解すること。

3　内容の取扱い

(1)　歌唱教材は次に示すものを取り扱う。

ア　主となる歌唱教材については，各学年ともイの共通教材を含めて，斉唱及び輪唱で歌う曲

イ　共通教材

〔第1学年〕

「うみ」（文部省唱歌）林柳波作詞　井上武士作曲

「かたつむり」（文部省唱歌）

「日のまる」（文部省唱歌）高野辰之作詞　岡野貞一作曲

「ひらいたひらいた」（わらべうた）

〔第2学年〕

「かくれんぼ」（文部省唱歌）林柳波作詞　下総皖一作曲

「春がきた」（文部省唱歌）高野辰之作詞　岡野貞一作曲

「虫のこえ」（文部省唱歌）

「夕やけこやけ」中村雨紅作詞　草川信作曲

(2)　主となる器楽教材については，既習の歌唱教材を含め，主旋律に簡単なリズム伴奏や低声部などを加えた曲を取り扱う。

(3)　鑑賞教材は次に示すものを取り扱う。

ア　我が国及び諸外国のわらべうたや遊びうた，行進曲や踊りの音楽など体を動かすことの快さを感じ取りやすい音楽，日常の生活に関連して情景を思い浮かべやすい音楽など，いろいろな種類の曲

イ　音楽を形づくっている要素の働きを感じ取りやすく，親しみやすい曲

ウ　楽器の音色や人の声の特徴を捉えやすく親しみやすい，いろいろな演奏形態による曲

第3学年 及び 第4学年

1　目標

(1)　曲想と音楽の構造などとの関わりについて気付くとともに，表したい音楽表現をするために必要な歌唱，器楽，音楽づくりの技能を身に付けるようにする。

(2)　音楽表現を考えて表現に対する思いや意図をもつことや，曲や演奏のよさなどを見いだしながら音楽を味わって聴くことができるようにする。

(3)　進んで音楽に関わり，協働して音楽活動をする楽しさを感じながら，様々な音楽に親しむとともに，音楽経験を生かして生活を明るく潤いのあるものにしようとする態度を養う。

2　内容

A　表現

(1)　歌唱の活動を通して，次の事項を身に付けることができるよう指導する。

ア　歌唱表現についての知識や技能を得たり生かしたりしながら，曲の特徴を捉えた表現を工夫し，どのように歌うかについて思いや意図をもつこと。

イ　曲想と音楽の構造や歌詞の内容との関わりについて気付くこと。

ウ　思いや意図に合った表現をするために必要な次の(ｱ)から(ｳ)までの技能を身に付けること。

(ｱ)　範唱を聴いたり，ハ長調の楽譜を見たりして歌う技能

(ｲ)　呼吸及び発音の仕方に気を付けて，自然で無理のない歌い方で歌う技能

(ｳ)　互いの歌声や副次的な旋律，伴奏を聴いて，声を合わせて歌う技能

(2)　器楽の活動を通して，次の事項を身に付けることができるよう指導する。

ア　器楽表現についての知識や技能を得たり生かしたりしながら，曲の特徴を捉えた表現を工夫し，どのように演奏するかについて思いや意図をもつこと。

イ　次の(ｱ)及び(ｲ)について気付くこと。

(ｱ)　曲想と音楽の構造との関わり

(ｲ)　楽器の音色や響きと演奏の仕方との関わり

ウ　思いや意図に合った表現をするために必要な次の(ｱ)から(ｳ)までの技能を身に付けること。

(ｱ)　範奏を聴いたり，ハ長調の楽譜を見たりして演奏する技能

(ｲ)　音色や響きに気を付けて，旋律楽器及び打楽器を演奏する技能

(ｳ)　互いの楽器の音や副次的な旋律，伴奏を聴いて，音を合わせて演奏する技能

(3)　音楽づくりの活動を通して，次の事項を身に付けることができるよう指導する。

ア　音楽づくりについての知識や技能を得たり生かしたりしながら，次の(ｱ)及び(ｲ)をできるようにすること。

(ｱ)　即興的に表現することを通して，音楽づくりの発想を得ること。

(ｲ)　音を音楽へと構成することを通して，どのようにまとまりを意識した音楽をつくるかについて思いや意図をもつこと。

イ　次の(ｱ)及び(ｲ)について，それらが生み出すよさや面白さなどと関わらせて気付くこと。

(ｱ)　いろいろな音の響きやそれらの組合せの特徴

(ｲ)　音やフレーズのつなげ方や重ね方の特徴

ウ　発想を生かした表現や，思いや意図に合った表現をするために必要な次の(ｱ)及び(ｲ)の技能を身に付けること。

(ｱ)　設定した条件に基づいて，即興的に音を選択したり組み合わせたりして表現する技能

(ｲ)　音楽の仕組みを用いて，音楽をつくる技能

B　鑑賞

(1)　鑑賞の活動を通して，次の事項を身に付けることができるよう指導する。

ア　鑑賞についての知識を得たり生かしたりしながら，曲や演奏のよさなどを見いだし，曲全体を味わって聴くこと。

イ　曲想及びその変化と，音楽の構造との関わりについて気付くこと。

〔共通事項〕

(1)　「A表現」及び「B鑑賞」の指導を通して，次の事項を身に付けることができるよう指導する。

ア　音楽を形づくっている要素を聴き取り，それらの働きが生み出すよさや面白さ，美しさを感じ取りながら，聴き取ったことと感じ取ったこととの関わりについて考えること。

イ　音楽を形づくっている要素及びそれらに関わる音符，休符，記号や用語について，音楽における働きと関わらせて理解すること。

3　内容の取扱い

(1)　歌唱教材は次に示すものを取り扱う。

ア　主となる歌唱教材については，各学年ともイの共通教材を含めて，斉唱及び簡単な合唱で歌う曲

イ　共通教材

〔第３学年〕

「うさぎ」（日本古謡）

「茶つみ」（文部省唱歌）

「春の小川」（文部省唱歌）高野辰之作詞　岡野貞一作曲

「ふじ山」（文部省唱歌）巌谷小波作詞

〔第４学年〕

「さくらさくら」（日本古謡）

「とんび」葛原しげる作詞　梁田貞作曲

「まきばの朝」（文部省唱歌）船橋栄吉作曲

「もみじ」（文部省唱歌）高野辰之作詞　岡野貞一作曲

(2)　主となる器楽教材については，既習の歌唱教材を含め，簡単な重奏や合奏などの曲を取り扱う。

(3)　鑑賞教材は次に示すものを取り扱う。

ア　和楽器の音楽を含めた我が国の音楽，郷土の音楽，諸外国に伝わる民謡など生活との関わりを捉えやすい音楽，劇の音楽，人々に長く親しまれている音楽など，いろいろな種類の曲

イ　音楽を形づくっている要素の働きを感じ取りやすく，聴く楽しさを得やすい曲

ウ　楽器や人の声による演奏表現の違いを聴き取りやすい，独奏，重奏，独唱，重唱を含めたいろいろな演奏形態による曲

第５学年 及び 第６学年

1　目標

(1)　曲想と音楽の構造などとの関わりについて理解するとともに，表したい音楽表現をするために必要な歌唱，器楽，音楽づくりの技能を身に付けるようにする。

(2)　音楽表現を考えて表現に対する思いや意図をもつことや，曲や演奏のよさなどを見いだしながら音楽を味わって聴くことができるようにする。

(3)　主体的に音楽に関わり，協働して音楽活動をする楽しさを味わいながら，様々な音楽に親しむとともに，音楽経験を生かして生活を明るく潤いのあるものにしようとする態度を養う。

2　内容

A表現

(1)　歌唱の活動を通して，次の事項を身に付けることができるよう指導する。

ア　歌唱表現についての知識や技能を得たり生かしたりしながら，曲の特徴にふさわしい表現を工夫し，どのように歌うかについて思いや意図をもつこと。

イ　曲想と音楽の構造や歌詞の内容との関わりについて理解すること。

ウ　思いや意図に合った表現をするために必要な次の(ｱ)から(ｳ)までの技能を身に付けること。

(ｱ)　範唱を聴いたり，ハ長調及びイ短調の楽譜を見たりして歌う技能

(ｲ)　呼吸及び発音の仕方に気を付けて，自然で無理のない，響きのある歌い方で歌う技能

(ｳ)　各声部の歌声や全体の響き，伴奏を聴いて，声を合わせて歌う技能

(2)　器楽の活動を通して，次の事項を身に付けることができるよう指導する。

ア　器楽表現についての知識や技能を得たり生かしたりしながら，曲の特徴にふさわしい表現を工夫し，どのように演奏するかについて思いや意図をもつこと。

イ　次の(ｱ)及び(ｲ)について理解すること。

(ｱ)　曲想と音楽の構造との関わり

(ｲ)　多様な楽器の音色や響きと演奏の仕方との関わり

ウ　思いや意図に合った表現をするために必要な次の(ｱ)から(ｳ)までの技能を身に付けること。

(ｱ)　範奏を聴いたり，ハ長調及びイ短調の楽譜を見たりして演奏する技能

(ｲ)　音色や響きに気を付けて，旋律楽器及び打楽器を演奏する技能

(ｳ)　各声部の楽器の音や全体の響き，伴奏を聴いて，音を合わせて演奏する技能

(3)　音楽づくりの活動を通して，次の事項を身に付けることができるよう指導する。

ア　音楽づくりについての知識や技能を得たり生かしたりしながら，次の(ｱ)及び(ｲ)をできるようにすること。

(ｱ)　即興的に表現することを通して，音楽づくりの様々な発想を得ること。

(ｲ)　音を音楽へと構成することを通して，どのように全体のまとまりを意識した音楽をつくるかについて思いや意図をもつこと。

イ　次の(ｱ)及び(ｲ)について，それらが生み出すよさや面白さなどと関わらせて理解すること。

(ｱ)　いろいろな音の響きやそれらの組合せの特徴

(ｲ)　音やフレーズのつなげ方や重ね方の特徴

ウ　発想を生かした表現や，思いや意図に合った表現をするために必要な次の(ｱ)及び(ｲ)の技能を身に付けること。

(ｱ)　設定した条件に基づいて，即興的に音を選択したり組み合わせたりして表現する技能

(ｲ)　音楽の仕組みを用いて，音楽をつくる技能

B　鑑賞

(1)　鑑賞の活動を通して，次の事項を身に付けることができるよう指導する。

ア　鑑賞についての知識を得たり生かしたりしながら，曲や演奏のよさなどを見いだし，曲全体を味わって聴くこと。

イ　曲想及びその変化と，音楽の構造との関わりについて理解すること。

〔共通事項〕

(1)　「A表現」及び「B鑑賞」の指導を通して，次の事項を身に付けることができるよう指導する。

ア　音楽を形づくっている要素を聴き取り，それらの働きが生み出すよさや面白さ，美しさを感じ取りながら，聴き取ったことと感じ取ったこととの関わりについて考えること。

イ　音楽を形づくっている要素及びそれらに関わる音符，休符，記号や用語について，音楽における働きと関わらせて理解すること。

3　内容の取扱い

(1) 歌唱教材は次に示すものを取り扱う。
ア 主となる歌唱教材については，各学年ともイの共通教材の中の３曲を含めて，斉唱及び合唱で歌う曲
イ 共通教材
〔第５学年〕
「こいのぼり」（文部省唱歌）
「子もり歌」（日本古謡）
「スキーの歌」（文部省唱歌）林柳波作詞　橋本国彦作曲
「冬げしき」（文部省唱歌）
〔第６学年〕
「越天楽今様（歌詞は第２節まで）」（日本古謡）慈鎮和尚作歌
「おぼろ月夜」（文部省唱歌）高野辰之作詞　岡野貞一作曲
「ふるさと」（文部省唱歌）高野辰之作詞　岡野貞一作曲
「われは海の子（歌詞は第３節まで）」（文部省唱歌）
(2) 主となる器楽教材については，楽器の演奏効果を考慮し，簡単な重奏や合奏などの曲を取り扱う。
(3) 鑑賞教材は次に示すものを取り扱う。
ア 和楽器の音楽を含めた我が国の音楽や諸外国の音楽など文化との関わりを捉えやすい音楽，人々に長く親しまれている音楽など，いろいろな種類の曲
イ 音楽を形づくっている要素の働きを感じ取りやすく，聴く喜びを深めやすい曲
ウ 楽器の音や人の声が重なり合う響きを味わうことができる，合奏，合唱を含めたいろいろな演奏形態による曲

第３　指導計画の作成と内容の取扱い

1 指導計画の作成に当たっては，次の事項に配慮するものとする。
(1) 題材など内容や時間のまとまりを見通して，その中で育む資質・能力の育成に向けて，児童の主体的・対話的で深い学びの実現を図るようにすること。その際，音楽的な見方・考え方を働かせ，他者と協働しながら，音楽表現を生み出したり音楽を聴いてそのよさなどを見いだしたりするなど，思考，判断し，表現する一連の過程を大切にした学習の充実を図ること。
(2) 第２の各学年の内容の「Ａ表現」の(1)，(2)及び(3)の指導については，ア，イ及びウの各事項を，「Ｂ鑑賞」の(1)の指導については，ア及びイの各事項を適切に関連させて指導すること。
(3) 第２の各学年の内容の〔共通事項〕は，表現及び鑑賞の学習において共通に必要となる資質・能力であり，「Ａ表現」及び「Ｂ鑑賞」の指導と併せて，十分な指導が行われるよう工夫すること。
(4) 第２の各学年の内容の「Ａ表現」の(1)，(2)及び(3)並びに「Ｂ鑑賞」の(1)の指導については，適宜，〔共通事項〕を要として各領域や分野の関連を図るようにすること。
(5) 国歌「君が代」は，いずれの学年においても歌えるよう指導すること。
(6) 低学年においては，第１章総則の第２の４の(1)を踏まえ，他教科等との関連を積極的に図り，指導の効果を高めるようにするとともに，幼稚園教育要領等に示す幼児期の終わりまでに育ってほしい姿との関連を考慮すること。特に，小学校入学当初においては，生活科を中心とした合科的・関連的な指導や，弾力的な時間割の設定を行うなどの工夫をすること。
(7) 障害のある児童などについては，学習活動を行う場合に生じる困難さに応じた指導内容や指導方法の工夫を計画的，組織的に行うこと。
(8) 第１章総則の第１の２の(2)に示す道徳教育の目標に基づき，道徳科などとの関連を考慮しながら，第３章特別の教科道徳の第２に示す内容について，音楽科の特質に応じて適切な指導をすること。

2 第２の内容の取扱いについては，次の事項に配慮するものとする。
(1) 各学年の「Ａ表現」及び「Ｂ鑑賞」の指導に当たっては，次のとおり取り扱うこと。
ア 音楽によって喚起されたイメージや感情，音楽表現に対する思いや意図，音楽を聴いて感じ取ったことや想像したことなどを伝え合い共感するなど，音や音楽及び言葉によるコミュニケーションを図り，音楽科の特質に応じた言語活動を適切に位置付けられるよう指導を工夫すること。
イ 音楽との一体感を味わい，想像力を働かせて音楽と関わることができるよう，指導のねらいに即して体を動かす活動を取り入れること。
ウ 児童が様々な感覚を働かせて音楽への理解を深めたり，主体的に学習に取り組んだりすることができるようにするため，コンピュータや教育機器を効果的に活用できるよう指導を工夫すること。
エ 児童が学校内及び公共施設などの学校外における音楽活動とのつながりを意識できるようにするなど，児童や学校，地域の実態に応じ，生活や社会の中の音や音楽と主体的に関わっていくことができるよう配慮すること。
オ 表現したり鑑賞したりする多くの曲について，それらを創作した著作者がいることに気付き，学習した曲や自分たちのつくった曲を大切にする態度を養うようにするとともに，それらの著作者の創造性を尊重する意識をもてるようにすること。また，このことが，音楽文化の継承，発展，創造を支えていることについて理解する素地となるよう配慮すること。
(2) 和音の指導に当たっては，合唱や合奏などの活動を通して和音のもつ表情を感じ取ることができるようにすること。また，長調及び短調の曲においては，Ⅰ，Ⅳ，Ⅴ及びV_7などの和音を中心に指導すること。
(3) 我が国や郷土の音楽の指導に当たっては，そのよさなどを感じ取って表現したり鑑賞したりできるよう，音源や楽譜等の示し方，伴奏の仕方，曲に合った歌い方や楽器の演奏の仕方などの指導方法を工夫すること。
(4) 各学年の「Ａ表現」の(1)の歌唱の指導に当たっては，次のとおり取り扱うこと。
ア 歌唱教材については，我が国や郷土の音楽に愛着がもてるよう，共通教材のほか，長い間親しまれてきた唱歌，それぞれの地方に伝承されているわらべうたや民謡など日本のうたを含めて取り上げるようにすること。
イ 相対的な音程感覚を育てるために，適宜，移動ド唱法を用いること。
ウ 変声以前から自分の声の特徴に関心をもたせるとともに，変声期の児童に対して適切に配慮すること。
(5) 各学年の「Ａ表現」の(2)の楽器については，次のとおり取り扱うこと。
ア 各学年で取り上げる打楽器は，木琴，鉄琴，和楽器，諸外国に伝わる様々な楽器を含めて，演奏の効果，児童や学校の実態を考慮して選択すること。
イ 第１学年及び第２学年で取り上げる旋律楽器は，オル

ガン，鍵盤ハーモニカなどの中から児童や学校の実態を考慮して選択すること。

ウ　第３学年及び第４学年で取り上げる旋律楽器は，既習の楽器を含めて，リコーダーや鍵盤楽器，和楽器などの中から児童や学校の実態を考慮して選択すること。

エ　第５学年及び第６学年で取り上げる旋律楽器は，既習の楽器を含めて，電子楽器，和楽器，諸外国に伝わる楽器などの中から児童や学校の実態を考慮して選択すること。

オ　合奏で扱う楽器については，各声部の役割を生かした演奏ができるよう，楽器の特性を生かして選択すること。

(6)　各学年の「Ａ表現」の(3)の音楽づくりの指導に当たっては，次のとおり取り扱うこと。

ア　音遊びや即興的な表現では，身近なものから多様な音を探したり，リズムや旋律を模倣したりして，音楽づくりのための発想を得ることができるよう指導すること。その際，適切な条件を設定するなど，児童が無理なく音を選択したり組み合わせたりすることができるよう指導を工夫すること。

イ　どのような音楽を，どのようにしてつくるかなどについて，児童の実態に応じて具体的な例を示しながら指導するなど，見通しをもって音楽づくりの活動ができるよう指導を工夫すること。

ウ　つくった音楽については，指導のねらいに即し，必要に応じて作品を記録させること。作品を記録する方法については，図や絵によるもの，五線譜など柔軟に指導すること。

エ　拍のないリズム，我が国の音楽に使われている音階や調性にとらわれない音階などを児童の実態に応じて取り上げるようにすること。

(7)　各学年の「Ｂ鑑賞」の指導に当たっては，言葉などで表す活動を取り入れ，曲想と音楽の構造との関わりについて気付いたり理解したり，曲や演奏の楽しさやよさなどを見いだしたりすることができるよう指導を工夫すること。

(8)　各学年の〔共通事項〕に示す「音楽を形づくっている要素」については，児童の発達の段階や指導のねらいに応じて，次のア及びイから適切に選択したり関連付けたりして指導すること。

ア　音楽を特徴付けている要素

音色，リズム，速度，旋律，強弱，音の重なり，和音の響き，音階，調，拍，フレーズなど

イ　音楽の仕組み

反復，呼びかけとこたえ，変化，音楽の縦と横との関係など

(9)　各学年の〔共通事項〕の(1)のイに示す「音符，休符，記号や用語」については，児童の学習状況を考慮して，次に示すものを音楽における働きと関わらせて理解し，活用できるよう取り扱うこと。

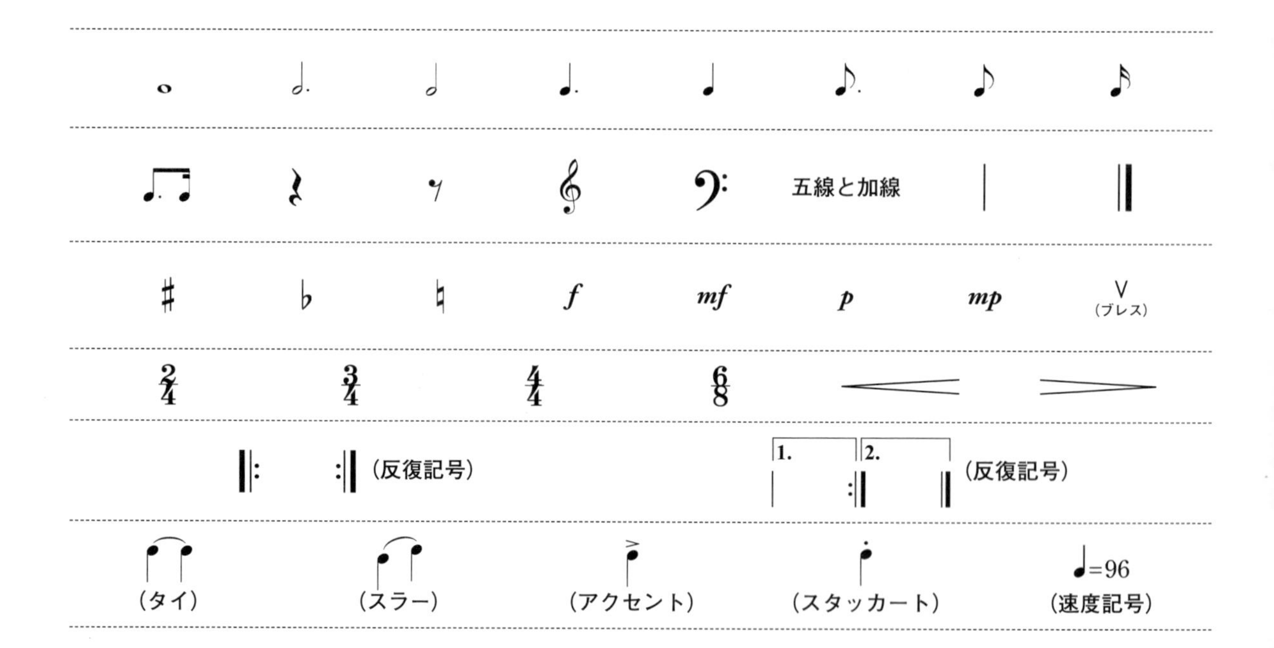

執筆者一覧（五十音順）

秋田賀文　元武蔵野音楽大学教授
石川裕司　東京学芸大学准教授
板野和彦　明星大学・明星大学通信制大学院教授
伊藤　誠　埼玉大学教授
伊野義博　新潟大学教授
上野正直　熊本県熊本市立北部中学校校長
小川昌文　横浜国立大学教授
小川容子　岡山大学大学院教授
尾崎祐司　上越教育大学准教授
小畑千尋　宮城教育大学准教授
尾見敦子　川村学園女子大学教授
角谷史孝　元大阪音楽大学准教授
樫下達也　京都教育大学准教授
勝山幸子　東京都港区立御成門中学校主任教諭
加藤徹也　武蔵野音楽大学教授
加藤富美子　東京音楽大学客員教授
金子敦子　名古屋芸術大学教授
河野正幸　聖徳大学教授
菅　道子　和歌山大学教授
木下大輔　宇都宮大学教授
木村充子　桜美林大学准教授
小島千か　山梨大学准教授
小原伸一　宇都宮大学教授
小山昌治　元東京音楽大学講師
権藤敦子　広島大学教授
齊藤忠彦　信州大学教授
酒井美恵子　国立音楽大学教授
坂本暁美　四天王寺大学教授
笹野恵理子　立命館大学教授
佐藤太一　埼玉大学教育学部附属中学校副校長
佐野　靖　東京藝術大学教授
澤田篤子　洗足学園音楽大学客員教授
下道郁子　東京音楽大学准教授
篠原秀夫　金沢大学教授
柴田篤志　名古屋音楽大学教授
島崎篤子　文教大学教授
島田　聡　群馬県教育委員会高校教育課指導主事
島田沙苗　東京都立本所高等学校教諭
清水宏美　玉川大学教授
白石啓太　打楽器奏者
新山王政和　愛知教育大学教授
菅　裕　宮崎大学教授
杉江淑子　滋賀大学教授
瀬戸　宏　東京都立農業高等学校非常勤教員
副島和久　佐賀県教育センター副所長
瀧川　淳　熊本大学大学院准教授
田中正雄　東京学芸大学特任講師
辻浦拓人　埼玉大学教育学部附属中学校音楽科主任教諭
津田正之　国立音楽大学教授
坪能由紀子　日本女子大学名誉教授
寺尾　正　大阪教育大学特任教授
寺田貴雄　北海道教育大学教授
寺田己保子　埼玉学園大学准教授
時得紀子　上越教育大学教授
鳥越けい子　青山学院大学教授
中地雅之　東京学芸大学教授
中島卓郎　信州大学教授
中嶋俊夫　横浜国立大学教授
西園芳信　鳴門教育大学名誉教授
長谷川祐子　横浜市戸塚図書館館長
原　クミ　福岡県教育庁福岡教育事務所・主任指導主事
原口　直　元東京学芸大学附属世田谷中学校教諭
原田博之　宮城教育大学教授
深見友紀子　大東文化大学教授
本多佐保美　千葉大学教授
松井孝夫　聖徳大学准教授
松永洋介　岐阜大学教授
水戸博道　明治学院大学教授
宮下俊也　奈良教育大学理事・副学長
森尻有貴　東京学芸大学講師
山下薫子　東京藝術大学教授
山田一彦　元東邦音楽大学教授
山田美由紀　長唄三味線演奏家
千葉大学・静岡大学・群馬大学非常勤講師
山本文茂　東京藝術大学名誉教授
山本幸正　国立音楽大学教授
吉澤　実　リコーダー奏者・元東京藝術大学非常勤講師
吉村治広　福井大学教授

改訂版 最新 中等科音楽教育法 2017/18年告示「中学校・高等学校学習指導要領」準拠
中学校・高等学校教員養成課程用

2020年3月20日　第1刷発行
2024年2月29日　第4刷発行

編　者　中等科音楽教育研究会
発行者　時枝　正
東京都新宿区神楽坂6－30
発行所　株式会社 音楽之友社
電話 03(3235)2111㈹　郵便番号 162-8716
振替 00170-4-196250
URL https://www.ongakunotomo.co.jp/

Printed in Japan　落丁本・乱丁本はお取替えいたします。

装丁・DTP・楽譜制作：株式会社 MCS
日本音楽著作権協会（出）許諾第 2000935-304 号　NexTone 許諾番号 PB000051657 号
印刷：錦明印刷株式会社／製本：株式会社ブロケード

ISBN978-4-276-82019-7 C1073

中学校学習指導要領

2017(平成29)年3月31日告示

〔前文〕

教育は，教育基本法第1条に定めるとおり，人格の完成を目指し，平和で民主的な国家及び社会の形成者として必要な資質を備えた心身ともに健康な国民の育成を期すという目的のもと，同法第2条に掲げる次の目標を達成するよう行われなければならない。

1　幅広い知識と教養を身に付け，真理を求める態度を養い，豊かな情操と道徳心を培うとともに，健やかな身体を養うこと。

2　個人の価値を尊重して，その能力を伸ばし，創造性を培い，自主及び自律の精神を養うとともに，職業及び生活との関連を重視し，勤労を重んずる態度を養うこと。

3　正義と責任，男女の平等，自他の敬愛と協力を重んずるとともに，公共の精神に基づき，主体的に社会の形成に参画し，その発展に寄与する態度を養うこと。

4　生命を尊び，自然を大切にし，環境の保全に寄与する態度を養うこと。

5　伝統と文化を尊重し，それらをはぐくんできた我が国と郷土を愛するとともに，他国を尊重し，国際社会の平和と発展に寄与する態度を養うこと。

これからの学校には，こうした教育の目的及び目標の達成を目指しつつ，一人一人の生徒が，自分のよさや可能性を認識するとともに，あらゆる他者を価値のある存在として尊重し，多様な人々と協働しながら様々な社会的変化を乗り越え，豊かな人生を切り拓(ひら)き，持続可能な社会の創り手となることができるようにすることが求められる。このために必要な教育の在り方を具体化するのが，各学校において教育の内容等を組織的かつ計画的に組み立てた教育課程である。

教育課程を通して，これからの時代に求められる教育を実現していくためには，よりよい学校教育を通してよりよい社会を創るという理念を学校と社会とが共有し，それぞれの学校において，必要な学習内容をどのように学び，どのような資質・能力を身に付けられるようにするのかを教育課程において明確にしながら，社会との連携及び協働によりその実現を図っていくという，社会に開かれた教育課程の実現が重要となる。

学習指導要領とは，こうした理念の実現に向けて必要となる教育課程の基準を大綱的に定めるものである。学習指導要領が果たす役割の一つは，公の性質を有する学校における教育水準を全国的に確保することである。また，各学校がその特色を生かして創意工夫を重ね，長年にわたり積み重ねられてきた教育実践や学術研究の蓄積を生かしながら，生徒や地域の現状や課題を捉え，家庭や地域社会と協力して，学習指導要領を踏まえた教育活動の更なる充実を図っていくことも重要である。

生徒が学ぶことの意義を実感できる環境を整え，一人一人の資質・能力を伸ばせるようにしていくことは，教職員をはじめとする学校関係者はもとより，家庭や地域の人々も含め，様々な立場から生徒や学校に関わる全ての大人に期待される役割である。幼児期の教育及び小学校教育の基礎の上に，高等学校以降の教育や生涯にわたる学習とのつながりを見通しながら，生徒の学習の在り方を展望していくために広く活用されるものとなることを期待して，ここに中学校学習指導要領を定める。

第1章　総則

第1　中学校教育の基本と教育課程の役割

1　各学校においては，教育基本法及び学校教育法その他の法令並びにこの章以下に示すところに従い，生徒の人間として調和のとれた育成を目指し，生徒の心身の発達の段階や特性及び学校や地域の実態を十分考慮して，適切な教育課程を編成するものとし，これらに掲げる目標を達成するよう教育を行うものとする。

2　学校の教育活動を進めるに当たっては，各学校において，第3の1に示す主体的・対話的で深い学びの実現に向けた授業改善を通して，創意工夫を生かした特色ある教育活動を展開する中で，次の(1)から(3)までに掲げる事項の実現を図り，生徒に生きる力を育むことを目指すものとする。

(1)　基礎的・基本的な知識及び技能を確実に習得させ，これらを活用して課題を解決するために必要な思考力，判断力，表現力等を育むとともに，主体的に学習に取り組む態度を養い，個性を生かし多様な人々との協働を促す教育の充実に努めること。その際，生徒の発達の段階を考慮して，生徒の言語活動など，学習の基盤をつくる活動を充実するとともに，家庭との連携を図りながら，生徒の学習習慣が確立するよう配慮すること。

(2)　道徳教育や体験活動，多様な表現や鑑賞の活動等を通して，豊かな心や創造性の涵(かん)養を目指した教育の充実に努めること。

学校における道徳教育は，特別の教科である道徳（以下「道徳科」という。）を要として学校の教育活動全体を通じて行うものであり，道徳科はもとより，各教科，総合的な学習の時間及び特別活動のそれぞれの特質に応じて，生徒の発達の段階を考慮して，適切な指導を行うこと。

道徳教育は，教育基本法及び学校教育法に定められた教育の根本精神に基づき，人間としての生き方を考え，主体的な判断の下に行動し，自立した人間として他者と共によりよく生きるための基盤となる道徳性を養うことを目標とすること。

道徳教育を進めるに当たっては，人間尊重の精神と生命に対する畏敬の念を家庭，学校，その他社会における具体的な生活の中に生かし，豊かな心をもち，伝統と文化を尊重し，それらを育んできた我が国と郷土を愛し，個性豊かな文化の創造を図るとともに，平和で民主的な国家及び社会の形成者として，公共の精神を尊び，社会及び国家の発展に努め，他国を尊重し，国際社会の平和と発展や環境の保全に貢献し未来を拓(ひら)く主体性のある日本人の育成に資することとなるよう特に留意すること。

(3)　学校における体育・健康に関する指導を，生徒の発達の段階を考慮して，学校の教育活動全体を通じて適切に行うことにより，健康で安全な生活と豊かなスポーツライフの実現を目指した教育の充実に努めること。特に，学校における食育の推進並びに体力の向上に関する指導，安全に関する指導及び心身の健康の保持増進に関する指導については，保健体育科，技術・家庭科及び特別活動の時間はもとより，各教科，道徳科及び総合的な学習の時間などにおいてもそれぞれの特質に応じて適切に行うよう努めること。また，それらの指導を通して，家庭や地域社会との連携を図りながら，日常生活において適切な体育・健康に関する活動の実践を促し，生涯を通じて健康・安全で活力ある生活を送るための基礎が培われるよう配慮すること。

3　2の(1)から(3)までに掲げる事項の実現を図り，豊かな創造性を備え持続可能な社会の創り手となることが期待される生徒に，生きる力を育むことを目指すに当たっては，学校教育全体並びに各教科，道徳科，総合的な学習の時間及び特別活動（以下「各教科等」という。ただし，第2の3の(2)のア及びウにおいて，特別活動については学級活動（学校給食に係るものを除く。）に限る。）の指導を通してどのような資質・能力の育成を目指すのかを明確にしながら，教育活動の充実を図るものとする。その際，生徒の発達の段階や特性等を踏まえつつ，次に掲げることが偏りなく実現できるようにするものとする。

(1)　知識及び技能が習得されるようにすること。

(2)　思考力，判断力，表現力等を育成すること。

(3)　学びに向かう力，人間性等を涵養すること。

4　各学校においては，生徒や学校，地域の実態を適切に把握し，教育の目的や目標の実現に必要な教育の内容等を教科等横断的な視点で組み立てていくこと，教育課程の実施状況を評価してその改善を図っていくこと，教育課程の実施に必要な人的又は物的な体制を確保するとともにその改善を図っていくことなどを通して，教育課程に基づき組織的かつ計画的に各学校の教育活動の質の向上を図っていくこと（以下「カリキュラム・マネジメント」という。）に努めるものとする。

第２　教育課程の編成

1　各学校の教育目標と教育課程の編成

教育課程の編成に当たっては，学校教育全体や各教科等における指導を通して育成を目指す資質・能力を踏まえつつ，各学校の教育目標を明確にするとともに，教育課程の編成についての基本的な方針が家庭や地域とも共有されるよう努めるものとする。その際，第４章総合的な学習の時間の第２の１に基づき定められる目標との関連を図るものとする。

2　教科等横断的な視点に立った資質・能力の育成

(1)　各学校においては，生徒の発達の段階を考慮し，言語能力，情報活用能力（情報モラルを含む。），問題発見・解決能力等の学習の基盤となる資質・能力を育成していくことができるよう，各教科等の特質を生かし，教科等横断的な視点から教育課程の編成を図るものとする。

(2)　各学校においては，生徒や学校，地域の実態及び生徒の発達の段階を考慮し，豊かな人生の実現や災害等を乗り越えて次代の社会を形成することに向けた現代的な諸課題に対応して求められる資質・能力を，教科等横断的な視点で育成していくことができるよう，各学校の特色を生かした教育課程の編成を図るものとする。

3　教育課程の編成における共通的事項

(1)　内容等の取扱い

ア　第２章以下に示す各教科，道徳科及び特別活動の内容に関する事項は，特に示す場合を除き，いずれの学校においても取り扱わなければならない。

イ　学校において特に必要がある場合には，第２章以下に示していない内容を加えて指導することができる。また，第２章以下に示す内容の取扱いのうち内容の範囲や程度等を示す事項は，全ての生徒に対して指導するものとする内容の範囲や程度等を示したものであり，学校において特に必要がある場合には，この事項にかかわらず加えて指導することができる。ただし，これらの場合には，第２章以下に示す各教科，道徳科及び特別活動の目標や内容の趣旨を逸脱したり，生徒の負担過重となったりすることのないようにしなければならない。

ウ　第２章以下に示す各教科，道徳科及び特別活動の内容に掲げる事項の順序は，特に示す場合を除き，指導の順序を示すものではないので，学校においては，その取扱いについて適切な工夫を加えるものとする。

エ　学校において２以上の学年の生徒で編制する学級について特に必要がある場合には，各教科の目標の達成に支障のない範囲内で，各教科の目標及び内容について学年別の順序によらないことができる。

オ　各学校においては，生徒や学校，地域の実態を考慮して，生徒の特性等に応じた多様な学習活動が行えるよう，第２章に示す各教科や，特に必要な教科を，選択教科として開設し生徒に履修させることができる。その場合にあっては，全ての生徒に指導すべき内容との関連を図りつつ，選択教科の授業時数及び内容を適切に定め選択教科の指導計画を作成し，生徒の負担加重となることのないようにしなければならない。また，特に必要な教科の名称，目標，内容などについては，各学校が適切に定めるものとする。

カ　道徳科を要として学校の教育活動全体を通じて行う道徳教育の内容は，第３章特別の教科道徳の第２に示す内容とし，その実施に当たっては，第６に示す道徳教育に関する配慮事項を踏まえるものとする。

(2)　授業時数等の取扱い

ア　各教科等の授業は，年間35週以上にわたって行うよう計画し，週当たりの授業時数が生徒の負担過重にならないようにするものとする。ただし，各教科等や学習活動の特質に応じ効果的な場合には，夏季，冬季，学年末等の休業日の期間に授業日を設定する場合を含め，これらの授業を特定の期間に行うことができる。

イ　特別活動の授業のうち，生徒会活動及び学校行事については，それらの内容に応じ，年間，学期ごと，月ごとなどに適切な授業時数を充てるものとする。

ウ　各学校の時間割については，次の事項を踏まえ適切に編成するものとする。

(ｱ)　各教科等のそれぞれの授業の１単位時間は，各学校において，各教科等の年間授業時数を確保しつつ，生徒の発達の段階及び各教科等や学習活動の特質を考慮して適切に定めること。

(ｲ)　各教科等の特質に応じ，10分から15分程度の短い時間を活用して特定の教科等の指導を行う場合において，当該教科等を担当する教師が，単元や題材など内容や時間のまとまりを見通した中で，その指導内容の決定や指導の成果の把握と活用等を責任を持って行う体制が整備されているときは，その時間を当該教科等の年間授業時数に含めることができること。

(ｳ)　給食，休憩などの時間については，各学校において工夫を加え，適切に定めること。

(ｴ)　各学校において，生徒や学校，地域の実態，各教科等や学習活動の特質等に応じて，創意工夫を生かした時間割を弾力的に編成できること。

エ　総合的な学習の時間における学習活動により，特別活動の学校行事に掲げる各行事の実施と同様の成果が期待できる場合においては，総合的な学習の時間における学習活動をもって相当する特別活動の学校行事に掲げる各行事の実施に替えることができる。

(3)　指導計画の作成等に当たっての配慮事項

各学校においては，次の事項に配慮しながら，学校の創意工夫を生かし，全体として，調和のとれた具体的な指導計画を作成するものとする。

ア　各教科等の指導内容については，(1)のアを踏まえつつ，単元や題材など内容や時間のまとまりを見通しながら，そのまとめ方や重点の置き方に適切な工夫を加え，第３の１に示す主体的・対話的で深い学びの実現に向けた授業改善を通して資質・能力を育む効果的な指導ができるようにすること。

イ　各教科等及び各学年相互間の関連を図り，系統的，発展的な指導ができるようにすること。

4　学校段階間の接続

教育課程の編成に当たっては，次の事項に配慮しながら，学校段階間の接続を図るものとする。

(1)　小学校学習指導要領を踏まえ，小学校教育までの学習の成果が中学校教育に円滑に接続され，義務教育段階の終わりまでに育成することを目指す資質・能力を，生徒が確実に身に付けることができるよう工夫すること。特に，義務教育学校，小学校連携型中学校及び小学校併設型中学校においては，義務教育９年間を見通した計画的かつ継続的な教育課程を編成すること。

(2)　高等学校学習指導要領を踏まえ，高等学校教育及びその後の教育との円滑な接続が図られるよう工夫すること。特に，中等教育学校，連携型中学校及び併設型中学校においては，中等教育６年間を見通した計画的かつ継続的な教育課程を編成すること。

第３　教育課程の実施と学習評価

1　主体的・対話的で深い学びの実現に向けた授業改善

各教科等の指導に当たっては，次の事項に配慮するものとする。

(1) 第１の３の(1)から(3)までに示すことが偏りなく実現されるよう，単元や題材など内容や時間のまとまりを見通しながら，生徒の主体的・対話的で深い学びの実現に向けた授業改善を行うこと。

特に，各教科等において身に付けた知識及び技能を活用したり，思考力，判断力，表現力等や学びに向かう力，人間性等を発揮させたりして，学習の対象となる物事を捉え思考することにより，各教科等の特質に応じた物事を捉える視点や考え方（以下「見方・考え方」という。）が鍛えられていくことに留意し，生徒が各教科等の特質に応じた見方・考え方を働かせながら，知識を相互に関連付けてより深く理解したり，情報を精査して考えを形成したり，問題を見いだして解決策を考えたり，思いや考えを基に創造したりすることに向かう過程を重視した学習の充実を図ること。

(2) 第２の２の(1)に示す言語能力の育成を図るため，各学校において必要な言語環境を整えるとともに，国語科を要としつつ各教科等の特質に応じて，生徒の言語活動を充実すること。あわせて，(7)に示すとおり読書活動を充実すること。

(3) 第２の２の(1)に示す情報活用能力の育成を図るため，各学校において，コンピュータや情報通信ネットワークなどの情報手段を活用するために必要な環境を整え，これらを適切に活用した学習活動の充実を図ること。また，各種の統計資料や新聞，視聴覚教材や教育機器などの教材・教具の適切な活用を図ること。

(4) 生徒が学習の見通しを立てたり学習したことを振り返ったりする活動を，計画的に取り入れるように工夫すること。

(5) 生徒が生命の有限性や自然の大切さ，主体的に挑戦してみることや多様な他者と協働することの重要性などを実感しながら理解することができるよう，各教科等の特質に応じた体験活動を重視し，家庭や地域社会と連携しつつ体系的・継続的に実施できるよう工夫すること。

(6) 生徒が自ら学習課題や学習活動を選択する機会を設けるなど，生徒の興味・関心を生かした自主的，自発的な学習が促されるよう工夫すること。

(7) 学校図書館を計画的に利用しその機能の活用を図り，生徒の主体的・対話的で深い学びの実現に向けた授業改善に生かすとともに，生徒の自主的，自発的な学習活動や読書活動を充実すること。また，地域の図書館や博物館，美術館，劇場，音楽堂等の施設の活用を積極的に図り，資料を活用した情報の収集や鑑賞等の学習活動を充実すること。

2　学習評価の充実

学習評価の実施に当たっては，次の事項に配慮するものとする。

(1) 生徒のよい点や進歩の状況などを積極的に評価し，学習したことの意義や価値を実感できるようにすること。また，各教科等の目標の実現に向けた学習状況を把握する観点から，単元や題材など内容や時間のまとまりを見通しながら評価の場面や方法を工夫して，学習の過程や成果を評価し，指導の改善や学習意欲の向上を図り，資質・能力の育成に生かすようにすること。

(2) 創意工夫の中で学習評価の妥当性や信頼性が高められるよう，組織的かつ計画的な取組を推進するとともに，学年や学校段階を越えて生徒の学習の成果が円滑に接続されるように工夫すること。

第４　生徒の発達の支援

1　生徒の発達を支える指導の充実

教育課程の編成及び実施に当たっては，次の事項に配慮するものとする。

(1) 学習や生活の基盤として，教師と生徒との信頼関係及び生徒相互のよりよい人間関係を育てるため，日頃から学級経営の充実を図ること。また，主に集団の場面で必要な指導や援助を行うガイダンスと，個々の生徒の多様な実態を踏まえ，一人一人が抱える課題に個別に対応した指導を行うカウンセリングの双方により，生徒の発達を支援すること。

(2) 生徒が，自己の存在感を実感しながら，よりよい人間関係を形成し，有意義で充実した学校生活を送る中で，現在及び将来における自己実現を図っていくことができるよう，生徒理解を深め，学習指導と関連付けながら，生徒指導の充実を図ること。

(3) 生徒が，学ぶことと自己の将来とのつながりを見通しながら，社会的・職業的自立に向けて必要な基盤となる資質・能力を身に付けていくことができるよう，特別活動を要としつつ各教科等の特質に応じて，キャリア教育の充実を図ること。その中で，生徒が自らの生き方を考え主体的に進路を選択することができるよう，学校の教育活動全体を通じ，組織的かつ計画的な進路指導を行うこと。

(4) 生徒が，基礎的・基本的な知識及び技能の習得も含め，学習内容を確実に身に付けることができるよう，生徒や学校の実態に応じ，個別学習やグループ別学習，繰り返し学習，学習内容の習熟の程度に応じた学習，生徒の興味・関心等に応じた課題学習，補充的な学習や発展的な学習などの学習活動を取り入れることや，教師間の協力による指導体制を確保することなど，指導方法や指導体制の工夫改善により，個に応じた指導の充実を図ること。その際，第３の１の(3)に示す情報手段や教材・教具の活用を図ること。

2　特別な配慮を必要とする生徒への指導

(1) 障害のある生徒などへの指導

ア　障害のある生徒などについては，特別支援学校等の助言又は援助を活用しつつ，個々の生徒の障害の状態等に応じた指導内容や指導方法の工夫を組織的かつ計画的に行うものとする。

イ　特別支援学級において実施する特別の教育課程については，次のとおり編成するものとする。

(ア) 障害による学習上又は生活上の困難を克服し自立を図るため，特別支援学校小学部・中学部学習指導要領第７章に示す自立活動を取り入れること。

(イ) 生徒の障害の程度や学級の実態等を考慮の上，各教科の目標や内容を下学年の教科の目標や内容に替えたり，各教科を，知的障害者である生徒に対する教育を行う特別支援学校の各教科に替えたりするなどして，実態に応じた教育課程を編成すること。

ウ　障害のある生徒に対して，通級による指導を行い，特別の教育課程を編成する場合には，特別支援学校小学部・中学部学習指導要領第７章に示す自立活動の内容を参考とし，具体的な目標や内容を定め，指導を行うものとする。その際，効果的な指導が行われるよう，各教科等と通級による指導との関連を図るなど，教師間の連携に努めるものとする。

エ　障害のある生徒などについては，家庭，地域及び医療や福祉，保健，労働等の業務を行う関係機関との連携を図り，長期的な視点で生徒への教育的支援を行うために，個別の教育支援計画を作成し活用することに努めるとともに，各教科等の指導に当たって，個々の生徒の実態を的確に把握し，個別の指導計画を作成し活用することに努めるものとする。特に，特別支援学級に在籍する生徒や通級による指導を受ける生徒については，個々の生徒の実態を的確に把握し，個別の教育支援計画や個別の指導計画を作成し，効果的に活用するものとする。

(2) 海外から帰国した生徒などの学校生活への適応や，日本語の習得に困難のある生徒に対する日本語指導

ア　海外から帰国した生徒などについては，学校生活への適応を図るとともに，外国における生活経験を生かすなどの適切な指導を行うものとする。

イ　日本語の習得に困難のある生徒については，個々の生徒の実態に応じた指導内容や指導方法の工夫を組織的かつ計画的

に行うものとする。特に，通級による日本語指導については，教師間の連携に努め，指導についての計画を個別に作成することなどにより，効果的な指導に努めるものとする。

(3) 不登校生徒への配慮

ア 不登校生徒については，保護者や関係機関と連携を図り，心理や福祉の専門家の助言又は援助を得ながら，社会的自立を目指す観点から，個々の生徒の実態に応じた情報の提供その他の必要な支援を行うものとする。

イ 相当の期間中学校を欠席し引き続き欠席すると認められる生徒を対象として，文部科学大臣が認める特別の教育課程を編成する場合には，生徒の実態に配慮した教育課程を編成するとともに，個別学習やグループ別学習など指導方法や指導体制の工夫改善に努めるものとする。

(4) 学齢を経過した者への配慮

ア 夜間その他の特別の時間に授業を行う課程において学齢を経過した者を対象として特別の教育課程を編成する場合には，学齢を経過した者の年齢，経験又は勤労状況その他の実情を踏まえ，中学校教育の目的及び目標並びに第２章以下に示す各教科等の目標に照らして，中学校教育を通じて育成を目指す資質・能力を身に付けることができるようにするものとする。

イ 学齢を経過した者を教育する場合には，個別学習やグループ別学習など指導方法や指導体制の工夫改善に努めるものとする。

第５ 学校運営上の留意事項

1 教育課程の改善と学校評価，教育課程外の活動との連携等

ア 各学校においては，校長の方針の下に，校務分掌に基づき教職員が適切に役割を分担しつつ，相互に連携しながら，各学校の特色を生かしたカリキュラム・マネジメントを行うよう努めるものとする。また，各学校が行う学校評価については，教育課程の編成，実施，改善が教育活動や学校運営の中核となることを踏まえつつ，カリキュラム・マネジメントと関連付けながら実施するよう留意するものとする。

イ 教育課程の編成及び実施に当たっては，学校保健計画，学校安全計画，食に関する指導の全体計画，いじめの防止等のための対策に関する基本的な方針など，各分野における学校の全体計画等と関連付けながら，効果的な指導が行われるように留意するものとする。

ウ 教育課程外の学校教育活動と教育課程の関連が図られるように留意するものとする。特に，生徒の自主的，自発的な参加により行われる部活動については，スポーツや文化，科学等に親しませ，学習意欲の向上や責任感，連帯感の涵養等，学校教育が目指す資質・能力の育成に資するものであり，学校教育の一環として，教育課程との関連が図られるよう留意すること。その際，学校や地域の実態に応じ，地域の人々の協力，社会教育施設や社会教育関係団体等の各種団体との連携などの運営上の工夫を行い，持続可能な運営体制が整えられるようにするものとする。

2 家庭や地域社会との連携及び協働と学校間の連携

教育課程の編成及び実施に当たっては，次の事項に配慮するものとする。

ア 学校がその目的を達成するため，学校や地域の実態等に応じ，教育活動の実施に必要な人的又は物的な体制を家庭や地域の人々の協力を得ながら整えるなど，家庭や地域社会との連携及び協働を深めること。また，高齢者や異年齢の子供など，地域における世代を越えた交流の機会を設けること。

イ 他の中学校や，幼稚園，認定こども園，保育所，小学校，高等学校，特別支援学校などとの間の連携や交流を図るとともに，障害のある幼児児童生徒との交流及び共同学習の機会を設け，共に尊重し合いながら協働して生活していく態度を育むよう努めること。

第６ 道徳教育に関する配慮事項

道徳教育を進めるに当たっては，道徳教育の特質を踏まえ，前項までに示す事項に加え，次の事項に配慮するものとする。

1 各学校においては，第１の２の(2)に示す道徳教育の目標を踏まえ，道徳教育の全体計画を作成し，校長の方針の下に，道徳教育の推進を主に担当する教師（以下「道徳教育推進教師」という。）を中心に，全教師が協力して道徳教育を展開すること。なお，道徳教育の全体計画の作成に当たっては，生徒や学校，地域の実態を考慮して，学校の道徳教育の重点目標を設定するとともに，道徳科の指導方針，第３章特別の教科道徳の第２に示す内容との関連を踏まえた各教科，総合的な学習の時間及び特別活動における指導の内容及び時期並びに家庭や地域社会との連携の方法を示すこと。

2 各学校においては，生徒の発達の段階や特性等を踏まえ，指導内容の重点化を図ること。その際，小学校における道徳教育の指導内容を更に発展させ，自立心や自律性を高め，規律ある生活をすること，生命を尊重する心や自らの弱さを克服して気高く生きようとする心を育てること，法やきまりの意義に関する理解を深めること，自らの将来の生き方を考え主体的に社会の形成に参画する意欲と態度を養うこと，伝統と文化を尊重し，それらを育んできた我が国と郷土を愛するとともに，他国を尊重すること，国際社会に生きる日本人としての自覚を身に付けることに留意すること。

3 学校や学級内の人間関係や環境を整えるとともに，職場体験活動やボランティア活動，自然体験活動，地域の行事への参加などの豊かな体験を充実すること。また，道徳教育の指導内容が，生徒の日常生活に生かされるようにすること。その際，いじめの防止や安全の確保等にも資することとなるよう留意すること。

4 学校の道徳教育の全体計画や道徳教育に関する諸活動などの情報を積極的に公表したり，道徳教育の充実のために家庭や地域の人々の積極的な参加や協力を得たりするなど，家庭や地域社会との共通理解を深め，相互の連携を図ること。

第2章 各教科　第5節 音楽

第1 目標

表現及び鑑賞の幅広い活動を通して，音楽的な見方・考え方を働かせ，生活や社会の中の音や音楽，音楽文化と豊かに関わる資質・能力を次のとおり育成することを目指す。

(1) 曲想と音楽の構造や背景などとの関わり及び音楽の多様性について理解するとともに，創意工夫を生かした音楽表現をするために必要な技能を身に付けるようにする。

(2) 音楽表現を創意工夫することや，音楽のよさや美しさを味わって聴くことができるようにする。

(3) 音楽活動の楽しさを体験することを通して，音楽を愛好する心情を育むとともに，音楽に対する感性を豊かにし，音楽に親しんでいく態度を養い，豊かな情操を培う。

第2　各学年の目標及び内容

第1学年

1　目標

(1) 曲想と音楽の構造などとの関わり及び音楽の多様性について理解するとともに，創意工夫を生かした音楽表現をするために必要な歌唱，器楽，創作の技能を身に付けるようにする。
(2) 音楽表現を創意工夫することや，音楽を自分なりに評価しながらよさや美しさを味わって聴くことができるようにする。
(3) 主体的・協働的に表現及び鑑賞の学習に取り組み，音楽活動の楽しさを体験することを通して，音楽文化に親しむとともに，音楽によって生活を明るく豊かなものにしていく態度を養う。

2　内容

A　表現
(1) 歌唱の活動を通して，次の事項を身に付けることができるよう指導する。
ア　歌唱表現に関わる知識や技能を得たり生かしたりしながら，歌唱表現を創意工夫すること。
イ　次の(ア)及び(イ)について理解すること。
(ア) 曲想と音楽の構造や歌詞の内容との関わり
(イ) 声の音色や響き及び言葉の特性と曲種に応じた発声との関わり
ウ　次の(ア)及び(イ)の技能を身に付けること。
(ア) 創意工夫を生かした表現で歌うために必要な発声，言葉の発音，身体の使い方などの技能
(イ) 創意工夫を生かし，全体の響きや各声部の声などを聴きながら他者と合わせて歌う技能
(2) 器楽の活動を通して，次の事項を身に付けることができるよう指導する。
ア　器楽表現に関わる知識や技能を得たり生かしたりしながら，器楽表現を創意工夫すること。
イ　次の(ア)及び(イ)について理解すること。
(ア) 曲想と音楽の構造との関わり
(イ) 楽器の音色や響きと奏法との関わり
ウ　次の(ア)及び(イ)の技能を身に付けること。
(ア) 創意工夫を生かした表現で演奏するために必要な奏法，身体の使い方などの技能
(イ) 創意工夫を生かし，全体の響きや各声部の音などを聴きながら他者と合わせて演奏する技能
(3) 創作の活動を通して，次の事項を身に付けることができるよう指導する。
ア　創作表現に関わる知識や技能を得たり生かしたりしながら，創作表現を創意工夫すること。
イ　次の(ア)及び(イ)について，表したいイメージと関わらせて理解すること。
(ア) 音のつながり方の特徴
(イ) 音素材の特徴及び音の重なり方や反復，変化，対照などの構成上の特徴
ウ　創意工夫を生かした表現で旋律や音楽をつくるために必要な，課題や条件に沿った音の選択や組合せなどの技能を身に付けること。

B　鑑賞
(1) 鑑賞の活動を通して，次の事項を身に付けることができるよう指導する。
ア　鑑賞に関わる知識を得たり生かしたりしながら，次の(ア)から(ウ)までについて自分なりに考え，音楽のよさや美しさを味わって聴くこと。
(ア) 曲や演奏に対する評価とその根拠
(イ) 生活や社会における音楽の意味や役割
(ウ) 音楽表現の共通性や固有性
イ　次の(ア)から(ウ)までについて理解すること。
(ア) 曲想と音楽の構造との関わり
(イ) 音楽の特徴とその背景となる文化や歴史，他の芸術との関わり
(ウ) 我が国や郷土の伝統音楽及びアジア地域の諸民族の音楽の特徴と，その特徴から生まれる音楽の多様性

〔共通事項〕
(1) 「A表現」及び「B鑑賞」の指導を通して，次の事項を身に付けることができるよう指導する。
ア　音楽を形づくっている要素や要素同士の関連を知覚し，それらの働きが生み出す特質や雰囲気を感受しながら，知覚したことと感受したこととの関わりについて考えること。
イ　音楽を形づくっている要素及びそれらに関わる用語や記号などについて，音楽における働きと関わらせて理解すること。

第2学年 及び 第3学年

1 目標

(1) 曲想と音楽の構造や背景などとの関わり及び音楽の多様性について理解するとともに，創意工夫を生かした音楽表現をするために必要な歌唱，器楽，創作の技能を身に付けるようにする。
(2) 曲にふさわしい音楽表現を創意工夫することや，音楽を評価しながらよさや美しさを味わって聴くことができるようにする。
(3) 主体的・協働的に表現及び鑑賞の学習に取り組み，音楽活動の楽しさを体験することを通して，音楽文化に親しむとともに，音楽によって生活を明るく豊かなものにし，音楽に親しんでいく態度を養う。

2 内容

A 表現

(1) 歌唱の活動を通して，次の事項を身に付けることができるよう指導する。

ア 歌唱表現に関わる知識や技能を得たり生かしたりしながら，曲にふさわしい歌唱表現を創意工夫すること。

イ 次の(ア)及び(イ)について理解すること。

(ア) 曲想と音楽の構造や歌詞の内容及び曲の背景との関わり

(イ) 声の音色や響き及び言葉の特性と曲種に応じた発声との関わり

ウ 次の(ア)及び(イ)の技能を身に付けること。

(ア) 創意工夫を生かした表現で歌うために必要な発声，言葉の発音，身体の使い方などの技能

(イ) 創意工夫を生かし，全体の響きや各声部の声などを聴きながら他者と合わせて歌う技能

(2) 器楽の活動を通して，次の事項を身に付けることができるよう指導する。

ア 器楽表現に関わる知識や技能を得たり生かしたりしながら，曲にふさわしい器楽表現を創意工夫すること。

イ 次の(ア)及び(イ)について理解すること。

(ア) 曲想と音楽の構造や曲の背景との関わり

(イ) 楽器の音色や響きと奏法との関わり

ウ 次の(ア)及び(イ)の技能を身に付けること。

(ア) 創意工夫を生かした表現で演奏するために必要な奏法，身体の使い方などの技能

(イ) 創意工夫を生かし，全体の響きや各声部の音などを聴きながら他者と合わせて演奏する技能

(3) 創作の活動を通して，次の事項を身に付けることができるよう指導する。

ア 創作表現に関わる知識や技能を得たり生かしたりしながら，まとまりのある創作表現を創意工夫すること。

イ 次の(ア)及び(イ)について，表したいイメージと関わらせて理解すること。

(ア) 音階や言葉などの特徴及び音のつながり方の特徴

(イ) 音素材の特徴及び音の重なり方や反復，変化，対照などの構成上の特徴

ウ 創意工夫を生かした表現で旋律や音楽をつくるために必要な，課題や条件に沿った音の選択や組合せなどの技能を身に付けること。

B 鑑賞

(1) 鑑賞の活動を通して，次の事項を身に付けることができるよう指導する。

ア 鑑賞に関わる知識を得たり生かしたりしながら，次の(ア)から(ウ)までについて考え，音楽のよさや美しさを味わって聴くこと。

(ア) 曲や演奏に対する評価とその根拠

(イ) 生活や社会における音楽の意味や役割

(ウ) 音楽表現の共通性や固有性

イ 次の(ア)から(ウ)までについて理解すること。

(ア) 曲想と音楽の構造との関わり

(イ) 音楽の特徴とその背景となる文化や歴史，他の芸術との関わり

(ウ) 我が国や郷土の伝統音楽及び諸外国の様々な音楽の特徴と，その特徴から生まれる音楽の多様性

〔共通事項〕

(1) 「A 表現」及び「B 鑑賞」の指導を通して，次の事項を身に付けることができるよう指導する。

ア 音楽を形づくっている要素や要素同士の関連を知覚し，それらの働きが生み出す特質や雰囲気を感受しながら，知覚したことと感受したこととの関わりについて考えること。

イ 音楽を形づくっている要素及びそれらに関わる用語や記号などについて，音楽における働きと関わらせて理解すること。

第3 指導計画の作成と内容の取扱い

1 指導計画の作成に当たっては，次の事項に配慮するものとする。

(1) 題材など内容や時間のまとまりを見通して，その中で育む資質・能力の育成に向けて，生徒の主体的・対話的で深い学びの実現を図るようにすること。その際，音楽的な見方・考え方を働かせ，他者と協働しながら，音楽表現を生み出したり音楽を聴いてそのよさや美しさなどを見いだしたりするなど，思考，判断し，表現する一連の過程を大切にした学習の充実を図ること。

(2) 第2の各学年の内容の「A 表現」の(1)，(2)及び(3)の指導については，ア，イ及びウの各事項を，「B 鑑賞」の(1)の指導については，ア及びイの各事項を適切に関連させて指導すること。

(3) 第2の各学年の内容の〔共通事項〕は，表現及び鑑賞の学習において共通に必要となる資質・能力であり，「A 表現」及び「B 鑑賞」の指導と併せて，十分な指導が行われるよう工夫すること。

(4) 第2の各学年の内容の「A 表現」の(1)，(2)及び(3)並びに「B 鑑賞」の(1)の指導については，それぞれ特定の活動のみに偏らないようにするとともに，必要に応じて，〔共通事項〕を要として各領域や分野の関連を図るようにすること。

(5) 障害のある生徒などについては，学習活動を行う場合に生じる困難さに応じた指導内容や指導方法の工夫を計画的，組織的に行うこと。

(6) 第1章総則の第1の2の(2)に示す道徳教育の目標に基づき，道徳科などとの関連を考慮しながら，第3章特別の教科道徳の第2に示す内容について，音楽科の特質に応じて適切な指導をすること。

2 第2の内容の取扱いについては，次の事項に配慮するものとする。

(1) 各学年の「A 表現」及び「B 鑑賞」の指導に当たっては，次のとおり取り扱うこと。

ア 音楽活動を通して，それぞれの教材等に応じ，音や音楽が生活に果たす役割を考えさせるなどして，生徒が音や音楽と生活や社会との関わりを実感できるよう指導を工夫すること。なお，適宜，自然音や環境音などについても取り扱い，音環境への関心を高めることができるよう指導を工夫すること。

イ 音楽によって喚起された自己のイメージや感情，音楽表現に対する思いや意図，音楽に対する評価などを伝え合い共感するなど，音や音楽及び言葉によるコミュニケーションを図り，音楽科の特質に応じた言語活動を適切に位置付けられるよう指導を工夫すること。

ウ 知覚したことと感受したこととの関わりを基に音楽の特徴を捉えたり，思考，判断の過程や結果を表したり，それらについて他者と共有，共感したりする際には，適宜，体を動かす活動も取り入れるようにすること。

エ 生徒が様々な感覚を関連付けて音楽への理解を深めたり，主体的に学習に取り組んだりすることができるようにするため，コンピュータや教育機器を効果的に活用で

きるよう指導を工夫すること。

オ　生徒が学校内及び公共施設などの学校外における音楽活動とのつながりを意識できるようにするなど，生徒や学校，地域の実態に応じ，生活や社会の中の音や音楽，音楽文化と主体的に関わっていくことができるよう配慮すること。

カ　自己や他者の著作物及びそれらの著作者の創造性を尊重する態度の形成を図るとともに，必要に応じて，音楽に関する知的財産権について触れるようにすること。また，こうした態度の形成が，音楽文化の継承，発展，創造を支えていることへの理解につながるよう配慮すること。

(2)　各学年の「A 表現」の(1)の歌唱の指導に当たっては，次のとおり取り扱うこと。

ア　歌唱教材は，次に示すものを取り扱うこと。

(ア)　我が国及び諸外国の様々な音楽のうち，指導のねらいに照らして適切で，生徒にとって親しみがもてたり意欲が高められたり，生活や社会において音楽が果たしている役割が感じ取れたりできるもの。

(イ)　民謡，長唄などの我が国の伝統的な歌唱のうち，生徒や学校，地域の実態を考慮して，伝統的な声や歌い方の特徴を感じ取れるもの。なお，これらを取り扱う際は，その表現活動を通して，生徒が我が国や郷土の伝統音楽のよさを味わい，愛着をもつことができるよう工夫すること。

(ウ)　我が国で長く歌われ親しまれている歌曲のうち，我が国の自然や四季の美しさを感じ取れるもの又は我が国の文化や日本語のもつ美しさを味わえるもの。なお，各学年において，以下の共通教材の中から１曲以上を含めること。

「赤とんぼ」　三木露風作詞　山田耕筰作曲
「荒城の月」　土井晩翠作詞　滝廉太郎作曲
「早春賦」　吉丸一昌作詞　中田 章作曲
「夏の思い出」　江間章子作詞　中田喜直作曲
「花」　武島羽衣作詞　滝廉太郎作曲
「花の街」　江間章子作詞　團伊玖磨作曲
「浜辺の歌」　林 古溪作詞　成田為三作曲

イ　変声期及び変声前後の声の変化について気付かせ，変声期の生徒を含む全ての生徒の心理的な面についても配慮するとともに，変声期の生徒については適切な声域と声量によって歌わせるようにすること。

ウ　相対的な音程感覚などを育てるために，適宜，移動ド唱法を用いること。

(3)　各学年の「A 表現」の(2)の器楽の指導に当たっては，次のとおり取り扱うこと。

ア　器楽教材は，次に示すものを取り扱うこと。

(ア)　我が国及び諸外国の様々な音楽のうち，指導のねらいに照らして適切で，生徒にとって親しみがもてたり意欲が高められたり，生活や社会において音楽が果たしている役割が感じ取れたりできるもの。

イ　生徒や学校，地域の実態などを考慮した上で，指導上の必要に応じて和楽器，弦楽器，管楽器，打楽器，鍵盤楽器，電子楽器及び世界の諸民族の楽器を適宜用いること。なお，３学年間を通じて１種類以上の和楽器を取り扱い，その表現活動を通して，生徒が我が国や郷土の伝統音楽のよさを味わい，愛着をもつことができるよう工夫すること。

(4)　歌唱及び器楽の指導における合わせて歌ったり演奏したりする表現形態では，他者と共に一つの音楽表現をつくる過程を大切にするとともに，生徒一人一人が，担当する声部の役割と全体の響きについて考え，主体的に創意工夫できるよう指導を工夫すること。

(5)　読譜の指導に当たっては，小学校における学習を踏まえ，♯ や ♭ の調号としての意味を理解させるとともに，３学年間を通じて，1♯，1♭ 程度をもった調号の楽譜の視唱や視奏に慣れさせるようにすること。

(6)　我が国の伝統的な歌唱や和楽器の指導に当たっては，言葉と音楽との関係，姿勢や身体の使い方についても配慮するとともに，適宜，口唱歌を用いること。

(7)　各学年の「A 表現」の(3)の創作の指導に当たっては，即興的に音を出しながら音のつながり方を試すなど，音を音楽へと構成していく体験を重視すること。その際，理論に偏らないようにするとともに，必要に応じて作品を記録する方法を工夫させること。

(8)　各学年の「B 鑑賞」の指導に当たっては，次のとおり取り扱うこと。

ア　鑑賞教材は，我が国や郷土の伝統音楽を含む我が国及び諸外国の様々な音楽のうち，指導のねらいに照らして適切なものを取り扱うこと。

イ　第１学年では言葉で説明したり，第２学年及び第３学年では批評したりする活動を取り入れ，曲や演奏に対する評価やその根拠を明らかにできるよう指導を工夫すること。

(9)　各学年の〔共通事項〕に示す「音楽を形づくっている要素」については，指導のねらいに応じて，音色，リズム，速度，旋律，テクスチュア，強弱，形式，構成などから，適切に選択したり関連付けたりして指導すること。

(10)　各学年の〔共通事項〕の(1)のイに示す「用語や記号など」については，小学校学習指導要領第２章第６節音楽の第３の２の(9)に示すものに加え，生徒の学習状況を考慮して，次に示すものを音楽における働きと関わらせて理解し，活用できるよう取り扱うこと。

拍　拍子　間　序破急　フレーズ　音階　調　和音

動機　**Andante**　**Moderato**　**Allegro**　*rit.*　*a tempo*　*accel.*　*legato*

pp　***ff***　*dim.*　*D.C.*　*D.S.*　𝄐（フェルマータ）　（テヌート）　（三連符）

（二分休符）　（全休符）　（十六分休符）

高等学校学習指導要領

2018(平成30)年3月30日告示

〔前文〕

教育は，教育基本法第1条に定めるとおり，人格の完成を目指し，平和で民主的な国家及び社会の形成者として必要な資質を備えた心身ともに健康な国民の育成を期すという目的のもと，同法第2条に掲げる次の目標を達成するよう行われなければならない。

1　幅広い知識と教養を身に付け，真理を求める態度を養い，豊かな情操と道徳心を培うとともに，健やかな身体を養うこと。

2　個人の価値を尊重して，その能力を伸ばし，創造性を培い，自主及び自律の精神を養うとともに，職業及び生活との関連を重視し，勤労を重んずる態度を養うこと。

3　正義と責任，男女の平等，自他の敬愛と協力を重んずるとともに，公共の精神に基づき，主体的に社会の形成に参画し，その発展に寄与する態度を養うこと。

4　生命を尊び，自然を大切にし，環境の保全に寄与する態度を養うこと。

5　伝統と文化を尊重し，それらをはぐくんできた我が国と郷土を愛するとともに，他国を尊重し，国際社会の平和と発展に寄与する態度を養うこと。

これからの学校には，こうした教育の目的及び目標の達成を目指しつつ，一人一人の生徒が，自分のよさや可能性を認識するとともに，あらゆる他者を価値のある存在として尊重し，多様な人々と協働しながら様々な社会的変化を乗り越え，豊かな人生を切り拓（ひら）き，持続可能な社会の創り手となることができるようにすることが求められる。このために必要な教育の在り方を具体化するのが，各学校において教育の内容等を組織的かつ計画的に組み立てた教育課程である。

教育課程を通して，これからの時代に求められる教育を実現していくためには，よりよい学校教育を通してよりよい社会を創るという理念を学校と社会とが共有し，それぞれの学校において，必要な学習内容をどのように学び，どのような資質・能力を身に付けられるようにするのかを教育課程において明確にしながら，社会との連携及び協働によりその実現を図っていくという，社会に開かれた教育課程の実現が重要となる。

学習指導要領とは，こうした理念の実現に向けて必要となる教育課程の基準を大綱的に定めるものである。学習指導要領が果たす役割の一つは，公の性質を有する学校における教育水準を全国的に確保することである。また，各学校がその特色を生かして創意工夫を重ね，長年にわたり積み重ねられてきた教育実践や学術研究の蓄積を生かしながら，生徒や地域の現状や課題を捉え，家庭や地域社会と協力して，学習指導要領を踏まえた教育活動の更なる充実を図っていくことも重要である。

生徒が学ぶことの意義を実感できる環境を整え，一人一人の資質・能力を伸ばせるようにしていくことは，教職員をはじめとする学校関係者はもとより，家庭や地域の人々も含め，様々な立場から生徒や学校に関わる全ての大人に期待される役割である。幼児期の教育及び義務教育の基礎の上に，高等学校卒業以降の教育や職業，生涯にわたる学習とのつながりを見通しながら，生徒の学習の在り方を展望していくために広く活用されるものとなることを期待して，ここに高等学校学習指導要領を定める。

第1章　総則

第1款　高等学校教育の基本と教育課程の役割

1　各学校においては，教育基本法及び学校教育法その他の法令並びにこの章以下に示すところに従い，生徒の人間として調和のとれた育成を目指し，生徒の心身の発達の段階や特性，課程や学科の特色及び学校や地域の実態を十分考慮して，適切な教育課程を編成するものとし，これらに掲げる目標を達成するよう教育を行うものとする。

2　学校の教育活動を進めるに当たっては，各学校において，第3款の1に示す主体的・対話的で深い学びの実現に向けた授業改善を通して，創意工夫を生かした特色ある教育活動を展開する中で，次の(1)から(3)までに掲げる事項の実現を図り，生徒に生きる力を育むことを目指すものとする。

(1)　基礎的・基本的な知識及び技能を確実に習得させ，これらを活用して課題を解決するために必要な思考力，判断力，表現力等を育むとともに，主体的に学習に取り組む態度を養い，個性を生かし多様な人々との協働を促す教育の充実に努めること。その際，生徒の発達の段階を考慮して，生徒の言語活動など，学習の基盤をつくる活動を充実するとともに，家庭との連携を図りながら，生徒の学習習慣が確立するよう配慮すること。

(2)　道徳教育や体験活動，多様な表現や鑑賞の活動等を通して，豊かな心や創造性の涵（かん）養を目指した教育の充実に努めること。

学校における道徳教育は，人間としての在り方生き方に関する教育を学校の教育活動全体を通じて行うことによりその充実を図るものとし，各教科に属する科目（以下「各教科・科目」という。），総合的な探究の時間及び特別活動（以下「各教科・科目等」という。）のそれぞれの特質に応じて，適切な指導を行うこと。

道徳教育は，教育基本法及び学校教育法に定められた教育の根本精神に基づき，生徒が自己探求と自己実現に努め国家・社会の一員としての自覚に基づき行為しうる発達の段階にあることを考慮し，人間としての在り方生き方を考え，主体的な判断の下に行動し，自立した人間として他者と共によりよく生きるための基盤となる道徳性を養うことを目標とすること。

道徳教育を進めるに当たっては，人間尊重の精神と生命に対する畏敬の念を家庭，学校，その他社会における具体的な生活の中に生かし，豊かな心をもち，伝統と文化を尊重し，それらを育んできた我が国と郷土を愛し，個性豊かな文化の創造を図るとともに，平和で民主的な国家及び社会の形成者として，公共の精神を尊び，社会及び国家の発展に努め，他国を尊重し，国際社会の平和と発展や環境の保全に貢献し未来を拓（ひら）く主体性のある日本人の育成に資することとなるよう特に留意すること。

(3)　学校における体育・健康に関する指導を，生徒の発達の段階を考慮して，学校の教育活動全体を通じて適切に行うことにより，健康で安全な生活と豊かなスポーツライフの実現を目指した教育の充実に努めること。特に，学校における食育の推進並びに体力の向上に関する指導，安全に関する指導及び心身の健康の保持増進に関する指導については，保健体育科，家庭科及び特別活動の時間はもとより，各教科・科目及び総合的な探究の時間などにおいてもそれぞれの特質に応じて適切に行うよう努めること。また，それらの指導を通して，家庭や地域社会との連携を図りながら，日常生活において適切な体育・健康に関する活動の実践を促し，生涯を通じて健康・安全で活力ある生活を送るための基礎が培われるよう配慮すること。

3　2の(1)から(3)までに掲げる事項の実現を図り，豊かな創造性を備え持続可能な社会の創り手となることが期待される生徒に，生きる力を育むことを目指すに当たっては，学校教育全体及び各教科・科目等の指導を通してどのような資質・能力の育成を目指すのかを明確にしながら，教育活動の充実を図るものとする。その際，生徒の発達の段階や特性等を踏まえつつ，次に掲げることが偏りなく実現できるようにするものとする。

(1)　知識及び技能が習得されるようにすること。

(2)　思考力，判断力，表現力等を育成すること。

(3) 学びに向かう力，人間性等を涵養すること。

4　学校においては，地域や学校の実態等に応じて，就業やボランティアに関わる体験的な学習の指導を適切に行うようにし，勤労の尊さや創造することの喜びを体得させ，望ましい勤労観，職業観の育成や社会奉仕の精神の涵養に資するものとする。

5　各学校においては，生徒や学校，地域の実態を適切に把握し，教育の目的や目標の実現に必要な教育の内容等を教科等横断的な視点で組み立てていくこと，教育課程の実施状況を評価してその改善を図っていくこと，教育課程の実施に必要な人的又は物的な体制を確保するとともにその改善を図っていくことなどを通して，教育課程に基づき組織的かつ計画的に各学校の教育活動の質の向上を図っていくこと（以下「カリキュラム・マネジメント」という。）に努めるものとする。

第２款　教育課程の編成

1　各学校の教育目標と教育課程の編成

教育課程の編成に当たっては，学校教育全体や各教科・科目等における指導を通して育成を目指す資質・能力を踏まえつつ，各学校の教育目標を明確にするとともに，教育課程の編成についての基本的な方針が家庭や地域とも共有されるよう努めるものとする。その際，第４章の第２の１に基づき定められる目標との関連を図るものとする。

2　教科等横断的な視点に立った資質・能力の育成

(1) 各学校においては，生徒の発達の段階を考慮し，言語能力，情報活用能力（情報モラルを含む。），問題発見・解決能力等の学習の基盤となる資質・能力を育成していくことができるよう，各教科・科目等の特質を生かし，教科等横断的な視点から教育課程の編成を図るものとする。

(2) 各学校においては，生徒や学校，地域の実態及び生徒の発達の段階を考慮し，豊かな人生の実現や災害等を乗り越えて次代の社会を形成することに向けた現代的な諸課題に対応して求められる資質・能力を，教科等横断的な視点で育成していくことができるよう，各学校の特色を生かした教育課程の編成を図るものとする。

3　教育課程の編成における共通的事項

(1) 各教科・科目及び単位数等

ア　卒業までに履修させる単位数等

各学校においては，卒業までに履修させるイからオまでに示す各教科・科目及びその単位数，総合的な探究の時間の単位数並びに特別活動及びその授業時数に関する事項を定めるものとする。この場合，各教科・科目及び総合的な探究の時間の単位数の計は，(2)のア，イ及びウの(ア)に掲げる各教科・科目の単位数並びに総合的な探究の時間の単位数を含めて74単位以上とする。

単位については，1単位時間を50分とし，35単位時間の授業を1単位として計算することを標準とする。ただし，通信制の課程においては，5に定めるところによるものとする。

イ　各学科に共通する各教科・科目及び総合的な探究の時間並びに標準単位数

各学校においては，教育課程の編成に当たって，次の表に掲げる各教科・科目及び総合的な探究の時間並びにそれぞれの標準単位数を踏まえ，生徒に履修させる各教科・科目及び総合的な探究の時間並びにそれらの単位数について適切に定めるものとする。ただし，生徒の実態等を考慮し，特に必要がある場合には，標準単位数の標準の限度を超えて単位数を増加して配当することができる。

教科等	科目	標準単位数
国語	現代の国語	2
	言語文化	2
	論理国語	4
	文学国語	4
	国語表現	4
	古典探究	4
地理歴史	地理総合	2
	地理探究	3
	歴史総合	2
	日本史探究	3
	世界史探究	3
公民	公共	2
	倫理	2
	政治・経済	2
数学	数学Ⅰ	3
	数学Ⅱ	4
	数学Ⅲ	3
	数学A	2
	数学B	2
	数学C	2
理科	科学と人間生活	2
	物理基礎	2
	物理	4
	化学基礎	2
	化学	4
	生物基礎	2
	生物	4
	地学基礎	2
	地学	4
保健体育	体育	7～8
	保健	2
芸術	音楽Ⅰ	2
	音楽Ⅱ	2
	音楽Ⅲ	2
	美術Ⅰ	2
	美術Ⅱ	2
	美術Ⅲ	2
	工芸Ⅰ	2
	工芸Ⅱ	2
	工芸Ⅲ	2
	書道Ⅰ	2
	書道Ⅱ	2
	書道Ⅲ	2
外国語	英語コミュニケーションⅠ	3
	英語コミュニケーションⅡ	4
	英語コミュニケーションⅢ	4
	論理・表現Ⅰ	2
	論理・表現Ⅱ	2
	論理・表現Ⅲ	2
家庭	家庭基礎	2
	家庭総合	4
情報	情報Ⅰ	2
	情報Ⅱ	2
理数	理数探究基礎	1
	理数探究	2～5
総合的な探究の時間		3～6

ウ　主として専門学科において開設される各教科・科目

各学校においては，教育課程の編成に当たって，次の表〔＊注〕に掲げる主として専門学科（専門教育を主とする学科をいう。以下同じ。）において開設される各教科・科目及び設置者の定めるそれぞれの標準単位数を踏まえ，生徒に履修させる各教科・科目及びその単位数について適切に定めるものとする。

教科	科目
音楽	音楽理論，音楽史，演奏研究，ソルフェージュ，声楽，器楽，作曲，鑑賞研究

＊注：音楽のみ抜粋して掲載してある

エ　学校設定科目

学校においては，生徒や学校，地域の実態及び学科の特色等に応じ，特色ある教育課程の編成に資するよう，イ及びウの表に掲げる教科について，これらに属する科目以外の科目（以下「学校設定科目」という。）を設けることができる。この場合において，学校設定科目の名称，目標，内容，単位数等については，その科目の属する教科の目標に基づき，高等学校教育としての水準の確保に十分配慮し，各学校の定めるところによるものとする。

オ　学校設定教科

(ｱ) 学校においては，生徒や学校，地域の実態及び学科の特色等に応じ，特色ある教育課程の編成に資するよう，イ及びウの表に掲げる教科以外の教科（以下「学校設定教科」という。）及び当該教科に関する科目を設けることができる。この場合において，学校設定教科及び当該教科に関する科目の名称，目標，内容，単位数等については，高等学校教育の目標に基づき，高等学校教育としての水準の確保に十分配慮し，各学校の定めるところによるものとする。

(ｲ) 学校においては，学校設定教科に関する科目として「産業社会と人間」を設けることができる。この科目の目標，内容，単位数等を各学校において定めるに当たっては，産業社会における自己の在り方生き方について考えさせ，社会に積極的に寄与し，生涯にわたって学習に取り組む意欲や態度を養うとともに，生徒の主体的な各教科・科目の選択に資するよう，就業体験活動等の体験的な学習や調査・研究などを通して，次のような事項について指導することに配慮するものとする。

㋐　社会生活や職業生活に必要な基本的な能力や態度及び望ましい勤労観，職業観の育成

㋑　我が国の産業の発展とそれがもたらした社会の変化についての考察

㋒　自己の将来の生き方や進路についての考察及び各教科・科目の履修計画の作成

(2)　各教科・科目の履修等

ア　各学科に共通する必履修教科・科目及び総合的な探究の時間

(ｱ) 全ての生徒に履修させる各教科・科目（以下「必履修教科・科目」という。）は次のとおりとし，その単位数は，(1)のイに標準単位数として示された単位数を下らないものとする。ただし，生徒の実態及び専門学科の特色等を考慮し，特に必要がある場合には，「数学Ⅰ」及び「英語コミュニケーションⅠ」については2単位とすることができ，その他の必履修教科・科目（標準単位数が2単位であるものを除く。）についてはその単位数の一部を減じることができる。

㋐　国語のうち「現代の国語」及び「言語文化」

㋑　地理歴史のうち「地理総合」及び「歴史総合」

㋒　公民のうち「公共」

㋓　数学のうち「数学Ⅰ」

㋔　理科のうち「科学と人間生活」，「物理基礎」，「化学基礎」，「生物基礎」及び「地学基礎」のうちから2科目（うち1科目は「科学と人間生活」とする。）又は「物理基礎」，「化学基礎」，「生物基礎」及び「地学基礎」のうちから3科目

㋕　保健体育のうち「体育」及び「保健」

㋖　芸術のうち「音楽Ⅰ」，「美術Ⅰ」，「工芸Ⅰ」及び「書道Ⅰ」のうちから1科目

㋗　外国語のうち「英語コミュニケーションⅠ」（英語以外の外国語を履修する場合は，学校設定科目として設ける1科目とし，その標準単位数は3単位とする。）

㋘　家庭のうち「家庭基礎」及び「家庭総合」のうちから1科目

㋙　情報のうち「情報Ⅰ」

(ｲ) 総合的な探究の時間については，全ての生徒に履修させるものとし，その単位数は，(1)のイに標準単位数として示された単位数の下限を下らないものとする。ただし，特に必要がある場合には，その単位数を2単位とすることができる。

(ｳ) 外国の高等学校に留学していた生徒について，外国の高等学校における履修により，必履修教科・科目又は総合的な探究の時間の履修と同様の成果が認められる場合においては，外国の高等学校における履修をもって相当する必履修教科・科目又は総合的な探究の時間の履修の一部又は全部に替えることができる。

イ　専門学科における各教科・科目の履修

専門学科における各教科・科目の履修については，アのほか次のとおりとする。

(ｱ) 専門学科においては，専門教科・科目（(1)のウの表に掲げる各教科・科目，同表に掲げる教科に属する学校設定科目及び専門教育に関する学校設定教科に関する科目をいう。以下同じ。）について，全ての生徒に履修させる単位数は，25単位を下らないこと。ただし，商業に関する学科においては，上記の単位数の中に外国語に属する科目の単位を5単位まで含めることができること。また，商業に関する学科以外の専門学科においては，各学科の目標を達成する上で，専門教科・科目以外の各教科・科目の履修により，専門教科・科目の履修と同様の成果が期待できる場合においては，その専門教科・科目以外の各教科・科目の単位を5単位まで上記の単位数の中に含めることができること。

(ｲ) 専門教科・科目の履修によって，アの必履修教科・科目の履修と同様の成果が期待できる場合においては，その専門教科・科目の履修をもって，必履修教科・科目の履修の一部又は全部に替えることができること。

(ｳ) 職業教育を主とする専門学科においては，総合的な探究の時間の履修により，農業，工業，商業，水産，家庭若しくは情報の各教科の「課題研究」，看護の「看護臨地実習」又は福祉の「介護総合演習」（以下「課題研究等」という。）の履修と同様の成果が期待できる場合においては，総合的な探究の時間の履修をもって課題研究等の履修の一部又は全部に替えることができること。また，課題研究等の履修により，総合的な探究の時間の履修と同様の成果が期待できる場合においては，課題研究等の履修をもって総合的な探究の時間の履修の一部又は全部に替えることができること。

ウ　総合学科における各教科・科目の履修等

総合学科における各教科・科目の履修等については，アのほか次のとおりとする。

(ｱ) 総合学科においては，(1)のオの(ｲ)に掲げる「産業社会と人間」を全ての生徒に原則として入学年次に履修させるものとし，標準単位数は2～4単位とすること。

(ｲ) 総合学科においては，学年による教育課程の区分を設けない課程（以下「単位制による課程」という。）とすることを原則とするとともに，「産業社会と人間」及び専門教科・科目を合わせて25単位以上設け，生徒が多様な各教科・科目から主体的に選択履修できるようにすること。その際，生徒が選択履修するに当たっての指針となるよう，体系性

や専門性等において相互に関連する各教科・科目によって構成される科目群を複数設けるとともに，必要に応じ，それら以外の各教科・科目を設け，生徒が自由に選択履修できるようにすること。

(3) 各教科・科目等の授業時数等

ア　全日制の課程における各教科・科目及びホームルーム活動の授業は，年間35週行うことを標準とし，必要がある場合には，各教科・科目の授業を特定の学期又は特定の期間（夏季，冬季，学年末等の休業日の期間に授業日を設定する場合を含む。）に行うことができる。

イ　全日制の課程における週当たりの授業時数は，30単位時間を標準とする。ただし，必要がある場合には，これを増加することができる。

ウ　定時制の課程における授業日数の季節的配分又は週若しくは1日当たりの授業時数については，生徒の勤労状況と地域の諸事情等を考慮して，適切に定めるものとする。

エ　ホームルーム活動の授業時数については，原則として，年間35単位時間以上とするものとする。

オ　生徒会活動及び学校行事については，学校の実態に応じて，それぞれ適切な授業時数を充てるものとする。

カ　定時制の課程において，特別の事情がある場合には，ホームルーム活動の授業時数の一部を減じ，又はホームルーム活動及び生徒会活動の内容の一部を行わないものとすることができる。

キ　各教科・科目等のそれぞれの授業の1単位時間は，各学校において，各教科・科目等の授業時数を確保しつつ，生徒の実態及び各教科・科目等の特質を考慮して適切に定めるものとする。

ク　各教科・科目等の特質に応じ，10分から15分程度の短い時間を活用して特定の各教科・科目等の指導を行う場合において，当該各教科・科目等を担当する教師が単元や題材など内容や時間のまとまりを見通した中で，その指導内容の決定や指導の成果の把握と活用等を責任をもって行う体制が整備されているときは，その時間を当該各教科・科目等の授業時数に含めることができる。

ケ　総合的な探究の時間における学習活動により，特別活動の学校行事に掲げる各行事の実施と同様の成果が期待できる場合においては，総合的な探究の時間における学習活動をもって相当する特別活動の学校行事に掲げる各行事の実施に替えることができる。

コ　理数の「理数探究基礎」又は「理数探究」の履修により，総合的な探究の時間の履修と同様の成果が期待できる場合においては，「理数探究基礎」又は「理数探究」の履修をもって総合的な探究の時間の履修の一部又は全部に替えることができる。

(4) 選択履修の趣旨を生かした適切な教育課程の編成

教育課程の編成に当たっては，生徒の特性，進路等に応じた適切な各教科・科目の履修ができるようにし，このため，多様な各教科・科目を設け生徒が自由に選択履修することのできるよう配慮するものとする。また，教育課程の類型を設け，そのいずれかの類型を選択して履修させる場合においても，その類型において履修させることになっている各教科・科目以外の各教科・科目を履修させたり，生徒が自由に選択履修することのできる各教科・科目を設けたりするものとする。

(5) 各教科・科目等の内容等の取扱い

ア　学校においては，第2章以下に示していない事項を加えて指導することができる。また，第2章以下に示す内容の取扱いのうち内容の範囲や程度等を示す事項は，当該科目を履修する全ての生徒に対して指導するものとする内容の範囲や程度等を示したものであり，学校において必要がある場合には，この事項にかかわらず指導することができる。ただし，これらの場合には，第2章以下に示す教科，科目及び特別活動の目標や内容の趣旨を逸脱したり，生徒の負担が過重となったりすることのないようにするものとする。

イ　第2章以下に示す各教科・科目及び特別活動の内容に掲げる事項の順序は，特に示す場合を除き，指導の順序を示すものではないので，学校においては，その取扱いについて適切な工夫を加えるものとする。

ウ　学校においては，あらかじめ計画して，各教科・科目の内容及び総合的な探究の時間における学習活動を学期の区分に応じて単位ごとに分割して指導することができる。

エ　学校においては，特に必要がある場合には，第2章及び第3章に示す教科及び科目の目標の趣旨を損なわない範囲内で，各教科・科目の内容に関する事項について，基礎的・基本的な事項に重点を置くなどその内容を適切に選択して指導することができる。

(6) 指導計画の作成に当たって配慮すべき事項

各学校においては，次の事項に配慮しながら，学校の創意工夫を生かし，全体として，調和のとれた具体的な指導計画を作成するものとする。

ア　各教科・科目等の指導内容については，単元や題材など内容や時間のまとまりを見通しながら，そのまとめ方や重点の置き方に適切な工夫を加え，第3款の1に示す主体的・対話的で深い学びの実現に向けた授業改善を通して資質・能力を育む効果的な指導ができるようにすること。

イ　各教科・科目等について相互の関連を図り，系統的，発展的な指導ができるようにすること。

(7) キャリア教育及び職業教育に関して配慮すべき事項

ア　学校においては，第5款の1に示すキャリア教育及び職業教育を推進するために，生徒の特性や進路，学校や地域の実態等を考慮し，地域や産業界等との連携を図り，産業現場等における長期間の実習を取り入れるなどの就業体験活動の機会を積極的に設けるとともに，地域や産業界等の人々の協力を積極的に得るよう配慮するものとする。

イ　普通科においては，生徒の特性や進路，学校や地域の実態等を考慮し，必要に応じて，適切な職業に関する各教科・科目の履修の機会の確保について配慮するものとする。

ウ　職業教育を主とする専門学科においては，次の事項に配慮するものとする。

(ｱ) 職業に関する各教科・科目については，実験・実習に配当する授業時数を十分確保するようにすること。

(ｲ) 生徒の実態を考慮し，職業に関する各教科・科目の履修を容易にするため特別な配慮が必要な場合には，各分野における基礎的又は中核的な科目を重点的に選択し，その内容については基礎的・基本的な事項が確実に身に付くように取り扱い，また，主として実験・実習によって指導するなどの工夫をこらすようにすること。

エ　職業に関する各教科・科目については，次の事項に配慮するものとする。

(ｱ) 職業に関する各教科・科目については，就業体験活動をもって実習に替えることができること。この場合，就業体験活動は，その各教科・科目の内容に直接関係があり，かつ，その一部としてあらかじめ計画し，評価されるものであることを要すること。

(ｲ) 農業，水産及び家庭に関する各教科・科目の指導に当たっては，ホームプロジェクト並びに学校家庭クラブ及び学校農業クラブなどの活動を活用して，学習の効果を上げるよう留意すること。この場合，ホームプロジェクトについては，その各教科・科目の授業時数の10分の2以内をこれに充てることができること。

(ウ) 定時制及び通信制の課程において，職業に関する各教科・科目を履修する生徒が，現にその各教科・科目と密接な関係を有する職業（家事を含む。）に従事している場合で，その職業における実務等が，その各教科・科目の一部を履修した場合と同様の成果があると認められるときは，その実務等をもってその各教科・科目の履修の一部に替えることができること。

4 学校段階等間の接続

教育課程の編成に当たっては，次の事項に配慮しながら，学校段階等間の接続を図るものとする。

(1) 現行の中学校学習指導要領を踏まえ，中学校教育までの学習の成果が高等学校教育に円滑に接続され，高等学校教育段階の終わりまでに育成することを目指す資質・能力を，生徒が確実に身に付けることができるよう工夫すること。特に，中等教育学校，連携型高等学校及び併設型高等学校においては，中等教育6年間を見通した計画的かつ継続的な教育課程を編成すること。

(2) 生徒や学校の実態等に応じ，必要がある場合には，例えば次のような工夫を行い，義務教育段階での学習内容の確実な定着を図るようにすること。

ア 各教科・科目の指導に当たり，義務教育段階での学習内容の確実な定着を図るための学習機会を設けること。

イ 義務教育段階での学習内容の確実な定着を図りながら，必履修教科・科目の内容を十分に習得させることができるよう，その単位数を標準単位数の標準の限度を超えて増加して配当すること。

ウ 義務教育段階での学習内容の確実な定着を図ることを目標とした学校設定科目等を履修させた後に，必履修教科・科目を履修させるようにすること。

(3) 大学や専門学校等における教育や社会的・職業的自立，生涯にわたる学習のために，高等学校卒業以降の教育や職業との円滑な接続が図られるよう，関連する教育機関や企業等との連携により，卒業後の進路に求められる資質・能力を着実に育成することができるよう工夫すること。

5 通信制の課程における教育課程の特例

通信制の課程における教育課程については，1から4まで（3の(3)，(4)並びに(7)のエの(ｱ)及び(ｲ)を除く。）並びに第1款及び第3款から第7款までに定めるところによるほか，次に定めるところによる。

(1) 各教科・科目の添削指導の回数及び面接指導の単位時間（1単位時間は，50分として計算するものとする。以下同じ。）数の標準は，1単位につき次の表のとおりとする。

各教科・科目	添削指導（回）	面接指導（単位時間）
国語，地理歴史，公民及び数学に属する科目	3	1
理科に属する科目	3	4
保健体育に属する科目のうち「体育」	1	5
保健体育に属する科目のうち「保健」	3	1
芸術及び外国語に属する科目	3	4
家庭及び情報に属する科目並びに専門教科・科目	各教科・科目の必要に応じて2～3	各教科・科目の必要に応じて2～8

(2) 学校設定教科に関する科目のうち専門教科・科目以外のものの添削指導の回数及び面接指導の単位時間数については，1単位につき，それぞれ1回以上及び1単位時間以上を確保した上で，各学校が適切に定めるものとする。

(3) 理数に属する科目及び総合的な探究の時間の添削指導の回数及び面接指導の単位時間数については，1単位につき，それぞれ1回以上及び1単位時間以上を確保した上で，各学校において，学習活動に応じ適切に定めるものとする。

(4) 各学校における面接指導の1回あたりの時間は，各学校において，(1)から(3)までの標準を踏まえ，各教科・科目及び総合的な探究の時間の面接指導の単位時間数を確保しつつ，生徒の実態並びに各教科・科目及び総合的な探究の時間の特質を考慮して適切に定めるものとする。

(5) 学校が，その指導計画に，各教科・科目又は特別活動について体系的に行われるラジオ放送，テレビ放送その他の多様なメディアを利用して行う学習を計画的かつ継続的に取り入れた場合で，生徒がこれらの方法により学習し，報告課題の作成等により，その成果が満足できると認められるときは，その生徒について，その各教科・科目の面接指導の時間数又は特別活動の時間数（以下「面接指導等時間数」という。）のうち，10分の6以内の時間数を免除することができる。また，生徒の実態等を考慮して特に必要がある場合は，面接指導等時間数のうち，複数のメディアを利用することにより，各メディアごとにそれぞれ10分の6以内の時間数を免除することができる。ただし，免除する時間数は，合わせて10分の8を超えることができない。

なお，生徒の面接指導等時間数を免除しようとする場合には，本来行われるべき学習の量と質を低下させることがないよう十分配慮しなければならない。

(6) 特別活動については，ホームルーム活動を含めて，各々の生徒の卒業までに30単位時間以上指導するものとする。なお，特別の事情がある場合には，ホームルーム活動及び生徒会活動の内容の一部を行わないものとすることができる。

第3款 教育課程の実施と学習評価

1 主体的・対話的で深い学びの実現に向けた授業改善

各教科・科目等の指導に当たっては，次の事項に配慮するものとする。

(1) 第1款の3の(1)から(3)までに示すことが偏りなく実現されるよう，単元や題材など内容や時間のまとまりを見通しながら，生徒の主体的・対話的で深い学びの実現に向けた授業改善を行うこと。

特に，各教科・科目等において身に付けた知識及び技能を活用したり，思考力，判断力，表現力等や学びに向かう力，人間性等を発揮させたりして，学習の対象となる物事を捉え思考することにより，各教科・科目等の特質に応じた物事を捉える視点や考え方（以下「見方・考え方」という。）が鍛えられていくことに留意し，生徒が各教科・科目等の特質に応じた見方・考え方を働かせながら，知識を相互に関連付けてより深く理解したり，情報を精査して考えを形成したり，問題を見いだして解決策を考えたり，思いや考えを基に創造したりすることに向かう過程を重視した学習の充実を図ること。

(2) 第2款の2の(1)に示す言語能力の育成を図るため，各学校において必要な言語環境を整えるとともに，国語科を要としつつ各教科・科目等の特質に応じて，生徒の言語活動を充実すること。あわせて，(6)に示すとおり読書活動を充実すること。

(3) 第2款の2の(1)に示す情報活用能力の育成を図るため，各学校において，コンピュータや情報通信ネットワークなどの情報手段を活用するために必要な環境を整え，これらを適切に活用した学習活動の充実を図ること。また，各種の統計資料や新聞，視聴覚教材や教育機器などの教材・教具の適切な活用を図ること。

(4) 生徒が学習の見通しを立てたり学習したことを振り返ったり

する活動を，計画的に取り入れるように工夫すること。

(5) 生徒が生命の有限性や自然の大切さ，主体的に挑戦してみることや多様な他者と協働することの重要性などを実感しながら理解することができるよう，各教科・科目等の特質に応じた体験活動を重視し，家庭や地域社会と連携しつつ体系的・継続的に実施できるよう工夫すること。

(6) 学校図書館を計画的に利用しその機能の活用を図り，生徒の主体的・対話的で深い学びの実現に向けた授業改善に生かすとともに，生徒の自主的，自発的な学習活動や読書活動を充実すること。また，地域の図書館や博物館，美術館，劇場，音楽堂等の施設の活用を積極的に図り，資料を活用した情報の収集や鑑賞等の学習活動を充実すること。

2 学習評価の充実

学習評価の実施に当たっては，次の事項に配慮するものとする。

(1) 生徒のよい点や進歩の状況などを積極的に評価し，学習したことの意義や価値を実感できるようにすること。また，各教科・科目等の目標の実現に向けた学習状況を把握する観点から，単元や題材など内容や時間のまとまりを見通しながら評価の場面や方法を工夫して，学習の過程や成果を評価し，指導の改善や学習意欲の向上を図り，資質・能力の育成に生かすようにすること。

(2) 創意工夫の中で学習評価の妥当性や信頼性が高められるよう，組織的かつ計画的な取組を推進するとともに，学年や学校段階を越えて生徒の学習の成果が円滑に接続されるように工夫すること。

第4款 単位の修得及び卒業の認定

1 各教科・科目及び総合的な探究の時間の単位の修得の認定

(1) 学校においては，生徒が学校の定める指導計画に従って各教科・科目を履修し，その成果が教科及び科目の目標からみて満足できると認められる場合には，その各教科・科目について履修した単位を修得したことを認定しなければならない。

(2) 学校においては，生徒が学校の定める指導計画に従って総合的な探究の時間を履修し，その成果が第4章の第2の1に基づき定められる目標からみて満足できると認められる場合には，総合的な探究の時間について履修した単位を修得したことを認定しなければならない。

(3) 学校においては，生徒が1科目又は総合的な探究の時間を2以上の年次にわたって履修したときは，各年次ごとにその各教科・科目又は総合的な探究の時間について履修した単位を修得したことを認定することを原則とする。また，単位の修得の認定を学期の区分ごとに行うことができる。

2 卒業までに修得させる単位数

学校においては，卒業までに修得させる単位数を定め，校長は，当該単位数を修得した者で，特別活動の成果がその目標からみて満足できると認められるものについて，高等学校の全課程の修了を認定するものとする。この場合，卒業までに修得させる単位数は，74単位以上とする。なお，普通科においては，卒業までに修得させる単位数に含めることができる学校設定科目及び学校設定教科に関する科目に係る修得単位数は，合わせて20単位を超えることができない。

3 各学年の課程の修了の認定

学校においては，各学年の課程の修了の認定については，単位制が併用されていることを踏まえ，弾力的に行うよう配慮するものとする。

第5款 生徒の発達の支援

1 生徒の発達を支える指導の充実

教育課程の編成及び実施に当たっては，次の事項に配慮するものとする。

(1) 学習や生活の基盤として，教師と生徒との信頼関係及び生徒相互のよりよい人間関係を育てるため，日頃からホームルーム経営の充実を図ること。また，主に集団の場面で必要な指導や援助を行うガイダンスと，個々の生徒の多様な実態を踏まえ，一人一人が抱える課題に個別に対応した指導を行うカウンセリングの双方により，生徒の発達を支援すること。

(2) 生徒が，自己の存在感を実感しながら，よりよい人間関係を形成し，有意義で充実した学校生活を送る中で，現在及び将来における自己実現を図っていくことができるよう，生徒理解を深め，学習指導と関連付けながら，生徒指導の充実を図ること。

(3) 生徒が，学ぶことと自己の将来とのつながりを見通しながら，社会的・職業的自立に向けて必要な基盤となる資質・能力を身に付けていくことができるよう，特別活動を要としつつ各教科・科目等の特質に応じて，キャリア教育の充実を図ること。その中で，生徒が自己の在り方生き方を考え主体的に進路を選択することができるよう，学校の教育活動全体を通じ，組織的かつ計画的な進路指導を行うこと。

(4) 学校の教育活動全体を通じて，個々の生徒の特性等の的確な把握に努め，その伸長を図ること。また，生徒が適切な各教科・科目や類型を選択し学校やホームルームでの生活によりよく適応するとともに，現在及び将来の生き方を考え行動する態度や能力を育成することができるようにすること。

(5) 生徒が，基礎的・基本的な知識及び技能の習得も含め，学習内容を確実に身に付けることができるよう，生徒や学校の実態に応じ，個別学習やグループ別学習，繰り返し学習，学習内容の習熟の程度に応じた学習，生徒の興味・関心等に応じた課題学習，補充的な学習や発展的な学習などの学習活動を取り入れることや，教師間の協力による指導体制を確保することなど，指導方法や指導体制の工夫改善により，個に応じた指導の充実を図ること。その際，第3款の1の(3)に示す情報手段や教材・教具の活用を図ること。

(6) 学習の遅れがちな生徒などについては，各教科・科目等の選択，その内容の取扱いなどについて必要な配慮を行い，生徒の実態に応じ，例えば義務教育段階の学習内容の確実な定着を図るための指導を適宜取り入れるなど，指導内容や指導方法を工夫すること。

2 特別な配慮を必要とする生徒への指導

(1) 障害のある生徒などへの指導

ア 障害のある生徒などについては，特別支援学校等の助言又は援助を活用しつつ，個々の生徒の障害の状態等に応じた指導内容や指導方法の工夫を組織的かつ計画的に行うものとする。

イ 障害のある生徒に対して，学校教育法施行規則第140条の規定に基づき，特別の教育課程を編成し，障害に応じた特別の指導（以下「通級による指導」という。）を行う場合には，学校教育法施行規則第129条の規定により定める現行の特別支援学校高等部学習指導要領第6章に示す自立活動の内容を参考とし，具体的な目標や内容を定め，指導を行うものとする。その際，通級による指導が効果的に行われるよう，各教科・科目等と通級による指導との関連を図るなど，教師間の連携に努めるものとする。

なお，通級による指導における単位の修得の認定については，次のとおりとする。

(ｱ) 学校においては，生徒が学校の定める個別の指導計画に従って通級による指導を履修し，その成果が個別に設定された指導目標からみて満足できると認められる場合には，当該学校の単位を修得したことを認定しなければならない。

(ｲ) 学校においては，生徒が通級による指導を2以上の年次にわたって履修したときは，各年次ごとに当該学校の単位を修得したことを認定することを原則とする。ただし，年度途中から通級による指導を開始するなど，特定の年度における授業時数が，1単位として計算する標準の単位時間に満たない場合は，次年度以降に通級による指導の時間を設定し，2以上の年次にわたる授業時数を合算して単位の修得の認定を行うことができる。また，単位の修得の認定を学期の区分ごとに行うことができる。

ウ　障害のある生徒などについては，家庭，地域及び医療や福祉，保健，労働等の業務を行う関係機関との連携を図り，長期的な視点で生徒への教育的支援を行うために，個別の教育支援計画を作成し活用することに努めるとともに，各教科・科目等の指導に当たって，個々の生徒の実態を的確に把握し，個別の指導計画を作成し活用することに努めるものとする。特に，通級による指導を受ける生徒については，個々の生徒の障害の状態等の実態を的確に把握し，個別の教育支援計画や個別の指導計画を作成し，効果的に活用するものとする。

(2) 海外から帰国した生徒などの学校生活への適応や，日本語の習得に困難のある生徒に対する日本語指導

ア　海外から帰国した生徒などについては，学校生活への適応を図るとともに，外国における生活経験を生かすなどの適切な指導を行うものとする。

イ　日本語の習得に困難のある生徒については，個々の生徒の実態に応じた指導内容や指導方法の工夫を組織的かつ計画的に行うものとする。

(3) 不登校生徒への配慮

ア　不登校生徒については，保護者や関係機関と連携を図り，心理や福祉の専門家の助言又は援助を得ながら，社会的自立を目指す観点から，個々の生徒の実態に応じた情報の提供その他の必要な支援を行うものとする。

イ　相当の期間高等学校を欠席し引き続き欠席すると認められる生徒等を対象として，文部科学大臣が認める特別の教育課程を編成する場合には，生徒の実態に配慮した教育課程を編成するとともに，個別学習やグループ別学習など指導方法や指導体制の工夫改善に努めるものとする。

第6款　学校運営上の留意事項

1　教育課程の改善と学校評価，教育課程外の活動との連携等

ア　各学校においては，校長の方針の下に，校務分掌に基づき教職員が適切に役割を分担しつつ，相互に連携しながら，各学校の特色を生かしたカリキュラム・マネジメントを行うよう努めるものとする。また，各学校が行う学校評価については，教育課程の編成，実施，改善が教育活動や学校運営の中核となることを踏まえ，カリキュラム・マネジメントと関連付けながら実施するよう留意するものとする。

イ　教育課程の編成及び実施に当たっては，学校保健計画，学校安全計画，食に関する指導の全体計画，いじめの防止等のための対策に関する基本的な方針など，各分野における学校の全体計画等と関連付けながら，効果的な指導が行われるように留意するものとする。

ウ　教育課程外の学校教育活動と教育課程の関連が図られるように留意するものとする。特に，生徒の自主的，自発的な参加により行われる部活動については，スポーツや文化，科学等に親しませ，学習意欲の向上や責任感，連帯感の涵(かん)養等，学校教育が目指す資質・能力の育成に資するものであり，学校教育の一環として，教育課程との関連が図られるよう留意すること。その際，学校や地域の実態に応じ，地域の人々の協力，社会教育施設や社会教育関係団体等の各種団体との連携などの運営上の工夫を行い，持続可能な運営体制が整えられるようにするものとする。

2　家庭や地域社会との連携及び協働と学校間の連携

教育課程の編成及び実施に当たっては，次の事項に配慮するものとする。

ア　学校がその目的を達成するため，学校や地域の実態等に応じ，教育活動の実施に必要な人的又は物的な体制を家庭や地域の人々の協力を得ながら整えるなど，家庭や地域社会との連携及び協働を深めること。また，高齢者や異年齢の子供など，地域における世代を越えた交流の機会を設けること。

イ　他の高等学校や，幼稚園，認定こども園，保育所，小学校，中学校，特別支援学校及び大学などとの間の連携や交流を図るとともに，障害のある幼児児童生徒との交流及び共同学習の機会を設け，共に尊重し合いながら協働して生活していく態度を育むようにすること。

第7款　道徳教育に関する配慮事項

道徳教育を進めるに当たっては，道徳教育の特質を踏まえ，第6款までに示す事項に加え，次の事項に配慮するものとする。

1　各学校においては，第1款の2の(2)に示す道徳教育の目標を踏まえ，道徳教育の全体計画を作成し，校長の方針の下に，道徳教育の推進を主に担当する教師（「道徳教育推進教師」という。）を中心に，全教師が協力して道徳教育を展開すること。なお，道徳教育の全体計画の作成に当たっては，生徒や学校の実態に応じ，指導の方針や重点を明らかにして，各教科・科目等との関係を明らかにすること。その際，公民科の「公共」及び「倫理」並びに特別活動が，人間としての在り方生き方に関する中核的な指導の場面であることに配慮すること。

2　道徳教育を進めるに当たっては，中学校までの特別の教科である道徳の学習等を通じて深めた，主として自分自身，人との関わり，集団や社会との関わり，生命や自然，崇高なものとの関わりに関する道徳的諸価値についての理解を基にしながら，様々な体験や思索の機会等を通して，人間としての在り方生き方についての考えを深めるよう留意すること。また，自立心や自律性を高め，規律ある生活をすること，生命を尊重する心を育てること，社会連帯の自覚を高め，主体的に社会の形成に参画する意欲と態度を養うこと，義務を果たし責任を重んずる態度及び人権を尊重し差別のないよりよい社会を実現しようとする態度を養うこと，伝統と文化を尊重し，それらを育んできた我が国と郷土を愛するとともに，他国を尊重すること，国際社会に生きる日本人としての自覚を身に付けることに関する指導が適切に行われるよう配慮すること。

3　学校やホームルーム内の人間関係や環境を整えるととともに，就業体験活動やボランティア活動，自然体験活動，地域の行事への参加などの豊かな体験を充実すること。また，道徳教育の指導が，生徒の日常生活に生かされるようにすること。その際，いじめの防止や安全の確保等にも資することとなるように留意すること。

4　学校の道徳教育の全体計画や道徳教育に関する諸活動などの情報を積極的に公表したり，道徳教育の充実のために家庭や地域の人々の積極的な参加や協力を得たりするなど，家庭や地域社会との共通理解を深めること。

第2章 各学科に共通する各教科　第7節 芸術

第1款　目標

芸術の幅広い活動を通して，各科目における見方・考え方を働かせ，生活や社会の中の芸術や芸術文化と豊かに関わる資質・能力を次のとおり育成することを目指す。

(1) 芸術に関する各科目の特質について理解するとともに，意図に基づいて表現するための技能を身に付けるようにする。

(2) 創造的な表現を工夫したり，芸術のよさや美しさを深く味わったりすることができるようにする。

(3) 生涯にわたり芸術を愛好する心情を育むとともに，感性を高め，心豊かな生活や社会を創造していく態度を養い，豊かな情操を培う。

第2款　各科目

第1　音楽Ⅰ

1　目標

音楽の幅広い活動を通して，音楽的な見方・考え方を働かせ，生活や社会の中の音や音楽，音楽文化と幅広く関わる資質・能力を次のとおり育成することを目指す。

(1) 曲想と音楽の構造や文化的・歴史的背景などとの関わり及び音楽の多様性について理解するとともに，創意工夫を生かした音楽表現をするために必要な技能を身に付けるようにする。

(2) 自己のイメージをもって音楽表現を創意工夫することや，音楽を評価しながらよさや美しさを自ら味わって聴くことができるようにする。

(3) 主体的・協働的に音楽の幅広い活動に取り組み，生涯にわたり音楽を愛好する心情を育むとともに，感性を高め，音楽文化に親しみ，音楽によって生活や社会を明るく豊かなものにしていく態度を養う。

2　内容

A　表現

表現に関する資質・能力を次のとおり育成する。

(1) 歌唱

歌唱に関する次の事項を身に付けることができるよう指導する。

ア　歌唱表現に関わる知識や技能を得たり生かしたりしながら，自己のイメージをもって歌唱表現を創意工夫すること。

イ　次の(ア)から(ウ)までについて理解すること。

(ア) 曲想と音楽の構造や歌詞，文化的・歴史的背景との関わり

(イ) 言葉の特性と曲種に応じた発声との関わり

(ウ) 様々な表現形態による歌唱表現の特徴

ウ　創意工夫を生かした歌唱表現をするために必要な，次の(ア)から(ウ)までの技能を身に付けること。

(ア) 曲にふさわしい発声，言葉の発音，身体の使い方などの技能

(イ) 他者との調和を意識して歌う技能

(ウ) 表現形態の特徴を生かして歌う技能

(2) 器楽

器楽に関する次の事項を身に付けることができるよう指導する。

ア　器楽表現に関わる知識や技能を得たり生かしたりしながら，自己のイメージをもって器楽表現を創意工夫すること。

イ　次の(ア)から(ウ)までについて理解すること。

(ア) 曲想と音楽の構造や文化的・歴史的背景との関わり

(イ) 曲想と楽器の音色や奏法との関わり

(ウ) 様々な表現形態による器楽表現の特徴

ウ　創意工夫を生かした器楽表現をするために必要な，次の(ア)から(ウ)までの技能を身に付けること。

(ア) 曲にふさわしい奏法，身体の使い方などの技能

(イ) 他者との調和を意識して演奏する技能

(ウ) 表現形態の特徴を生かして演奏する技能

(3) 創作

創作に関する次の事項を身に付けることができるよう指導する。

ア　創作表現に関わる知識や技能を得たり生かしたりしながら，自己のイメージをもって創作表現を創意工夫すること。

イ　音素材，音を連ねたり重ねたりしたときの響き，音階や音型などの特徴及び構成上の特徴について，表したいイメージと関わらせて理解すること。

ウ　創意工夫を生かした創作表現をするために必要な，次の(ア)から(ウ)までの技能を身に付けること。

(ア) 反復，変化，対照などの手法を活用して音楽をつくる技能

(イ) 旋律をつくったり，つくった旋律に副次的な旋律や和音などを付けた音楽をつくったりする技能

(ウ) 音楽を形づくっている要素の働きを変化させ，変奏や編曲をする技能

B　鑑賞

鑑賞に関する資質・能力を次のとおり育成する。

(1) 鑑賞

鑑賞に関する次の事項を身に付けることができるよう指導する。

ア　鑑賞に関わる知識を得たり生かしたりしながら，次の(ア)から(ウ)までについて考え，音楽のよさや美しさを自ら味わって聴くこと。

(ア) 曲や演奏に対する評価とその根拠

(イ) 自分や社会にとっての音楽の意味や価値

(ウ) 音楽表現の共通性や固有性

イ　次の(ア)から(ウ)までについて理解すること。
(ア)　曲想や表現上の効果と音楽の構造との関わり
(イ)　音楽の特徴と文化的・歴史的背景，他の芸術との関わり
(ウ)　我が国や郷土の伝統音楽の種類とそれぞれの特徴

〔共通事項〕

表現及び鑑賞の学習において共通に必要となる資質・能力を次のとおり育成する。

(1)「A 表現」及び「B 鑑賞」の指導を通して，次の事項を身に付けることができるよう指導する。
ア　音楽を形づくっている要素や要素同士の関連を知覚し，それらの働きを感受しながら，知覚したことと感受したこととの関わりについて考えること。
イ　音楽を形づくっている要素及び音楽に関する用語や記号などについて，音楽における働きと関わらせて理解すること。

3　内容の取扱い

(1)　内容の「A 表現」及び「B 鑑賞」の指導については，中学校音楽科との関連を十分に考慮し，それぞれ特定の活動のみに偏らないようにするとともに，必要に応じて，〔共通事項〕を要として各領域や分野の関連を図るものとする。
(2)　内容の「A 表現」の(1)，(2)及び(3)の指導については，ア，イ及びウの各事項を，「B 鑑賞」の(1)の指導については，ア及びイの各事項を適切に関連させて指導する。
(3)　生徒の特性等を考慮し，内容の「A表現」の(3)のウについては(ア)，(イ)又は(ウ)のうち一つ以上を選択して扱うことができる。
(4) 内容の〔共通事項〕は，表現及び鑑賞の学習において共通に必要となる資質・能力であり，「A 表現」及び「B 鑑賞」の指導と併せて，十分な指導が行われるよう工夫する。
(5)　内容の「A 表現」の指導に当たっては，生徒の特性等を考慮し，視唱と視奏及び読譜と記譜の指導を含めるものとする。
(6)　内容の「A 表現」の指導に当たっては，我が国の伝統的な歌唱及び和楽器を含めて扱うようにする。その際，内容の「B 鑑賞」の(1)のア及びイの(イ)又は(ウ)との関連を図るよう配慮するものとする。
(7)　内容の「A 表現」の(3)の指導に当たっては，即興的に音を出しながら音のつながり方を試すなど，音を音楽へと構成することを重視するとともに，作品を記録する方法を工夫させるものとする。
(8)　内容の「A 表現」及び「B 鑑賞」の指導に当たっては，思考力，判断力，表現力等の育成を図るため，音や音楽及び言葉によるコミュニケーションを図り，芸術科音楽の特質に応じた言語活動を適切に位置付けられるよう指導を工夫する。なお，内容の「B 鑑賞」の指導に当たっては，曲や演奏について根拠をもって批評する活動などを取り入れるようにする。
(9)　内容の「A 表現」及び「B 鑑賞」の教材については，学校や地域の実態等を考慮し，我が国や郷土の伝統音楽を含む我が国及び諸外国の様々な音楽から幅広く扱うようにする。また，「B 鑑賞」の教材については，アジア地域の諸民族の音楽を含めて扱うようにする。
(10)　音楽活動を通して，それぞれの教材等に応じ，生徒が音や音楽と生活や社会との関わりを実感できるよう指導を工夫する。なお，適宜，自然音や環境音などについても取り扱い，音環境への関心を高めることができるよう指導を工夫する。
(11)　自己や他者の著作物及びそれらの著作者の創造性を尊重する態度の形成を図るとともに，必要に応じて，音楽に関する知的財産権について触れるようにする。また，こうした態度の形成が，音楽文化の継承，発展，創造を支えていることへの理解につながるよう配慮する。

第2　音楽Ⅱ

1　目標

音楽の諸活動を通して，音楽的な見方・考え方を働かせ，生活や社会の中の音や音楽，音楽文化と深く関わる資質・能力を次のとおり育成することを目指す。
(1)　曲想と音楽の構造や文化的・歴史的背景などとの関わり及び音楽の多様性について理解を深めるとともに，創意工夫を生かした音楽表現をするために必要な技能を身に付けるようにする。
(2)　個性豊かに音楽表現を創意工夫することや，音楽を評価しながらよさや美しさを深く味わって聴くことができるようにする。
(3)　主体的・協働的に音楽の諸活動に取り組み，生涯にわたり音楽を愛好する心情を育むとともに，感性を高め，音楽文化に親しみ，音楽によって生活や社会を明るく豊かなものにしていく態度を養う。

2　内容

A　表現

表現に関する資質・能力を次のとおり育成する。

(1)　歌唱

歌唱に関する次の事項を身に付けることができるよう指導する。
ア　歌唱表現に関わる知識や技能を得たり生かしたりしながら，個性豊かに歌唱表現を創意工夫すること。
イ　次の(ア)から(ウ)までについて理解すること。
(ア)　曲想と音楽の構造や歌詞，文化的・歴史的背景との関わり及びその関わりによって生み出される表現上の効果
(イ)　言葉の特性と曲種に応じた発声との関わり及びその関わりによって生み出される表現上の効果
(ウ)　様々な表現形態による歌唱表現の固有性や多様性
ウ　創意工夫を生かした歌唱表現をするために必要な，次の(ア)から(ウ)までの技能を身に付けること。
(ア)　曲にふさわしい発声，言葉の発音，身体の使い方などの技能
(イ)　他者との調和を意識して歌う技能
(ウ)　表現形態の特徴や表現上の効果を生かして歌う技能

(2)　器楽

器楽に関する次の事項を身に付けることができるよう指導する。
ア　器楽表現に関わる知識や技能を得たり生かしたりしな

がら，個性豊かに器楽表現を創意工夫すること。

イ　次の(ｱ)から(ｳ)までについて理解すること。

(ｱ)　曲想と音楽の構造や文化的・歴史的背景との関わり及びその関わりによって生み出される表現上の効果

(ｲ)　曲想と楽器の音色や奏法との関わり及びその関わりによって生み出される表現上の効果

(ｳ)　様々な表現形態による器楽表現の固有性や多様性

ウ　創意工夫を生かした器楽表現をするために必要な，次の(ｱ)から(ｳ)までの技能を身に付けること。

(ｱ)　曲にふさわしい奏法，身体の使い方などの技能

(ｲ)　他者との調和を意識して演奏する技能

(ｳ)　表現形態の特徴や表現上の効果を生かして演奏する技能

(3)　創作

創作に関する次の事項を身に付けることができるよう指導する。

ア　創作表現に関わる知識や技能を得たり生かしたりしながら，個性豊かに創作表現を創意工夫すること。

イ　音素材，音を連ねたり重ねたりしたときの響き，音階や音型などの特徴及び構成上の特徴について，表したいイメージと関わらせて理解を深めること。

ウ　創意工夫を生かした創作表現をするために必要な，次の(ｱ)から(ｳ)までの技能を身に付けること。

(ｱ)　反復，変化，対照などの手法を活用して音楽をつくる技能

(ｲ)　旋律をつくったり，つくった旋律に副次的な旋律や和音などを付けた音楽をつくったりする技能

(ｳ)　音楽を形づくっている要素の働きを変化させ，変奏や編曲をする技能

B　**鑑賞**

鑑賞に関する資質・能力を次のとおり育成する。

(1)　鑑賞

鑑賞に関する次の事項を身に付けることができるよう指導する。

ア　鑑賞に関わる知識を得たり生かしたりしながら，次の(ｱ)から(ｳ)までについて考え，音楽のよさや美しさを深く味わって聴くこと。

(ｱ)　曲や演奏に対する評価とその根拠

(ｲ)　自分や社会にとっての音楽の意味や価値

(ｳ)　音楽表現の共通性や固有性

イ　次の(ｱ)から(ｳ)までについて理解を深めること。

(ｱ)　曲想や表現上の効果と音楽の構造との関わり

(ｲ)　音楽の特徴と文化的・歴史的背景，他の芸術との関わり

(ｳ)　我が国や郷土の伝統音楽の種類とそれぞれの特徴

〔共通事項〕

表現及び鑑賞の学習において共通に必要となる資質・能力を次のとおり育成する。

(1)　「A表現」及び「B鑑賞」の指導を通して，次の事項を身に付けることができるよう指導する。

ア　音楽を形づくっている要素や要素同士の関連を知覚し，それらの働きを感受しながら，知覚したことと感受したこととの関わりについて考えること。

イ　音楽を形づくっている要素及び音楽に関する用語や記号などについて，音楽における働きと関わらせて理解すること。

3　内容の取扱い

(1)　内容の「A表現」及び「B鑑賞」の指導については，必要に応じて，〔共通事項〕を要として相互の関連を図るものとする。

(2)　生徒の特性，学校や地域の実態を考慮し，内容の「A表現」については(1)，(2)又は(3)のうち一つ以上を選択して扱うことができる。

(3)　内容の「B鑑賞」の指導については，各事項において育成を目指す資質・能力の定着が図られるよう，適切かつ十分な授業時数を配当するものとする。

(4)　内容の取扱いに当たっては，「音楽Ⅰ」の3の(2)から(11)までと同様に取り扱うものとする。

第3 音楽Ⅲ

1　目標

音楽の諸活動を通して，音楽的な見方・考え方を働かせ，生活や社会の中の多様な音や音楽，音楽文化と深く関わる資質・能力を次のとおり育成することを目指す。

(1)　曲想と音楽の構造や文化的・歴史的背景などとの関わり及び音楽文化の多様性について理解するとともに，創意工夫や表現上の効果を生かした音楽表現をするために必要な技能を身に付けるようにする。

(2)　音楽に関する知識や技能を総合的に働かせながら，個性豊かに音楽表現を創意工夫したり音楽を評価しながらよさや美しさを深く味わって聴いたりすることができるようにする。

(3)　主体的・協働的に音楽の諸活動に取り組み，生涯にわたり音楽を愛好する心情を育むとともに，感性を磨き，音楽文化を尊重し，音楽によって生活や社会を明るく豊かなものにしていく態度を養う。

2　内容

A　**表現**

表現に関する資質・能力を次のとおり育成する。

(1)　歌唱

歌唱に関する次の事項を身に付けることができるよう指導する。

ア　歌唱表現に関わる知識や技能を総合的に働かせながら，個性豊かに歌唱表現を創意工夫すること。

イ　次の(ｱ)及び(ｲ)について理解すること。

(ｱ)　曲の表現内容や様々な表現形態による歌唱表現の固有性や多様性

(ｲ)　歌や歌うことと生活や社会との関わり

ウ　創意工夫や表現上の効果を生かした歌唱表現をするために必要な技能を身に付けること。

(2)　器楽

器楽に関する次の事項を身に付けることができるよう指導する。

ア　器楽表現に関わる知識や技能を総合的に働かせながら，個性豊かに器楽表現を創意工夫すること。

イ　次の(ｱ)及び(ｲ)について理解すること。
(ｱ)　曲の表現内容や様々な表現形態による器楽表現の固有性や多様性
(ｲ)　曲や演奏することと生活や社会との関わり
ウ　創意工夫や表現上の効果を生かした器楽表現をするために必要な技能を身に付けること。
(3)　創作
創作に関する次の事項を身に付けることができるよう指導する。
ア　創作表現に関わる知識や技能を総合的に働かせながら，個性豊かに創作表現を創意工夫すること。
イ　様々な音素材や様式，表現形態などの特徴について，表したいイメージと関わらせて理解すること。
ウ創意工夫や表現上の効果を生かした創作表現をするために必要な技能を身に付けること。

B　**鑑賞**
鑑賞に関する資質・能力を次のとおり育成する。
(1)　鑑賞
鑑賞に関する次の事項を身に付けることができるよう指導する。
ア　鑑賞に関わる知識を総合的に働かせながら，次の(ｱ)から(ｳ)までについて考え，音楽のよさや美しさを深く味わって聴くこと。
(ｱ)　曲や演奏に対する評価とその根拠
(ｲ)　文化や芸術としての音楽の意味や価値
(ｳ)　音楽表現の共通性や固有性
イ　次の(ｱ)から(ｴ)までについて理解すること。
(ｱ)　音楽の美しさと音楽の構造との関わり
(ｲ)　芸術としての音楽と文化的・歴史的背景，他の芸術や文化との関わり
(ｳ)　現代の我が国及び諸外国の音楽の特徴
(ｴ)　音楽と人間の感情との関わり及び社会における音楽に関わる人々の役割

〔共通事項〕
表現及び鑑賞の学習において共通に必要となる資質・能力を次のとおり育成する。
(1)「Ａ表現」及び「Ｂ鑑賞」の指導を通して，次の事項を身に付けることができるよう指導する。
ア　音楽を形づくっている要素や要素同士の関連を知覚し，それらの働きを感受しながら，知覚したことと感受したこととの関わりについて考えること。
イ　音楽を形づくっている要素及び音楽に関する用語や記号などについて，音楽における働きと関わらせて理解すること。

3　内容の取扱い

(1)　生徒の特性，学校や地域の実態を考慮し，内容の「A 表現」については(1)，(2)又は(3)のうち一つ以上を選択して扱うことができる。また，内容の「B 鑑賞」の(1)のアについては，(ｱ)を扱うとともに，(ｲ)又は(ｳ)のうち一つ以上を，イについては(ｱ)，(ｲ)，(ｳ)又は(ｴ)のうち一つ以上を選択して扱うことができる。
(2)　内容の「A 表現」及び「B 鑑賞」の教材については，学校や地域の実態等を考慮し，我が国や郷土の伝統音楽を含めて扱うようにする。
(3)　内容の取扱いに当たっては，「音楽Ｉ」の３の(2)，(4)，(5)，(7)，(8)，(10)及び(11)，「音楽Ⅱ」の３の(1)及び(3)と同様に取り扱うものとする。

第３款　各科目にわたる指導計画の作成と内容の取扱い

1　指導計画の作成に当たっては，次の事項に配慮するものとする。
(1)　題材など内容や時間のまとまりを見通して，その中で育む資質・能力の育成に向けて，生徒の主体的・対話的で深い学びの実現を図るようにすること。その際，各科目における見方・考え方を働かせ，各科目の特質に応じた学習の充実を図ること。
(2)　Ⅱを付した科目はそれぞれに対応するＩを付した科目を履修した後に，Ⅲを付した科目はそれぞれに対応するⅡを付した科目を履修した後に履修させることを原則とすること。
(3)　障害のある生徒などについては，学習活動を行う場合に生じる困難さに応じた指導内容や指導方法の工夫を計画的，組織的に行うこと。
2　内容の取扱いに当たっては，次の事項に配慮するものとする。
(1)　内容の「A 表現」及び「B 鑑賞」の指導に当たっては，学校の実態に応じて学校図書館を活用すること。また，コンピュータや情報通信ネットワークを積極的に活用して，表現及び鑑賞の学習の充実を図り，生徒が主体的に学習に取り組むことができるように工夫すること。
(2)　各科目の特質を踏まえ，学校や地域の実態に応じて，文化施設，社会教育施設，地域の文化財等の活用を図ったり，地域の人材の協力を求めたりすること。

第３章　主として専門学科において開設される各教科
第11節　音楽

第１款　目標

音楽に関する専門的な学習を通して，音楽的な見方･考え方を働かせ，音楽や音楽文化と創造的に関わる資質・能力を次のとおり育成することを目指す。
(1)　音楽に関する専門的で幅広く多様な内容について理解を深めるとともに，表現意図を音楽で表すために必要な技能を身に付けるようにする。
(2)　音楽に関する専門的な知識や技能を総合的に働かせ，音楽の表現内容を解釈したり音楽の文化的価値などについて考えたりし，表現意図を明確にもったり，音楽や演奏の価値を見いだして鑑賞したりすることができるようにする。
(3)　主体的に音楽に関する専門的な学習に取り組み，感性を磨き，音楽文化の継承，発展，創造に寄与する態度を養う。

第２款　各科目

第１　音楽理論

１　目標

音楽理論の学習を通して，音楽的な見方・考え方を働かせ，専門的な音楽に関する資質・能力を次のとおり育成することを目指す。

(1)　音楽に関する基礎的な理論について理解するとともに，理解したことを楽譜によって表す技能を身に付けるようにする。

(2)　音楽理論を表現や鑑賞の学習に活用する思考力，判断力，表現力等を育成する。

(3)　音楽理論を表現や鑑賞に生かそうとする態度を養う。

２　内容

１に示す資質・能力を身に付けることができるよう，次の〔指導項目〕を指導する。

〔指導項目〕

(1)　楽典，楽曲の形式など

(2)　和声法

(3)　対位法

３　内容の取扱い

(1)　我が国の伝統音楽の理論については，必要に応じて扱うことができる。

第２　音楽史

１　目標

音楽史の学習を通して，音楽的な見方・考え方を働かせ，専門的な音楽に関する資質・能力を次のとおり育成することを目指す。

(1)　我が国及び諸外国の音楽の歴史について理解することができるようにする。

(2)　多様な音楽の文化的価値について考えることができるようにする。

(3)　音楽に関する伝統と文化を尊重する態度を養う。

２　内容

１に示す資質・能力を身に付けることができるよう，次の〔指導項目〕を指導する。

〔指導項目〕

(1)　我が国の音楽史

(2)　諸外国の音楽史

３　内容の取扱い

(1)　〔指導項目〕の(1)及び(2)については，相互の関連を図るとともに，著しく一方に偏らないよう配慮するものとする。

(2)　〔指導項目〕の(1)及び(2)については，鑑賞活動などを通して，具体的・実践的に学習させるようにする。

(3)　〔指導項目〕の(2)については，西洋音楽史を中心としつつ，その他の地域の音楽史にも触れるようにする。

第３　演奏研究

１　目標

音楽作品の演奏や鑑賞の学習を通して，音楽的な見方・考え方を働かせ，専門的な音楽に関する資質・能力を次のとおり育成することを目指す。

(1)　演奏における客観性と多様性について理解を深めるとともに，理解したことを生かした演奏をするために必要な技能を身に付けるようにする。

(2)　音楽の様式を踏まえた演奏に関する思考力，判断力，表現力等を育成する。

(3)　音楽作品を尊重して演奏したり鑑賞したりする態度を養う。

２　内容

１に示す資質・能力を身に付けることができるよう，次の〔指導項目〕を指導する。

〔指導項目〕

(1)　時代や地域による表現上の特徴を踏まえた解釈及び演奏に関する研究

(2)　作曲家の表現上の特徴を踏まえた解釈及び演奏に関する研究

(3)　声や楽器の特徴を踏まえた解釈及び演奏に関する研究

(4)　音楽の解釈の多様性

３　内容の取扱い

(1)　専門的に履修させる「声楽」の〔指導項目〕の(1)，「器楽」の〔指導項目〕の(1)から(5)まで及び「作曲」の〔指導項目〕の(1)との関連にも配慮して指導するものとする。

第４　ソルフェージュ

１　目標

ソルフェージュに関する学習を通して，音楽的な見方・考え方を働かせ，専門的な音楽に関する資質・能力を次のとおり育成することを目指す。

(1)　視唱，視奏及び聴音に関する知識や技能を身に付けるようにする。

(2)　音楽を形づくっている要素の働きやその効果などに関する思考力，判断力，表現力等を育成する。

(3)　音楽性豊かな表現をするための基礎となる学習を大切にする態度を養う。

２　内容

１に示す資質・能力を身に付けることができるよう，次の〔指導項目〕を指導する。

〔指導項目〕

(1)　視唱

(2)　視奏

(3)　聴音

３　内容の取扱い

(1)　〔指導項目〕の(1)，(2)及び(3)の相互の関連を図り，幅広く多角的な方法によって指導するものとする。

(2)　専門的に履修させる「声楽」の〔指導項目〕の(1)，「器楽」の〔指導項目〕の(1)から(5)まで及び「作曲」の〔指導項目〕の(1)との関連にも配慮して指導するものとする。

第５　声楽

１　目標

声楽に関する学習を通して，音楽的な見方・考え方を働かせ，専門的な音楽に関する資質・能力を次のとおり育成することを目指す。

(1)　楽曲の表現内容について理解を深めるとともに，創造的に歌唱表現するために必要な技能を身に付けるようにする。

(2)　音楽性豊かな表現について考え，表現意図を明確にもつことができるようにする。

(3)　音楽性豊かな表現を追求する態度を養う。

２　内容

１に示す資質・能力を身に付けることができるよう，次の〔指導項目〕を指導する。

〔指導項目〕

(1)　独唱

(2)　様々な形態のアンサンブル

３　内容の取扱い

(1)　我が国の伝統的な歌唱については，必要に応じて扱うことができる。

(2)　演奏発表の場を設けるなどして，演奏を共有したり，評価し合ったりする活動を取り入れるようにする。

第６　器楽

１　目標

器楽に関する学習を通して，音楽的な見方・考え方を働かせ，専門的な音楽に関する資質・能力を次のとおり育成することを目指す。

(1)　楽曲の表現内容について理解を深めるとともに，創造的に器楽表現するために必要な技能を身に付けるようにする。

(2)　音楽性豊かな表現について考え，表現意図を明確にもつことができるようにする。

(3)　音楽性豊かな表現を追求する態度を養う。

２　内容

1に示す資質・能力を身に付けることができるよう，次の〔指導項目〕を指導する。

〔指導項目〕

⑴ 鍵盤楽器の独奏

⑵ 弦楽器の独奏

⑶ 管楽器の独奏

⑷ 打楽器の独奏

⑸ 和楽器の独奏

⑹ 様々な形態のアンサンブル

3 内容の取扱い

⑴ 〔指導項目〕の⑴から⑸までについては，生徒の特性，学校や地域の実態を考慮し，特定の楽器を選んで行うものとする。

⑵ 演奏発表の場を設けるなどして，演奏を共有したり，評価し合ったりする活動を取り入れるようにする。

第7 作曲

1 目標

作曲に関する学習を通して，音楽的な見方・考え方を働かせ，専門的な音楽に関する資質・能力を次のとおり育成することを目指す。

⑴ 作曲に関する多様な技法などについて理解を深めるとともに，創造的に作曲するために必要な技能を身に付けるようにする。

⑵ 音楽性豊かな楽曲の構成について考え，表現意図を明確にもつことができるようにする。

⑶ 音楽表現の可能性を追求する態度を養う。

2 内容

1に示す資質・能力を身に付けることができるよう，次の〔指導項目〕を指導する。

〔指導項目〕

⑴ 様々な表現形態の楽曲

3 内容の取扱い

⑴ 我が国の伝統的な音楽の特徴を生かした作曲についても扱うようにする。

⑵ 完成した作品について演奏発表の場を設けるなどして，作品を共有したり，評価し合ったりする活動を取り入れるようにする。

第8 鑑賞研究

1 目標

音楽作品の鑑賞の学習を通して，音楽的な見方・考え方を働かせ，専門的な音楽に関する資質・能力を次のとおり育成することを目指す。

⑴ 音楽作品や演奏，作曲家などについて理解を深めることができるようにする。

⑵ 音楽作品や演奏について，根拠を明確にして批評することができるようにする。

⑶ 音楽や音楽文化を尊重する態度を養う。

2 内容

1に示す資質・能力を身に付けることができるよう，次の〔指導項目〕を指導する。

〔指導項目〕

⑴ 作品・作曲家に関する研究

⑵ 地域や文化的背景に関する研究

⑶ 音楽とメディアとの関わり

⑷ 音楽批評

3 内容の取扱い

⑴ 〔指導項目〕の⑵及び⑶については，いずれかを選択して扱うことができる。

第3款 各科目にわたる指導計画の作成と内容の取扱い

1 指導計画の作成に当たっては，次の事項に配慮するものとする。

⑴ 題材など内容や時間のまとまりを見通して，その中で育む資質・能力の育成に向けて，生徒の主体的・対話的で深い学びの実現を図るようにすること。その際，音楽的な見方・考え方を働かせ，各科目の特質に応じた学習の充実を図ること。

⑵ 音楽に関する学科においては，「音楽理論」の〔指導項目〕の⑴及び⑵，「音楽史」，「演奏研究」，「ソルフェージュ」及び「器楽」の〔指導項目〕の⑴を，原則として全ての生徒に履修させること。

⑶ 音楽に関する学科においては，「声楽」の〔指導項目〕の⑴，「器楽」の〔指導項目〕の⑴から⑸まで及び「作曲」の〔指導項目〕の⑴の中から，生徒の特性等に応じ，いずれかを専門的に履修させること。また，これに加えて，「声楽」の〔指導項目〕の⑴，「器楽」の〔指導項目〕の⑴から⑸までのいずれかを履修させることができること。

⑷ 音楽に関する学科においては，⑶において履修させる〔指導項目〕，「音楽理論」の〔指導項目〕の⑴及び⑵，「ソルフェージュ」及び「器楽」の〔指導項目〕の⑴を，原則として各年次にわたり履修させること。

⑸ 障害のある生徒などについては，学習活動を行う場合に生じる困難さに応じた指導内容や指導方法の工夫を計画的，組織的に行うこと。

2 内容の取扱いに当たっては，次の事項に配慮するものとする。

⑴ 「声楽」の〔指導項目〕の⑵及び「器楽」の〔指導項目〕の⑹については，他者と協調しながら活動することを重視することによって，より一層幅広い音楽表現に関わる資質・能力を育成できるようにすること。

⑵ 各科目の特質を踏まえ，音や音楽と生活や社会との関わりについて考えられるようにするとともに，音環境への関心を高められるようにすること。

⑶ 自己や他者の著作物及びそれらの著作者の創造性を尊重する態度の形成を図るとともに，音楽に関する知的財産権について適宜取り扱うようにすること。また，こうした態度の形成が，音楽文化の継承，発展，創造を支えていることへの理解につながるよう配慮すること。

⑷ 各科目の特質を踏まえ，学校の実態に応じて学校図書館を活用すること。また，コンピュータや情報通信ネットワークを積極的に活用し，生徒が様々な感覚や情報を関連付けて，音楽への理解を深めたり主体的に学習に取り組んだりできるよう工夫すること。

⑸ 各科目の特質を踏まえ，学校や地域の実態に応じて，文化施設，社会教育施設，地域の文化財等の活用を図ったり，地域の人材の協力を求めたりすること。

教育基本法

平成18年法律第120号

我々日本国民は，たゆまぬ努力によって築いてきた民主的で文化的な国家を更に発展させるとともに，世界の平和と人類の福祉の向上に貢献することを願うものである。

我々は，この理想を実現するため，個人の尊厳を重んじ，真理と正義を希求し，公共の精神を尊び，豊かな人間性と創造性を備えた人間の育成を期するとともに，伝統を継承し，新しい文化の創造を目指す教育を推進する。

ここに，我々は，日本国憲法の精神にのっとり，我が国の未来を切り拓く教育の基本を確立し，その振興を図るため，この法律を制定する。

第一章　教育の目的及び理念

（教育の目的）

第一条　教育は，人格の完成を目指し，平和で民主的な国家及び社会の形成者として必要な資質を備えた心身ともに健康な国民の育成を期して行われなければならない。

（教育の目標）

第二条　教育は，その目的を実現するため，学問の自由を尊重しつつ，次に掲げる目標を達成するよう行われるものとする。

一　幅広い知識と教養を身に付け，真理を求める態度を養い，豊かな情操と道徳心を培うとともに，健やかな身体を養うこと。

二　個人の価値を尊重して，その能力を伸ばし，創造性を培い，自主及び自律の精神を養うとともに，職業及び生活との関連を重視し，勤労を重んずる態度を養うこと。

三　正義と責任，男女の平等，自他の敬愛と協力を重んずるとともに，公共の精神に基づき，主体的に社会の形成に参画し，その発展に寄与する態度を養うこと。

四　生命を尊び，自然を大切にし，環境の保全に寄与する態度を養うこと。

五　伝統と文化を尊重し，それらをはぐくんできた我が国と郷土を愛するとともに，他国を尊重し，国際社会の平和と発展に寄与する態度を養うこと。

（生涯学習の理念）

第三条　国民一人一人が，自己の人格を磨き，豊かな人生を送ることができるよう，その生涯にわたって，あらゆる機会に，あらゆる場所において学習することができ，その成果を適切に生かすことのできる社会の実現が図られなければならない。

（教育の機会均等）

第四条　すべて国民は，ひとしく，その能力に応じた教育を受ける機会を与えられなければならず，人種，信条，性別，社会的身分，経済的地位又は門地によって，教育上差別されない。

2　国及び地方公共団体は，障害のある者が，その障害の状態に応じ，十分な教育を受けられるよう，教育上必要な支援を講じなければならない。

3　国及び地方公共団体は，能力があるにもかかわらず，経済的理由によって修学が困難な者に対して，奨学の措置を講じなければならない。

第二章　教育の実施に関する基本

（義務教育）

第五条　国民は，その保護する子に，別に法律で定めるところにより，普通教育を受けさせる義務を負う。

2　義務教育として行われる普通教育は，各個人の有する能力を伸ばしつつ社会において自立的に生きる基礎を培い，また，国家及び社会の形成者として必要とされる基本的な資質を養うことを目的として行われるものとする。

3　国及び地方公共団体は，義務教育の機会を保障し，その水準を確保するため，適切な役割分担及び相互の協力の下，その実施に責任を負う。

4　国又は地方公共団体の設置する学校における義務教育については，授業料を徴収しない。

（学校教育）

第六条　法律に定める学校は，公の性質を有するものであって，国，地方公共団体及び法律に定める法人のみが，これを設置することができる。

2　前項の学校においては，教育の目標が達成されるよう，教育を受ける者の心身の発達に応じて，体系的な教育が組織的に行われなければならない。この場合において，教育を受ける者が，学校生活を営む上で必要な規律を重んずるとともに，自ら進んで学習に取り組む意欲を高めることを重視して行われなければならない。

（大学）

第七条　大学は，学術の中心として，高い教養と専門的能力を培うとともに，深く真理を探究して新たな知見を創造し，これらの成果を広く社会に提供することにより，社会の発展に寄与するものとする。

2　大学については，自主性，自律性その他の大学における教育及び研究の特性が尊重されなければならない。

（私立学校）

第八条　私立学校の有する公の性質及び学校教育において果たす重要な役割にかんがみ，国及び地方公共団体は，その自主性を尊重しつつ，助成その他の適当な方法によって私立学校教育の振興に努めなければならない。

（教員）

第九条　法律に定める学校の教員は，自己の崇高な使命を深く自覚し，絶えず研究と修養に励み，その職責の遂行に努めなければならない。

2　前項の教員については，その使命と職責の重要性にかんがみ，その身分は尊重され，待遇の適正が期せられるとともに，養成と研修の充実が図られなければならない。

（家庭教育）

第十条　父母その他の保護者は，子の教育について第一義的責任を有するものであって，生活のために必要な習慣を身に付けさせるとともに，自立心を育成し，心身の調和のとれた発達を図るよう努めるものとする。

2　国及び地方公共団体は，家庭教育の自主性を尊重しつつ，保護者に対する学習の機会及び情報の提供その他の家庭教育を支援するために必要な施策を講ずるよう努めなければならない。

（幼児期の教育）

第十一条　幼児期の教育は，生涯にわたる人格形成の基礎を培う重要なものであることにかんがみ，国及び地方公共団体は，幼児の健やかな成長に資する良好な環境の整備その他適当な方法によって，その振興に努めなければならない。

（社会教育）

第十二条　個人の要望や社会の要請にこたえ，社会において行われる教育は，国及び地方公共団体によって奨励されなければならない。

2　国及び地方公共団体は，図書館，博物館，公民館その他の社会教育施設の設置，学校の施設の利用，学習の機会及び情報の提供その他の適当な方法によって社会教育の振興に努めなければならない。

（学校，家庭及び地域住民等の相互の連携協力）

第十三条　学校，家庭及び地域住民その他の関係者は，教育におけるそれぞれの役割と責任を自覚するとともに，相互の連携及び協力に努めるものとする。

（政治教育）

第十四条　良識ある公民として必要な政治的教養は，教育上尊重されなければならない。

2　法律に定める学校は，特定の政党を支持し，又はこれに反対するための政治教育その他政治的活動をしてはならない。

（宗教教育）

第十五条　宗教に関する寛容の態度，宗教に関する一般的な教養及び宗教の社会生活における地位は，教育上尊重されなければならない。

2　国及び地方公共団体が設置する学校は，特定の宗教のための宗教教育その他宗教的活動をしてはならない。

第三章　教育行政

（教育行政）

第十六条　教育は，不当な支配に服することなく，この法律及び他の法律の定めるところにより行われるべきものであり，教育行政は，国と地方公共団体との適切な役割分担及び相互の協力の下，公正かつ適正に行われなければならない。

2　国は，全国的な教育の機会均等と教育水準の維持向上を図るため，教育に関する施策を総合的に策定し，実施しなければならない。

3　地方公共団体は，その地域における教育の振興を図るため，その実情に応じた教育に関する施策を策定し，実施しなければならない。

4　国及び地方公共団体は，教育が円滑かつ継続的に実施されるよう，必要な財政上の措置を講じなければならない。

（教育振興基本計画）

第十七条　政府は，教育の振興に関する施策の総合的かつ計画的な推進を図るため，教育の振興に関する施策についての基本的な方針及び講ずべき施策その他必要な事項について，基本的な計画を定め，これを国会に報告するとともに，公表しなければならない。

2　地方公共団体は，前項の計画を参酌し，その地域の実情に応じ，当該地方公共団体における教育の振興のための施策に関する基本的な計画を定めるよう努めなければならない。

第四章　法令の制定

第十八条　この法律に規定する諸条項を実施するため，必要な法令が制定されなければならない。

附則（抄）

（施行期日）

1　この法律は，公布の日から施行する。

学校教育法（抄）

昭和22年3月31日法律第26号／最終改正：平成30年6月1日法律第39号

第二章　義務教育（抄）

第二十一条　義務教育として行われる普通教育は，教育基本法（平成十八年法律第百二十号）第五条第二項に規定する目的を実現するため，次に掲げる目標を達成するよう行われるものとする。

一　学校内外における社会的活動を促進し，自主，自律及び協同の精神，規範意識，公正な判断力並びに公共の精神に基づき主体的に社会の形成に参画し，その発展に寄与する態度を養うこと。

二　学校内外における自然体験活動を促進し，生命及び自然を尊重する精神並びに環境の保全に寄与する態度を養うこと。

三　我が国と郷土の現状と歴史について，正しい理解に導き，伝統と文化を尊重し，それらをはぐくんできた我が国と郷土を愛する態度を養うとともに，進んで外国の文化の理解を通じて，他国を尊重し，国際社会の平和と発展に寄与する態度を養うこと。

四　家族と家庭の役割，生活に必要な衣，食，住，情報，産業その他の事項について基礎的な理解と技能を養うこと。

五　読書に親しませ，生活に必要な国語を正しく理解し，使用する基礎的な能力を養うこと。

六　生活に必要な数量的な関係を正しく理解し，処理する基礎的な能力を養うこと。

七　生活にかかわる自然現象について，観察及び実験を通じて，科学的に理解し，処理する基礎的な能力を養うこと。

八　健康，安全で幸福な生活のために必要な習慣を養うとともに，運動を通じて体力を養い，心身の調和的発達を図ること。

九　生活を明るく豊かにする音楽，美術，文芸その他の芸術について基礎的な理解と技能を養うこと。

十　職業についての基礎的な知識と技能，勤労を重んずる態度及び個性に応じて将来の進路を選択する能力を養うこと。

第四章　小学校（抄）

第二十九条　小学校は，心身の発達に応じて，義務教育として行われる普通教育のうち基礎的なものを施すことを目的とする。

第三十条　小学校における教育は，前条に規定する目的を実現するために必要な程度において第二十一条各号に掲げる目標を達成するよう行われるものとする。

②　前項の場合においては，生涯にわたり学習する基盤が培われるよう，基礎的な知識及び技能を習得させるとともに，これらを活用して課題を解決するために必要な思考力，判断力，表現力その他の能力をはぐくみ，主体的に学習に取り組む態度を養うことに，特に意を用いなければならない。

第三十一条　小学校においては，前条第一項の規定による目標の達成に資するよう，教育指導を行うに当たり，児童の体験的な学習活動，特にボランティア活動など社会奉仕体験活動，自然体験活動その他の体験活動の充実に努めるものとする。この場合において，社会教育関係団体その他の関係団体及び関係機関との連携に十分配慮しなければならない。

第三十二条　小学校の修業年限は，六年とする。

第三十三条　小学校の教育課程に関する事項は，第二十九条及び第三十条の規定に従い，文部科学大臣が定める。

第三十四条　小学校においては，文部科学大臣の検定を経た教科用図書又は文部科学省が著作の名義を有する教科用図書を使用しなければならない。

②　前項に規定する教科用図書（以下この条において「教科用図書」という。）の内容を文部科学大臣の定めるところにより記録した電磁的記録（電子的方式，磁気的方式その他人の知覚によっては認識することができない方式で作られる記録であって，電子計算機による情報処理の用に供されるものをいう。）である教材がある場合には，同項の規定にかかわらず，文部科学大臣の定めるところにより，児童の教育の充実を図るため必要があると認められる教育課程の一部において，教科用図書に代えて当該教材を使用することができる。

③　前項に規定する場合において，視覚障害，発達障害その他の文部科学大臣の定める事由により教科用図書を使用して学習することが困難な児童に対し，教科用図書に用いられた文字，図形等の拡大又は音声への変換その他の同項に規定する教材を電子計算機において用いることにより可能となる方法で指導することにより当該児童の学習上の困難の程度を低減させる必要があると認められるときは，文部科学大臣の定めるところにより，教育課程の全部又は一部において，教科用図書に代えて当該教材を使用することができる。

④　教科用図書及び第二項に規定する教材以外の教材で，有益適切なものは，これを使用することができる。

⑤　第一項の検定の申請に係る教科用図書に関し調査審議させるための審議会等（国家行政組織法（昭和二十三年法律第百二十号）第八条に規定する機関をいう。以下同じ。）については，政令で定める。

第三十五条 市町村の教育委員会は，次に掲げる行為の一又は二以上を繰り返し行う等性行不良であつて他の児童の教育に妨げがあると認める児童があるときは，その保護者に対して，児童の出席停止を命ずることができる。

一 他の児童に傷害，心身の苦痛又は財産上の損失を与える行為

二 職員に傷害又は心身の苦痛を与える行為

三 施設又は設備を損壊する行為

四 授業その他の教育活動の実施を妨げる行為

② 市町村の教育委員会は，前項の規定により出席停止を命ずる場合には，あらかじめ保護者の意見を聴取するとともに，理由及び期間を記載した文書を交付しなければならない。

③ 前項に規定するもののほか，出席停止の命令の手続に関し必要な事項は，教育委員会規則で定めるものとする。

④ 市町村の教育委員会は，出席停止の命令に係る児童の出席停止の期間における学習に対する支援その他の教育上必要な措置を講ずるものとする。

第五章　中学校

第四十五条 中学校は，小学校における教育の基礎の上に，心身の発達に応じて，義務教育として行われる普通教育を施すことを目的とする。

第四十六条 中学校における教育は，前条に規定する目的を実現するため，第二十一条各号に掲げる目標を達成するよう行われるものとする。

第四十七条 中学校の修業年限は，三年とする。

第四十八条 中学校の教育課程に関する事項は，第四十五条及び第四十六条の規定並びに次条において読み替えて準用する第三十条第二項の規定に従い，文部科学大臣が定める。

第四十九条 第三十条第二項，第三十一条，第三十四条，第三十五条及び第三十七条から第四十四条までの規定は，中学校に準用する。この場合において，第三十条第二項中「前項」とあるのは「第四十六条」と，第三十一条中「前条第一項」とあるのは「第四十六条」と読み替えるものとする。

第五章の二　義務教育学校

第四十九条の二 義務教育学校は，心身の発達に応じて，義務教育として行われる普通教育を基礎的なものから一貫して施すことを目的とする。

第四十九条の三 義務教育学校における教育は，前条に規定する目的を実現するため，第二十一条各号に掲げる目標を達成するよう行われるものとする。

第四十九条の四 義務教育学校の修業年限は，九年とする。

第四十九条の五 義務教育学校の課程は，これを前期六年の前期課程及び後期三年の後期課程に区分する。

第四十九条の六 義務教育学校の前期課程における教育は，第四十九条の二に規定する目的のうち，心身の発達に応じて，義務教育として行われる普通教育のうち基礎的なものを施すことを実現するために必要な程度において第二十一条各号に掲げる目標を達成するよう行われるものとする。

② 義務教育学校の後期課程における教育は，第四十九条の二に規定する目的のうち，前期課程における教育の基礎の上に，心身の発達に応じて，義務教育として行われる普通教育を施すことを実現するため，第二十一条各号に掲げる目標を達成するよう行われるものとする。

第四十九条の七 義務教育学校の前期課程及び後期課程の教育課程に関する事項は，第四十九条の二，第四十九条の三及び前条の規定並びに次条において読み替えて準用する第三十条第二項の規定に従い，文部科学大臣が定める。

第四十九条の八 第三十条第二項，第三十一条，第三十四条から第三十七条まで及び第四十二条から第四十四条までの規定は，義務教育学校に準用する。この場合において，第三十条第二項中「前項」とあるのは「第四十九条の三」と，第三十一条中「前条第一項」とあるのは「第四十九条の三」と読み替えるものとする。

第六章　高等学校（抄）

第五十条 高等学校は，中学校における教育の基礎の上に，心身の発達及び進路に応じて，高度な普通教育及び専門教育を施すことを目的とする。

第五十一条 高等学校における教育は，前条に規定する目的を実現するため，次に掲げる目標を達成するよう行われるものとする。

一 義務教育として行われる普通教育の成果を更に発展拡充させて，豊かな人間性，創造性及び健やかな身体を養い，国家及び社会の形成者として必要な資質を養うこと。

二 社会において果たさなければならない使命の自覚に基づき，個性に応じて将来の進路を決定させ，一般的な教養を高め，専門的な知識，技術及び技能を習得させること。

三 個性の確立に努めるとともに，社会について，広く深い理解と健全な批判力を養い，社会の発展に寄与する態度を養うこと。

第五十二条 高等学校の学科及び教育課程に関する事項は，前二条の規定及び第六十二条において読み替えて準用する第三十条第二項の規定に従い，文部科学大臣が定める。

第五十三条 高等学校には，全日制の課程のほか，定時制の課程を置くことができる。

② 高等学校には，定時制の課程のみを置くことができる。

第五十四条 高等学校には，全日制の課程又は定時制の課程のほか，通信制の課程を置くことができる。

② 高等学校には，通信制の課程のみを置くことができる。

③ 市（指定都市を除く。以下この項において同じ。）町村（市町村が単独で又は他の市町村と共同して設立する公立大学法人を含む。）の設置する高等学校については都道府県の教育委員会，私立の高等学校については都道府県知事は，高等学校の通信制の課程のうち，当該高等学校の所在する都道府県の区域内に住所を有する者のほか，全国的に他の都道府県の区域内に住所を有する者を併せて生徒とするものその他政令で定めるもの（以下この項において「広域の通信制の課程」という。）に係る第四条第一項に規定する認可（政令で定める事項に係るものに限る。）を行うときは，あらかじめ，文部科学大臣に届け出なければならない。都道府県（都道府県が単独で又は他の地方公共団体と共同して設立する公立大学法人を含む。）又は指定都市（指定都市が単独で又は他の指定都市若しくは市町村と共同して設立する公立大学法人を含む。）の設置する高等学校の広域の通信制の課程について，当該都道府県又は指定都市の教育委員会（公立大学法人の設置する高等学校にあっては，当該公立大学法人）がこの項前段の政令で定める事項を行うときも，同様とする。

④ 通信制の課程に関し必要な事項は，文部科学大臣が，これを定める。

第五十五条 高等学校の定時制の課程又は通信制の課程に在学する生徒が，技能教育のための施設で当該施設の所在地の都道府県の教育委員会の指定するものにおいて教育を受けているときは，校長は，文部科学大臣の定めるところにより，当該施設における学習を当該高等学校における教科の一部の履修とみなすことができる。

② 前項の施設の指定に関し必要な事項は，政令で，これを定める。

第五十六条 高等学校の修業年限は，全日制の課程については，三年とし，定時制の課程及び通信制の課程については，三年以上とする。

第五十七条 高等学校に入学することのできる者は，中学校若しくはこれに準ずる学校若しくは義務教育学校を卒業した者若しくは中等教育学校の前期課程を修了した者又は文部科学大臣の定めるところにより，これと同等以上の学力があると認められた者とする。

第五十八条 高等学校には，専攻科及び別科を置くことができる。

② 高等学校の専攻科は，高等学校若しくはこれに準ずる学校若しく

は中等教育学校を卒業した者又は文部科学大臣の定めるところにより，これと同等以上の学力があると認められた者に対して，精深な程度において，特別の事項を教授し，その研究を指導することを目的とし，その修業年限は，一年以上とする。

③　高等学校の別科は，前条に規定する入学資格を有する者に対して，簡易な程度において，特別の技能教育を施すことを目的とし，その修業年限は，一年以上とする。

第五十八条の二　高等学校の専攻科の課程（修業年限が二年以上であることその他の文部科学大臣の定める基準を満たすものに限る。）を修了した者（第九十条第一項に規定する者に限る。）は，文部科学大臣の定めるところにより，大学に編入学することができる。

第六十二条　第三十条第二項，第三十一条，第三十四条，第三十七条第四項から第十七項まで及び第十九項並びに第四十二条から第四十四条までの規定は，高等学校に準用する。この場合において，第三十条第二項中「前項」とあるのは「第五十一条」と，第三十一条中「前条第一項」とあるのは「第五十一条」と読み替えるものとする。

第七章　中等教育学校（抄）

第六十三条　中等教育学校は，小学校における教育の基礎の上に，心身の発達及び進路に応じて，義務教育として行われる普通教育並びに高度な普通教育及び専門教育を一貫して施すことを目的とする。

第六十四条　中等教育学校における教育は，前条に規定する目的を実現するため，次に掲げる目標を達成するよう行われるものとする。

一　豊かな人間性，創造性及び健やかな身体を養い，国家及び社会の形成者として必要な資質を養うこと。

二　社会において果たさなければならない使命の自覚に基づき，個性に応じて将来の進路を決定させ，一般的な教養を高め，専門的な知識，技術及び技能を習得させること。

三　個性の確立に努めるとともに，社会について，広く深い理解と健全な批判力を養い，社会の発展に寄与する態度を養うこと。

第六十五条　中等教育学校の修業年限は，六年とする。

第六十六条　中等教育学校の課程は，これを前期三年の前期課程及び後期三年の後期課程に区分する。

第六十七条　中等教育学校の前期課程における教育は，第六十三条に規定する目的のうち，小学校における教育の基礎の上に，心身の発達に応じて，義務教育として行われる普通教育を施すことを実現するため，第二十一条各号に掲げる目標を達成するよう行われるものとする。

②　中等教育学校の後期課程における教育は，第六十三条に規定する目的のうち，心身の発達及び進路に応じて，高度な普通教育及び専門教育を施すことを実現するため，第六十四条各号に掲げる目標を達成するよう行われるものとする。

第六十八条　中等教育学校の前期課程の教育課程に関する事項並びに後期課程の学科及び教育課程に関する事項は，第六十三条，第六十四条及び前条の規定並びに第七十条第一項において読み替えて準用する第三十条第二項の規定に従い，文部科学大臣が定める。

第七十条　第三十条第二項，第三十一条，第三十四条，第三十七条第四項から第十七項まで及び第十九項，第四十二条から第四十四条まで，第五十九条並びに第六十条第四項及び第六項の規定は中等教育学校に，第五十三条から第五十五条まで，第五十八条，第五十八条の二及び第六十一条の規定は中等教育学校の後期課程に，それぞれ準用する。この場合において，第三十条第二項中「前項」とあるのは「第六十四条」と，第三十一条中「前条第一項」とあるのは「第六十四条」と読み替えるものとする。

②　前項において準用する第五十三条又は第五十四条の規定により後期課程に定時制の課程又は通信制の課程を置く中等教育学校については，第六十五条の規定にかかわらず，当該定時制の課程又は通信制の課程に係る修業年限は，六年以上とする。この場合において，第六十六条中「後期三年の後期課程」とあるのは,「後期三年以上の後期課程」とする。

第七十一条　同一の設置者が設置する中学校及び高等学校においては，文部科学大臣の定めるところにより，中等教育学校に準じて，中学校における教育と高等学校における教育を一貫して施すことができる。

第八章　特別支援教育（抄）

第七十二条　特別支援学校は，視覚障害者，聴覚障害者，知的障害者，肢体不自由者又は病弱者（身体虚弱者を含む。以下同じ。）に対して，幼稚園，小学校，中学校又は高等学校に準ずる教育を施すとともに，障害による学習上又は生活上の困難を克服し自立を図るために必要な知識技能を授けることを目的とする。

第七十七条　特別支援学校の幼稚部の教育課程その他の保育内容，小学部及び中学部の教育課程又は高等部の学科及び教育課程に関する事項は，幼稚園，小学校，中学校又は高等学校に準じて，文部科学大臣が定める。

第八十一条　幼稚園，小学校，中学校，義務教育学校，高等学校及び中等教育学校においては，次項各号のいずれかに該当する幼児，児童及び生徒その他教育上特別の支援を必要とする幼児，児童及び生徒に対し，文部科学大臣の定めるところにより，障害による学習上又は生活上の困難を克服するための教育を行うものとする。

②　小学校，中学校，義務教育学校，高等学校及び中等教育学校には，次の各号のいずれかに該当する児童及び生徒のために，特別支援学級を置くことができる。

一　知的障害者

二　肢体不自由者

三　身体虚弱者

四　弱視者

五　難聴者

六　その他障害のある者で，特別支援学級において教育を行うことが適当なもの

③　前項に規定する学校においては，疾病により療養中の児童及び生徒に対して，特別支援学級を設け，又は教員を派遣して，教育を行うことができる。

第八十二条　第二十六条，第二十七条，第三十一条（第四十九条及び第六十二条において読み替えて準用する場合を含む。），第三十二条，第三十四条（第四十九条及び第六十二条において準用する場合を含む。），第三十六条，第三十七条（第二十八条，第四十九条及び第六十二条において準用する場合を含む。），第四十二条から第四十四条まで，第四十七条及び第五十六条から第六十条までの規定は特別支援学校に，第八十四条の規定は特別支援学校の高等部に，それぞれ準用する。

附則（抄）

第九条　高等学校，中等教育学校の後期課程及び特別支援学校並びに特別支援学級においては，当分の間，第三十四条第一項（第四十九条，第四十九条の八，第六十二条，第七十条第一項及び第八十二条において準用する場合を含む。）の規定にかかわらず，文部科学大臣の定めるところにより，第三十四条第一項に規定する教科用図書以外の教科用図書を使用することができる。

②　第三十四条第二項及び第三項の規定は，前項の規定により使用する教科用図書について準用する。